现代数学基础丛书·典藏版　5

组 合 论

下 册

魏万迪　著

科学出版社

北　京

内 容 简 介

本书是《组合论》一书的下册. 上册侧重于组合论课题中的计数方面，下册论述组合论的重要分支，即组合设计的理论和方法. 本书以一般理论的叙述为主，结合介绍历史上一些著名问题的研究和解决情况，力求用统一的观点来处理所论述内容，把纷繁的材料系统化，且力求反映这一学科的主要方向和近期发展状况.

本书可作为组合数学方面的教学用书，也可供数字通讯、试验设计、数论的应用、代数学的应用、有限几何学的应用以及组合数学等方面的工作者参考.

图书在版编目(CIP)数据

组合论. 下册／魏万迪著. —北京：科学出版社，2010.5
(现代数学基础丛书·典藏版；5)
ISBN 978-7-03-029291-9

Ⅰ.①组… Ⅱ.①魏… Ⅲ.①组合数学 Ⅳ.①O157

中国版本图书馆 CIP 数据核字（2010）第 203990 号

责任编辑：张鸿林 杜小杨 陈玉琛／责任校对：钟 洋
责任印制：徐晓晨／封面设计：王 浩

科学出版社 出版
北京东黄城根北街 16 号
邮政编码：100717
http://www.sciencep.com

北京厚诚则铭印刷科技有限公司印刷
科学出版社发行 各地新华书店经销
*
2010 年 5 月第 一 版 开本：B5(720×1000)
2016 年 6 月 印 刷 印张：29 1/2
字数：575 000
定价：198.00 元
(如有印装质量问题，我社负责调换)

前　　言

本书共分为上、下两册. 上册侧重于组合论课题的计数方面，下册专门讨论组合设计. 载于本书上册的前言的第一部分是对全书而言的，对本册自然适用. 除了以下数语需要重提外，其余不再赘述. 这数语是："本书从组合论的基础部分开始，讲述较详，并力求使处理问题的方法多种多样. 但是，当需用其他数学学科，如数论、代数、数学分析的知识时，则假定读者对它们已经熟知，不再细论."本册用到初等数论、不定方程、二次型的算术理论、代数数论等数论方面，以及有限域、有限群、有限几何等其他方面较多且有时还较专门的知识，但未能对它们详述，只是作些简单的介绍和指出基本的参考文献.

本册的任务是专门介绍组合设计的理论、方法和一些有关的著名问题. 这里所介绍的组合设计的主要类型有：(1)完全区组设计(第十八章). (2)平衡不完全区组设计(第十二章)及其重要特款——对称设计(第十三章)，三连系(第十二、十九章)，几何设计(第十七章)，可分解的平衡不完全区组设计(第十九章)等，作为对称设计的重要内容，还有循环设计(第十四、十五章)，Hadamard 设计(第十六章). (3)部分平衡不完全区组设计(第二十章). (4)正交设计(第十八章)和横截设计(第十九章). (5)按对平衡设计(第十八、十九章). (6)t-设计，Youden 设计，Room 设计，称重设计，幻方，覆盖和填充等(第十一章). 在本书中，研究组合设计课题的方法是组合各种类型的设计来介绍的，因而散见于各章. 主要的方法有：矩阵方法(见第十二、十三、十六、二十等章)，数论方法(见第十四、十五等章)，二次型论方法(见第十二、十三等章)，有限域方法(见第十五、十六、十七、二十等章)，有限几何方法(见第十五、十七、二十等章)，以及组合方法等. 在本书中，对于组合设计历史上的一些著名问题的研究和解决情况，是作为一般理论和方法的组成部分来介绍的，因而也散布在不同的地方. 例如，关于正交拉丁方的 Euler 猜想的完整结果可在第十八章和第十九章中找到；关于三连系存在的充要条件问题的解决安排在第十九章中；v 充分大且 $\lambda=1$ 的可分解平衡不完全区组设计存在的充要条件问题的解决也在第十九章中；关于 $4n$ 阶 Hadamard 矩阵的存在性问题的主要结果安排在第十六章中；关于 Steiner 三连系大集问题的简单介绍见第十二章，等等. 为了使读者在讨论各类具体的设计之前对整个组合设计理论的概貌以及各类设计之间的联系有所了解，故以本册的首章来介绍该领域产生的实际背景，有关它的应用，它的主要类型，这些类型之间的联系，以及组合设计理论的内容，等等.

本册的目的之一是为从事数字通讯、试验设计、数论的应用、代数学的应用、有限几何学的应用以及组合数学等方面工作的研究人员提供一份有关组合设计方面内容较新且较全面系统的参考资料. 所以, 书中常常介绍一些课题的新近成果, 使得对之有兴趣的读者可以查阅所引的文献, 开展研究. 本册的另一目的是为攻读组合数学的研究生和指导他们的老师提供一份教学用书. 因此, 基础部分讲述得较为详细, 有时还辅以具体例子, 使得所论内容尽可能地易于理解和掌握.

组合设计理论的内容很丰富, 涉及面很广, 近年来发展很快. 本书力求反映这一学科的主要方面和近期的发展状况, 力求反映我国数学工作者对这一领域的贡献. 此外, 本书还力求用较为统一的观点来处理所论内容, 尽可能地把纷繁的材料系统化. 但是, 由于这方面的专著所见不多, 更限于作者的水平, 因而缺点和错误在所难免. 在介绍我国数学工作者的贡献或列出其论著时, 因篇幅限制, 也因囿于所知, 很可能挂一漏万. 所有这些, 都诚望同志们批评指正. 鉴于未见有同类书籍出版, 故今抛出此砖, 以期引出美玉.

在撰写本册的过程中, 柯召教授表示因忙于其他工作故不能参与. 他尽管很忙, 却一直都对作者的撰写工作给予极大的关心、鼓励和支持. 在此, 作者谨向柯召教授表示最衷心最诚挚的谢意. 万哲先教授、徐利治教授对该书的撰写颇多鼓励; 刘炯朗教授(C. L. Liu, University of Illinois,USA)、孙述寰教授(H. S. Sun, California State University,USA)、萧文强博士(M. K. Siu, 香港大学)对作者的撰写工作颇多关切, 或惠寄参考资料, 或同作者进行讨论, 使作者得益匪浅. 朱烈教授对本册初稿全面地提出了很宝贵的意见和建议. 沈灏、邵嘉裕、康庆德、罗家洪、钱福林等几位同志都对初稿提出过不少宝贵的意见和建议. 作者衷心地向上述各位表示最诚挚的谢意. 在作者撰写和讲授初稿的过程中, 几位硕士研究生曾给予作者多方面的帮助, 他们是(依姓氏的汉语拼音为序): 陈永川、高绪洪、沈国祥、王小戟、吴晓红; 此外, 广大同行对撰写本册的工作一直都给予关切和鼓励, 作者由衷地感谢他们.

作 者

1985 年 3 月初稿

1986 年 2 月二稿

目　　录

第十一章　组合设计概论

组合设计理论是现代组合论的一个非常重要的分支. 本章介绍这一分支的概貌, 而把详细的讨论留在本书的以后各章. 在介绍概貌时, 着重三个方面: 一、这个分支的实际背景, 附带介绍历史上的两个著名组合学课题(11.1); 二、组合设计的主要类型, 即可分解设计(11.1), 完全设计和正交设计(11.2), 平衡不完全区组设计(11.2), 对称设计, 循环设计, 几何设计和 Hadamard 设计(11.4), 部分平衡不完全区组设计(11.5), t 设计和按对平衡区组设计(11.6), Youden 设计, Room 设计, 称重设计, 幻方, 覆盖和填装等(11.7); 三、组合设计理论的内容(11.8).

11.1　问题的提出

在组合设计这一分支中, 也像在组合论的其他分支中一样, 许多课题的原始形态是智力游戏, 因而人们对它们的研究最初也总是纯数学的. 然而, 当这种研究深入到一定阶段, 特别是当生产发展和其他学科发展过程中产生相同或相近的问题时, 这些课题就同实际紧密结合起来. 一当它们的意义明朗之后, 对它们的研究就有了强大的天然动力, 因而就会吸引人们更多的注意, 成果也就更加丰富. 下面首先看两个例子, 一个是所谓 "三十六名军官问题", 另一个是 "Kirkman 女生问题".

1782 年, Euler[1] 提出的一个问题以下面的 "三十六名军官问题" 为其特例.

问题 11.1.1. 有三十六名军官, 他们来自六个不同的团队, 每个团队六名且分属于六种不同的军阶. 能否把他们排成一个方形队列, 使得每行、每列的六名军官正好来自不同的团队且属于不同的军阶?

这就是著名的 "三十六名军官问题". 如果在这个问题中把 6 换为 v, 把 36 换为 v^2, 则问题就普遍化了. 为了描述和研究普遍化后的问题, 需要引进一些术语和记号.

设 $S=\{s_1, s_2, \cdots, s_v\}$ 是一个 v 元集, 如果 S 上的一个 v 阶方阵

$$A=\begin{pmatrix} a_{11} & a_{12} & \cdots & a_{1v} \\ a_{21} & a_{22} & \cdots & a_{2v} \\ \vdots & \vdots & & \vdots \\ a_{v1} & a_{v2} & \cdots & a_{vv} \end{pmatrix} \tag{11.1.1}$$

满足条件：

$$a_{ij_1} \neq a_{ij_2} (1 \leqslant i \leqslant v; 1 \leqslant j_1 \neq j_2 \leqslant v), \tag{11.1.2}$$

$$a_{i_1j} \neq a_{i_2j} (1 \leqslant i_1 \neq i_2 \leqslant v; 1 \leqslant j \leqslant v), \tag{11.1.3}$$

则称 A 是集 S 上的一个 v 阶拉丁方. 条件(11.1.2)即：(11.1.1)的每一行都是 S 的一个无重全排列；条件(11.1.3)即：(11.1.1)的每一列都是 S 的一个无重全排列.

设 $B=(b_{ij})$ 是 S 上的另一个 v 阶拉丁方，且符合条件：在以 S 的元素偶为元的矩阵

$$((a_{ij}, b_{ij})) \qquad (1 \leqslant i, j \leqslant v) \tag{11.1.4}$$

中，$S \times S$ 中的全部 v^2 个元没有不出现的，则称拉丁方 A 和 B 是集 S 上的一对 v 阶正交拉丁方，或说 A 和 B 正交.

在问题 11.1.1 中，如果把六个团队和六种军阶都各用[1,6]中的数码来编号，而且以 (i,j) 表示来自第 i 个团队且属于第 j 种军阶的军官，那么问题 11.1.1 就可重述为：是否存在集[1,6]上的一对六阶正交拉丁方?

这个问题可以普遍化为

问题 11.1.2. 对任意正整数 v，是否存在一对 v 阶正交拉丁方?

关于问题 11.1.2 以及正交拉丁方这一课题的详细讨论将在第十八章中进行. 现在来看看这一问题的实际意义.

今把某试验田分成纵横的九小块且欲在其上试种三个不同品种的小麦 A,B 和 C，以便得出在 A，B 和 C 中哪一个品种最适宜在该地区种植的有关结论. 比较一下下面几种划分试验场地的方式：

A	B	C		A	A	A	
A	B	C		B	B	B	
A	B	C		C	C	C	
(1)				(2)			

$$\tag{11.1.5}$$

A	C	A		A	B	C
C	B	B		B	C	A
B	A	C		C	A	B
(3)				(4)		

在(11.1.5)的(1)和(2)中，品种 A,B 和 C 安排得比较集中. 这样，三横条或三竖条地上的土质的好坏对三个品种的小麦的长势和收成的影响很不均衡.(3)比(1)和(2)都好，特别是每一纵条上三个品种的小麦都有，因而三纵条上的土质对这三个品

种的小麦的影响比较均衡；但是，在三个横条上，三个品种的小麦却分布得很不均衡，因而三横条上的土质对这三个品种的小麦的影响就不均衡了. (4)就避免了上述缺点，使得三横条和三纵条上的土质对三个品种的小麦的影响都是均衡的. 这表明了方法(4)比其他三种方法都要好些，而(4)正好是三个文字的集$\{A, B, C\}$上的一个三阶拉丁方.

今欲生产一种饮料，其主要原料有 A, B, C, D 四种. 希望通过试验来找到一个恰当的配方，使得饮料的质量最好.

如果对每种原料都选择三种不同的剂量，分别记为 A_i, B_i, C_i, D_i $(1 \leqslant i \leqslant 3)$，来做试验，就得做 $3^4 = 81$ 次. 能否通过做较少次数的试验而得出比较可靠的结论呢？

粗略地说，如果能设计出一个做 n 次试验的方案，使得四种原料的任二种(暂记为甲、乙)的三个剂量的组合甲$_i$ $(1 \leqslant i \leqslant 3)$，乙$_j$ $(1 \leqslant j \leqslant 3)$ 都能在这个方案中出现，则可望由此得出较可靠的结论. 如果每一对甲$_i$，乙$_j$ 恰好相遇一次，那么，各种原料的各种剂量就可认为搭配得很合理，且在保证此合理搭配的条件下试验次数可达到最小，因而是比较理想的试验方案.

现在来计算这样的试验次数 n. 一次试验可以用下面的方法来表示：

$A_i B_j C_k D_l$：A 的剂量为 A_i，B 的剂量为 B_j，C 的剂量为 C_k，D 的剂量为 D_l.

于是，一次试验中有诸原料的 $\binom{4}{2}=6$ 对剂量相遇，故 n 次试验中诸原料的两种剂量相遇的总次数为 $6n$. 另一方面，由 A_i 分别与 B, C, D 的全部可能的剂量各相遇一次，就得相遇 9 次，故 A 的三种剂量分别与 B, C, D 的全部可能的剂量各相遇一次时，其相遇的总次数为 $3 \cdot 9$ 次. 类似地，B 的三种剂量分别与 C, D 的全部可能的剂量各相遇一次时，其相遇的总次数为 $3 \cdot 6$ 次；C 的三种剂量与 D 的三种剂量各相遇一次时，其相遇的总次数为 $3 \cdot 3$ 次. 总起来，每二种剂量恰好相遇一次时，诸剂量相遇的总次数是

$$3(9+6+3) = 54.$$

由 $6n=54$ 得出 $n=9$. 这就是说，符合要求的方案如果存在的话，它包含九次试验.

为了配出这九个方案，可列出一张表，除了表头的行以外，它的每一行表示一次试验，而第 1, 2, 3, 4 列分别是 A, B, C, D 的三种剂量. 由于 A_i 与 B_1, B_2, B_3 都要相遇，故 A_1, A_2, A_3 各要出现在三行上，而且在 A_i 出现的三行上，B_1, B_2, B_3 各出现一次. 这样一来，经过行的换序，这个表的头二列可以写为

A	B	C	D
A_1	B_1		
A_1	B_2		
A_1	B_3		
A_2	B_1		
A_2	B_2		
A_2	B_3		
A_3	B_1		
A_3	B_2		
A_3	B_3		

(11.1.6)

为了得出符合要求的第 i 列，把(11.1.6)改写为下面的形式更为有益：

(A, B), C $\diagdown$ B	B_1	B_2	B_3
A_1	(A_1, B_1),	(A_1, B_2),	(A_1, B_3),
A_2	(A_2, B_1),	(A_2, B_2),	(A_2, B_3),
A_3	(A_3, B_1),	(A_3, B_2),	(A_3, B_3),

(11.1.7)

其中第 i 行与第 j 列交口处的元素为 "(A_i, B_j),"，这里 A_i, B_j 外的括号表示 A_i 和 B_j 组成一个元素对. 这可以略去不写，因为由表的行头和列头已经表明了这一点. (A_i, B_j) 后的逗号表明将要添上适当的 C_k. 由于元素对 $(A_i, C_k)(1 \leqslant i, k \leqslant 3)$ 和 $(B_j, C_k)(1 \leqslant j, k \leqslant 3)$ 在全部表中恰好各出现一次，所以 C_1, C_2, C_3 在 (11.1.7) 除表头以外的各行和各列中皆各出现一次. 因此，略去（11.1.7）中的诸 (A_i, B_j) 且添上符合要求的各 C_i 所形成的阵列正好是集 $\{C_1, C_2, C_3\}$ 上的一个三阶拉丁方. 而且反之亦然.

例如，可以用三阶拉丁方

$$\begin{pmatrix} C_1 & C_2 & C_3 \\ C_2 & C_3 & C_1 \\ C_3 & C_1 & C_2 \end{pmatrix}$$

(11.1.8)

把表(11.1.7)扩充为：

(A, B), C $\diagdown$ B	B_1	B_2	B_3
A_1	$(A_1, B_1), C_1$	$(A_1, B_2), C_2$	$(A_1, B_3), C_3$
A_2	$(A_2, B_1), C_2$	$(A_2, B_2), C_3$	$(A_2, B_3), C_1$
A_3	$(A_3, B_1), C_3$	$(A_3, B_2), C_1$	$(A_3, B_3), C_2$

(11.1.9)

现在还需在(11.1.9)中添入适当的 D_l. 与添 C_k 的情形类似地，要添入的诸 D_l 组成集 $\{D_1, D_2, D_3\}$ 上的一个三阶拉丁方. 此外，诸 D_l 的足标与诸 C_k 的足标各相遇一次，这就是说，足标对 (k, l) 恰好出现一次，亦即 D_l 的诸足标所组成的拉丁方与诸 C_k 的足标所组成的拉丁方这二者正交. 而且，反过来的推理也是对的. 例如，因为

$$\begin{pmatrix} 1 & 2 & 3 \\ 2 & 3 & 1 \\ 3 & 1 & 2 \end{pmatrix} \quad \text{和} \quad \begin{pmatrix} 1 & 2 & 3 \\ 3 & 1 & 2 \\ 2 & 3 & 1 \end{pmatrix}$$

正交，故可把(11.1.9)扩充成符合要求的表：

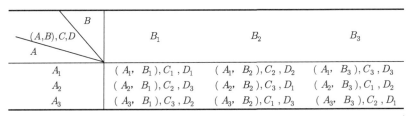

$(A,B),C,D$	B_1	B_2	B_3
A_1	$(A_1, B_1), C_1, D_1$	$(A_1, B_2), C_2, D_2$	$(A_1, B_3), C_3, D_3$
A_2	$(A_2, B_1), C_2, D_3$	$(A_2, B_2), C_3, D_1$	$(A_2, B_3), C_1, D_2$
A_3	$(A_3, B_1), C_3, D_2$	$(A_3, B_2), C_1, D_3$	$(A_3, B_3), C_2, D_1$

(11.1.10)

在表(11.1.10)的"$(A，B)，C，D$"栏中的九个组合就是符合要求的试验安排.

下面转而讨论 Kirkman 于 1847 年提出的一个问题.

问题 11.1.3(Kirkman[1]女生问题). 某教员打算这样安排她班上的十五名女生散步：散步时三名女生成一组，共五组. 问能否在一周内每日安排一次散步，使得每两名女生在这周内一道散步恰好一次？

下面就是符合要求的分组方法.

第一日：$\{1，2，5\}$，$\{3，14，15\}$，$\{4，6，12\}$，
$\qquad\quad\{7，8，11\}$，$\{9，10，13\}$；

第二日：$\{1，3，9\}$，$\{2，8，15\}$，$\{4，11，13\}$，
$\qquad\quad\{5，12，14\}$，$\{6，7，10\}$；

第三日：$\{1，4，15\}$，$\{2，9，11\}$，$\{3，10，12\}$，
$\qquad\quad\{5，7，13\}$，$\{6，8，14\}$；

第四日：$\{1，6，11\}$，$\{2，7，12\}$，$\{3，8，13\}$， (11.1.11)
$\qquad\quad\{4，9，14\}$，$\{5，10，15\}$；

第五日：$\{1，8，10\}$，$\{2，13，14\}$，$\{3，4，7\}$，
$\qquad\quad\{5，6，9\}$，$\{11，12，15\}$；

第六日：$\{1，7，14\}$，$\{2，4，10\}$，$\{3，5，8\}$，
$\qquad\quad\{6，13，15\}$，$\{8，9，12\}$；

第七日：$\{1，12，13\}$，$\{2，3，6\}$，$\{4，5，8\}$，

$\{7,9,15\}$，$\{10,11,14\}$.

问题 11.1.3 表面上看起来也纯属数学游戏，然而它的解(11.1.11)却有其实际应用. 下面是一个说明性的例子. 今欲用 15 种饲料对某种动物做试验. 试验分五个阶段进行，每个阶段以三种饲料的混合物来喂养用作试验的七只同类动物，假定需要按以下条件来安排实验：(1)每种饲料对每只用作试验的动物在五个阶段所用的混合饲料中恰好用一次，(2)每两种不同的饲料对全体用作试验的动物在五个阶段所用的混合饲料中都恰好同时用过一次. 那么，根据(11.1.11)，可以得到一个符合要求的安排，有如(11.1.12)所示.

饲料　阶段　动物	1	2	3	4	5
第一只	1, 2, 5	3, 14, 15	4, 6, 12	7, 8, 11	9, 10, 13
第二只	1, 3, 9	2, 8, 15	4, 11, 13	5, 12, 14	6, 7, 10
第三只	1, 4, 15	2, 9, 11	3, 10, 12	5, 7, 13	6, 8, 14
第四只	1, 6, 11	2, 7, 12	3, 8, 13	4, 9, 14	5, 10, 15
第五只	1, 8, 10	2, 13, 14	3, 4, 7	5, 6, 9	11, 12, 15
第六只	1, 7, 14	2, 4, 10	3, 5, 11	6, 13, 15	8, 9, 12
第七只	1, 12, 13	2, 3, 6	4, 5, 8	7, 9, 15	10, 11, 14

$$(11.1.12)$$

关于 Kirkman 女生问题以及与其有关的一些问题，在第十九章还将详细地讨论.

不管是用拉丁方在试验地上安排农作物的播种，或用正交拉丁方安排几种原料的配方，还是用 Kirkman 女生问题的解作出的一个饲程内饲料的安排，都涉及一些科学试验的安排问题. 上面粗略地描述的是作出符合要求的试验的安排的方法，这叫做试验的设计. 利用符合要求的试验设计来进行试验就可得出许多数据，如何分析这些数据从而得出有关试验的一些结论，这叫做试验的分析. 一般说来，试验的设计属于组合论的研究对象，而试验的分析则是数理统计学的内容. 本书只研究试验的设计. 对试验的分析有兴趣的读者可以参考有关的资料，例如，H.B.Mann[1]和 D.C.Montgomery[1]，以及中国科学院数学所统计组[1].

试验设计在组合论中又叫做区组设计，是组合设计的一种重要类型. 为了说得更确切些，给出以下的定义.

定义 11.1.1. 设 S 是一个有限集，$B_1,B_2,\cdots,B_b$ 是它的 b 个子集或 b 个无重排列. 由诸 B 组成的簇 $\mathscr{B}=\{B_1,B_2,\cdots,B_b\}$ 就叫做集 S 上的一个区组设计，S 叫做该设计的基集，诸 $B_i(1\leqslant i\leqslant b)$ 叫做该设计的区组. S 的诸元素的一种确定的安排就叫做 S 上的一个组合设计.

为方便计，未特别说明的区组均指子集，且有时也把将作为某一设计的区组的一个子集或无重排列叫做区组.

需要强调的是，在这个定义中，每一区组都是一个子集，或都是一个无重排列，其中无重复的元，而区组簇 $\mathscr{B}$ 则可以有重复的区组. 此外，这个定义非常广泛，对区组、区组簇和诸元素的安排方式几乎无限制. 要使研究的问题对理论和实际有意义和作用往往需要对这些加上若干适当的限制条件. 这将是本章的其他诸节和本册的其他诸章的主要内容. 这里先介绍一个较一般的简单情形.

定义 11.1.2. 设 $\mathscr{B}$ 是基集 S 上的一个区组设计. 如果 $\mathscr{B}$ 有分解式

$$\mathscr{B} = \mathscr{B}_1 \bigcup \mathscr{B}_2 \bigcup \cdots \bigcup \mathscr{B}_r \tag{11.1.13}$$

使得对任一元 $s \in S$ 和任一足标 $j \in [1, r]$，s 都恰在 $\mathscr{B}_j$ 的一个区组中出现，则这样的区组设计叫做一个可分解区组设计，简称为可分解设计. 每一 $\mathscr{B}_i$ 叫做一个平行联组或简称为联组，又叫做一个平行区组簇或简称为平行簇.

例如，在问题 11.1.3 中给出的 Kirkman 女生问题的解就是一个可分解设计，$\mathscr{B}_i$ $(1 \leqslant i \leqslant 7)$ 是由第 i 日的五个组所组成的子簇.

这类设计将在第十八章中遇到.

区组设计的理论有着很多重要的实际应用，这可以从上面几个说明性的问题得知一个轮廓. 在本书介绍区组设计理论时，一般不涉及它的具体应用，因为这不是本书的任务. 自然，区组设计理论的应用并不仅仅限于对试验的安排和研究，它对计算机科学和数学通讯理论等都有着十分重要的应用. 有兴趣的读者可以参看 F.J.Macwilliams 和 N.J.A.Sloane[1].

本章的其余各节将分述几种基本类型的区组设计的概貌，而对这些基本类型的区组设计及其互相联系的详细研究将留待本书的其余诸章.

11.2 完全区组设计

设 $S = \{s_1, s_2, \cdots, s_v\}$ 是一个 v 元集.

定义 11.2.1. 集 S 的一个完全区组设计是 S 的满足一定条件的若干个无重全排列的全体，其中每一个全排列叫做一个区组.

如果 (11.1.1) 是一个 v 阶拉丁方，则 A 的每一行 (或每一列) 可以视为集 S 的一个全排列. 这些排列所满足的条件由 (11.1.2)(或(11.1.3)) 给出. 因此，一个拉丁方是一个完全区组设计. 一般地，一个 $t \times v$ 阶 (或 $v \times t$ 阶) 拉丁矩 (参看 5.6) 也是一个完全区组设计.

如果定义 11.2.1 中的诸全排列满足条件：这些排列的选取是随机的，这样得到的完全区组设计又叫做随机完全区组设计.

当其需要做一系列试验而诸试验的顺序对试验结果有影响时，往往采用随机完全区组设计来安排这些试验. 例如，为了要观察七种助生长药物的效果，今用十二只兔来作试验：七日内每只兔每日喂一药. 一般来说，所喂的药的顺序对这七日试验的总效果会有影响，因为先喂的药可能加强或削弱后喂的药的作用. 把这七种药分别用[1,7]中的数来编号. 如果全部十二只兔都按[1,7]的同一排列中的顺序来喂药，则这些药表现出的效果会比实际的效果大或小些，从而影响得出正确的结论. 如果在集[1,7]的全排列中随机地选出十二个来作为十二只兔喂药的次序，上面的弊病即可克服. 已有现成的随机数的表和随机排列的表供查用，例如，有 Kendall 和 Babington-Smith[1]，Rand Corporation[1].

完全区组设计以及与之相关的正交设计将在第十八章讨论.

11.3 平衡不完全区组设计

设 $S=\{s_1, s_2, \cdots, s_v\}$ 是一个 v 元集.

定义 11.3.1. 设 $\mathscr{B}=\{B_1, B_2, \cdots, B_b\}$ 是集 S 上的一个区组设计. 如果 $\mathscr{B}$ 满足条件：

(1) $|B_j|$ 是一个不依赖于 j 的常数 $(1 \leqslant j \leqslant b)$；

(2)对 S 的任一元 s，含 s 的 $\mathscr{B}$ 中子集的个数是一个不依赖于 s 的常数；

(3)对 S 的任一个二元子集 $\{S_i, S_j\}$，包含该子集的 $\mathscr{B}$ 中子集的个数是一个不依赖于 s_i 和 s_j 的常数；

则说 $\mathscr{B}$ 是集 S 上的一个平衡不完全区组设计. (1)中的常数值叫做各区组的容量，(2)中的常数值叫做 S 中元在诸区组中的出现数，(3)中的常数值叫做 S 中二相异元的相遇数. 如果这三个数分别是 k, r, λ，这个区组设计就叫做一个 (b, v, r, k, λ) 平衡不完全区组设计，简称为 (b, v, r, k, λ) 设计，b,v,r,k,λ 叫做这个设计的参数.

所有区组的容量相同，以及 S 中任一元的出现数都相同，且任一对相异元的相遇数都相同，这就是设计的平衡性的含义.

平衡不完全区组设计又记为 BIBD 或 BIB 设计，它们是 "balanced incomplete block design" 的缩写.

定义 11.3.1 中的条件(2)实际上是条件(1)和(3)的推论(参看定理 11.6.2 的系)，因而可以删去. 这里列出它，其原因之一是强调这一条件，另一是遵从组合学文献的习惯.

下面来看参数 k 取一些特殊值的情形.

当 $k=0$ 时, 若要 $\mathscr{B}$ 成为一个 (b, v, r, k, λ) 设计, 则有一非负整数 b 使

$$\mathscr{B} = \left\{ \underbrace{\varnothing, \varnothing, \cdots, \varnothing}_{b \uparrow} \right\}, \qquad (11.3.1)$$

易证, 对任一非负整数 b, (11.3.1) 确为一个 $(b, v, 0, 0, 0)$ 设计.

当 $k=1$ 时, 若要 $\mathscr{B}$ 成为一个 (b, v, r, k, λ) 设计, 则有一正整数 r 使

$$\mathscr{B} = \{ \underbrace{\{s_1\}, \cdots, \{s_1\}}_{r \uparrow}, \underbrace{\{s_2\}, \cdots, \{s_2\}}_{r \uparrow}, \cdots, \underbrace{\{s_v\}, \cdots, \{s_v\}}_{r \uparrow} \}, \qquad (11.3.2)$$

易证, 对任一正整数 r, (11.3.2) 确为一个 $(rv, v, r, 1, 0)$ 设计.

当 $k=2$ 时, 若要 $\mathscr{B}$ 成为一个 (b, v, r, k, λ) 设计, 则有正整数 λ 使

$$\mathscr{B} = \{ \underbrace{\{s_1, s_2\}, \cdots, \{s_1, s_2\}}_{\lambda \uparrow}, \cdots, \underbrace{\{s_i, s_{i+j}\}, \cdots, \{s_i, s_{i+j}\}}_{\lambda \uparrow}, \cdots, \underbrace{\{s_{v-1}, s_v\}, \cdots, \{s_{v-1}, s_v\}}_{\lambda \uparrow} \}.$$

$$(11.3.3)$$

易证, 对任一正整数 λ, (11.3.3) 确为一个 $\left(\lambda \cdot \dfrac{v(v-1)}{2}, v, \lambda(v-1), 2, \lambda \right)$ 设计.

当 $k=v-2$ 时, 若要 $\mathscr{B}$ 成为一个 (b, v, r, k, λ) 设计, 则有正整数 t, 使

$$\mathscr{B} = \{ \underbrace{S \setminus \{s_1, s_2\}, \cdots, S \setminus \{s_1, s_2\}}_{t \uparrow}, \cdots,$$

$$\underbrace{S \setminus \{s_i, s_{i+j}\}, \cdots, S \setminus \{s_i, s_{i+j}\}}_{t \uparrow}, \cdots,$$

$$\underbrace{S \setminus \{s_{v-1}, s_v\}, \cdots, S \setminus \{s_{v-1}, s_v\}}_{t \uparrow} \}, \qquad (11.3.4)$$

易证, 对任一正整数 t, (11.3.4) 确为一个 $\left(t\dfrac{v(v-1)}{2}, v, t\dfrac{(v-1)(v-2)}{2}, v-2, \right.$

$\left. t\dfrac{(v-2)(v-3)}{2} \right)$ 设计.

当 $k=v-1$ 时, 若要成为一个 (b, v, r, k, λ) 设计, 则有正整数 t, 使

$$\mathscr{B} = \{\underbrace{S \setminus \{s_1\}, \cdots, S \setminus \{s_1\}}_{t\text{个}}, \cdots,$$

$$\underbrace{S \setminus \{s_i\}, \cdots, S \setminus \{s_i\}}_{t\text{个}}, \cdots,$$

$$\underbrace{S \setminus \{s_v\}, \cdots, S \setminus \{s_v\}}_{t\text{个}} \}, \tag{11.3.5}$$

易证，对任一正整数 t，(11.3.5)确为一个 $(vt, v, (v-1)t, v-1, (v-2)t)$ 设计.

当 $k=v$ 时，若要 $\mathscr{B}$ 成为一个 (b, v, r, k, λ) 设计，则有正整数 r，使

$$\mathscr{B} = \{\underbrace{S, \cdots, S}_{r\text{个}}\}, \tag{11.3.6}$$

显然，对任一正整数 r，(11.3.6)确是一个 (r, v, r, v, r) 设计.

由第十二章将要证明的一个定理(定理 12.1.5)，上述关于 $k=v-2, v-1, v$ 的情形可分别化为 $k=2, 1, 0$ 的情形得到解决，从而也可以得到处理. 这里用直接构造的方法，不依赖于定理 12.1.5.

因为设计(11.3.1)—(113.6)是显而易见的，故称为平凡的 BIB 设计；又因为它们的参数具有的特殊值往往影响具一般参数的设计的统一性，故又称之为退化的 BIB 设计. 为了处理的统一和方便起见，若无特殊的说明，一个 (b, v, r, k, λ) 设计今后常指除开(11.3.1)—(11.3.6)以外的设计，亦即参数 k 满足 $3 \leqslant k \leqslant v-3$ 的设计，这又叫做非平凡或非退化的 BIB 设计.

11.4　一些特殊类型的平衡不完全区组设计

若对 (b, v, r, k, λ) 设计附加上另外一些限制条件，就产生特殊类型的平衡不完全区组设计.

一种特殊类型的平衡不完全区组设计是所谓的对称的平衡不完全区组设计.

定义 11.4.1. 一个 (v, v, k, k, λ) 设计叫做对称的平衡不完全区组设计或对称的 BIB 设计，又叫做 (v, k, λ) 设计. 又常简称为对称设计.

一种特殊类型的对称设计是所谓的循环对称设计. 这种设计同循环差集密切相关.

定义 11.4.2. 以正整数 v 为模的 k 个互不同余的整数所组成的集 $D = \{a_1, a_2, \cdots, a_k\} \pmod{v}$ 叫做一个 (v, k, λ) 循环差集，如果对每一个 $d \not\equiv 0 \pmod{v}$，恰好有 D 中的 λ 个有序对 (a_i, a_j) 使得

$$d \equiv a_i - a_j \pmod{v}.$$

在定义 11.4.2 中，符号"$D = \{a_1，a_2，\cdots，a_k\} \pmod{v}$"的意思是，$D$ 由 a_1，a_2，$\cdots$，a_k 所代表的诸剩余类 $\pmod{v}$ 组成. 有时又将此记为 $D \equiv \{a_1，a_2，\cdots，a_k\} \pmod{v}$. 如果用 Z_v 表模 v 的剩余类环，$\bar{a}$ 表整数 a 所在的剩余类，则定义 11.4.2 又可改述为：

定义 11.4.3. Z_v 的一个 k 元子集 $D = \{\bar{a}_1，\bar{a}_2，\cdots，\bar{a}_k\}$ 叫做一个 $(v，k，\lambda)$ 循环差集，如果对每一 $\bar{d} \in Z_v, \bar{d} \neq \bar{0}$，恰有 D 中 λ 个有序对 $(\bar{a}_i, \bar{a}_j)$ 使得

$$\bar{d} = \bar{a}_i - \bar{a}_j.$$

例 11.4.1. 设 $v = 11$，则 Z_{11} 的子集 $D = \{\bar{1}, \bar{3}, \bar{4}, \bar{5}, \bar{9}\}$ 是一个 $(11，5，2)$ 循环差集.

这很容易直接验证如下：

$$
\begin{aligned}
&\bar{1} - \bar{3} = \bar{9}, \quad && \bar{3} - \bar{1} = \bar{2}, \\
&\bar{1} - \bar{4} = \bar{8}, \quad && \bar{4} - \bar{1} = \bar{3}, \\
&\bar{1} - \bar{5} = \bar{7}, \quad && \bar{5} - \bar{1} = \bar{4}, \\
&\bar{1} - \bar{9} = \bar{3}, \quad && \bar{9} - \bar{1} = \bar{8}, \\
&\bar{3} - \bar{4} = \overline{10}, \quad && \bar{4} - \bar{3} = \bar{1}, \\
&\bar{3} - \bar{5} = \bar{9}, \quad && \bar{5} - \bar{3} = \bar{2}, \\
&\bar{3} - \bar{9} = \bar{5}, \quad && \bar{9} - \bar{3} = \bar{6}, \\
&\bar{4} - \bar{5} = \overline{10}, \quad && \bar{5} - \bar{4} = \bar{1}, \\
&\bar{4} - \bar{9} = \bar{6}, \quad && \bar{9} - \bar{4} = \bar{5}, \\
&\bar{5} - \bar{9} = \bar{7}, \quad && \bar{9} - \bar{5} = \bar{4}.
\end{aligned}
\tag{11.4.1}
$$

在 (11.4.1) 中诸式左节穷尽了 D 的一切有序相异元素对之差，而在诸式的右节中，$\bar{1}, \bar{2}, \cdots, \overline{10}$ 恰好各出现二次.

为了介绍循环对称设计，需要区组设计之间同构的概念.

定义 11.4.4. 分别在 v 元集 $S_1 = \{s_1', s_2', \cdots, s_v'\}$ 和 $S_2 = \{s_1'', s_2'', \cdots, s_v''\}$ 上的两个 (b, v, r, k, λ) 设计 $\mathscr{B}_1 = \{B_1', \cdots, B_b'\}$ 和 $\mathscr{B}_2 = \{B_1'', \cdots, B_b''\}$ 称为是同构的，如果存在从 S_1 到 S_2 上的一个 $(1\text{-}1)$ 映射 α

$$\alpha : s_i' \to a(s_i') \in S_2，$$

它也是从 $\mathscr{B}_1$ 到 $\mathscr{B}_2$ 上的一个 $(1\text{-}1)$ 映射

$$\alpha : B_i' \to \alpha(B_i') \in \mathscr{B}_2 .$$

这里 $\alpha(B_i') = \alpha B_i = \{\alpha(s')|s' \in B_i'\}$. 此时又说映射 α 是从 $\mathscr{B}_1$ 到 $\mathscr{B}_2$ 上的一个同构. 如果 $S_1 = S_2$, $\mathscr{B}_1 = \mathscr{B}_2$,且 α 是从 $\mathscr{B}_1$ 到其自身上的一个同构, 则说 α 是 $\mathscr{B}_1$ 上的一个自同构.

容易验证, $\mathscr{B}_1$ 上的全体自同构组成一个群, 叫做 $\mathscr{B}_1$ 的全自同构群. 这个群的任一子群都叫做区组设计 $\mathscr{B}_1$ 的自同构群.

定义 11.4.5. $S = \{s_1, s_2, \cdots, s_v\}$ 上的一个对称 (v, k, λ) 设计 $\mathscr{B} = \{B_1, B_2, \cdots, B_v\}$ 称为循环对称设计, 如果存在 $\mathscr{B}$ 的一个自同构 α , 合于

$$\{s_1, \alpha(s_1), \alpha^2(s_1), \cdots, \alpha^{v-1}(s_1)\} = S ,$$

$$\{B_1, \alpha(B_1), \alpha^2(B_1), \cdots, \alpha^{v-1}(B_1)\} = \mathscr{B} .$$

例 11.4.2. Z_{11} 上的 $(11，5，2)$ 设计 $\mathscr{B} = \{B_1, B_2, \cdots, B_{11}\}$ 是循环的，这里

$$B_1 = \{\overline{1}, \overline{3}, \overline{4}, \overline{5}, \overline{9}\},$$
$$B_2 = \{\overline{2}, \overline{4}, \overline{5}, \overline{6}, \overline{10}\},$$
$$B_3 = \{\overline{3}, \overline{5}, \overline{6}, \overline{7}, \overline{0}\},$$
$$B_4 = \{\overline{1}, \overline{4}, \overline{6}, \overline{7}, \overline{8}\},$$
$$B_5 = \{\overline{2}, \overline{5}, \overline{7}, \overline{8}, \overline{9}\},$$
$$B_6 = \{\overline{3}, \overline{6}, \overline{8}, \overline{9}, \overline{10}\}, \tag{11.4.2}$$
$$B_7 = \{\overline{0}, \overline{4}, \overline{7}, \overline{9}, \overline{10}\},$$
$$B_8 = \{\overline{0}, \overline{1}, \overline{5}, \overline{8}, \overline{10}\},$$
$$B_9 = \{\overline{0}, \overline{1}, \overline{2}, \overline{6}, \overline{9}\},$$
$$B_{10} = \{\overline{1}, \overline{2}, \overline{3}, \overline{7}, \overline{10}\},$$
$$B_{11} = \{\overline{0}, \overline{2}, \overline{3}, \overline{4}, \overline{8}\}.$$

这可直接验证如下: 因为

$$\{\overline{1},\overline{2}\} \in B_9, B_{10}; \quad \{\overline{1},\overline{3}\} \in B_1, B_{10};$$

$$\{\overline{1},\overline{4}\} \in B_1, B_4; \quad \{\overline{1},\overline{5}\} \in B_1, B_8;$$

$$\{\overline{1},\overline{6}\} \in B_4, B_9; \quad \{\overline{1},\overline{7}\} \in B_4, B_{10};$$

$$\{\overline{1},\overline{8}\} \in B_4, B_8; \quad \{\overline{1},\overline{9}\} \in B_1, B_9;$$

$$\{\overline{1},\overline{10}\} \in B_8, B_{10}; \quad \{\overline{2},\overline{3}\} \in B_{10}, B_{11};$$

$$\{\overline{2},\overline{4}\} \in B_2, B_{11}; \quad \{\overline{2},\overline{5}\} \in B_2, B_5;$$

$$\{\overline{2},\overline{6}\} \in B_2, B_9; \quad \{\overline{2},\overline{7}\} \in B_5, B_{10};$$

$$\{\overline{2},\overline{8}\} \in B_5, B_{11}; \quad \{\overline{2},\overline{9}\} \in B_5, B_9;$$

$$\{\overline{2},\overline{10}\} \in B_2, B_{10}; \quad \{\overline{3},\overline{4}\} \in B_1, B_{11};$$

$$\{\overline{3},\overline{5}\} \in B_1, B_3; \quad \{\overline{3},\overline{6}\} \in B_3, B_6;$$

$$\{\overline{3},\overline{7}\} \in B_3, B_{10}; \quad \{\overline{3},\overline{8}\} \in B_6, B_{11};$$

$$\{\overline{3},\overline{9}\} \in B_1, B_6; \quad \{\overline{3},\overline{10}\} \in B_6, B_{10};$$

$$\{\overline{4},\overline{5}\} \in B_1, B_2; \quad \{\overline{4},\overline{6}\} \in B_2, B_4;$$

$$\{\overline{4},\overline{7}\} \in B_4, B_7; \quad \{\overline{4},\overline{8}\} \in B_4, B_{11};$$

$$\{\overline{4},\overline{9}\} \in B_1, B_7; \quad \{\overline{4},\overline{10}\} \in B_2, B_7;$$

$$\{\overline{5},\overline{6}\} \in B_2, B_3; \quad \{\overline{5},\overline{7}\} \in B_3, B_5;$$

$$\{\overline{5},\overline{8}\} \in B_5, B_8; \quad \{\overline{5},\overline{9}\} \in B_1, B_5;$$

$$\{\overline{5},\overline{10}\} \in B_2, B_8; \quad \{\overline{6},\overline{7}\} \in B_3, B_4;$$

$$\{\overline{6},\overline{8}\} \in B_4, B_6; \quad \{\overline{6},\overline{9}\} \in B_6, B_9; \tag{11.4.3}$$

$$\{\overline{6},\overline{10}\} \in B_2, B_6; \quad \{\overline{7},\overline{8}\} \in B_4, B_5;$$

$$\{\overline{7},\overline{9}\} \in B_5, B_7; \quad \{\overline{7},\overline{10}\} \in B_7, B_{10};$$

$$\{\overline{8},\overline{9}\} \in B_5, B_6; \quad \{\overline{8},\overline{10}\} \in B_6, B_8;$$

$$\{\overline{9},\overline{10}\} \in B_6, B_7;$$

故（11.4.2）是一个（11，5，2）设计. 设映射 α 为

$$\alpha : \overline{i} \to \overline{i+1}, \tag{11.4.4}$$

则 α 是 Z_{11} 上的一个(1–1)映射，且

$$Z_{11} = \{0, \alpha(0), \alpha^2(0), \cdots, \alpha^{10}(0)\},$$

$$\alpha B_i = B_{i+1} (1 \le i \le 10). \tag{11.4.5}$$

因此(11.4.2)是循环的.

也许读者已经注意到了例 11.4.1 和例 11.4.2 之间的联系. 实际上例 11.4.2 中的 B_1 就是例 11.4.1 中的 D, 例 11.4.2 中的其他诸 B 都可借助于(11.4.4)和(11.4.5)产生. 这种联系并不是偶然的, 因为下面的一般性定理成立.

定理 11.4.1. Z_v 上的一个 k 元集

$$D = \{\overline{a}_1, \overline{a}_2, \cdots, \overline{a}_k\} \tag{11.4.6}$$

是一个循环差集的充要条件是, 集

$$\mathscr{B} = \{B_1, B_2, \cdots, B_v\} \tag{11.4.7}$$

是 Z_v 上的一个 (v, k, λ) 循环设计, 其中

$$B_1 := D, B_2 := \alpha(B_1), B_3 := \alpha(B_2), \cdots, B_v := \alpha(B_{v-1}), \tag{11.4.8}$$

这里 α 为 Z_v 到其自身上的(1–1)映射:

$$\alpha : \overline{i} \to \overline{i+1}. \tag{11.4.9}$$

证明.   先证条件的充分性. 设由(11.4.8)中诸 $B_i (B_1 = D)$ 组成的(11.4.7)是一个 (v, k, λ) 循环设计. 对任一 $\overline{d} \ne \overline{0}$, 因 Z_v 中的元素对 $(\overline{d}, \overline{0})$ 恰好在 λ 个区组中出现, 故恰有 λ 个 t 合

$$\overline{a_{i_t} + t} = \overline{d}, \quad \overline{a_{j_t} + t} = \overline{0}, \tag{11.4.10}$$

(11.4.10)成立的充要条件是

$$\overline{a}_{j_t} = \overline{-t},$$
$$\overline{d} = \overline{a_{i_t} - (-t)}$$
$$= \overline{a_{i_t} - a_{j_t}} = \overline{a}_{i_t} - \overline{a}_{j_t}.$$

这就是说, $\overline{d}$ 恰可表为 D 中 λ 对有序元之差, 因而 D 是一个 (v, k, λ) 循环差集.

再证条件的必要性. 设(11.4.6)式确定的 D 是一个 (v, k, λ) 循环差集. 由(11.4.8)所定义的 B_i 为

$$B_i = \{\overline{a_1 + i - 1}, \overline{a_2 + i - 1}, \cdots, \overline{a_k + i - 1}\}$$
$$(1 \le i \le v), \tag{11.4.11}$$

显然，$|B_i| = k(1 \leqslant i \leqslant v), |\mathscr{B}| = v$. 因为 Z_v 中每一元 $\bar{j}$ 在 $B_1 \bigcup B_2 \bigcup \cdots \bigcup B_v$ 中出现 k 次，而每一 B_v 中的 k 个元彼此不同，故 $\bar{j}$ 恰在 k 个 B_i 中出现. 设 $\bar{u}, \bar{s}$ 是 Z_v 中二不同元，令 $\bar{d} = \bar{u} - \bar{s}$，则 $\bar{d} \neq \bar{0}$. 由于 D 是一个 (v, k, λ) 循环差集，故恰有 D 中 λ 个有序对 $(\bar{a}_{il}, \bar{a}_{jl})(1 \leqslant l \leqslant \lambda)$ 合

$$\bar{u} - \bar{s} = \bar{d} = \bar{a}_{il} - \bar{a}_{jl}(1 \leqslant l \leqslant \lambda).$$

记 $\bar{u} - \bar{a}_{il} = \bar{t_l}$，即 $\bar{u} = \overline{a_{il} + t_l}$，则

$$\begin{aligned} \bar{s} &= \bar{u} - \bar{a}_{il} + \bar{a}_{jl} \\ &= \bar{a}_{jl} + \bar{t_l} = \overline{a_{jl} + t_l}. \end{aligned}$$

这就是说，$\{\bar{u}, \bar{s}\}$ 恰在 $B_{t_1+1}, B_{t_2+1}, \cdots, B_{t_n+1}$ 这 λ 个区组之中. 至此已经证明 $\mathscr{B}$ 是一个 (v, k, λ) 设计. 再由 (11.4.11) 和 (11.4.9) 得 B 的循环性. **证毕.**

由这个定理和下面 14.1 之首的说明可知，Z_v 上的循环区组设计的研究完全化成了循环差集的研究. 有关循环差集的详细讨论，将在第十四章和第十五章中进行.

另一种特殊类型的对称设计具有参数 $v = n^2 + n + 1$，$k = n + 1$，$\lambda = 1$. 这与有限射影平面有关. 关于有限射影平面以及更一般地，关于有限几何以及由它们导出的设计将在第十七章中讨论.

一个 $(4t - 1, 2t - 1, t - 1)$ 对称区组设计又叫做 Hadamard 设计，这是因为它与一类作用巨大的矩阵有关，而这类矩阵叫做 Hadamard 矩阵. 在第十六章中再详细研究这一课题.

具特殊参数的平衡不完全区组设计的类型很多，上述只是最重要最基本的几种.

如果一个区组设计既是可分解的，又是具参数 b, v, r, k, λ 的平衡不完全区组设计，就简单地叫做可分解的 (b, v, r, k, λ) 设计. 由定义 11.1.2 和定义 11.3.1 知，此时 (11.1.13) 的分解式中子簇 $\mathscr{B}_i$ 的个数为 r. 又可直接验证，问题 11.1.3 中给出的 Kirkman 女生问题的解答，就是一个可分解的 $(35, 15, 7, 3, 1)$ 设计，子簇 $\mathscr{B}_i(1 \leqslant i \leqslant 7)$ 由第 i 日的五组所组成.

11.5 部分平衡不完全区组设计

平衡不完全区组设计有几种重要的拓广. 本书将涉及三种. 这里讨论其中之一，而把另二种放到下节介绍. 之所以要对平衡不完全区组设计进行拓广，一方面是为了实际问题的需要. 例如，因为平衡不完全区组设计的条件较强，对于很

大一类参数，它并不存在，而在处理一些实际问题时又需要一些设计供用，因而采取削弱限制条件而构造出一些不是 BIBD 的设计以应需要. 另一方面，在理论研究中，例如在对 BIB 设计的研究中，这些拓广有着重要的作用.

下面讨论 BIB 设计的第一种拓广，即部分平衡不完全区组设计，简称为 PBIBD 或 PBIB 设计，这是 "partially balanced incomplete block design" 的缩写. 这种拓广是把定义 11.3.1 中的条件(3)削弱而得到的，即不要求 S 的每一个二元子集都在 $\mathscr{B}$ 的诸区组中出现同样的次数，但也不是对此毫无要求.

PBIB 设计的概念基于所谓 "结合方案" 的概念，故下面先从结合方案谈起. 设 $S = \{s_1, s_2, \cdots, s_v\}$ 是一个 v 元集，且

$$(S \times S) \setminus \{(s, s) \mid s \in S\} = R_1 \bigcup R_2 \bigcup \cdots \bigcup R_m , \tag{11.5.1}$$

$$R_i \bigcap R_j = \varnothing (i \neq j) , \quad R_i \neq \varnothing$$

是 $(S \times S) \setminus \{(s, s) \mid s \in S\}$ 的一个分解. 今后也把 $R_i (1 \leqslant i \leqslant m)$ 视为关系.

定义 11.5.1. 如果对于集 S，分解式(11.5.1)满足下述条件：

(1)每一关系 $R_i (1 \leqslant i \leqslant m)$ 都是对称的；

(2)对于 S 中的每一元 s，都有

$$\mid \{s' \in S \mid (s, s') \in R_i\} \mid = n_i ,$$

此数依赖于 i，而不依赖于 s 的具体选择；

(3)只要 $(s, s') \in R_i$，就有

$$\mid \{t \mid (t, s) \in R_j, (t, s') \in R_l, t \in S\} \mid = P_{jl}^i , \tag{11.5.2}$$

此数依赖于 i, j 和 l，而不依赖于 s 和 s' 的具体选择；

那么，诸关系 R_i 就叫做基集 S 上的一个具有 m 个结合类的结合方案. 诸数

$$v, n_i, p_{jl}^i \, (1 \leqslant i, j, l \leqslant m) \tag{11.5.3}$$

叫做该结合方案的参数.

定义 11.5.2. 设已给基集 S 上具有参数(11.5.3)的一个结合方案诸 $R_i \, (1 \leqslant i \leqslant m)$，$\mathscr{B} = (B_1, B_2, \cdots, B_b)$ 是 S 上的一个区组设计，且满足条件：

(1) $\mid B_i \mid = k (1 \leqslant i \leqslant b)$；

(2)对任一 $s \in S$，都有

$$\mid \{B_i \mid B_i \ni s, 1 \leqslant i \leqslant b\} \mid = r ,$$

此数不依赖于 s 的具体选择；

(3)对 S 中任二相异元 s 和 s'，只要 $(s, s') \in R_i$，就有

$$\big| \{ B_j \mid B_j \supseteq \{ s, s' \}, \ 1 \leqslant j \leqslant b \} \big| = \lambda_i (1 \leqslant i \leqslant m),$$

此数依赖于 i，而不依赖于 s 和 s' 的具体选择；

那么就称 $\mathscr{B}$ 是基集 S 上的一个具有 m 个结合类的 PBIB 设计，简记为 PBIB$(B_1, B_2, \cdots, B_b)$. 诸数

$$b, \ v, \ r, \ k, \ \lambda_i, \ n_i, \ p_{jl}^i \ (1 \leqslant i, j, l \leqslant m) \tag{11.5.4}$$

叫做该 PBIB 设计的参数.

由第二十章的一个结果(引理 20.1.4)的系，上面定义中的条件(2)可以删去.

由定义 11.5.2，$m = 1$ 的 PBIB 设计就是 BIB 设计. 当 $m > 1$ 时，对一个 PBIB 设计，尽管诸区组的容量都相同，诸元在诸区组中出现的次数也都一样，但是对不同的结合类中的元素对，它们同时出现在其中的区组的个数却可以不同. 这就是"部分平衡"一词的由来. 放宽这一条件的原因是，在试验设计中，有时 PBIB 设计就已经很合用，毋须 BIB 设计.

$m = 2$ 时的一类重要的 PBIB 设计是可分组设计.

定义 11.5.3. 设 $\mathscr{B} = \{B_1, B_2, \cdots, B_b\}$ 是基集 S 上的一个区组设计. 如果 S 有分解式

$$S = S_1 \bigcup S_2 \bigcup \cdots \bigcup S_l,$$

$$\big| S_1 \big| = \big| S_2 \big| = \cdots = \big| S_l \big|,$$

$\mathscr{B}$ 中各区组的容量又相等

$$\big| B_1 \big| = \big| B_2 \big| = \cdots = \big| B_b \big|,$$

且任一对 S_i 中的不同元$(1 \leqslant i \leqslant l)$恰在 λ_1 个区组中同时出现，而任一对 $s, s'(s \in S_i, s' \in S_j, 1 \leqslant i \neq j \leqslant l)$恰在 λ_2 个区组中同时出现，则称这样的设计为一个可分组区组设计，简称为可分组设计.

可分组设计是 PBIB 设计这一事实的证明将在 20.2 中给出.

PBIB 设计的概念最早是由 Bose 和 Nair[1]于 1939 年提出的. 在他们的定义中，要求诸 λ_i 彼此不同. 后来，Nair 和 Rao[1]删去了这一条件.

第二十章将对 PBIB 设计作进一步的讨论.

11.6 t 设计和按对平衡设计

平衡不完全区组设计另外两种重要的拓广是 t 设计和按对平衡设计. 在平衡不完全区组设计中，如果不要求每个元素在诸区组中出现的次数相同，那么，当把条件"对 S 的任一个二元子集，包含该二元子集的 $\mathscr{B}$ 中区组的个数是一个不依赖该二元子集的常数"换为"对 S 的任一个 t 元子集，包含该 t 元子集的 $\mathscr{B}$ 中区组的个数是一个不依赖于该 t 元子集的具体选择的常数"，就得到 t 设计的概念；当把条件"$\mid B_j \mid (1 \leqslant j \leqslant b)$ 是一个不依赖于 j 的常数"删去时，就得到按对平衡区组设计的概念. 更确切地说，有

定义 11.6.1. 假设 $\mathscr{B} = \{ B_1, B_2, \cdots, B_b \}$ 是一个 v 元集 S 上的区组设计. 如果 $\mathscr{B}$ 满足下述条件:

(1) $\mid B_j \mid = k (1 \leqslant j \leqslant b)$;

(2) 对一固定的正整数 t 和 S 的任一个 t 元子集 $(t \geqslant 1)$，包含该子集的 $\mathscr{B}$ 中子集的个数都是同一常数 λ_t;

则称 $\mathscr{B}$ 是集 S 上的一个 t-(v, k, λ_t) 设计，简称为 t 设计.

t 设计有下面的重要性质.

定理 11.6.1. 设 $\mathscr{B}$ 是集 S 上的一个 t-(b, v, k, λ_t) 设计且 u 是 $[1, t]$ 中的任一整数，则对 S 的任一 u 元子集，包含该子集的 $\mathscr{B}$ 中区组的个数是同一个常数 λ_u:

$$\lambda_u = \frac{(v - u)_{t - u}}{(k - u)_{t - u}} \lambda_t, \tag{11.6.1}$$

它依赖于 u 而不依赖于该 u 元子集的具体选择.

证明. 首先考虑 $u = t - 1$ 的情形. 设 S' 是 S 的任一固定的 $t - 1$ 元子集. 考虑

$$\mathscr{E} = \{ (S'', B_i) \mid S'' \supset S', \quad |S''| = t, \quad B_i \supseteq S'' \}.$$

今用两种方法计算 $|\mathscr{E}|$. 一方面，合 "$S'' \supset S'$, $|S''| = t$" 的 S'' 的个数是 $(v - (t - 1)) = v - t + 1$; 这是因为，$S''$ 是由 S' 添加 $S \setminus S'$ 中的 $v - (t - 1)$ 个元的一个而得到的. 对每一个这样的 S''，因 $|S''| = t$，故包含它的 $\mathscr{B}$ 中区组的个数都是 λ_t. 因此

$$|\mathscr{E}| = (v - t + 1) \lambda_t. \tag{11.6.2}$$

另一方面，设 B 是一个包含 S' 的区组，则 B 包含了 $(k - (t - 1)) = k - t + 1$ 个合 "$S'' \supset S'$, $|S''| = t$" 的子集 S''，这是因为把 $B \setminus S'$ 中的每一个元添在 S' 上就可以得到一个合条件的 S''. 记包含 S' 的 $\mathscr{B}$ 中区组的个数为 $\lambda(S')$，那么

$$|\mathscr{L}| = (k - t + 1)\,\lambda(S')\,. \tag{11.6.3}$$

比较(11.6.2)和(11.6.3)即得

$$\lambda(S') = \frac{v - t + 1}{k - t + 1}\lambda_t\,. \tag{11.6.4}$$

这个数依赖于 $|S'| = t - 1$，而不依赖于 S' 的具体选择，因此，可记为 $\lambda(S') = \lambda_{t-1}$。

重复上面的推理或用数学归纳法即可证得(11.6.1). **证毕.**

在定理中取 $u = 1$ 便有

系 1. 设 $\mathscr{B}$ 是集 S 上的一个 t-$(v,\ k,\ \lambda_t)$ 设计，则 S 中任一元在 $\mathscr{B}$ 的诸区组中出现的次数都是同一个数 λ_1：

$$\lambda_1 = \frac{(v-1)_{t-1}}{(k-1)_{t-1}}\lambda_t\,.$$

这就是说，虽然在 t 设计的定义中不要求基集 S 中的每一元在 $\mathscr{B}$ 的诸区组中出现的次数都相同，然而 t 设计确具有此性质.

系 2. 如果 $1 \leqslant s \leqslant t$，则任一 t 设计都是一个 s 设计.

由系 1 和 $(b,\ v,\ r,\ k,\ \lambda)$ 设计的定义，有

定理 11.6.2. 一个 2-$(v,\ k,\ \lambda)$ 设计就是一个 $(b,\ v,\ r,\ k,\ \lambda)$ 设计，其中 b 是一个适当的正整数，$r = \dfrac{\lambda(v-1)}{k-1}$。

系. 设 $\mathscr{B} = \{B_1,\ B_2, \cdots,\ B_b\}$ 是 v 元集 S 上的一个区组设计. 如果 $\mathscr{B}$ 满足定义 11.3.1 中的条件(1)和(3)，则条件(2)一定满足，因而 $\mathscr{B}$ 是一个平衡不完全区组设计. 再者，如果条件(1)和(3)中的常数分别为 k 和 λ，则(2)中的常数为 $\dfrac{\lambda(v-1)}{k-1}$。

一个 t-$(v,\ k,\ \lambda)$ 设计叫做单的，如果它没有重复的区组；叫做平凡的，如果基集 S 的每一 k 子集都出现同样的次数. Wilson[4] 以及 Graver 和 Jurkat[1] 于 1973 年证明了对所有 t，都存在非平凡的 t 设计，但是不能断定这些 t-设计是单的. 反之，人们猜想，对 $t \geqslant 6$，不存在非平凡的、单的 t 设计. 这一猜想是否为真的问题就是 "t 设计的存在问题". 不久前，Magliveras 和 Leavitt[1] 给出了六个两两不同构的、非平凡的、单的 6-$(33,\ 8,\ 36)$ 设计. 而且，他们还对 $v = 33$ 构造出了多于 500 000 个新的非平凡的、单的 5 设计. L.Teirlink[1] 在 一篇尚未发表的论文 "Non-trivial t-designs withour repeated blocks exist for all t" 中，对所有 t 都构造出了非平凡的、单的 t 设计. 这就解决了一直悬而未决的 t 设计的存在问题.

关于 t 设计的其他一些结果可以参看 Wilson[9, 10] Kageyama 和 Hedayat[1,

2]等.

下面转而讨论按对平衡设计.

定义 11.6.2. 设 $\mathscr{B} = \{ B_1, B_2, \cdots, B_b \}$ 是 v 元集 S 上的一个区组设计,且 $K = \{ k_1, k_2, \cdots, k_m \}$. 如果 $\mathscr{B}$ 满足条件:

(1) $| B_j | \in K (1 \leqslant j \leqslant b)$;

(2)对 S 的任一个二元子集,包含该子集的 $\mathscr{B}$ 中区组的个数是一个不依赖于该二元子集的具体选择的常数;

则称 $\mathscr{B}$ 是集 S 上的一个按对平衡设计. 如果(2)中的常数是 λ,则把这样的按对平衡设计记为:

$$\mathrm{PBD}(K; \lambda; v)$$

或

$$\mathrm{PBD}(\{ k_1, k_2, \cdots, k_m \}; \lambda; v).$$

这里 PBD 是 "pairwise balanced design" 的缩写. 当 $K = \{k\}$ 时,简记为 $\mathrm{PBD}(k; \lambda; v)$.

这个概念很容易推广到 K 包含无限多个正整数的情形.

在第十八章中将看到,按对平衡设计在正交拉丁方的理论发展中起着重要的作用;在第十九章中还将看到它对三连系和可分解的 (b, v, r, k, λ) 设计的存在性问题的研究有着重要的意义.

11.7   其他设计简介

由于实际应用和理论发展的需要,除了以上几节所述的设计类型外,还有很多有价值和有意义的设计,下面粗略介绍其中一些. 它们是:Youden 设计,Room 设计,称重设计,幻方,以及覆盖和填充等.

首先介绍 Youden[1] 于 1937 年引入的一个设计.

定义 11.7.1. 设 Y 是集 $[1, v]$ 上的一个 $k \times v$ 矩阵,其每一行都是 $[1, v]$ 的一个全排列,且每一列中无二元相同. 把第 i 列的 k 个元组成的 k-子集记为 $B_i (1 \leqslant i \leqslant v)$. 如果 $\mathscr{B} := \{ B_1, B_2, \cdots, B_v \}$ 是 $[1, v]$ 上的一个 (v, k, λ) 对称设计,则称 Y 是一个 (v, k, λ)-Youden 矩阵,又称为 (v, k, λ)-Youden 设计.

自然在定义 11.7.1 中,可以把 $[1, v]$ 换为任一 v 元集.

例如,当 $(v, k, \lambda) = (7, 3, 1)$ 时,

$$\begin{pmatrix} 1 & 2 & 3 & 4 & 5 & 6 & 7 \\ 2 & 3 & 4 & 5 & 6 & 7 & 1 \\ 4 & 5 & 6 & 7 & 1 & 2 & 3 \end{pmatrix}$$

就是一个$(7，3，1)$-Youden 矩阵.

关于 Youden 设计的存在性和构造方法, 有

定理 11.7.1. 若存在(v, k, λ)对称设计, 则存在(v, k, λ)-Youden 设计. 从一个(v, k, λ)对称设计来构造一个(v, k, λ)-Youden 设计的方法在下面的证明中给出.

证明. 设$\mathscr{B} = \{B_1, B_2, \cdots, B_v\}$是一个$[1, v]$上的$(v, k, \lambda)$对称设计, 且$1 \leqslant i_1 < i_2 < \cdots < i_h \leqslant v$, 对每一$s \in [1, v]$, 它最多在$B_{i_1}, B_{i_2}, \cdots, B_{i_h}$的$k$个中出现, 而$\sum\limits_{j=1}^{h} \mid B_{ij} \mid = kh$, 故$\bigcup\limits_{j=1}^{h} B_{ij}$至少含有$\dfrac{kh}{k} = h$个相异元. 由定理 5.1.1, 集系$\mathscr{B}$存在相异代表组. 设$y_{11}, y_{12}, \cdots, y_{1v}$是$B_1, B_2, \cdots, B_v$的一个相异代表组, 因而$y_{11}, y_{12}, \cdots, y_{1v}$是$[1, v]$的一个全排列, 故可把它取作$Y$的第一行. 记$B_i' = B_i \setminus \{y_{1i}\} (1 \leqslant i \leqslant v)$. 今考虑$\mathscr{B}' = \{B_1', B_2', \cdots, B_v'\}$. 因$\mid B_i' \mid = k-1$, 而$[1, v]$的任一元$s$最多在$B_1', \cdots, B_v'$的$k1$个中出现, 故$\bigcup\limits_{j=1}^{h} B_{ij}'$至少含有$\dfrac{(k-1)h}{k-1} = h$个相异元. 因此, 集系$\mathscr{B}'$存在相异代表组, 设$y_{21}, y_{22}, \cdots, y_{2v}$是$B_1', B_2', \cdots, B_v'$的相异代表组, 把它取作$Y$的第二行. 类似地重复进行下去, 最后可得一个 Youden 矩阵. **证毕.**

事实上, 上面的证明过程提供了更多的信息, 即有

定理 11.7.2. 从一个(v, k, λ)对称设计至少可以构造出$\prod\limits_{i=1}^{k} (i!)$个不同的$(v, k, \lambda)$-Youden 设计.

证明. 由定理 5.1.2 知, 在定理 11.7.1 的证明过程中出现的$y_{11}, y_{12}, \cdots, y_{1v}$有

$$\prod_{i=0}^{n-1} (k-i)_* = \prod_{i=0}^{k-1} (k-i) = k!$$

个选取方法来得到它, 而$y_{21}, y_{22}, \cdots, y_{2v}$有

$$\prod_{i=0}^{n-1} ((k-1)-i)_* = (k-1)!$$

个方法来得到它, 如此等等, 故有定理的结论. **证毕.**

关于 Youden 设计，就介绍到这里，对此有兴趣的读者，请参看 Youden[1]，Smith 和 Hartley[1]，以及 Raghavarao[1-3].

现在来介绍 Room[1] 设计.

设 $\mathscr{R}$ 是由集$[0，2v\text{-}1]$的全部二元子集以及空集 $\varnothing$ 所组成的簇. 设 R 是 $\mathscr{R}$ 上的一个$(2v\text{-}1)$阶矩阵

$$R=(R_{ij}) \qquad (1\leqslant i，j\leqslant 2v-1). \tag{11.7.1}$$

定义 11.7.2. 如果(11.7.1)中的 R 满足条件：

(1) $\mathscr{R}\backslash\{\varnothing\}$的每一元恰在 R 中出现一次；

(2)$[0，2v-1]$中的每一元都在 R 的每一行的诸子集中恰好出现一次，也都在 R 的每一列的诸子集中恰好出现一次，则称 R 是一个 $2v-1$ 阶 Room 方，或称 R 是一个 $2v$ 阶 Room 设计.

Room 方这一课题最早由 E.C.Howell 于 1897 年从桥牌比赛的角度提出加以研究(参见 Denes 和 Keedwell[1]). Room 不知这一情形，于 1955 年重新提出这一课题. 此后，Archbold 和 Johson[1]，K.R.Shah[1] 找到了它在统计学中的应用，Bruck[2] 和 Lindner[1] 研究了它同拟群的联系，O'Shaughnessy[1] 给出了它同 Steiner 三连系的关联，Nemeth[1]，W.D.Wallis[2] 等讨论了它同图的因子分解之间的有关问题.

自然，在关于 Room 方的研究中，它的存在性和构造方法有着重要的地位和作用. 有许多作者在这方面做了很多工作(可参看 Denes 和 Keedwell[1]，W.D.Wallis, A.P.Street 和 J.S.Wallis[1], Mullin 和 Stanton[1-3]，W.D.Wallis[3]).

关于存在性问题，有以下重要结果.

定理 11.7.3. 存在 $2v\text{-}1$ 阶 Room 方的充要条件是

$$2v-1\neq 3，5，257.$$

这一结果经过许多作者的努力才得到(参看上面所引的文献)，最后一步是由 W.D.Wallis[3] 完成的.

下面介绍称重设计.

Yates[1] 于 1935 年注意到，在称若干件物体的重量时，为提高所称得的物体的重量的精确度，不要一件件物体单独地去称，而是一组物体称一次，称适当次数后再求解各物体的重量. 例如，当要在一架已调好的天平上称五件物体的重量时，可以把其中任四件在一起称，于是可得

$$w_1 + w_2 + w_3 + w_4 \qquad\qquad = y_1,$$

$$w_1 + w_2 + w_3 \qquad\qquad + w_5 = y_2,$$

$$w_1 + w_2 \qquad\qquad + w_4 + w_5 = y_3,$$

$$w_1 \qquad\qquad + w_3 + w_4 + w_5 = y_4,$$

$$w_2 + w_3 + w_4\ + w_5 = y_5.$$

这里 w_i 表第 i 件物体的重量，y_i 是天平中砝码的读数 $(1 \leqslant i \leqslant 5)$. 由上面五个方程即可解得 $w_i (1 \leqslant i \leqslant 5)$.

一般地，考虑到第 i 件物体可以放在天平的左右二盘的任一中，故有以下定义.

定义 11.7.3.　用 b 次称重来称 v 件物体时，记

$$a_{ij} = \begin{cases} 1, & \text{在第}i\text{次称重时，第}j\text{件物体被放在天平的左盘中，} \\ -1, & \text{在第}i\text{次称重时，第}j\text{件物体被放在天平的右盘中，} \\ 0, & \text{在第}i\text{次称重时，第}j\text{件物体未被放在天平的盘中.} \end{cases}$$

那么，$b \times v$ 矩阵 $A = (a_{ij})$ 就叫做一个称重矩阵或称重设计.

设砝码只在右盘中出现，且第 i 次称重时所用的砝码的读数是 $y_i (1 \leqslant i \leqslant b)$，记 $\mathbb{Y} = (y_1,\ y_2,\ \cdots,\ y_b)^{\mathrm{T}}$. 把第 j 件物体的真实重量记为 $w_j (1 \leqslant j \leqslant v)$，且记 $\mathbb{W} = (w_1,\ w_2,\ \cdots,\ w_v)^{\mathrm{T}}$. 那么

$$\mathbb{Y} = A\mathbb{W} + \mathbb{E}, \tag{11.7.2}$$

这里 $\mathbb{E} = (e_1,\ e_2,\ \cdots,\ e_b)^{\mathrm{T}}$，$e_i$ 是第 i 次称重时的误差 $(1 \leqslant i \leqslant b)$. 今假定，$\mathbb{E}$ 的诸分量是随机变量，均值为零，离差矩阵为 $\sigma^2 I_n$.

$\mathbb{W}$ 的最小二乘法估计量 $\hat{\mathbb{W}}$ 合

$$(A^{\mathrm{T}} A)\hat{\mathbb{W}} = A^{\mathrm{T}} \mathbb{Y}. \tag{11.7.3}$$

由此可知，$A^{\mathrm{T}} A$ 是否为奇异矩阵，这对问题的影响很大. 当 $A^{\mathrm{T}} A$ 是非奇异矩阵时，称 A 为非奇异称重设计；当 $A^{\mathrm{T}} A$ 是奇异矩阵时，称 A 为奇异称重设计. 下面只就非奇异称重设计作点简短的说明，因而假定 $(A^{\mathrm{T}} A)^{-1}$ 存在.

由 (11.7.3)，

$$\hat{\mathbb{W}} = (A^T A)^{-1}\ A^T \mathbb{Y},$$

$$\text{var}\ (\hat{\mathbb{W}}) = \sigma^2\ (X^T A)^{-1},$$

这里 var 表方差.

于是，可以证明

定理 11.7.4.   (1)对任一非奇异称重设计 A，都有

$$\text{var}(\hat{\mathbb{W}}_i) \geqslant \frac{\sigma^2}{v} \qquad (1 \leqslant i \leqslant v); \tag{11.7.4}$$

(2)对一切 $i(1 \leqslant i \leqslant v)$，(11.7.4)中诸不等式等号成立的充要条件是

$$A^T A = b I_v.$$

对这一定理的证明有兴趣的读者请参看 Hotelling[1]，Moriguti[1]或 Raghavarao[4].

(11.7.4)中诸不等式等号成立的称重设计使各 $\hat{\mathbb{W}}_i$ 的方差达到最小值，因而叫最优称重设计. 这是最优设计的一个简单例子.

对于称重设计已有不少研究，对此有兴趣的读者请参看 Banerjee[1-3]，Bhaskararao[1]，Chakrabarti[1]，Dey[1]，Federer[1]和 Raghavarao[1-4].

现在来介绍幻方.

定义 11.7.4.   设 A 是一个 n 阶非负整数矩阵，每一行和，每一列和，每一对角线和都相等，则称 A 是一个 n 阶幻方. 如果 n 阶幻方 A 的 n^2 个元彼此相异，则称 A 是一个 n 阶异元幻方. 如果 n 阶幻方 A 的 n^2 个元是连续的 n^2 个非负整数，则称 A 是一个 n 阶连元幻方. 如果 n 阶幻方的 n^2 个元就是 1，2，$\cdots$，n^2，则称 A 是一个 n 阶始元幻方.

定义中所说的"对角线"，指主对角线和次对角线，"对角线和"指对角线上诸元之和.

因为 n 阶拉丁方的每一行和，每一列和都相等，故很容易想到由拉丁方来产生幻方.

定义 11.7.5.   设 A 是$[1,n]$上的一个 n 阶拉丁方，其主对角线上的 n 个元两两相异，次对角线上的 n 个元也两两相异. 那么，A 叫做一个 n 阶对角线拉丁方.

由此可见，对角线拉丁方都是幻方.

关于对角线拉丁方的存在性问题，有(参看 Denes 和 Keedwell[1])：

定理 11.7.5.   设 $n > 1$.存在 n 阶对角线拉丁方的充要条件是 $n \neq 2$，3.

n阶始元幻方在我国古代又叫做n阶纵横图. 有关我国古代对此的贡献请参看李俨[1].

关于连元幻方和始元幻方的存在性和构造方法(这和拉丁方密切相关)，请参

看 Brualdi[1], Denes 和 Keedwell[1]以及那里所引的文献.

有些幻方具有更特殊的性质. 例如,

$$A = \begin{pmatrix} 10 & 5 & 49 & 37 & 32 & 27 & 15 \\ 41 & 29 & 24 & 19 & 14 & 2 & 46 \\ 16 & 11 & 6 & 43 & 38 & 33 & 28 \\ 47 & 42 & 30 & 25 & 20 & 8 & 3 \\ 22 & 17 & 12 & 7 & 44 & 39 & 34 \\ 4 & 48 & 36 & 31 & 26 & 21 & 9 \\ 35 & 23 & 18 & 13 & 1 & 45 & 40 \end{pmatrix},$$

它的每一行和、每一列和、每一对角线和、每一泛对角线和都相等, 其数值为 175, n 阶矩阵 $C = (c_{ij})$ 的 "泛对角线" 指由 n 个元

$$c_{1i}, \ c_{2,\langle i+1\rangle}, \ \cdots, \ c_{n-1,\langle i+n-2\rangle}, \ c_{n,\langle i+n-1\rangle} \quad (1 \leqslant i \leqslant n)$$

所组成的两条平行于主对角线的线, 或由

$$c_{1i}, \ c_{2,\langle i-1\rangle}, \ \cdots, \ c_{n-1,\langle i-(n-2)\rangle}, \ c_{n,\langle i-(n-1)\rangle} \quad (1 \leqslant i \leqslant n)$$

所组成的两条平行于次对角线的线, 这里《m》表最小正剩余(mod n). 具有这样特殊性质的幻方叫做泛对角线幻方. 关于这类幻方的资料, 可参看 Ball[1], Denes 和 Keedwell[1]. 值得指出的是, A 还是一个始元幻方.

设

$$B = \begin{pmatrix} 162 & 207 & 51 & 26 & 133 & 120 & 116 & 25 \\ 105 & 152 & 100 & 29 & 138 & 243 & 39 & 34 \\ 92 & 27 & 91 & 136 & 45 & 38 & 150 & 261 \\ 57 & 30 & 174 & 225 & 108 & 23 & 119 & 104 \\ 58 & 75 & 171 & 90 & 17 & 52 & 216 & 161 \\ 13 & 68 & 184 & 189 & 50 & 87 & 135 & 114 \\ 200 & 203 & 15 & 76 & 117 & 102 & 46 & 81 \\ 153 & 78 & 54 & 69 & 232 & 175 & 19 & 60 \end{pmatrix},$$

则 B 的每一行和, 每一列和, 每一对角线和都是 840, 而且每一行积, 每一列积, 每一对角线积都是 2 058 068 231 856 000.这里一个 "行积" 指该行上诸元之积, 类似地也有列积, 对角线积. 具有这样特殊性质的幻方叫做加-乘幻方. 关于这类幻方, 可参看 Horner[1, 2], Denes 和 Keedwell[1].

关于幻方就介绍到这里. 最后介绍一下覆盖和填表.

定义 11.7.6. 设 $\mathscr{B} = \{B_1, B_2, \cdots, B_b\}$ 是 v 元集 S 上的一个区组设计，这里诸 B_i 都是 S 的非空真子集. 设 $\mathscr{P}_t(S)$ 是 S 的全体 t-子集所组成的簇. 如果对任一 $T \in \mathscr{P}_t(S)$，T 都包含在 $\mathscr{B}$ 的至少 λ 个区组中，则称 $\mathscr{B}$ 是一个 $(\lambda, t; v)$ 覆盖. 若 $\mathscr{B}$ 是一个 $(\lambda, t; v)$ 覆盖，且 $\mathscr{B}$ 中区组的个数最小，则称 $\mathscr{B}$ 是一个 $(\lambda, t; v)$ 最小覆盖. 如果对任一 $T \in \mathscr{P}_t(S)$，T 都包含在 $\mathscr{B}$ 的最多 λ 个区组中，则称 $\mathscr{B}$ 是一个 $(\lambda, t; v)$ 填装. 若 $\mathscr{B}$ 是一个 $(\lambda, t; v)$ 填装，且 $\mathscr{B}$ 中区组的个数最大，则称 $\mathscr{B}$ 是一个 $(\lambda, t; v)$ 最大填装. 如果对任一 $T \in \mathscr{P}_t(S)$，T 都恰好包含在 $\mathscr{B}$ 的 λ 个区组中，则称 $\mathscr{B}$ 是一个 $(\lambda, t; v)$ 完美覆盖. 若 $\mathscr{B}$ 是一个 $(\lambda, t; v)$ 完美覆盖，且 $\mathscr{B}$ 中区组的个数最少，则称 $\mathscr{B}$ 是一个 $(\lambda, t; v)$ 最小完美覆盖.

下面着重介绍一下最小完美覆盖. 设 $\mathscr{B}$ 是一个 $(\lambda, t; v)$ 最小完美覆盖，记 $\mathscr{B}$ 中区组的个数为 $g(\lambda, t; v)$，则有不等式

$$g(\lambda, t; v) \geqslant v.$$

当 $\lambda = 1$ 时，有

$$g(1, 2; v) = v \ (\text{Erdös 和 de Bruijn} [1]),$$

$$g(1, 3; 12) = 47 \quad (\text{Stanton 和 Dirksen} [1]),$$

$$g(1, 3; 20) = g(1, 3, 21) = g(1, 3, 22) = 77$$

$(\text{Stanton，Allston 和 Cowan} [1], \text{Stanton，Allston，Eades，Cowan} [1]),$

$$g(1, 3; q^2 + 1) = q^3 + q, \quad q \geqslant 3, \quad q \text{ 是一个素数幂}$$

$(\text{Hartman，Mullin 和 Stinson}[1]).$

关于最小完美覆盖的其他结果，可参看 Stanton[1]，Stanton，Allston 和 Cowan[1]，Stanton 和 Goulden[1]，Stanton 和 Rogers[1].

覆盖和填装的概念可以发展为有向覆盖和有向填装. 对此这里不拟介绍，有兴趣的读者可以参看 Skilliconn[1-3].

11.8 组合设计理论的内容

组合设计理论研究的主要内容如下：

(1)存在性问题. 若已给出要求，研究符合要求的组合设计是否存在以及存在

的条件问题. 例如, 要想(b, v, r, k, λ)设计存在, b, v, r, k, λ这些参数应满足什么条件? 满足何种条件的参数 b, v, r, k, λ, 就一定存在(b, v, r, k, λ)设计? 对一般情形的组合设计的存在性问题还远未解决.

(2)构造问题. 若已知某类组合设计存在时, 如何把它们构造出来? 经过人们的多年努力, 现在已寻得一些构造方法. 例如借助于数论、有限域、有限几何和矩阵论等学科, 已能构造出大量的设计. 用组合论自身的方法也能解决一些构造性问题. 尽管如此, 对一般情形的组合设计的构造性问题离解决仍很遥远, 尚有许多工作可作.

(3)组合设计之间的关系. 例如, 由一个组合设计的存在断定另一设计的存在或不存在问题; 由一个已知的组合设计如何构造出另一设计的问题; 两个组合设计是否同构的问题, 等等.

(4)组合设计的性质. 如果一类型的组合设计存在, 除了定义中所陈述的性质外, 还具有哪些可供利用的性质? 这些性质往往对确证这种类型的组合设计存在或不存在, 以及存在时如何构造大有帮助. 例如, 循环差集的乘数(参看 14.3)对循环差集的构造就大有帮助. 又如, 已给部分区组时, 能否定出全部区组, 等等.

(5)计数问题. 如果已知某类组合设计存在, 自然希望知道这类设计的个数, 或其中互不同构的设计的个数. 一方面因为组合设计理论现阶段还集中在上述(1)—(4)四个方面的研究; 另一方面计数问题的研究相当困难, 因而有关组合设计计数问题的研究成果还不多, 大量的计数问题还未提上日程. 这个问题的难度是可以想见的, 因为存在性问题的解决已属不易, 而存在性问题用计数问题的语言来说, 只是判定某类组合设计的个数是否为零这一极特殊的情形.

有关组合设计的上述几方面的内容, 将在本书的以后诸章结合一些具体类型的组合设计予以介绍.

(6)最优设计. 因篇幅关系, 且因最优设计与数理统计的关系更为密切, 故未把阐述这一课题作为本书的任务.

第十二章　平衡不完全区组设计的一般理论

平衡不完全区组设计是一类很基本的设计，既有着许多重要的特款，又有着许多有用的推广．本章讨论这类设计的三个一般性问题和一个特殊情形．三个一般性问题是：第一，它的关联矩阵及其性质，以及它们在设计上的反映(12.1)；第二，它的完备化问题(12.2)；第三，一种有效的构造方法．在 12.4 中介绍的一个特殊情形是 $k=3$ 和 $\lambda=1$ 的设计，即著名的 Steiner 三连系．本章的结果在后面诸章中将经常用到．

12.1　关　联　矩　阵

按定义 11.3.1，一个 (b,v,r,k,λ) 设计是 v 元集 S 的满足一定条件的一个子集系．正如 5.2 中指出的，刻画子集系的一个有力工具是其关联矩阵．因此可以预料，关联矩阵对区组设计的研究将起十分重要的作用．

设 $\mathscr{B}=\{B_1,B_2,\cdots,B_b\}$ 是 v 元集 S 的一个 (b,v,r,k,λ) 设计，如 5.2，$\mathscr{B}$ 的关联矩阵是一个 $b\times v$ 的 $(0,1)$ 矩阵

$$A=(a_{ij}),\quad 1\leqslant i\leqslant b,\ 1\leqslant j\leqslant v,\tag{12.1.1}$$

其中

$$a_{ij}=\begin{cases}1,&\text{若 }s_j\in B_i,\\0,&\text{若 }s_j\notin B_i(1\leqslant i\leqslant b,1\leqslant j\leqslant v).\end{cases}$$

由关联矩阵(12.1.1)很容易得出 (b,v,r,k,λ) 设计的诸参数之间的一些简单关系．

定理 12.1.1.　如果存在 (b,v,r,k,λ) 设计，则

$$bk=vr,\tag{12.1.2}$$

$$\lambda(v-1)=r(k-1).\tag{12.1.3}$$

证明.　设 A 为任一 (b,v,r,k,λ) 设计的关联矩阵．一方面，因 A 中每行有 k 个 1，故 A 中 1 的总数为 bk；另一方面，因 A 中每列有 r 个 1，故 A 中 1 的总数

又为 vr. 这二数必相等, 从而(12.1.1)得证.

今把矩阵 A 按列写成分块矩阵的形状:

$$A = (A_1 \ A_2 \cdots A_v). \tag{12.1.4}$$

因为内积

$$(A_1 , \ A_j)= \lambda \, (2 \leqslant j \leqslant v),$$

故

$$(A_1 , A_2 + \cdots + A_v)= \lambda \, (v-1). \tag{12.1.5}$$

另一方面, 因

$$a_{i2} + a_{i3} + \cdots + a_{i,v-1} = \begin{cases} k, & \text{若 } a_{i1} = 0, \\ k-1, & \text{若 } a_{i1} = 1, \end{cases}$$

故

$$(A_1 , A_2 + \cdots + A_v)= \sum_{\substack{a_{i1}=1 \\ (1 \leqslant i \leqslant b)}} (k-1) = r(k-1). \tag{12.1.6}$$

比较(12.1.5)和(12.1.6)即得(12.1.3). **证毕.**

自然也可以把上述证明过程用其所蕴含的组合意义来阐述, 这留给读者作为练习. 此外, (12.1.3)式也可由定理 11.6.2 得到.

(12.1.6)式表明, 毋须事先假定每一元在诸区组中出现的次数相同, 即可推得每一元在诸区组中出现的次数都同为 $\dfrac{\lambda(v-1)}{k-1}$. 这又一次说明了定义 11.3.1 中的条件(2)可以删去.

(12.1.2)和(12.1.3)是 $(b, \ v, \ r, \ k, \ \lambda)$ 设计存在的最简单的必要条件. 它虽然简单, 却能由此断定许多 $(b, \ v, \ r, \ k, \ \lambda)$ 设计不存在. 自然, 条件(12.1.2)和(12.1.3)只是存在 $(b, \ v, \ r, \ k, \ \lambda)$ 设计的必要条件, 并不是充分的.

现在来研究关联矩阵的性质.

今约定, 在本书的以后章节中, 以 J_v 表元全为 1 的 v 阶方阵, I_v 表 v 阶单位阵, W_v 表元全为 1 的 $v \times 1$ 矩阵. 在阶数不会引起混淆的地方, 也可略去下标而分别写成 J, I, W.

定理 12.1.2. 设 A 是一个 $b \times v$ 的 $(0, 1)$ 矩阵. 那么, A 是一个 $(b, \ v, \ r, \ k, \ \lambda)$ 设计的关联矩阵, 当且仅当 A 满足下面两个关系式:

$$A^{\mathrm{T}}A = (r-\lambda)I_v + \lambda J_v,\tag{12.1.7}$$

$$AW_v = kW_b.\tag{12.1.8}$$

证明. 把 A 表为分块形状(12.1.4)，则 $A^{\mathrm{T}}A$ 的(i,j)元为内积(A_i,A_j). 因此，(12.1.7)成立的充要条件是

$$(A_i,A_j)=\begin{cases}r, & 若 i=j,\\ \lambda, & 若 i\neq j,\end{cases}\ (l\leqslant i,\ j\leqslant v).\tag{12.1.9}$$

因 A 是$(0,1)$矩阵，故是 v 元集 S 的一个子集系 $\mathscr{B}=\{B,B_2,\cdots,B_b\}$ 的关联矩阵. 当 $i=j$ 时，(A_i,A_j) 为 S 中的元 s_i 在 $\mathscr{B}$ 的诸子集中出现的次数；当 $i\neq j$ 时，(A_i,A_j) 为 S 中的二元子集$\{s_i,s_j\}$在 $\mathscr{B}$ 的诸子集中出现的次数.

又，AW_v 的第 i 个元即 B_i 中所含元素的个数 k. 这就是说，(12.1.8)成立的充要条件是子集系 $\mathscr{B}$ 中每个子集都包含 k 个元.

结合上述两个方面即得定理. **证毕**.

今后要多次用到(12.1.7)的右节的矩阵，为方便计，特引入下面的记号：

$$B_*:=(r-\lambda)I_v+\lambda J_v$$
$$=\begin{pmatrix}r & \lambda & \cdots & \lambda & \lambda\\ \lambda & r & \cdots & \lambda & \lambda\\ \vdots & \vdots & & \vdots & \vdots\\ \lambda & \lambda & \cdots & r & \lambda\\ \lambda & \lambda & \cdots & \lambda & r\end{pmatrix},\tag{12.1.10}$$

且常把(12.1.7)叫做关联方程.

矩阵 B_* 的行列式的值在一些问题中很有用，且不难求得.

引理 12.1.1. 设 $B_*' = (\alpha-\beta)I_v+\beta J_v$，这里 α 和 β 是复数，那么

$$\det B_*' = (\alpha-\beta)^{v-1}(v\beta+\alpha-\beta).\tag{12.1.11}$$

证明. 把 $\det B_*'$ 除第一行以外的全部行加到第一行，然后提出新的第一行的公共元$(v-1)\beta+\alpha$，可有

$$\det B'_* = ((v-1)\beta + \alpha) \begin{vmatrix} 1 & 1 & \cdots & 1 & 1 \\ \beta & \alpha & & \beta & \beta \\ \vdots & \vdots & & \vdots & \vdots \\ \beta & \beta & \cdots & \alpha & \beta \\ \beta & \beta & \cdots & \beta & \alpha \end{vmatrix}. \tag{12.1.12}$$

在(12.1.12)右节的行列式中，从除第一行外的每一行中减去第一行的 β 倍，可得

$$\det B'_* = ((v-1)\beta + \alpha) \begin{vmatrix} 1 & 1 & \cdots & 1 & 1 \\ 0 & \alpha-\beta & \cdots & 0 & 0 \\ \vdots & \vdots & & \vdots & \vdots \\ 0 & 0 & \cdots & \alpha-\beta & 0 \\ 0 & 0 & \cdots & 0 & \alpha-\beta \end{vmatrix}.$$

由此立得(12.1.11). **证毕**.

利用引理 12.1.1 可以证明 (b, v, r, k, λ) 设计的诸参数间的一些不等式关系.

定理 12.1.3. 如果 (b, v, r, k, λ) 设计存在，则

$$b \geqslant v, \qquad r \geqslant k. \tag{12.1.13}$$

证明. 假设 (b, v, r, k, λ) 设计存在，A 是其关联矩阵，且 $B_* = A^{\mathrm{T}} A$. 如果 $\det B_* = 0$，则 $r = \lambda$ 或 $(v-1)\lambda + r = 0$. 当 $r = \lambda$ 时，由 $\lambda(v-1) = r(k-1)$ 得 $v = k$，故此时的区组设计是平凡的. 很明显，当 $(v-1)\lambda + r = 0$ 时的区组设计也是平凡的. 由于 11.3 已约定不考虑平凡设计，故有 $\det B_* \neq 0$.

因 $\det B_* \neq 0$，故 B_* 的秩为 v. 另一方面，$A^{\mathrm{T}} A$ 的秩不能超过 A 的秩，而 A 的秩又不能超过 b，故有(12.1.13)的前一式. 再由 $bk = rv$ 便得(12.1.13)的第二式. **证毕**.

不等式(12.1.13)最先由 Fisher 发现，通常叫做 Fisher 不等式.

很易证明另一些不等式.

定理 12.1.4. 如果 (b, v, r, k, λ) 设计存在，则

$$\frac{b+\lambda}{2} \geqslant r \geqslant \max\left\{k, \sqrt{\lambda b}, \frac{\lambda v}{k}\right\}. \tag{12.1.14}$$

证明. 因为 S 中的元 s_1 在 r 个区组中出现，而 S 中的二元子集 $\{s_1, s_2\}$ 在 λ 个区组中出现，故

$$r \geqslant \lambda. \tag{12.1.15}$$

由(12.1.3)，

$$r - \lambda = rk - \lambda v.$$

由此和(12.1.15)得

$$rk \geqslant \lambda v. \tag{12.1.16}$$

因有(12.1.2)，故

$$\begin{aligned} k(r^2 - \lambda b) &= kr^2 - v\lambda r \\ &= r(rk - \lambda v). \end{aligned}$$

由此和(12.1.16)得

$$r^2 \geqslant \lambda b. \tag{12.1.17}$$

(12.1.3)和(12.1.2)二式相减，得

$$-(b-r)k = (\lambda - r)(v-1),$$

从而

$$(b-r)(v-k-1) = (b-2r+\lambda)(v-1).$$

因 $b \geqslant r$，$v \geqslant k+1$ (见 11.3)，故 $b - 2r + \lambda \geqslant 0$. 此即

$$b + \lambda \geqslant 2r. \tag{12.1.18}$$

结合(12.1.16)—(12.1.18)便得(12.1.14). **证毕**.

一个 $(b,\ v,\ r,\ k,\ \lambda)$ 设计的关联矩阵的补 $\overline{A} = J_{b \times v} - A$ (见 9.1)也是一个 $b \times v$ 的 $(0,1)$ 矩阵, 这里 $J_{b \times v}$ 是 $b \times v$ 的全 1 阵. 那么, 自然会问, $\overline{A}$ 会不会也是某个 $(b,\ v,\ r',\ k',\ \lambda')$ 设计的关联矩阵? 下面的定理给这个问题以肯定的回答.

定理 12.1.5. 设 A 是一个 $(b,\ v,\ r,\ k,\ \lambda)$ 设计的关联矩阵, 则 $\overline{A}$ 是一个 $(b,\ v,\ b-r,\ v-k,\ b-2r+\lambda)$ 设计的关联矩阵.

证明. 由直接计算, 得

$$\begin{aligned} \overline{A}^{\mathrm{T}} \overline{A} &= (J_{b \times v} - A)^{\mathrm{T}} (J_{b \times v} - A) \\ &= (J_{v \times b} - A^{\mathrm{T}})(J_{b \times v} - A) \\ &= bJ_v - J_{v \times b}A - A^{\mathrm{T}}J_{b \times v} + A^{\mathrm{T}}A \\ &= (r - \lambda)I_v + (b - 2r + \lambda)J_v \end{aligned}$$

和

$$\overline{A}\,W_v = (J_{b\times v} - A)W_v = J_{b\times v}W_v - A\,W_v$$
$$= (v - k)W_b.$$

由 (12.1.4) 或由 $\overline{A}^{\mathrm{T}}\overline{A}$ 的非负性知, $b - 2r + \lambda$ 是个非负整数. 因此, 由定理 12.1.2 知 $\overline{A}$ 是一个 $(b,\ v,\ b-r,\ v-k,\ b-2r+\lambda)$ 设计的关联矩阵. **证毕.**

定理 12.1.5 中的两个设计, 一个以 A 为其关联矩阵, 一个以 $\overline{A}$ 为其关联矩阵, 它们叫做一对互补的设计, 或说一个是另一个的补设计或补.

由定理 12.1.5 知, 在互补的一对设计中, 总有一个, 其诸区组的容量不超过 $\frac{v}{2}$.

所以, 在造 $(b,\ v,\ r,\ k,\ \lambda)$ 设计的表时, 只要列出 $k \leqslant \frac{v}{2}$ 的那些设计则可.

对于若干具体参数值的 BIB 设计和特殊类型的 BIB 设计的构造或不存性方面的结果, 已有表供查. 例如, 可参看 Hall[4] 的附表及 Hall[10].

12.2 完备化问题

平衡不完全区组设计的完备化问题可以叙述如下: 对于给定的 t 个区组, 记为 $B_1,\ B_2,\ \cdots,\ B_t$, 能否断言存在 $b-t$ 个区组 $B_{t+1},\ B_{t+2},\ \cdots,\ B_b$ 使得这两部分区组全体组成的簇 $\mathscr{B} = \{B_1,\ B_2,\ \cdots,\ B_t,\ B_{t+1},\ \cdots,\ B_b\}$ 是一个 $(b,\ v,\ r,\ k,\ \lambda)$ 设计? 已给诸区组 $B_1,\ B_2,\ \cdots,\ B_t$ 满足何种条件时, 完备化才能得以保证?

本书将证明一个完备化定理. 下面的引理 12.2.2 对这个定理的证明有基本意义. 它首先由 Connor[1] 所证明, 后为 M.Hall[4] 所援引. 这里给出的证明更为清晰.

设 K 为一个 $(v + t)$ 阶矩阵:

$$K = \begin{pmatrix} C & E_1 \\ E_2 & E \end{pmatrix}, \tag{12.2.1}$$

其中 $C = (a - b)I_v + bJ_v$, 且

$$E_1 = \begin{pmatrix} e_{1,v+1} & e_{1,v+2} & \cdots & e_{1,v+t} \\ e_{2,v+1} & e_{2,v+2} & \cdots & e_{2,v+t} \\ \vdots & \vdots & & \vdots \\ e_{v,v+1} & e_{v,v+2} & \cdots & e_{v,v+t} \end{pmatrix},$$

$$E_2 = \begin{pmatrix} e_{v+1,1} & e_{v+1,2} & \cdots & e_{v+1,v} \\ e_{v+2,1} & e_{v+2,2} & \cdots & e_{v+2,v} \\ \vdots & \vdots & & \vdots \\ e_{v+t,1} & e_{v+t,2} & \cdots & e_{v+t,v} \end{pmatrix},$$

$$E = \begin{pmatrix} e_{v+1,v+1} & e_{v+1,v+2} & \cdots & e_{v+1,v+t} \\ e_{v+2,v+1} & e_{v+2,v+2} & \cdots & e_{v+2,v+t} \\ \vdots & \vdots & & \vdots \\ e_{v+t,v+1} & e_{v+t,v+2} & \cdots & e_{v+t,v+t} \end{pmatrix}.$$

为了求得矩阵 K 的行列式的值，先求出由(12.1.10)所定义的矩阵 B_* 的逆 B_*^{-1}，自然这里的先决条件是 B_*^{-1} 存在.

引理 12.2.1. 若 $(r+(v-1)\lambda)(r-\lambda) \neq 0$，则

$$B_*^{-1} = \frac{1}{(r+(v-1)\lambda)(r-\lambda)} \begin{pmatrix} r+(v-2)\lambda & -\lambda & -\lambda & \cdots & -\lambda \\ -\lambda & r+(v-2)\lambda & -\lambda & \cdots & -\lambda \\ \vdots & \vdots & \vdots & & \vdots \\ -\lambda & -\lambda & -\lambda & \cdots & \lambda+(v-2)\lambda \end{pmatrix}$$

$$= \frac{1}{(r+(v-1)\lambda)(r-\lambda)} \left((r+(v-1)\lambda)I - \lambda J \right). \tag{12.2.2}$$

注. 单纯地验证(12.2.2)成立是很容易的. 为了求得 B_*^{-1}，可以用求 B_* 的伴随矩阵的方法. 这里介绍另一方法.

证明. 因为矩阵 B_* 的主对角上诸元相同，主对角线外诸元也相同，故一切代数余子式 $(B_*)_{ii}$ $(1 \leqslant i \leqslant v)$ 相同，且一切代数余子式 $(-1)^{i+j}(B_*)_{ij}$ $(1 \leqslant i \neq j \leqslant v)$ 也相同. 记前者为 x，后者为 y. 因 $(r+(v-1)\lambda)(r-\lambda) \neq 0$，故 $\det B_* \neq 0$，从而 B_*^{-1} 存在. 于是

$$B_*^{-1} = \begin{pmatrix} x & y & \cdots & y \\ y & x & \cdots & y \\ \vdots & \vdots & & \vdots \\ y & y & \cdots & x \end{pmatrix}. \tag{12.2.3}$$

由 $B_* B_*^{-1} = I$，得

$$rx + (v-1)\lambda y = 1,$$

$$\lambda x + ry + (v-2)\lambda y = 0 .$$

由此解得

$$x = \frac{r+(v-2)\lambda}{(r+(v-1)\lambda)(r-\lambda)} ,$$

$$y = \frac{-\lambda}{(r+(v-1)\lambda)(-r-\lambda)} . \tag{12.2.4}$$

于是有(12.2.2). **证毕**.

现在利用引理 12.2.1 来求出由(12.2.1)确定的矩阵 K 的行列式的值.

引理 12.2.2. 若 $(a+(v-1)b)(a-b) \neq 0$，则由(12.2.1)确定的矩阵 K 的行列式的值为

$$\det K = (a+(v-1)b)^{1-t}(a-b)^{v-1-t} \det B_t , \tag{12.2.5}$$

这里 B_t 是一个 t 阶方阵

$$B_t = (a+(v-1)b)(a-b)E - (a+(v-1)b)E_2E_1 + bE_2JE_1 ,$$

其第 j 行与第 u 列交口处的元素为

$$(a+(v-1)b)(a-b)e_{v+j,v+u} -(a+(v-1)b)\sum_{i=1}^{v}e_{i,v+u}e_{v+j,i} +b\sum_{i=1}^{v}e_{i,v+u}\sum_{i=1}^{v}e_{v+j,i} . \tag{12.2.6}$$

证明. 在定理的条件下，C^{-1} 存在. 今考虑矩阵

$$K_1 := \begin{pmatrix} C^{-1} & -C^{-1}E_1 \\ 0 & I \end{pmatrix}, \tag{12.2.7}$$

有

$$KK_1 = \begin{pmatrix} I & 0 \\ E_2C^{-1} & E - E_2C^{-1}E_1 \end{pmatrix}.$$

于是

$$\det K \cdot \det K_1 = \det(E - E_2C^{-1}E_1) , \tag{12.2.8}$$

由引理 12.2.1,

$$E - E_2 C^{-1} E_1 = E - E_2 \frac{1}{(a+(v-1)b)(a-b)} ((a+(v-1)b)I - bJ)E_1$$

$$= \frac{1}{(a+(v-1)b)(a-b)} ((a+(v-1)b)(a-b)E$$

$$- (a+(v-1)b)E_2 E_1 + bE_2 J E_1),$$

其第 j 行和第 u 列交口处的元素为

$$e_{v+j,v+u} - \frac{a+(v-1)b}{(a+(v-1)b)(a-b)} \sum_{1 \leqslant l \leqslant v} e_{v+j,l} e_{l,v+u}$$

$$+ \frac{b}{(a+(v-1)b)(a-b)} \sum_{1 \leqslant l \leqslant v} e_{v+j,l} \sum_{1 \leqslant l \leqslant v} e_{l,v+u}. \tag{12.2.9}$$

由(12.2.8)和(12.2.9)得

$$\det K = \frac{1}{\det K_1} \frac{1}{(a+(v-1)b)^t (a-b)^t} \det B_t,$$

故

$$\det K = \det C \frac{1}{(a+(v-1)b)^t (a-b)^t} \det B_t$$

$$= (a+(v-1)b)^{1-t} (a-b)^{v-1-t} \det B_t.$$

此即(12.2.5). **证毕**.

现在来讨论区组设计的完备化问题.

假设已给一个 v 元集 S 的 t 个 k 元子集 B_1，B_2，$\cdots$，B_t，下面将给出能把它们扩充成一个$(b，v，r，k，\lambda)$设计的必要条件. 可以想象得到，这个条件可用子集系 B_1，B_2，$\cdots$，B_t 的关联矩阵来描述. 记这个关联矩阵为 A_{11}. 定义

$$C_t := r(r-\lambda)I_t + \lambda k J_t - r A_{11} A_{11}^{\mathrm{T}} \tag{12.2.10}$$

称为诸区组 B_1，B_2，$\cdots$，B_t 的特征矩阵.

现在已能证明

定理 12.2.1. 如果 v 元集 S 的诸子集(区组) B_1，B_2，$\cdots$，B_t 可以扩充为一个$(b，v，r，k，\lambda)$设计，则

(1)当 $t < b-v$ 时，有 $\det C_t \geqslant 0$ ；

(2)当 $t > b-v$ 时，有 $\det C_t = 0$ ；

(3)当 $t = b-v$ 时，$kr^{v-b+1}(r-\lambda)^{2v-b-1} \det C_{b-v}$ 必是一个完全平方数.

证明. 设 B_1，B_2，$\cdots$，B_t 扩充成的一个$(b，v，r，k，\lambda)$设计为 $\mathscr{B}$，

其关联矩阵为 A，则 A 可以写成下面的分块形式

$$A = \begin{pmatrix} A_{11} \\ A_{12} \end{pmatrix}.$$

今定义一个 $b \times (v+t)$ 矩阵 A_1 如下

$$A_1 := \begin{pmatrix} A_{11} & I_t \\ A_{12} & 0 \end{pmatrix}. \tag{12.2.11}$$

记 $B_{**} := A_1^{\mathrm{T}} A_1$，则

$$\begin{aligned} B_{**} &= \begin{pmatrix} A_{11}^{\mathrm{T}} A_{11} + A_{12}^{\mathrm{T}} A_{12} & A_{11}^{\mathrm{T}} \\ A_{11} & I_t \end{pmatrix} = \begin{pmatrix} A^{\mathrm{T}} A & A_{11}^{\mathrm{T}} \\ A_{11} & I_t \end{pmatrix} \\ &= \begin{pmatrix} B_* & A_{11}^{\mathrm{T}} \\ A_{11} & I_t \end{pmatrix}, \end{aligned}$$

其中 B_* 为 (12.1.10) 所确定.

由引理 12.2.2,

$$\begin{aligned} \det B_{**} &= \det(A_1^{\mathrm{T}} A_1) \\ &= k r^{-t+1} (r-\lambda)^{v-t-1} \det C_t, \end{aligned} \tag{12.2.12}$$

这是因为 $r + (v-1)\lambda = rk, A_{11} J_v A_{11}^{\mathrm{T}} = k^2 J_t$ ，从而

$$\begin{aligned} r(r-\lambda)(I_t - A_{11} B_*^{-1} A_{11}^{\mathrm{T}}) &= r(r-\lambda) I_t - r A_{11} A_{11}^{\mathrm{T}} + \frac{\lambda}{k} A_{11} J A_{11}^{\mathrm{T}} \\ &= r(r-\lambda) I_t + \lambda k J - r A_{11} A_{11}^{\mathrm{T}}. \end{aligned}$$

因为一个矩阵同其转置阵之积的行列式非负，故 (12.2.12) 的值非负，再由 k, r, $r-\lambda$ 的正性，知

$$\det C_t \geqslant 0 ,$$

故有结论 (1).

因为矩阵 $A_1^{\mathrm{T}} A_1$ 的秩不超过矩阵 A_1 的秩，而后者又不超过 b，故当 $t > b - v$ 时，$A_1^{\mathrm{T}} A_1$ 的阶大于它自身的秩，故 $\det(A_1^{\mathrm{T}} A_1) = 0$.由此和 $k, r, r - \lambda$ 的正性，从 (12.2.12) 得知 $\det C_t = 0$.结论 (2) 得证.

当 $t = b - v$ 时，A_1 是一个 b 阶方阵，故

$$\det(A_1^{\mathrm{T}} A_1) = (\det A_1)^2.$$

另一方面，此时(12.2.12)的右节为 $kr^{v-b+1}(r-\lambda)^{2v-b-1} \cdot \det C_{b-v}$，故它是一个完全平方数. 结论(3)得证. **证毕**.

下面用二次型的语言来表述已给区组簇可扩充为一个$(b，v，r，k，\lambda)$设计的必要条件.

设 A 是一个$(b，v，r，k，\lambda)$设计的关联矩阵. 对这个矩阵的每一行都有一个线性型与之结合：

$$L_i = \sum_{1\leqslant j\leqslant v} a_{ij}x_j \quad (1\leqslant i\leqslant b)$$

$$= (a_{i1}a_{i2}\cdots a_{iv})X，\tag{12.2.13}$$

这里 X 的转置为 $X^{\mathrm{T}} = (x_1 x_2 \cdots x_v)$. 由 $A^{\mathrm{T}}A = (r-\lambda)I_v + \lambda J_v$，可有

$$(AX)^{\mathrm{T}}(AX) = (r-\lambda)X^{\mathrm{T}}X + \lambda X^{\mathrm{T}}JX.$$

由(12.2.13)，这又可写为

$$L_1^2 + L_2^2 + \cdots + L_b^2 = (r-\lambda)(x_1^2 + x_2^2 + \cdots + x_v^2) + \lambda(x_1 + x_2 + \cdots + x_v)^2.\tag{12.2.14}$$

今后把(12.2.14)右节的二次型记为 $Q(x_1，x_2，\cdots，x_v)$，简记为 Q：

$$Q := Q(x_1，x_2，\cdots，x_v) := (r-\lambda)(x_1^2 + x_2^2 + \cdots + x_v^2) + \lambda(x_1 + x_2 + \cdots + x_v)^2.$$

$$\tag{12.2.15}$$

于是 Q 是完全由设计的参数所确定的一个二次型. 又记

$$Q^* := Q^*(x_1，x_2，\cdots，x_v) := Q - L_1^2 - \cdots - L_t^2.\tag{12.2.16}$$

如果已给 S 的 t 个 k 元子集和参数 $b，v，r，k，\lambda$，则 Q^* 是一个完全确定的二次型.

定理 12.2.2. 设 $B_1，B_2，\cdots，B_t$ 是 v 元集 S 的 t 个 k 元子集. 如果它们可以扩充为一个$(b，v，r，k，\lambda)$设计，则由(12.2.16)所确定的二次型是半正定的，其中诸 L 合

$$\begin{pmatrix} L_1 \\ L_2 \\ \vdots \\ L_t \end{pmatrix} = A_{11}X ,$$

这里 A_{11} 是子集系 B_1，B_2，$\cdots$，B_t 的关联矩阵.

证明. 如果 B_1，B_2，$\cdots$，B_t 是可扩充的，则存在矩阵 A_{12} 使

$$A := \begin{pmatrix} A_{11} \\ A_{12} \end{pmatrix}$$

是一个 $(b，v，r，k，\lambda)$ 设计的关联矩阵. 由(12.2.14)和(12.2.15)知

$$Q^* = L_{t+1}^2 + \cdots + L_b^2 ,$$

这里

$$\begin{pmatrix} L_{t+1} \\ \vdots \\ L_b \end{pmatrix} = A_{12}X .$$

因此 Q^* 是一个半正定二次型. **证毕**.

定理 12.2.1 中所述条件只与一个行列式有关，比定理 12.2.2 的条件容易检验.

在定理12.2.1的证明中出现的矩阵 B_{**} 的二次型的半正定性等价于定理12.2.2 中的二次型 Q^* 的半正定性. 这是因为 B_{**} 的型为

$$\begin{aligned} Q_1 &:= Q_1(x_1,\cdots,x_v,y_1,\cdots,y_t) \\ &:= (L_1+y_1)^2 + \cdots + (L_t+y_t)^2 + L_{t+1}^2 + \cdots + L_b^2. \end{aligned}$$

对实变量 x_1，$\cdots$，x_v，总可以选取 y_1，$\cdots$，y_t 使得

$$L_1 + y_1 = \cdots = L_t + y_t = 0.$$

这就是说，Q_1 是正半定的，当且仅当

$$L_{t+1}^2 + \cdots + L_b^2 = Q^*$$

是半正定的.

利用上面证明了的必要条件，可以否定一些子集系可扩充为一个 $(b，v，r，k，\lambda)$ 设计.

12.3   一种构造方法

本节介绍一个构造(b, v, r, k, λ)设计的方法.这个方法首先为 R.C.Bose[1]于 1939 年所创造，叫做"对称重差法"(method of symmetrically repeated differences)又叫做"混差法"(method of mixed differences). 这些名称的来由将在下面的介绍中自明.

在 11.4 中已经指出，v 元集 S 上的一个(b, v, r, k, λ)设计 $\mathscr{B}$ 上的全体自同构组成一个群.本节讨论这样的区组设计 $\mathscr{B}$，其上的一个自同构群 $\mathscr{A}$ 是个 m 阶的 Abel 群.此时把 $\mathscr{A}$ 中的合成叫做加法，且用"+"来表示.为了引用方便起见，先给出以下定义.

定义 12.3.1. 对一个(b, v, r, k, λ)设计的一个自同构群 $\mathscr{A}$，基集 S 中的两个元素 s_1 和 s_2 说成是在同一轨道上，如果存在 $a \in \mathscr{A}$ 使得

$$\alpha(s_1) = s_2.$$

此时也说元素 s_1 对 s_2 有关系 R. 类似地，区组设计 $\mathscr{B}$ 中的两个区组 B_1 和 B_2 说成是在同一轨道上，如果存在 $\beta \in \mathscr{A}$ 使得

$$\beta(B_1) = B_2.$$

此时也说区组 B_1 对 B_2 有关系 R'.

容易看出，诸元素之间的关系 R 和诸区组元间的关系 R' 都是等价关系. 按照等价关系 R，S 可分解成一些互无公共元素的等价类之并，这些等价类又叫做自同构群 $\mathscr{A}$ 所决定的元素轨道，在不致引起混淆时也称为轨道. 按照关系 R'，$\mathscr{B}$ 可分解成互无公共区组的一些等价类之并，这些等价类又叫做自同构群 $\mathscr{A}$ 所决定的区组轨道，在不致引起混淆时也简称为轨道.

今把第 i 个元素轨道(也叫做元素轨道 i)中任一固定元记为 $(0)_i$，这里 0 是群 $\mathscr{A}$ 的零元，下标 i 表第 i 个元素轨道. 当 $\alpha \in \mathscr{A}$ 时，在自同构 α 作用下元 $(0)_i$ 的象 $\alpha\big((0)_i\big)$ 记为 $(\alpha)_i$.

今对固定的元素轨道 i，定义

$$\mathscr{A}_0 := \left\{ \beta \in \mathscr{A} \,\middle|\, (\beta)_i = (0)_i \right\}. \tag{12.3.1}$$

由此定义，立得

引理 12.3.1. $\mathscr{A}_0$ 是 $\mathscr{A}$ 中使 $(0)_i$ 固定不变的全部自同构所组成的，且是 $\mathscr{A}$ 的一个子群.

今对固定的元素轨道 i 和 $\mathscr{A}$ 中的一个固定的自同构 α，定义

$$A_a := \left\{ \beta \in \mathscr{A} \,\middle|\, (\beta)_i = (\alpha)_i \right\}, \tag{12.3.2}$$

则有

引理 12.3.2. $\mathscr{A}_a$ 是 $\mathscr{A}$ 的子群 $\mathscr{A}_0$ 在 $\mathscr{A}$ 中的包含 α 的陪集.

证明. 设 β 是 $\mathscr{A}_a$ 中任一自同构，由 $\mathscr{A}_a$ 的定义，有

$$\beta(0)_i = \alpha(0)_i,$$

故 $\beta - \alpha \in \mathscr{A}_0$，亦即

$$\beta \in \alpha + \mathscr{A}_0.$$

上面的推理反过来也是对的. 因此

$$\mathscr{A}_\alpha = \alpha + \mathscr{A}_0.$$

证毕.

这里有两个极端的情形. 第一，$\mathscr{A}_0$ 是单位子群. 因 $\mathscr{A}_0$ 是单位子群的充要条件是

$$(\beta)_i \neq (\beta')_i \quad (\text{一切 } \beta \neq \beta' \in \mathscr{A}), \tag{12.3.3}$$

故知，此时第 i 个元素轨道中恰有 m 个元素. 第二，$\mathscr{A}_0$ 就是 $\mathscr{A}$ 本身. 因 $\mathscr{A}_0 = \mathscr{A}$ 的充要条件是

$$(\beta)_i = (\beta')_i \quad (\text{一切 } \beta, \beta' \in \mathscr{A}), \tag{12.3.4}$$

故知，此时第 i 个元素轨道中仅有一个元素，今后常把这个元素记为 $(\infty)_i$. 在其他中间情形，一个轨道中元素的个数是 $\dfrac{m}{|\mathscr{A}_0|}$，故总是 m 的一个因数.

类似地，$\mathscr{A}$ 中固定一个区组 B 的全体自同构组成的集

$$\{ \alpha \in \mathscr{A} \,|\, \alpha B = B \} \tag{12.3.5}$$

是 $\mathscr{A}$ 的一个子群；对任一固定的区组轨道 i，和该轨道中的一个固定的区组 B，使区组 αB 仍在第 i 个轨道里的 $\mathscr{A}$ 中全部自同构 α 组成子群(12.3.5)在 $\mathscr{A}$ 中的一个陪集. 因此，任一区组轨道中区组的个数也都是 m 的因数.

如果从每一个区组轨道中任选一个区组，那么从这些区组出发，以 $\mathscr{A}$ 中的自

同构去作用，就会得出 $\mathscr{B}$ 中的全部区组. 因此，常把由每一区组轨道中选出一个区组而组成的一个区组系叫做全部区组的一个基底. 因此，要构造出一个以给定的群作为其一自同构群的区组设计，只要构造出这个设计的基底，并说明如何处理该群作用于该基底中的每一单个区组而产生的重复区组就行了. 如果该群作用于该基底中的每一单个区组所产生的诸区组都是相异的，则后一说明常常略去.

R.C.Bose[1] 提出了构造某些区组设计的基底的混差法. 在介绍这个方法之前，先以两个简单的例子来具体说明上述概念.

例 12.3.1. 在(12.3.6)中列出的设计是一个$(35，15，7，3，1)$设计，以 Z_5 的加群为其一自同构群. 诸元素的轨道有三个：i_1，i_2，i_3 $(0 \leqslant i \leqslant 4)$. (这里为简化记号而把 $(i)_j$ 写为 i_j. 在不引起混淆的地方，今后也常如此.)区组的轨道七个：每一个大花括号所包含的五个区组组成一个轨道. 从这七个区组轨道的每一个中任

$$(1)\begin{cases}\{0_1,1_2,4_2\}\\\{1_1,2_2,0_2\}\\\{2_1,3_2,1_2\}\\\{3_1,4_2,2_2\}\\\{4_1,0_2,3_2\}\end{cases} \qquad (2)\begin{cases}\{0_1,2_2,3_2\}\\\{1_1,3_2,4_2\}\\\{2_1,4_2,0_2\}\\\{3_1,0_2,1_2\}\\\{4_1,1_2,2_2\}\end{cases}$$

$$(3)\begin{cases}\{0_2,1_3,4_3\}\\\{1_2,2_3,0_3\}\\\{2_2,3_3,1_3\}\\\{3_2,4_3,2_3\}\\\{4_2,0_3,3_3\}\end{cases} \qquad (4)\begin{cases}\{0_2,2_3,3_3\}\\\{1_2,3_3,4_3\}\\\{2_2,4_3,0_3\}\\\{3_2,0_3,1_3\}\\\{4_2,1_3,2_3\}\end{cases} \qquad (12.3.6)$$

$$(5)\begin{cases}\{0_3,1_1,4_1\}\\\{1_3,2_1,0_1\}\\\{2_3,3_1,1_1\}\\\{3_3,4_1,2_1\}\\\{4_3,0_1,3_1\}\end{cases} \qquad (6)\begin{cases}\{0_3,2_1,3_1\}\\\{1_3,3_1,4_1\}\\\{2_3,4_1,0_1\}\\\{3_3,0_1,1_1\}\\\{4_3,1_1,2_1\}\end{cases}$$

$$(7)\begin{cases}\{0_1,0_2,0_3\}\\\{1_1,1_2,1_3\}\\\{2_1,2_2,2_3\}\\\{3_1,3_2,3_3\}\\\{4_1,4_2,4_3\}\end{cases}$$

选一个区组，例如都选第一个，便得一个基底：$\{0_1，1_2，4_2\}$，$\{0_1，2_2，3_2\}$，$\{0_2，1_3，4_3\}$，$\{0_2，2_3，3_3\}$，$\{0_3，1_1，4_1\}$，$\{0_3，2_1，3_1\}$，$\{0_1，0_2，0_3\}$. 在(12.3.6)的每一个区组轨道中，下一个区组都是上一个区组的所有元经自同构 $1(\bmod 5)$ 的作用而产生的. 对每一轨道 $i(1 \leqslant i \leqslant 3)$，$\mathscr{A}_0$ 都是 $\mathscr{A}$ 的单位子群. 设计(12.3.6)的构造方法将由后面的定理 12.3.2 给出.

例 12.3.2.   在(12.3.7)中列出的也是一个 $(35，15，7，3，1)$ 设计，以 Z_{15} 的加群为其一自同构群，诸元素轨道只有一个(因而略去显示轨道的下标 1)；区组轨道有三个，每一个大花括号所包含的诸区组组成一个轨道. 从这三个区组轨道中任选一个，例如都

$$(1)\begin{cases}\{0,1,4\}\\\{1,2,5\}\\\{2,3,6\}\\\{3,4,7\}\\\{4,5,8\}\\\{5,6,9\}\\\{6,7,10\}\\\{7,8,11\}\\\{8,9,12\}\\\{9,10,13\}\\\{10,11,14\}\\\{11,12,0\}\\\{12,13,1\}\\\{13,14,2\}\\\{14,0,3\}\end{cases} \qquad (2)\begin{cases}\{0,7,13\}\\\{1,8,14\}\\\{2,9,0\}\\\{3,10,1\}\\\{4,11,2\}\\\{5,12,3\}\\\{6,13,4\}\\\{7,14,5\}\\\{8,0,6\}\\\{9,1,7\}\\\{10,2,8\}\\\{11,3,9\}\\\{12,4,10\}\\\{13,5,11\}\\\{14,6,12\}\end{cases} \qquad (12.3.7)$$

$$(3)\begin{cases}\{0,5,10\}\\\{1,6,11\}\\\{2,7,12\}\\\{3,8,13\}\\\{4,9,14\}\end{cases}$$

选第一个便得一个基底：$\{0, 1, 4\}$，$\{0, 7, 13\}$，$\{0, 5, 10\}$，显见，$\mathscr{A}_0$ 是 $\mathscr{A}$ 的单位子群. 值得一提的是，对第一个和第二个区组轨道中的任一区组 B，$\{\alpha \in \mathscr{A} | \alpha B = B\}$ 都是 $\mathscr{A}$ 的单位子群，因而这两个轨道区组的个数是 $\mathscr{A}$ 的阶 15. 但是，对第三个区组轨道中任一区组 B，$\{\alpha \in \mathscr{A} | \alpha B = B\}$ 却都是 $\mathscr{A}$ 的 3 阶

子群，因而这个轨道中区组的个数是 $\dfrac{15}{3} = 5$. 例如，使区组{0，5，10}固定的诸自同构是

$$0，5，10(\text{mod } 15)，\tag{12.3.8}$$

使第三轨道中其他任一区组固定的诸自同构都是(12.3.8)中的三个自同构. 设计(12.3.7)的构造方法将由后面的定理 12.3.3 给出.

如本节之首所说，本节只考虑以一个 m 阶的 Abel 群 $\mathscr{A}$ 为其一自同构群的区组设计. 由那里的分析可知，诸元素被该自同构群分成了若干个元素轨道，诸区组也被该自同构群分成了若干个区组轨道. 为了方便检验由若干个区组组成的一个集是否是某一区组设计的一个基底，引入以下术语是有益的.

定义 12.3.2.   设 $\mathscr{A}$ 是一个 m 阶 Abel 群，$\alpha \in \mathscr{A}$，j 是正整数，$(a)_j$ 是一些人为的元素，而 $\mathscr{A}$ 中的元素 α 作用于元素 $(a)_j$ 的结果指的是元素 $(a+\alpha)_j$. 对同一 j，由一切相异元 $(a)_j \, (a \in \mathscr{A})$ 所组成的集叫做一个元素轨道. 对于元 $(a_i)_{ji}$ 和 $(a_t)_{jt}$，把差 $a_i - a_t$ 叫做 $(j_i，j_t)$ 类差. 若 $j_i = j_t = j$，又把这个差叫做 j 类纯差；若 $j_i \neq j_t$，则又把这个差叫做 $(j_i，j_t)$ 类混差.

下面的定理为检验一组子集是否为一个区组设计的基底提供了方便.

定理 12.3.1.   设 $\mathscr{A}$ 是一个 m 阶 Abel 加群，且 $\{B\}$ 是由形如

$$B = \{(a_1)_{j1}，(a_2)_{j2}，\cdots，(a_k)_{jk}\}，\quad a_i \in \mathscr{A} \tag{12.3.9}$$

的集组成的一个集系. 如果集系 $\{B\}$ 满足下面四个条件，则它就是一个 $(b，v，r，k，\lambda)$ 设计的基底，且该设计以 $\mathscr{A}$ 为其一个自同构群. 这些条件是

(1)每一个子集 B 含 k 个元素；

(2)把 $\{B\}$ 中的集 B 经 $\mathscr{A}$ 作用所产生的全部不同的区组组成的簇记为 $\mathscr{B}_B$. 于是，区组簇

$$\{\mathscr{B}_B \, | \, B \in \{B\}\} \tag{12.3.10}$$

共有 b 个区组，这些区组共含 v 个不同的元素；

(3)每一非零纯差和每一混差按计算次数的下述规定各产生 λ 次：如果对 $\{B\}$ 中的一个集 B，$\mathscr{A}$ 中使 B 固定的全部元所组成的子群的阶是 w，则由 B 产生的差应该计算的次数是实际出现的次数的 w 分之一.

该设计的区组簇就是(12.3.10).

证明.   由定理的条件可知，只需验证每一个二元子集 $\{(a)_j，(b)_l\}$ 在(12.3.10)

的 b 个区组中都恰好出现 λ 次.

记 $c:=a-b$. 当 $j\neq l$ 时，假定 $(j,\ l)$ 类混差 c 由 B 的诸二元子集

$$\{\left(a_{j1}\right)_j,\ \left(a_{l1}\right)_l\},\ \{\left(a_{j2}\right)_j,\ \left(a_{l2}\right)_l\},\ \cdots \tag{12.3.11}$$

产生. 又设 (12.3.11) 中恰有 t 个不同的二元子集属于 B，不失一般性，可设

$$\{\left(a_{j1}\right)_j,\ \left(a_{l1}\right)_l,\ \cdots,\ \left(a_{jt}\right)_j,\ \left(a_{lt}\right)_l,\ \cdots\}=B, \tag{12.3.12}$$

且除 $\left(a_{ji}\right)_j,\ \left(a_{li}\right)_l\ (1\leqslant i\leqslant t)$ 外，B 中其他元都不产生 $(j,\ l)$ 类混差 c. 经 $\mathscr{A}$ 中元 α 的作用，(12.3.12) 变为

$$\{\left(a_{j1}+\alpha\right)_j,\ \left(a_{l1}+\alpha\right)_l,\ \left(a_{j2}+\alpha\right)_j,\ \left(a_{l2}+\alpha\right)_l,\ \cdots,$$

$$\left(a_{jt}+\alpha\right)_j,\ \left(a_{lt}+\alpha\right)_l,\ \cdots\}=\alpha B. \tag{12.3.13}$$

设 $\mathscr{A}$ 中使 B 固定的全部元组成的子群的阶是 w. 当 α 遍历 $\mathscr{A}$ 中元时，对固定的 $i\ (1\leqslant i\leqslant t)$，二元集 $\{(a)_j,\ (b)_l\}$ 在

$$\{\{\left(a_{ji}+\alpha\right)_j,\left(a_{li}+\alpha\right)_l\}|\alpha\in\mathscr{A}\} \tag{12.3.14}$$

中出现一次. 这是因为，由

$$\begin{cases} a_{ji}+\alpha=a, \\ a_{li}+\alpha=b \end{cases}$$

的第一式唯一确定的 α 也适合第二式

$$\begin{aligned} \alpha &= a-a_{ji}=b-a_{li}+((a-b)-(a_{ji}-a_{li})) \\ &= b-a_{li}+(c-c) \\ &= b-a_{li}, \end{aligned}$$

这就是说，上面的方程组有唯一解 α. 另一方面，(12.3.12) 中的其他元素在 α 的作用下不产生二元子集 $\{(a)_j,\ (b)_l\}$. 因此，二元集 $\{(a)_j,\ (b)_l\}$ 在 $\{\alpha B|\alpha\in\mathscr{A}\}$ 中出现 t 次. 再者，集系 $\{\alpha B|\alpha\in\mathscr{A}\}$ 中只有 $\dfrac{m}{w}$ 个彼此不同，这 $\dfrac{m}{w}$ 个的每一个在 $\{\alpha B|\alpha\in\mathscr{A}\}$ 中重复 w 次. 设二元集 $\{(a)_j,\ (b)_l\}$ 在不同的诸 $\alpha B\ (\alpha\in\mathscr{A})$ 中出现

的次数为 λ_1 ，则 $w\lambda_1 = t$ ，即 $\lambda_1 = \dfrac{t}{w}$. 这就是说， $\{(a)_j, (b)_l\}$ 在不同的诸 $\alpha B(\alpha \in \mathscr{A})$ 中出现的次数是 (j, l) 类混差 c 在 B 中出现的次数除以 w 的结果. 对包含有(12.3.11)中的元素对的 $\{B\}$ 中所有集都如上考虑，就可得出，二元集 $\{(a)_j, (b)_l\}(j \neq l)$ 在(12.3.10)中的诸集中共出现 λ 次，这里是按条件(4)中的规定来计算 λ 的值的.

当 $j = l$ 且 $c = -c \neq 0$ 时，在上面的证明过程中需作如下改动. 因为 $c = -c$ ，故纯差 c 总是成对出现的. 因而二元集 $\{(a)_j, (b)_l\}$ 同时产生纯差 c 二次： $a - b = c$ ， $b - a = c$. 因此可把(12.3.11)，(12.3.12)和(12.3.13)分别改写为

$$\{(a_{j1})_j, (a''_{j1})_j\}, \{(a_{j2})_j, (a'_{j2})_j\}, \cdots,$$

$$\{(a_{j1})_j, (a'_{j1})_j, (a_{j2})_j, (a'_{j2})_j, \cdots, (a_{jt})_j, (a'_{jt})_j, \cdots\} = B$$

和

$$\{(a_{j1} + \alpha)_j, (a'_{j1} + \alpha)_j, (a_{j2} + \alpha)_j, (a'_{j2} + \alpha)_j, \cdots,$$

$$(a_{jt} + \alpha)_j, (a'_{jt} + \alpha)_j, \cdots\} = \alpha B.$$

此时对固定的 $i(1 \leqslant i \leqslant t)$ ，二元集 $\{(a)_j, (b)_l\}(a \neq b)$ 在

$$\{\{(a_{ji} + \alpha)_j, (a'_{ji} + \alpha)_j\} | \alpha \in \mathscr{A}\}$$

中出现二次. 这是因为，由

$$\begin{cases} a_{ji} + \alpha = a, \\ a'_{ji} + \alpha = b \end{cases}$$

和

$$\begin{cases} a_{ji} + \beta = b, \\ a'_{ji} + \beta = a \end{cases}$$

各确定出唯一的 α 和 β ，且 $\alpha \neq \beta$. 因此，二元集 $\{(a)_j, (b)_l\}$ 在 $\{\alpha B | \alpha \in \mathscr{A}\}$ 中共出现 $2t$ 次，故 $w\lambda_1 = 2t$ ，即 $\lambda_1 = \dfrac{2t}{w}$. 这就是说， $\{(a)_j, (b)_j\}$ 在不同的诸

$\alpha B(\alpha \in \mathscr{A})$ 中出现的次数是(j, j)类纯差 c 在 B 中出现的次数$(2t)$除以 w 的结果.

对 $j = l$ 且 $c \neq -c$ 的情形完全类似于混差的讨论而得到所要的结果.

至此,定理已全部证毕.

需要说明一点,$\alpha(\infty)_j = (\infty)_j$(一切 $\alpha \in \mathscr{A}$),故由 $(\infty)_j$ 和 $(a)_l\,(j \neq l)$ 产生的混差可视为(j, l)类混差.

下面给出一个解释性的例子.

例 12.3.3. 设 $\mathscr{A}$ 是 Z_{14} 的加群,证明:下面三个区组

$$\{\bar{0}, \bar{1}, \bar{4}, \bar{9}, \overline{11}\}, \{\bar{0}, \bar{1}, \bar{4}, \overline{10}, \overline{12}\}, \{\infty, \bar{0}, \bar{1}, \bar{2}, \bar{7}\} \quad (12.3.15)$$

组成一个$(42, 15, 14, 5, 4)$设计的基底,且该设计以 $\mathscr{A}$ 为其一自同构群. 这里 $\bar{i}$ 是 $(\bar{i})_1$ 的简写,$\bar{i}$ 是 i 所在的剩余类$(\mathrm{mod}\ 14)$,∞ 是 $(\infty)_2$ 的简写.

证明. 今逐条验证定理中的三个条件. 条件(1)明显满足,此时,$k = 5$.

在 $\mathscr{A}$ 的作用下,(12.3.15)中的三个集的每一个都产生 14 个不同的集,故共产生出 $3 \times 14 = 42$ 个不同的集. 这些集所含的元素组成集 $\{\bar{0}, \bar{1}, \cdots, \overline{13}\} \bigcup \{\infty\}$,其元素的个数为 15.因此条件(2)满足.

由(12.3.15)的第一个集所产生的全部$(1, 1)$类纯差是

$$\pm(\bar{0} - \bar{1}) = \mp\bar{1}, \quad \pm(\bar{0} - \bar{4}) = \mp\bar{4},$$
$$\pm(\bar{0} - \bar{9}) = \pm\bar{5}, \quad \pm(\bar{0} - \overline{11}) = \pm\bar{3},$$
$$\pm(\bar{1} - \bar{4}) = \mp\bar{3}, \quad \pm(\bar{1} - \bar{9}) = \pm\bar{6}, \quad (12.3.16)$$
$$\pm(\bar{1} - \overline{11}) = \pm\bar{4}, \quad \pm(\bar{4} - \bar{9}) = \mp\bar{5},$$
$$\pm(\bar{4} - \overline{11}) = \bar{7}, \bar{7}, \quad \pm(\bar{9} - \overline{11}) = \mp\bar{2};$$

由(12.3.15)的第二个集所产生的全部$(1, 1)$类纯差是

$$\pm(\bar{0} - \bar{1}) = \mp\bar{1}, \quad \pm(\bar{0} - \bar{4}) = \mp\bar{4},$$
$$\pm(\bar{0} - \overline{10}) = \pm\bar{4}, \quad \pm(\bar{0} - \overline{12}) = \pm\bar{2},$$
$$\pm(\bar{1} - \bar{4}) = \mp\bar{3}, \quad \pm(\bar{1} - \overline{10}) = \pm\bar{5}, \quad (12.3.17)$$
$$\pm(\bar{1} - \overline{12}) = \pm\bar{3}, \quad \pm(\bar{4} - \overline{10}) = \mp\bar{6},$$
$$\pm(\bar{4} - \bar{2}) = \pm\bar{6}, \quad \pm(\overline{10} - \overline{12}) = \mp\bar{2};$$

由(12.3.15)的第三个集所产生的全部$(1, 1)$类纯差是

$$\pm(\overline{0}-\overline{1})=\mp\overline{1}, \quad \pm(\overline{0}-\overline{2})=\mp\overline{2},$$

$$\pm(\overline{0}-\overline{7})=\overline{7},\overline{7}, \quad \pm(\overline{1}-\overline{2})=\mp\overline{1}, \tag{12.3.18}$$

$$\pm(\overline{1}-\overline{7})=\mp\overline{6}, \quad \pm(\overline{2}-\overline{7})=\mp\overline{5}.$$

容易看出，每一元 $\overline{i}$ ($\overline{i}\in\{\overline{0}, \overline{1}, \cdots, \overline{13}\}$)在(12.3.16)—(12.3.18)中都出现四次.
须注意，$\overline{7}$ 在(12.3.16)的第五行的第一式中出现二次而不是一次；在(12.3.18)的第
二行的第一式中也出现二次，由此例之前的说明可知，$(1, 2)$类混差和$(2, 1)$类混
差也都出现四次. 另一方面，只有 Z_{14} 的零元使(12.3.15)中的任一指定区组不变，
因此条件(3)满足. **证毕**.

定理12.3.1的主要功用是便于检验一组集$\{B\}$是否是一个区组设计的基底. 该
定理把检验任一个二元子集在全部不同的子集$\{\alpha B\,|\,B\in\{B\}, \alpha\in\mathscr{A}\}$中出现次数
的问题化为只检验非零纯差和一切混差在$\{B\}$中的出现次数的问题. 虽然这个定
理并未提出区组设计的具体构造方法，但它却对提出区组设计的构造方法有启发.
在构造方法的提出方面，群 $\mathscr{A}$ 起着非常重要的作用. 常用的群有二种，一种是剩
余类环的加群 Z_m，另一种是有限域 $\mathrm{GF}(q^n)$ 的加群，这里 q 是一个素数的方幂. 下
面将结合具体的结果，介绍一些利用这二种群来构造区组设计的方法和结果.

首先介绍用 Z_m 的加群来构造区组设计的情形.

定理 12.3.2. 设 $m=2t+1$ 是一个正奇数，$\mathscr{A}$ 是 Z_m 的加群，下面诸集

$$\{\overline{1}_1, \overline{(2t)}_1, \overline{0}_2\}, \qquad \{\overline{1}_2, \overline{(2t)}_2, \overline{0}_3\}, \qquad \{\overline{1}_3, \overline{(2t)}_3, \overline{0}_1\},$$

$$\vdots \qquad\qquad\qquad \vdots \qquad\qquad\qquad \vdots$$

$$\{\overline{i}_1, \overline{(2t+1-i)}_1, \overline{0}_2\}, \{\overline{i}_2, \overline{(2t+1-i)}_2, \overline{0}_3\}, \{\overline{i}_3, \overline{(2t+1-i)}_3, \overline{0}_1\},$$

$$\vdots \qquad\qquad\qquad \vdots \qquad\qquad\qquad \vdots$$

$$\{\overline{t}_1, \overline{(t+1)}_1, \overline{0}_2\}, \qquad \{\overline{t}_2, \overline{(t+1)}_2, \overline{0}_3\}, \qquad \{\overline{t}_3, \overline{(t+1)}_3, \overline{0}_1\},$$

$$\tag{12.3.19}$$

和

$$\{\overline{0}_1, \overline{0}_2, \overline{0}_3\} \tag{12.3.20}$$

组成一个(b, v, r, k, λ)设计的基底，且该设计以 $\mathscr{A}$ 为其一自同构群，其参
数的值为

$$b=(3t+1)(2t+1), \quad v=6t+3,$$

$$r=3t+1, \quad k=3, \quad \lambda=1. \tag{12.3.21}$$

证明. 定理 12.3.1 中条件(1)和(2)的验证是直接的. 下面只验证条件(3).
(12.3.19)中的集的一般形式是

$$\{\overline{x}_j, \ \overline{y}_j, \ \overline{0}_{j+1}\}, \ j=1, \ 2, \ 3(\mathrm{mod} \ 3), \tag{12.3.22}$$

$$\overline{x+y} = \overline{0}, \ 1 \leqslant x \leqslant t. \tag{12.3.23}$$

如果 $\alpha \{\overline{x}_j, \ \overline{y}_j, \ \overline{0}_{j+1}\}=\{\overline{x}_j, \ \overline{y}_j, \ \overline{0}_{j+1}\}$，则 $\overline{(0+\alpha)}_{j+1} = \overline{0}_{j+1}$. 因此

$$\alpha = \overline{0}.$$

这就是说，$\mathscr{A}$ 中使集(12.3.22)固定的元素组成的子群是单位子群.
现在来求任一个类 j 的非零纯差 c

$$c \not\equiv 0 (\mathrm{mod} \ 2t+1)$$

在(12.3.19)中出现的次数. 这个数即

$$w - j \equiv c (\mathrm{mod} \ 2t+1) \tag{12.3.24}$$

的解数. 由(12.3.23)，有

$$w + j \equiv 0 (\mathrm{mod} \ 2t+1), \tag{12.3.25}$$

故(12.3.24)和(12.3.25)的解数即

$$2w \equiv c (\mathrm{mod} \ 2t+1)$$

的解数. 由 $(2, \ 2t + 1)=1$ 知，后者有唯一解. 又，非零纯差 c 在(12.3.20)中不出现，因此任一个类 j 的非零纯差在(12.3.19)和(12.3.20)中恰出现一次.
任一个 $(i, \ j)$ 类零混差只由(12.3.20)产生，且由(12.3.20)产生的都是 $(i, \ j)$ 类零混差 $(1 \leqslant i \neq j \leqslant 3)$. 这些差也恰产生一次.
任一个 $(i, \ j)$ 类非零混差由(12.3.19)的三列中的某一列产生. 第一列的诸集产生 $(1, \ 2)$ 类和 $(2, \ 1)$ 类混差，第二列的诸集产生 $(2, \ 3)$ 类和 $(3, \ 2)$ 类混差，第三列的诸集产生 $(1, \ 3)$ 类和 $(3, \ 1)$ 类混差. 第一列的诸集产生的全部 $(1, \ 2)$ 类混差正好是 $1, \ 2, \ \cdots, \ 2t$ 全部各一次. 其他情形也如此.
综上所述即得定理. **证毕.**
当 $t = 2$ 时，该定理给出的设计就是例 12.3.1 中的设计.
定理 12.3.3. 设 $\mathscr{A}$ 是剩余类环 Z_{3m} 的加群，这里 $m = 2t + 1 \not\equiv 0 (\mathrm{mod} \ 3)$. 设二元集 $\{w, \ u\}(\mathrm{mod} \ 3 \ m)$ 满足条件

$$w \equiv u \equiv 1 \pmod{3},$$

$$w + u \equiv 0 \pmod{m}, \quad w, \quad u \not\equiv 0 \pmod{m}, \tag{12.3.26}$$

那么诸集

$$\{\overline{0}, \overline{w}, \overline{u}\}, \quad w, \quad u \ 合(12.3.26) \tag{12.3.27}$$

和

$$\{\overline{0}, \overline{m}, \overline{2m}\} \tag{12.3.28}$$

组成一个 (b, v, r, k, λ) 设计的基底, 该设计以 $\mathscr{A}$ 为其一自同构群, 其参数为

$$\begin{aligned}
&b = (2t+1)(3t+1), v = 6t+3, \\
&r = 3t+1, k = 3, \lambda = 1,
\end{aligned} \tag{12.3.29}$$

其区组为 $\mathscr{A}$ 对基底作用所产生的全部两两不同的区组.

证明. 由于定理 12.3.1 中的条件(1)和(2)的检验都是直接的, 这里只对条件(3)进行检验.

因为这里只有一个元素轨道, 故一切差都是纯差. 非零纯差 $\overline{d}$ 可以分成下面四种类型((1), (2), (3.1)和(3.2)):

(1) $d \equiv 0 \pmod{3}$, 此时必有 $d \not\equiv 0 \pmod{m}$,

(2) $d \equiv 0 \pmod{m}$, 此时必有 $d \not\equiv 0 \pmod{3}$,

(3) $d \not\equiv 0 \pmod{3}$ 且 $d \not\equiv 0 \pmod{m}$:

(3.1) $d \equiv 1 \pmod{3}$ 且 $d \not\equiv 0 \pmod{m}$,

(3.2) $d \equiv -1 \pmod{3}$ 且 $d \not\equiv 0 \pmod{m}$.

由(12.3.26)可知, 第一类差只能由 $\{w, u\}$ 产生, (3.1)和(3.2)类差只能由 $\{0, w\}$ 或 $\{0, u\}$ 产生, 第二类差只能由(12.3.28)产生.

今分别对上述四种类型的差来证明定理 12.3.1 的条件(3)满足.

(1) $d \equiv 0 \pmod{3}$. 若

$$d \equiv w - u \pmod{3m}, \tag{12.3.30}$$

则由 $w + u \equiv 0 \pmod{m}$ 得 $2w \equiv d \pmod{m}$. 因 $2 \nmid m$, 故可唯一地解得

$$w \equiv w_1 \pmod{m}. \tag{12.3.31}$$

因 $3 \nmid m$, 故这与 $w \equiv 1 \pmod{3}$ 联立解得唯一的

$$w \equiv w_0 \pmod{3m}. \tag{12.3.32}$$

代此入(12.3.30), 得 u 的唯一解

$$u = u_0 \pmod{3m}. \tag{12.3.33}$$

反过来, 由(12.3.32)和(12.3.33)给出的 w_0 和 u_0 必满足(12.3.26)和(12.3.30). 因此, 每一个第一类差恰由(12.3.27)(因而和(12.3.28))产生一次.

(2) $d \equiv 0 \pmod{m}$. 此时 $d \equiv \pm m \pmod{3m}$, 它们由集(12.3.28)各产生三次:

$$\pm(0-m) \equiv \mp m, \quad \pm(0-2m) \equiv \pm m,$$

$$\pm(m-2m) \equiv \mp m \pmod{3m}.$$

另一方面, 集(12.3.28)被 $\alpha(\alpha \in Z_{3m})$ 固定的充要条件是

$$\{\alpha, \ \alpha+\overline{m}, \ \alpha+\overline{2m}\} = \{\overline{0}, \ \overline{m}, \ \overline{2m}\},$$

亦即

$$\alpha = \overline{0} \ \text{或} \ \overline{m} \ \text{或} \ \overline{2m},$$

这就是说, 使集(12.3.28)固定的子群的阶是 3.因此, 当 $d \equiv \pm m \pmod{3m}$ 时, 由(12.3.28)(和(12.3.27))产生的 d 的应计次数为 $\dfrac{3}{3} = 1$.

(3.1) $d \equiv 1 \pmod{3}$ 且 $d \not\equiv 0 \pmod{m}$. 由于 w 和 u 的对称性, 可以只考虑 $\overline{d}$ 由 $\{\overline{0}, \ \overline{w}\}$ 产生的情形. 此时不可能有 $d \equiv 0-w \pmod{3m}$. 令 $w_0 \equiv d \pmod{3m}$, 则

$$d \equiv w_0 - 0 \equiv w_0 \pmod{3m}. \tag{12.3.34}$$

由 $u \equiv -w_0 \pmod{m}$ 和 $u \equiv 1 \pmod{3}$ 可得唯一解

$$u \equiv u_0 \pmod{3m}. \tag{12.3.35}$$

自然, (12.3.34)和(12.3.35)中的 w_0 和 u_0 满足条件(12.3.26). 因此, 每一个这种类型的 d 恰由(12.3.27)(和(12.3.28))产生一次.

(3.2) $d \equiv -1 \pmod{3}$ 且 $d \not\equiv 0 \pmod{m}$. 这可类似于(3.1)那样处理, 只是此时不可能有 $d \equiv w-0 \pmod{3m}$, 而只能有 $d \equiv 0-w \pmod{3m}$.

至此, 定理已全部**证毕**.

当 $t = 2$ 时，这个定理给出了例 12.3.2 中的设计.

现在转而讨论自同构群 $\mathscr{A}$ 为有限域 $\mathrm{GF}(q^n)$ 的加群的区组设计的构造方法，这里 q 是一个素数的方幂.

定理 12.3.4. 设 $v = 6t + 1 = p^n$，这里 p 是一个素数，又设 $\mathscr{A}$ 是 $\mathrm{GF}(v)$ 的加群，x 是 $\mathrm{GF}(v)$ 的一个原根. 那么，诸集

$$\{x^0,\ x^{2t},\ x^{4t}\},\ \cdots,\ \{x^i,\ x^{2t+i},\ x^{4t+i}\},\ \cdots,$$

$$\{x^{t-1},\ x^{3t-1},\ x^{5t-1}\} \tag{12.3.36}$$

是一个 $(b,\ v,\ r,\ k,\ \lambda)$ 设计的基底，该设计以 $\mathscr{A}$ 为其一自同构群，其参数为

$$b = 6t^2 + t,\ v = 6t + 1,\ r = 3t,\ k = 3,\ \lambda = 1. \tag{12.3.37}$$

证明. 定理 12.3.1 中的条件(1)和(2)的验证是直接的. 下面只验证条件(3). 对原根 x，有 $x^{2t} \neq 1$，故有 s 合

$$x^{2t} - 1 = x^s.$$

因 $x^{3t} = -1$，故由 $\{x^i,\ x^{2t+i},\ x^{4t+i}\}$ 产生的六个差是

$$\pm(x^{2t+i} - x^i) = \pm x^i (x^{2t} - 1) = \pm x^i \cdot x^s = x^{s+i},\ x^{3t+s+i};$$

$$\pm(x^{4t+i} - x^i) = \pm x^i(x^{4t} - 1) = \mp x^i \cdot x^{4t}(x^{2t} - 1) = x^{t+s+i},\ x^{4t+s+i}; \tag{12.3.38}$$

$$\pm(x^{4t+i} - x^{2t+i}) = \pm x^{2t+i}(x^{2t} - 1) = x^{2t+s+i},\ x^{5t+s+i}.$$

当 i 遍历 $[0,\ t-1]$ 时，(12.3.38) 遍历 $\mathrm{GF}(v)$ 中的非零元每元一次. 现在来证明：使 (12.3.36) 中一个集固定的子群是单位子群. 这就是要证明，如果 $\alpha \in \mathscr{A}$，$\alpha \neq 0$，则 α 不固定 (12.3.36) 中任一集. 假若 α 固定 $\{x^i, x^{2t+i}, x^{4t+i}\}$，即

$$\{x^i, x^{2t+i}, x^{4t+i}\} = \{x^i + \alpha, x^{2t+i} + \alpha, x^{4t+i} + \alpha\}.$$

如果下面三式之一成立：

$$x^i = x^i + \alpha,\ x^{2t+i} = x^{2t+i} + \alpha,\ x^{4t+i} = x^{4t+i} + \alpha,$$

则 $\alpha = 0$，这与假设不合，故在下面的讨论中排除这一情形. 因此，只要分别讨论以下两种情况即可：

$$x^i + \alpha = x^{2t+i} \text{ 且 } x^{2t+i} + \alpha = x^{4t+i} \tag{12.3.39}$$

和

$$x^i + \alpha = x^{4t+i} \text{ 且 } x^{4t+i} + \alpha = x^{2t+i}. \tag{12.3.40}$$

对(12.3.39)，有

$$x^i - x^{2t+i} = x^{2t+i} - x^{4t+i}.$$

由此和(12.3.38)得

$$x^{3t+s+i} = x^{5t+s+i}.$$

因 $x^{2t} \neq 1$，故这是不可能的. 对(12.3.40)，有

$$x^i - x^{4t+i} = x^{4t+i} - x^{2t+i}.$$

这也是不可能的.

因为元素轨道只有一个，故所有的差都是纯差. 前面已证每一非零纯差恰由(12.3.36)产生一次，故得定理. **证毕**.

定理 12.3.5. 设 $v = 12t + 1 = p^n$，p 是一个素数，又设 x 是 $\mathrm{GF}(v)$ 的一个原根，且 $x^{4t} - 1 = x^q$，这里 $2 \nmid q$. 再设 $\mathscr{A}$ 是 $\mathrm{GF}(v)$ 的加群. 那么，诸集

$$\{0,\ x^0,\ x^{4t},\ x^{8t}\},\ \cdots,\ \{0,\ x^{2i},\ x^{2i+4t},\ x^{2i+8t}\},\ \cdots,$$

$$\{0,\ x^{2t-2},\ x^{6t-2},\ x^{10t-2}\} \tag{12.3.41}$$

是一个 $(b,\ v,\ r,\ k,\ \lambda)$ 设计的基底，该设计以 $\mathscr{A}$ 为其一自同构群，其参数为

$$b = t(12t + 1),\quad v = 12t + 1,\quad r = 4t,$$

$$k = 4,\quad \lambda = 1. \tag{12.3.42}$$

证明. 定理 12.3.1 中的条件(1)和(2)的验证是直接的，下面只验证条件(3). 因 x 是原根，故 $x^{6t} \equiv -1$. 由集 $\{0,\ x^{2i},\ x^{2i+4t},\ x^{2i+8t}\}$ 所产生的全部差是

$$\pm\left(x^{2i} - 0\right) = \pm x^{2i} = x^{2i},\quad x^{2i+6t};$$

$$\pm\left(x^{2i+4t} - 0\right) = \pm x^{2i+4t} = x^{2i+4t},\quad x^{2i+10t};$$

$$\pm\left(x^{2i+8t} - 0\right) = \pm x^{2i+8t} = x^{2i+8t},\quad x^{2i+2t};$$

$$\pm\left(x^{2i+4t} - x^{2i}\right) = \pm x^{2i}\left(x^{4t} - 1\right) = \pm x^{2i+q} = x^{2i+q},\quad x^{2i+q+6t};$$

$$\pm\left(x^{2i+8t} - x^{2i}\right) = \pm x^{2i}\left(x^{8t} - 1\right)$$
$$= \mp x^{2i} \cdot x^{8t}\left(x^{4t} - 1\right) = \mp x^{8t+q+2i} = x^{2t+q+2i}, x^{2i+q+8t}; \quad (12.3.43)$$

$$\pm\left(x^{2i+8t} - x^{2i+4t}\right) = \pm x^{2i+4t}\left(x^{4t} - 1\right) = \pm x^{2i+q+4t}, \quad x^{2i+q+10t}.$$

由于 q 是一个固定的奇数, 故当 i 遍历$[0, \ t-1]$时,

$$2i, \ 2i + q, \ 2i + 2t, \ 2i + q + 2t, \ 2i + 4t,$$
$$2i + q + 4t, \ 2i + 6t, \ 2i + q + 6t, \ 2i + 8t,$$
$$2i + q + 8t, \ 2i + 10t, \ 2i + q + 10t$$

遍历 0, 1, 2, $\cdots$, $12t - 1(\mathrm{mod}\ (12t + 1))$中的数各一次, 因而(12.3.43)遍历全部非零纯差各一次.

现在来证明, 对任一 $i\,(0 \leqslant i \leqslant t-1)$, 把集$\{0, \ x^{2i}, \ x^{2i+4t}, \ x^{2i+8t}\}$固定的子群是单位子群. 这就是要证明, 不可能有 $\alpha \in \mathscr{A}$, $\alpha \neq 0$, 且 α 固定该集:

$$\{0, \ x^{2i}, \ x^{2i+4t}, \ x^{2i+8t}\} = \{\alpha, \ x^{2i} + \alpha, \ x^{2i+4t} + \alpha, \ x^{2i+8t} + \alpha\}.$$
$$(12.3.44)$$

如果(12.3.44)成立且 $\alpha \neq 0$, 则 $\alpha = x^{2i}$ 或 $\alpha = x^{2i+4t}$ 或 $\alpha = x^{2i+8t}$. 今对 $\alpha = x^{2i}$ 的情形详加说明, 其他情形的处理是类似的, 从而略去. 当 $\alpha = x^{2i}$ 时, 又有三种可能

$$\alpha = x^{2i}, \quad x^{2i} + \alpha = x^{2i+4t}; \quad (12.3.45)$$
$$\alpha = x^{2i}, \quad x^{2i} + \alpha = x^{2i+8t}; \quad (12.3.46)$$
$$\alpha = x^{2i}, \quad x^{2i} + \alpha = 0. \quad (12.3.47)$$

对(12.3.45), 有 $x^{2i} = x^{2i+4t} - x^{2i}$, 故有

$$1 = x^{4t} - 1 = x^q.$$

因 $2 \nmid q$, 这不可能. 对(12.3.46), 有 $x^{2i} = x^{2i+8t} - x^{2i}$, 故由(12.3.43)得

$$1 = x^{8t} - 1 = x^{q+2t}.$$

因 $2 \nmid q$, 这也不可能. 对(12.3.47), 有 $2x^{2i} = 0$, 从而

$$2 = 0.$$

但因 $2 \nmid v$, 故 $\mathrm{GF}(v)$ 的特征不是 2, 所以这也不可能.

因为元素轨道只有一个, 故一切差都是纯差.

综上所述, 既得定理. **证毕.**

为了下面的定理, 先证明一个引理.

引理 12.3.3. 设 $4t+1=p^n$, p 是一个素数, 设 x 是有限域 $\mathrm{GF}(p^n)$ 的一个原根, 那么至少存在二个整数有序偶 (c, d) 合

$$\frac{x^c+1}{x^c-1}=x^d, \quad 2\nmid cd, \quad c, d\in[1, 4t-1]. \tag{12.3.48}$$

证明. 因为 x 是原根, 故对合 $0\leqslant c\leqslant 4t-1$ 的 c, 仅当 $c=0$ 时, $x^c=1$; 仅当 $c=2t$ 时, $x^c=-1$. 因此, 当 $c\in[1,4t-1]/\{2t\}$ 时, 都有 d 合

$$\frac{x^c+1}{x^c-1}=x^d, \quad d\in[0, 4t-1]. \tag{12.3.49}$$

如果 $x^d=\pm 1$, 亦即 $d=0, 2t$, 则 $x^c+1=\pm(x^c-1)$, 从而 $2=0$. 这与 $\mathrm{GF}(4t+1)$ 的特征不为 2 相矛盾. 因此 (12.3.49) 中 d 的范围可改写为 $[1, 4t-1]\backslash\{2t\}$. 在 $[1, 4t-1]\backslash\{2t\}$ 中有 $2t-2$ 个偶数, $2t$ 个奇数. 若 $c\neq e$ 是其中的两个数, 则

$$\frac{x^c+1}{x^c-1}\neq\frac{x^e+1}{x^e-1},$$

否则将有 $2(x^c-x^e)=0$, 从而 $2=0$. 这样一来, 当 c 遍历 $[1, 4t-1]\backslash\{2t\}$ 中的 $2t$ 个奇数时, 其所对应的 d 值最多有 $2t-2$ 个偶数, 故至少有二个奇数 c 所对应的二个 d 值也是奇数. **证毕.**

现在已作好了证明下面一个定理的准备.

定理 12.3.6. 设 $4t+1=p^n$, p 是一个素数, 又设 x 是有限域 $\mathrm{GF}(p^n)$ 的一个原根, $\mathscr{A}$ 是 $\mathrm{GF}(p^n)$ 的加群, c 和 d 是合 (12.3.48) 的两个整数, 那么, 诸集

$$\left\{(x^{2i})_1, (x^{2t+2i})_1, (x^{2i+c})_2, (x^{2t+2i+c})_2\right\},$$
$$\left\{(x^{2i})_2, (x^{2t+2i})_2, (x^{2i+c})_3, (x^{2t+2i+c})_3\right\},$$
$$\left\{(x^{2i})_3, (x^{2t+2i})_3, (x^{2i+c})_1, (x^{2t+2i+c})_1\right\}, \tag{12.3.50}$$
$$(0\leqslant i\leqslant t-1)$$
$$\{\infty, 0_1, 0_2, 0_3\}$$

组成一个 (b, v, r, k, λ) 设计的基底, 该设计以 $\mathscr{A}$ 为其一自同构群, 其参数

为

$$b = (3t+1)(4t+1), \quad v = 12t+4,$$

$$r = 4t+1, \quad k = 4, \quad \lambda = 1. \tag{12.3.51}$$

证明. 下面只验证定理 12.3.1 中的条件 (3). 元 ∞ 和其他三个轨道的全部混差由 (12.3.50) 的最后一个集给出. 同时这个集还给出了所有不同类的零混差. 下面来证明 (12.3.50) 中除最后一集以外的诸集给出全部不涉及元 ∞ 的非零混差和纯差.

(1.1) 类纯差只能由 (12.3.50) 的第一行和第三行上的诸集给出, 且这些集给出的该类纯差是

$$\pm\left(x^{2i} - x^{2t+2i}\right) = \pm x^{2i}\left(1 - x^{2t}\right) = \pm 2x^{2i} = 2x^{2i}, 2x^{2i+2t};$$

$$\pm\left(x^{2i+c} - x^{2t+2i+c}\right) = \pm x^{2i+c}\left(1 - x^{2t}\right) = \pm 2x^{2i+c} = 2x^{2i+c}, 2x^{2i+c+2t} \tag{12.3.52}$$

$$(0 \leqslant i \leqslant t-1).$$

因为 $2 \nmid q$, $\mathrm{GF}\left(p^n\right)$ 的特征不为 2, 且 $2 \nmid c$, 故 (12.3.52) 中的数当 i 遍历 $[0, \ t-1]$ 时, 正好遍历 $\mathscr{A}$ 中的非零元各一次. 对 (2.2) 类纯差和 (3.3) 类纯差的处理也是类似的.

(2.1) 类非零混差只能由 (12.3.50) 的第一行上的诸集给出, 且该集给出的该类非零混差是

$$x^{2i+c} - x^{2i} = x^{2i}\left(x^c - 1\right),$$

$$x^{2i+c} - x^{2t+2i} = x^{2i}\left(x^c - x^{2t}\right) = x^{2i}\left(x^c + 1\right),$$

$$x^{2t+2i+c} - x^{2i} = x^{2t+2i}\left(x^c - x^{2t}\right) = x^{2i+2t}\left(x^c + 1\right),$$

$$x^{2t+2i+c} - x^{2t+2i} = x^{2t+2i}\left(x^c - 1\right).$$

由 (12.3.48), 这些差就是

$$\left(x^c - 1\right)x^{2i}, \left(x^c - 1\right)x^{2i+d},$$
$$\left(x^c - 1\right)x^{2i+d+2t}, \left(x^c - 1\right)x^{2i+2t} \quad (0 \leqslant i \leqslant t-1). \tag{12.3.53}$$

因为 $x^c \neq 1$, $2 \nmid d$, 故当 i 遍历 $[0, \ t-1]$ 时, (12.3.53) 遍历 $\mathscr{A}$ 中全部非零元各一次. 对其他类非零混差的处理也是类似的.

现在还需说明的是, 使 (12.3.50) 中的任一集固定的子群是 $\mathscr{A}$ 的单位子群. 这

一事实的证明很容易，这里略去．**证毕**.

以剩余类环的加群为自同构群的区组设计，除了定理 12.3.3 所述之外，还有一些其他有用的结果．这些结果都可用类似于定理 12.3.2 和定理 12.3.3 的证法来证明．所以下面只是列出这些结果，而把它们的证明留作练习．

定理 12.3.7. 设 $\mathscr{A}$ 是剩余类环 Z_{6t+5} 的加群．于是下面诸集

$$\{\infty,\ \overline{0},\ \overline{3t+2}\},$$

$$\{\overline{0},\ \overline{i},\ \overline{2t+3-i}\},\quad 1\leqslant i\leqslant t+1,$$

$$\{\overline{0},\ \overline{2i},\ \overline{3t+3+i}\},\quad 1\leqslant i\leqslant t$$

是一个 $(b,\ v,\ r,\ k,\ \lambda)$ 设计的基底，该设计以 $\mathscr{A}$ 为其一自同构群，其参数为

$$b=2(t+1)(6t+5),\quad v=6t+6,\quad r=6t+5,$$

$$k=3,\quad \lambda=2.$$

定理 12.3.8. 设 $\mathscr{A}$ 是剩余类环 Z_{6t+3} 的加群．于是下面诸集

$$\{\infty,\ \overline{0},\ \overline{3t+1}\},$$
$$\{\overline{0},\ \overline{i},\ \overline{2t+1-i}\},\quad 1\leqslant i\leqslant t,$$
$$\{\overline{0},\ \overline{2i},\ \overline{3t+1+i}\},\quad 1\leqslant i\leqslant t,$$
$$\{\overline{0},\ \overline{2t+1},\ \overline{4t+2}\}$$

组成一个 $(b,\ v,\ r,\ k,\ \lambda)$ 设计的基底，该设计以 $\mathscr{A}$ 为其一自同构群，其参数为

$$b=2(2t+1)(3t+2),\quad v=6t+4,\quad r=6t+3,$$

$$k=3,\quad \lambda=2.$$

其区组簇由下述子簇中的全部区组组成：每一子簇包含 $\mathscr{A}$ 对基底中一个单个区组作用所产生的不同的全部区组．

需要说明的是，$\mathscr{A}$ 中使集 $\{0, 2t+1, 4t+2,\}$ 固定的元组成的子群的阶是 3.

以有限域的加群为其自同构群的区组设计，除了定理 12.3.4，定理 12.3.5 和定理 12.3.6 所述之外，还有一些其他有用的结果．这些结果都可用类似于定理 12.3.4，定理 12.3.5 和定理 12.3.6 的证法来证明，所以下面只是列出这些结果，而把它的证明留作练习．

定理 12.3.9. 设 $20t+1=p^n$，p 是一个素数．设 x 是有限域 $\mathrm{GF}(p^n)$ 的一个

原根. 又设 $\mathscr{A}$ 是有限域 $\mathrm{GF}\left(p^n\right)$ 的加群. 再设 q 是一个奇数, 合 $x^{4t}+1=x^q$, 那么, 诸集

$$\{x^{2i},\ x^{4t+2i},\ x^{8t+2i},\ x^{12t+2i},\ x^{16t+2i}\},\qquad 0\leqslant i\leqslant t-1,$$

组成一个 (b,v,r,k,λ) 设计的基底, 该设计以 $\mathscr{A}$ 为其一自同构群, 其参数为

$$b=t(20t+1),\ v=20t+1,$$
$$r=5t,\ k=5,\ \lambda=1.$$

定理 12.3.10. 设 $4t+1=p^n$, p 是一个素数, 又设 x 是有限域 $\mathrm{GF}\left(p^n\right)$ 的一个原根, c 和 d 是满足 (12.3.51) 的一对整数. 把 $\mathrm{GF}\left(p^n\right)$ 的加群记为 $\mathscr{A}$. 那么诸集

$$\{(x^{2i})_1,\ (x^{2i+2t})_1,\ (x^{2i+c})_3,\ (x^{2i+c+2t})_3,\ 0_2\},$$
$$\{(x^{2i})_2,\ (x^{2i+2t})_2,\ (x^{2i+c})_4,\ (x^{2i+c+2t})_4,\ 0_3\},$$
$$\{(x^{2i})_3,\ (x^{2i+2t})_3,\ (x^{2i+c})_5,\ (x^{2i+c+2t})_5,\ 0_4\},$$
$$\{(x^{2i})_4,\ (x^{2i+2t})_4,\ (x^{2i+c})_1,\ (x^{2i+c+2t})_1,\ 0_5\},$$
$$\{(x^{2i})_5,\ (x^{2i+2t})_5,\ (x^{2i+c})_2,\ (x^{2i+c+2t})_2,\ 0_1\}$$
$$(0\leqslant i\leqslant t-1),$$

$$\{0_1,\ 0_2,\ 0_3,\ 0_4,\ 0_5\}$$

组成一个 (b,v,r,k,λ) 设计的基底, 该设计以 $\mathscr{A}$ 为其一自同构群, 其参数为

$$b(5t+1)(4t+1),\ v=20t+5,$$
$$r=5t+1,\ k=5,\ \lambda=1.$$

定理 12.3.11. 设 $6t+1=p^n$, p 是一个素数, 又设 x 是有限域 $\mathrm{GF}\left(p^n\right)$ 的一个原根, $\mathscr{A}$ 是 $\mathrm{GF}\left(p^n\right)$ 的加群. 那么, 诸集

$$\{0,\ x^i,\ x^{2t+i},\ x^{4t+i}\}\qquad (0\leqslant i\leqslant t-1)$$

组成一个 (b,v,r,k,λ) 设计的基底, 该设计以 $\mathscr{A}$ 为其一自同构群, 其参数

为

$$b = t(6t+1), \quad v = 6t+1, \quad r = 4t,$$
$$k = 4, \quad \lambda = 2.$$

定理 12.3.12. 设 $4t + 1 = p^n$，p 是一个素数，又设 x 是有限域 $\mathrm{GF}(p^n)$ 的一个原根，$\mathscr{A}$ 是 $\mathrm{GF}(p^n)$ 的加群．那么，诸集

$$\{x^i, \quad x^{t+i}, \quad x^{2t+i}, \quad x^{3t+i}\} \qquad (0 \leqslant i \leqslant t-1)$$

组成一个 (b, v, r, k, λ) 设计的基底，该设计以 $\mathscr{A}$ 为其一自同构群，其参数为

$$b = t(4t+1), \quad v = 4t+1, \quad r = 4t, \quad k = 4, \quad \lambda = 3.$$

12.4 三 连 系

在 11.3 中已指出，$k = 1$ 和 $k = 2$ 的设计是平凡的，在非平凡设计中，k 的最小值是 3，这种设计叫做三连系．它们自然更早和较多地引起人们的注意．

由 (12.1.2) 和 (12.1.3)，对三连系 $(b, v, r, 3, \lambda)$ 设计，有

$$3b = rv, \quad 2r = \lambda(v-1),$$

从而

$$r = \frac{\lambda(v-1)}{2}, \quad b = \frac{\lambda v(v-1)}{6}. \tag{12.4.1}$$

由于 r 和 b 是整数，(12.4.1) 给出了存在三连系的必要条件：参数 λ 和 v 满足

$$v \geqslant 3, \quad \lambda(v-1) \equiv 0 \pmod 2,$$
$$\lambda v(v-1) \equiv 0 \pmod 6. \tag{12.4.2}$$

事实上，条件 (12.4.2) 也是存在三连系的充分条件．这一结果的证明需要较多的准备知识，故放到第十九章去介绍．

参数 λ 为 1 的三连系叫做 Steiner 三连系．由 (12.4.1)，对 Steiner 三连系，参数 r 和 b 为

$$r = \frac{v-1}{2}, \quad b = \frac{v(v-1)}{6}.$$

因此它们完全由 v 决定. 今后把 Steiner 三连系(b，v，r，3，1)设计叫做一个 v 阶 Steiner 三连系，简记为 ST(v).

由(12.4.3)，存在 Steiner 三连系的必要条件是

$$v \equiv 1, \quad 3(\mathrm{mod}\ 6), \quad v \geqslant 3. \tag{12.4.3}$$

条件(12.4.3)是否充分的问题由 Steiner[1]于 1853 年提出，其后不久，由 Reiss[1]于 1859 年给予了肯定的解决. 然而在他们之前，Kirkman[1]就曾于 1847 年提出并解决了这个问题. 但是遗憾的是他的这一工作很长一段时间不为人们所知晓. 有如前段所述，条件(12.4.3)的充分性问题将由第十九章介绍的有关条件(12.4.2)的充分性的结果而推得. 当 $v \equiv 3(\mathrm{mod}\ 6)$ 时，或当 $v \equiv 1(\mathrm{mod}\ 6)$ 且 v 是一个素数的方幂时，条件(12.4.3)对存在 Steiner 三连系的充分性也可分别由定理 12.3.2(或定理 12.3.3)和定理 12.3.4 导出. 但这仅是部分地解决这问题.

设 $\mathrm{ST}_1(v) = \{B_{11}, B_{12}, \cdots, B_{1b}\}$ 和 $\mathrm{ST}_2(v) = \{B_{21}, B_{22}, \cdots, B_{2b}\}$ 是在同一个 v 元集 S 上的两个 Steiner 三连系. 如果没有一个 B_{1i} 是一个 $B_{2j}(1 \leqslant i, j \leqslant b)$，则说这两个 Steiner 三连系 $\mathrm{ST}_1(v)$ 和 $\mathrm{ST}_2(v)$ 是不相交的. 把 S 上的两两不相交的 v 阶 Steiner 三连系的个数的最大者记为 $D(v)$. 由于 v 元集 S 的三元子集的个数是

$$\binom{v}{3} = \frac{v(v-1)(v-2)}{6},$$

而任一 ST(v) 中区组的个数是 $\frac{v(v-1)}{6}$，所以

$$D(v) \leqslant \frac{\binom{v}{3}}{\frac{v(v-1)}{6}} = v - 2.$$

如果 $D(v) = v-2$，则把此时的任意 $v-2$ 个两两不相交的 v 阶 Steiner 三连系 $\mathrm{ST}_1(v)$，$\mathrm{ST}_2(v), \cdots, \mathrm{ST}_{v-2}(v)$ 组成的簇叫做一个不相交的 Steiner 三连系的大集. 所谓大集问题，就是确定存在大集的 v 值. 自十九世纪四十年代起，Kirkman[1]，Cayley[1]和 Sylvester[2]关于 Steiner 三连系的工作开始而逐步形成的大集问题，至今已有一百三十多年的历史. 许多数学家被这一问题所吸引，并为此做出了巨大的努力. 然而，他们只得到了一些局部的结果，并未找到整体解决这一问题的

途径. 陆家羲[1-6]于 1983 和 1984 年连续发表的六篇论文中证明了, 对所有合

$$v > 7, \qquad v \equiv 1, \quad \text{或 } 3(\text{mod } 6)$$

的 v 值, 除六个可能的例外值, 都有 $D(v) = v - 2$, 从而宣告了这一问题的整体解决. 对于六个例外值的处理, 他已有腹稿, 但在写作的过程中便不幸逝世了, 仅留下一份提纲和部分结果. 陆家羲的这一工作无疑是区组设计领域里的一项很重大的成果. 由于篇幅的限制, 这里不拟对此问题作进一步的介绍. 有兴趣的读者, 请看上面所引的陆家羲的论文.

下面介绍一些递归地构造 $\mathrm{ST}(v)$ 的方法和结果. 在证明这些定理之前, 先看一些具体的例子. 后面要用到它们.

例 12.4.1. 在同构的意义下, 三阶 Steiner 三连系存在且唯一, 它就是 $\{1, 2, 3\}$. 这是很明显的.

例 12.4.2. 在同构的意义下, 七阶 Steiner 三连系存在且唯一, 它就是

$$\{1, 2, 3\}, \{1, 4, 5\}, \{1, 6, 7\}, \{2, 4, 6\},$$
$$\{2, 5, 7\}, \{3, 4, 7\}, \{3, 5, 6\}. \tag{12.4.4}$$

证明. 设 $S = [1, 7]$, 由于 1 同 2, 3, 4, 5, 6, 7 各相遇一次, 故若需要, 总可以经[1, 7]中元的重新命名, 以使七阶 Steiner 三连系含有下面三个区组:

$$\{1, 2, 3\}, \{1, 4, 5\}, \{1, 6, 7\}. \tag{12.4.5}$$

在其他区组中, 2 同 4, 5, 6, 7 各相遇一次, 但 4 和 5, 6 和 7 已在(12.4.5)的区组中相遇, 故含 2 的新区组只能是$\{2, 4, 6\}, \{2, 5, 7\}$或$\{2, 4, 7\}, \{2, 5, 6\}$. 若是后一情形, 则可在(12.4.5)中把 6 和 7 互换, 此时(12.4.5)不变, 但后一情形就变为前一情形. 因此如果需要, 总可以经[1, 7]中元的重新命名以使 ST(7) 含有(12.4.5)中的三个区组和下面两个区组:

$$\{2, 4, 6\}, \{2, 5, 7\}. \tag{12.4.6}$$

在其他区组中, 3 同 4, 5, 6, 7 各相遇一次, 而 4 和 5, 6 已在(12.4.5)和(12.4.6)中相遇, 故 3 只能同 4, 7 在一个区组, 同 5, 6 在另一区组, 即余下的区组为

$$\{3, 4, 7\}, \{3, 5, 6\}. \tag{12.4.7}$$

把(12.4.5), (12.4.6)和(12.4.7)合在一起即(12.4.4). 容易验证, 这是一个七阶 Steiner 三连系. 同时, 上面构造的过程已证明了它在同构的意义下的唯一性. **证毕.**

如果只要证明七阶 Steiner 三连系的存在性和得到一个构造方法, 而不关心它的唯一性, 也可由定理 12.3.4 获得解决. 上面的证法基本上是一个穷举过程, 这只对小 v 值有效, 不过它却附带地解决了唯一性问题.

第二个证明(存在性和构造). 在定理 12.3.4 中取 $t=1$ 得 $v=6\cdot1+1=7$, 这是一个素数. 因此, 七阶 Steiner 三连系存在.

因为 3 是 GF(7) 的一个原根, 故仍由这个定理可得一个七阶 Steiner 三连系的基底:

$$\{3^0,\ 3^2,\ 3^4\}=\{1,\ 2,\ 4\}.$$

把 GF(7) 的加群作用于此基底, 即得七阶 Steiner 三连系

$$\{1,\ 2,\ 4\},\ \{2,\ 3,\ 5\},\ \{3,\ 4,\ 6\},\ \{4,\ 5,\ 0\},$$
$$\{5,\ 6,\ 1\},\ \{6,\ 0,\ 2\},\ \{0,\ 1,\ 3\}. \tag{12.4.4$'$}$$

证毕.

自然, (12.4.4$'$)和(12.4.4)是同构的.

例 12.4.3. 在同构的意义下, 九阶 Steiner 三连系存在且唯一, 它就是

$$\{1,\ 2,\ 3\},\ \{1,\ 4,\ 5\},\ \{1,\ 6,\ 7\},\ \{1,\ 8,\ 9\},$$
$$\{2,\ 4,\ 6\},\ \{2,\ 5,\ 8\},\ \{2,\ 7,\ 9\},\ \{3,\ 4,\ 9\}, \tag{12.4.8}$$
$$\{3,\ 5,\ 7\},\ \{3,\ 6,\ 8\},\ \{4,\ 7,\ 8\},\ \{5,\ 6,\ 9\}.$$

证明. 可以仿例 12.4.2 的证明类似地进行. 设 $S=[1,9]$. 如果需要, 总可以经[1,9]中元的重新命名以使九阶 Steiner 三连系含有下面的四个区组:

$$\{1,\ 2,\ 3\},\ \{1,\ 4,\ 5\},\ \{1,\ 6,\ 7\},\ \{1,\ 8,\ 9\}. \tag{12.4.9}$$

因为 2 同 4, 5, 6, 7, 8, 9 在其余区组中各相遇一次, 但 4, 5 已在(12.4.9)中相遇一次, 故与 2 和 4 在同一区组中的元只能是 6, 7, 8, 9 之一. 如果这个元是 7, 可以把 6, 7 的命名互换; 如果这个元是 8, 可以把 6, 8 的命名互换, 同时把 7, 9 的命名互换; 如果这个元是 9, 可以类似地处理. 经这样的命名互换, (12.4.9) 不改变, 而使

$$\{2,\ 4,\ 6\} \tag{12.4.10}$$

是九阶 Steiner 三连系的一个区组. 在含 2 的其他区组中不可能有$\{2,\ 5,\ 7\}$, 否则另一含 2 的区组是$\{2,\ 8,\ 9\}$, 而 8 和 9 已在(12.4.9)中相遇一次. 所以含 2 的其他两个区组只能是$\{2,\ 5,\ 9\}$, $\{2,\ 7,\ 8\}$或

$$\{2,\ 5,\ 8\},\ \{2,\ 7,\ 9\}. \tag{12.4.11}$$

类似地，经过[1,9]中诸元的重新命名，总可以假定它们是(12.4.11).

下面来求出含 3 的其余三个区组和含 4 的区组. 在列出这些区组时，如果有一对元已在(12.4.9)，(12.4.10)和(12.4.11)中相遇，则对它们加框，并不再继续下去. 下面就是求它们的过程. 因为 3 同 4，5，6，7，8，9 各相遇一次，而 4 和 5，6 已在(12.4.9)，(12.4.10)的区组中相遇，所以这一过程从$\{3,\ 4,\ 7\}$，$\{3,\ 4,\ 8\}$，$\{3,\ 4,\ 9\}$开始：

$$\{3,\ 4,\ 7\}，\text{此时含 4 的另一区组只能是}\{4,\ \boxed{8,9}\};$$

$$\{3,\ 4,\ 8\}，\text{此时含 4 的另一区组只能是}\{4,\ \boxed{7,9}\};$$

$$\{3,\ 4,\ 9\},\ \{3,\ 5,\ 6\},\ \{3,\ 7,\ 8\}; \tag{12.4.12}$$

$$\{3,\ 4,\ 9\},\ \{3,\ 5,\ 7\},\ \{3,\ 6,\ 8\}; \tag{12.4.13}$$

$$\{3,\ 4,\ 9\},\ \{3,\ \boxed{5,8}\}.$$

若含 3 的其他三个区组是(12.4.12)，则含 4 的其他一个区组既不能是$\{4,\ \boxed{5,6}\}$，又不能是$\{4,\ \boxed{7,8}\}$. 因而含 3 的其他三个区组只能是(12.4.13). 此时含 4 的其他一个区组，从而含 5 的其他一个区组就只能依次是

$$\{4,\ 7,\ 8\},\ \{5,\ 6,\ 9\}. \tag{12.4.14}$$

把(12.4.9)—(12.4.14)总括起来便得(12.4.8). 容易验证(12.4.8)确是一个九阶 Steiner 三连系. 上面的证明过程已经证明了九阶 Steiner 三连系在同构的意义下只有一个. **证毕**.

类似地，如果只讨论九阶 Steiner 三连系的存在性和构造，则可用定理 12.3.2 来解决.

第二个证明(*存在性和构造*). 在定理 12.3.2 中取 $t = 1$，则 $m = 3$，$v = 9$，且一个九阶 Steiner 三连系的基底是

$$\{1_1,\ 2_1,\ 0_2\},\ \{1_2,\ 2_2,\ 0_3\},\ \{1_3,\ 2_3,\ 0_1\},\ \{0_1,\ 0_2,\ 0_3\}.$$

因 ST(9)的自同构群是 Z_3 的加群，故此九阶 Steiner 三连系的全部区组是

$$\begin{aligned}
&\{1_1,\ 2_1,\ 0_2\},\ \{2_1,\ 0_1,\ 1_2\},\ \{0_1,\ 1_1,\ 2_2\};\\
&\{1_2,\ 2_2,\ 0_3\},\ \{2_2,\ 0_2,\ 1_3\},\ \{0_2,\ 1_2,\ 2_3\};\\
&\{1_3,\ 2_3,\ 0_1\},\ \{2_3,\ 0_3,\ 1_1\},\ \{0_3,\ 1_3,\ 2_1\};\\
&\{0_1,\ 0_2,\ 0_3\},\ \{1_1,\ 1_2,\ 1_3\},\ \{2_1,\ 2_2,\ 2_3\}.
\end{aligned} \tag{12.4.15}$$

证毕.

自然，(12.4.15)和(12.4.8)是同构的．

关于 13 阶 Steiner 三连系有下面的结果：互不同构的 13 阶 Steiner 三连系只有两个，其一是

$$
\begin{array}{llll}
\{1,\ 2,\ 3\}, & \{1,\ 4,\ 5\}, & \{1,\ 6,\ 7\}, & \{1,\ 8,\ 9\}, \\
\{1,\ 10,\ 11\}, & \{1,\ 12,\ 13\}, & \{2,\ 4,\ 6\}, & \{2,\ 5,\ 7\}, \\
\{2,\ 8,\ 10\}, & \{2,\ 9,\ 12\}, & \{2,\ 11,\ 13\}, & \{3,\ 4,\ 8\}, \\
\{3,\ 5,\ 12\}, & \{3,\ 7,\ 11\}, & \{4,\ 7,\ 9\}, & \{4,\ 10,\ 13\}, \quad (12.4.16) \\
\{4,\ 11,\ 12\}, & \{5,\ 8,\ 11\}, & \{6,\ 8,\ 12\}, & \{6,\ 9,\ 11\}, \\
& \{7,\ 8,\ 13\}, & \{7,\ 10,\ 12\}, & \\
\{3,\ 6,\ 10\}, & \{3,\ 9,\ 13\}, & \{5,\ 6,\ 13\}, & \{5,\ 9,\ 10\};
\end{array}
$$

另一是将(12.4.16)的最后四个区组换为

$$
\{3,\ 6,\ 13\}, \quad \{3,\ 9,\ 10\}, \quad \{5,\ 6,\ 10\}, \quad \{5,\ 9,\ 13\} \quad (12.4.17)
$$

而得到的设计．

这一结果的证明比较繁琐，故略去．

关于 $\mathrm{ST}(15)$，Cole，White 和 Cummings[1]曾求得 80 个互不同构的 $\mathrm{ST}(15)$，但 Fisher[1]只求得 79 个，少了一个 Cole 等所求得的 $\mathrm{ST}(15)$．后来，Hall 和 Swift 验证了 Cole 等人的结果的正确性．

对一般的 v，$v \equiv 1$，$3(\bmod 6)$，求出互不同构的 v 阶 Steiner 三连系的个数的问题是很困难的，迄今尚无有效的方法．

现在转向两个递归构造 $\mathrm{ST}(v)$ 的结果．

定理 12.4.1.　若存在 $\mathrm{ST}_1(v_1)$ 和 $\mathrm{ST}_2(v_2)$，则存在 $\mathrm{ST}(v_1 v_2)$，且此 $\mathrm{ST}(v_1 v_2)$ 既包含了与 $\mathrm{ST}_1(v_1)$ 同构的一个子系，又包含了与 $\mathrm{ST}_2(v_2)$ 同构的一个子系．

证明.　设 $\mathscr{B}_1$ 和 $\mathscr{B}_2$ 分别是基集 $S_1 = \{a_1,\ a_2,\ \cdots,\ a_{v_1}\}$ 和 $S_2 = \{b_1,\ b_2,\ \cdots,\ b_{v_2}\}$ 上的 $\mathrm{ST}_1(v_1)$ 和 $\mathrm{ST}_2(v_2)$．设 $S = \{c_{ij} \mid 1 \leqslant i \leqslant v_1,\ 1 \leqslant j \leqslant v_2\}$．定义由 S 的某些三元子集组成的一个集簇 $\mathscr{B}$ 如下：$\{c_{iw},\ c_{jx},\ c_{ly}\} \in \mathscr{B}$ 的充要条件是下列之一成立：

(1) $w = x = y$ 且 $\{a_i,\ a_j,\ a_l\} \in \mathscr{B}_1$；

(2) $i = j = l$ 且 $\{b_w,\ b_x,\ b_y\} \in \mathscr{B}_2$；

(3) $\{a_i,\ a_j,\ a_l\} \in \mathscr{B}_1$，且 $\{b_w,\ b_x,\ b_y\} \in \mathscr{B}_2$．

现在来证明 S 的任意二不同元 c_{iw} 和 c_{jx} 恰在 $\mathscr{B}$ 中相遇一次．如果 $i = j$，则 $w \neq x$，故 b_w 和 b_x 只在 $\mathrm{ST}_2(v_2)$ 的一个区组，设为 $\{b_w,\ b_x,\ b_y\}$，中相遇一次，因而 c_{iw} 和 c_{ix} 只在 $\mathscr{B}$ 的 $\{c_{iw},\ c_{ix},\ c_{iy}\}$ 中相遇．对 $w = x$（从而 $i \neq j$）的情形，可以类似地处理，如果 $i \neq j$，$w \neq x$，则 a_i 和 a_j 只在 $\mathrm{ST}_1(v_1)$ 的一个区组，设为 $\{a_i,$

a_j，a_l }，中相遇，同时 b_w 和 b_x 只在 $\mathrm{ST}_2(v_2)$ 的一个区组，设为{ b_w，b_x，b_y }，中相遇，因此，c_{iw} 和 c_{jx} 只在 $\mathscr{B}$ 的{ c_{iw}，c_{jx}，c_{ly} }中相遇.

因此，$\mathscr{B}$ 确是某 S 上的一个 $\mathrm{ST}(v_1 v_2)$.

很明显，$\mathscr{B}$ 中所有 $i=j=l=1$ 的那些区组组成的子簇同 $\mathrm{ST}_2(v_2)$ 同构，所有 $w=x=y=1$ 的那些区组组成的子簇同 $\mathrm{ST}_1(v_1)$ 同构. **证毕**.

为了第二个证明，需要拟群的概念. 拟群是这样一个代数系统 $(Q,\cdot)$，它由一个集 Q 及其上的一个二元运算"$\cdot$"(叫做乘法)组成，该运算满足条件：对任意一对 a，$b\in Q$，方程

$$ax=b，\qquad x\in Q$$

和

$$xa=b，\qquad x\in Q$$

都各有唯一一个解 x. Q 中元素的个数叫做拟群$(Q，\cdot)$的阶.

设 $\mathscr{B}$ 是 v 元集 S 上的一个 $\mathrm{ST}(v)$. 由于 S 中任二相异元 a 和 b 只在 $\mathscr{B}$ 的一个区组中相遇，故可把该区组中异于 a 和 b 的那个元，设为 c，作为 a 和 b 之积，记为 $a\cdot b$. 为了 S 上的乘法运算对相同的元也可施行，还定义

$$a^2 := a\cdot a := a(a\in S). \qquad (12.4.18)$$

S 同这样定义的乘法运算"$\cdot$"一起形成一个拟群$(S，\cdot)$. 由乘法运算的定义可知，它具有下面两个性质：

$$ab=ba \qquad (a，b\in S), \qquad (12.4.19)$$

$$\text{若 } a\neq b，\text{则由 } ab=c \text{ 可推出 } bc=a. \qquad (12.4.20)$$

今后把具有性质(12.4.18)—(12.4.20)的拟群叫做 Steiner 拟群. 因此，一个 $\mathrm{ST}(v)$ 按上述方法可以决定一个 v 阶 Steiner 拟群.

反过来，假设已给一个 v 阶 Steiner 拟群$(S，\cdot)$. 对 S 中任二相异元 a 和 b，由 $ab=c$ 就可决定一个三元子集{a，b，c}. 由性质(12.4.18)-(12.4.20)可以证明，这样得到的三元子集的全体组成集 S 上的一个 v 阶 Steiner 三连系.

结合上述两个方面即得，一个 $\mathrm{ST}(v)$ 同一个 v 阶 Steiner 拟群本质上具有相同的结构，因而可以视为同一对象的两种描述. 从这一观点出发，可以给上述定理以另一个证明.

定理 12.4.1 的第二个证明. 把一个 $\mathrm{ST}_1(v_1)$ 和一个 $\mathrm{ST}_2(v_2)$ 按上述方法决定

出的 Steiner 拟群分别记为$(S_1^*, \cdot)$和$(S_2^*, \cdot)$. 记$S^* = \{(a, b) | a \in S_1^*, b \in S_2^* \}$，其上的乘法运算"$*$"定义如下:

$$(a_1, b_1) * (a_2, b_2) = (a_1 \cdot a_2, b_1 \cdot b_2).$$

显然，这样定义的乘法是封闭的，且具有性质(12.4.18)–(12.4.20)，因而S^*同这个乘法一起形成一个 Steiner 拟群. 于是，由$|S^*| = |S_1^*| \cdot |S_2^*|$便得$S^*$对应一个$v_1 v_2$阶 Steiner 三连系. 再者，对于固定的$b$，$S^*$的子集$\{(a, b) | a \in S_1^* \}$与$S_1^*$同构，而对于固定的$a$，子集$\{(a, b) | b \in S_2^* \}$与$S_1^*$同构. **证毕**.

定理 12.4.2. 设$\mathscr{B}_1$和$\mathscr{B}_2$分别是一个$\mathrm{ST}(v_1)$和一个$\mathrm{ST}(v_2)$. 又设$v_3 \geqslant 1$，且当$v_3 > 1$时存在$\mathscr{B}_2$的一个v_3阶 Steiner 子系. 记$v = v_3 + v_1(v_2 - v_3)$. 那么，可以构造一个$\mathrm{ST}(v)$，它包含v_1个$\mathrm{ST}(v_2)$作为其子系，又包含一个$\mathrm{ST}(v_1)$作为其子系，还包含一个$\mathrm{ST}(v_3)$作为其子系.

证明. 首先令$t = v_2 - v_3$，且

$$S_{-1} = [1, v_1],$$
$$S_0 = \{a_1, a_2, \cdots, a_{v_3}\},$$
$$S_1 = \{b_{11}, b_{12}, \cdots, b_{1t}\},$$
$$S_2 = \{b_{21}, b_{22}, \cdots, b_{2t}\},$$
$$\cdots\cdots$$
$$S_{v_1} = \{b_{v_1 1}, b_{v_1 2}, \cdots, b_{v_1 t}\},$$
$$S = \bigcup_{0 \leqslant j \leqslant v_1} S_j,$$

这里

$$S_i \bigcap S_j = \varnothing \quad (-1 \leqslant i \neq j \leqslant v_1).$$

又记

$\mathscr{B}_0$: 集S_0上的一个$\mathrm{ST}(v_3)$.

$\mathscr{B}_i$: 集$S_0 \bigcup S_i$上的一个$\mathrm{ST}(v_2)$，它含$\mathscr{B}_0$作为其子系. 由定理的已给条件，这是办得到的. 因而$\mathscr{B}_i$中除$\mathscr{B}_0$的区组以外的其他任一区组至多只含有S_0中一个元.

$$(1 \leqslant i \leqslant v_1)$$

$\mathscr{B}'$: 集S_{-1}上的一个$\mathrm{ST}(v_1)$.

$\mathscr{B}$：S的下列诸三元子集所组成的簇：

一切$\{a_i,\ a_j,\ a_l\}\in\mathscr{B}_0$,

一切$\{a_m,\ b_{ij},\ b_{il}\}\in\mathscr{B}_i\ (1\leqslant i\leqslant v_1)$,

一切$\{b_{ij},\ b_{il},\ b_{im}\}\in\mathscr{B}_i\ (1\leqslant i\leqslant v_1)$,

一切$\{b_{iw},\ b_{jx},\ b_{ly}\}$, 这里$\{i,\ j,\ l\}\in\mathscr{B}'$, 且

$$w+x+y\equiv 0\,(\bmod\,t),$$
$$1\leqslant w,\ x,\ y\leqslant t.$$

现在证明, S的任一个二元子集$\{s_1,\ s_2\}$都在$\mathscr{B}$中恰相遇一次. 如果s_1和s_2都在S_0中, 例如, $s_1=a_i$, $s_2=a_j$, 则它们只在$\mathscr{B}$的区组$\{a_i,\ a_j,\ a_l\}$中相遇; 如果s_1和s_2之一在S_0中, 另一在S_s中, 例如, $s_1=a_m$, $s_2=b_{ij}$, 则它们只在$\mathscr{B}$的区组$\{a_m,\ b_{ij},\ b_{il}\}$中相遇; 如果$s_1$和$s_2$都在同一个$S_i$中,例如, $s_1=b_{ij}$, $s_2=b_{il}$, 则它们只在$\mathscr{B}$的区组$\{b_{ij},\ b_{il},\ b_{im}\}$中相遇; 如果$s_1$和$s_2$分属于不同的$S_i$和$S_j\,(i\neq j)$, 例如$s_1=b_{iw}$, $s_2=b_{jx}$, 则由i和j所在的$\mathscr{B}'$的区组$\{i,\ j,\ l\}$和$y\equiv-w-x\,(\bmod\,t)$得到的l和y, 知s_1和s_2只在$\mathscr{B}$的区组$\{b_{iw},\ b_{jx},\ b_{ly}\}$中相遇.

$\mathscr{B}$包含了一个v_3阶 Steiner 三连子系$\mathscr{B}_0$, 也包含了v_1个v_2阶 Steiner 三连子系$\mathscr{B}_i\,(1\leqslant i\leqslant v_1)$, 还包含了集$\{b_{1t},\ b_{2t},\ \cdots,\ b_{v_1t}\}$上的一个$v_1$阶 Steiner 三连系：

$$\left(\mathscr{P}\{b_{1t},b_{2t},\cdots,b_{v_1t}\}\right)\bigcap\mathscr{B}. \tag{12.4.21}$$

这里$\mathscr{P}\{b_{1t},\ b_{2t},\ \cdots,\ b_{v_1t}\}$表示集$\{b_{1t},\ b_{2t},\ \cdots,\ b_{v_1t}\}$的全部子集所组成的簇. (12.4.21)确是一个 Steiner 三连系. 因为b_{it}和$b_{jt}\,(i\neq j)$相遇在其中的唯一区组是$\{b_{it},\ b_{jt},\ b_{ly}\}$, 这里$l$合$\{i,\ j,\ l\}\in\mathscr{B}_0$,而$y\equiv-(t+t)\equiv 0\,(\bmod\,t)$, $1\leqslant y\leqslant t$, 故$y=t$.

至此, 定理就全部**证毕**.

利用上面的递归构造定理即可证明(Moore[1]), 条件(12.4.3)对存在v阶 Steiner 三连系是充分的. 1972 年, Hilton[1] 曾对 Moore 的证明进行了简化. 在第十九章中将用另一方法证明更一般的结果. 所以, 这里不拟沿此路线继续进行下去. 对此有兴趣的读者请参看上面所引的文献, 也可参阅 Hall[4].

第十三章 对称设计

对称设计是一类很重要的特殊的平衡不完全区组设计. 它的关联矩阵有着很良好的性质, 在这类设计的研究中起着重要的作用, 例如, 通过它, 对称设计和矩阵论, 和二次型的算术理论以及不定方程都密切地联系起来了. 因此, 这些分支便自然地成为研究对称设计的工具. 本章就是用这些工具来研究对称设计的. 13.1 介绍对称设计的关联矩阵, 13.4 研究关联方程的解是否为一个对称设计的关联矩阵的问题. 13.3 得到一个很重要的关于对称设计的不存在定理. 此外, 还在 13.2 中讨论了如何由一个对称设计导出其他三个平衡不完全区组设计这一课题.

13.1 关 联 矩 阵

对(v, k, λ)设计, 定理 12.1.1, 定理 12.1.2 和定理 12.1.4 具有更特殊的形式, 引理 12.1.1 则能导出更多的结果. 这一切都表述在下面的定理中.

定理 13.1.1. 假定存在一个(v, k, λ)设计, 其关联矩阵为 A. 那么,

$$\lambda(v-1) = k(k-1); \tag{13.1.1}$$

$$A^{\mathrm{T}}A = (k-\lambda)I_v + \lambda J_v; \tag{13.1.2}$$

$$Aw_v = kw_v; \tag{13.1.3}$$

$$\frac{v+\lambda}{2} \geqslant k \geqslant \sqrt{\lambda v}; \tag{13.1.4}$$

如果 $2 \mid v$, 则$k - \lambda$是一个完全平方数. $\tag{13.1.5}$

证明. (13.1.1)—(13.1.4)是定理 12.1.1, 定理 12.1.2 和定理 12.1.4 对(v, k, λ)设计直接应用的结果. 现在来证明(13.1.5).

由引理 12.1.1 和(13.1.1), 有

$$\det(A^{\mathrm{T}}A) = (k-\lambda)^{v-1}(v\lambda - \lambda + k)$$

$$= (k - \lambda)^{v-1} \cdot k^2 ,$$

$2 \mid v$ 时，此即

$$\left[\det(A) \right]^2 = \left((k - \lambda)^{\frac{v-2}{2}} k \right)^2 (k - \lambda) ,$$

因此 $k - \lambda$ 是一个完全平方数. **证毕**.

这个定理虽然简单，却很有用. 它能对许多参数 v，k，λ 断定不存在对称设计.

例 13.1.1. 证明：对参数 v，k，λ 的下列诸值

$$(v，k，\lambda) = (400，57，7)，(400，133，44)，$$

不存在 $(v，k，\lambda)$ 设计.

证明. 对头一组值，有

$$7(400-1) \neq 57(57-1) ;$$

对第二组值，虽然 $44(400-1) = 133 \cdot 132$，但

$$133 - 44 = 89$$

不是一个完全平方数. 因此由定理 13.1.1，以这二组数为其参数的对称设计不存在. **证毕**.

为了更好地研究 $(v，k，\lambda)$ 设计的关联矩阵，下面证明一个纯矩阵论的结果. 这个结果不仅对对称设计有很大的用处，而且它本身也有其独立的意义.

定理 13.1.2. 设 C 是复数域上的一个 v 阶非异方阵，α 和 β 是二个复数. 如果 C 满足

$$CC^{\mathrm{T}} = (\alpha - \beta)I + \beta J , \tag{13.1.6}$$

$$C^{\mathrm{T}}C = (\alpha - \beta)I + \beta J \tag{13.1.7}$$

之一，且又满足

$$CJ = \alpha J , \tag{13.1.8}$$

$$JC = \alpha J \tag{13.1.9}$$

之一，则 C 满足全部 (13.1.6)—(13.1.9)，而且 α，β 满足关系式

$$\alpha(\alpha-1) = \beta(v-1). \tag{13.1.10}$$

证明. 首先证明：若 C 满足(13.1.6)和(13.1.8)，则 C 满足(13.1.6)—(13.1.9)全部，且 α，β 满足(13.1.10).

因 C^{-1} 存在，故由(13.1.6)得

$$C^{\mathrm{T}} = (\alpha-\beta)C^{-1} + \beta C^{-1}J ; \tag{13.1.11}$$

由(13.1.8)又得

$$C^{-1}J = \frac{1}{\alpha}J ; \tag{13.1.12}$$

从而

$$C^{\mathrm{T}}C = \left((\alpha-\beta)C^{-1} + \frac{\beta}{\alpha}J\right)C$$

$$= (\alpha-\beta)I + \frac{\beta}{\alpha}JC. \tag{13.1.13}$$

转置(13.1.8)的两节得 $JC^{\mathrm{T}} = \alpha J$. 把(13.1.11)代入此式，由(13.1.12)得

$$\alpha J = (\alpha-\beta)JC^{-1} + \beta JC^{-1}J$$

$$= (\alpha-\beta)JC^{-1} + \frac{\beta v}{\alpha}J .$$

此即

$$\frac{\alpha^2 - \beta v}{\alpha}J = (\alpha-\beta)JC^{-1} .$$

因 C^{-1} 存在，由引理 12.1.1 知 $(\alpha-\beta)(v\beta - \beta + \alpha) \neq 0$，故上式给出 $\alpha^2 - \beta v \neq 0$，从而又可写为

$$JC = \frac{\alpha(\alpha-\beta)}{\alpha^2 - \beta v}J . \tag{13.1.14}$$

今考虑 JCJ，一方面，由(13.1.8)有

$$J(CJ) = \alpha J^2 = \alpha v J , \tag{13.1.15}$$

另一方面，由(13.1.14)，又有

$$(JC)J = \frac{\alpha(\alpha-\beta)}{\alpha^2 - \beta v}J^2 = \frac{\alpha(\alpha-\beta)v}{\alpha^2 - \beta v}J , \tag{13.1.16}$$

比较(13.1.15)和(13.1.16)即得(13.1.10).

在此基础上证明(13.1.7)和(13.1.9)就是一件很容易的事情.
由(13.1.11)，有

$$C^{\mathrm{T}}C = (\alpha - \beta)I + \beta C^{-1}JC.$$

再由(13.1.14)，此式可写为

$$C^{\mathrm{T}}C = (\alpha - \beta)I + \frac{\beta\alpha(\alpha - \beta)}{\alpha^2 - \beta v}C^{-1}J.$$

最后，由(13.1.10)和(13.1.12)，此式又可写成为

$$C^{\mathrm{T}}C = (\alpha - \beta)I + \beta J,$$

这就是(13.1.7).

由(13.1.10)知(13.1.14)就是(13.1.9)，这一部分的证明也已完成.

现在来证明：若 C 满足(13.1.6)和(13.1.9)，则 C 满足(13.1.6)—(13.1.9)全部，且 α，β 满足(13.1.10).

把(13.1.6)两节左乘 J，由(13.1.9)，得

$$\begin{aligned}
\alpha JC^{\mathrm{T}} = (JC)C^{\mathrm{T}} &= J(CC^{\mathrm{T}}) \\
&= (\alpha - \beta)J + \beta J^2 \\
&= (\alpha - \beta + \beta v)J.
\end{aligned} \tag{13.1.17}$$

把(13.1.9)的两节先转置然后左乘 αJ，得

$$\alpha JC^{\mathrm{T}}J = \alpha^2 vJ.$$

把(13.1.17)代入上式左节，得

$$(\alpha - \beta + \beta v)vJ = \alpha^2 vJ,$$

因而(13.1.10)成立.

由(13.1.10)知，(13.1.17)可写为 $\alpha JC^{\mathrm{T}} = \alpha^2 J$，从而

$$JC^{\mathrm{T}} = \alpha J,$$

转置此式两节即得(13.1.8). 这就是说，(13.1.6)和(13.1.8)都成立. 因此，由第一段的证明结果知，(13.1.6)—(13.1.9)都成立.

至此，这一部分的证明也已完成.

对 C 满足(13.1.7)和(13.1.8)的情形，把 C 换为 C^T，这就化为前面证明的第二种情形. 对 C 满足(13.1.7)和(13.1.9)的情形，把 C 换为 C^T，则化为前面证明的第一种情形.

于是，定理已全部**证毕**.

由定理 13.1.2 可以导出 (v, k, λ) 设计的关联矩阵的一个优美的性质，这可叙述为下面的定理.

定理 13.1.3. 设 A 是一个 (v, k, λ) 设计的关联矩阵，则它满足下述诸矩阵方程

$$A^T A = (k-\lambda)I + \lambda J, \tag{13.1.18}$$

$$AA^T = (k-\lambda)I + \lambda J, \tag{13.1.19}$$

$$JA = kJ, \tag{13.1.20}$$

$$AJ = kJ. \tag{13.1.21}$$

证明. (13.1.18)就是(13.1.2)，(13.1.20)和(13.1.21)分别是，A 的每一列有 k 个 1 和 A 的每一行有 k 个 1；由对称设计的定义这二者都成立. 由定理 13.1.2 和 (13.1.18)和(13.1.20)知(13.1.19)也成立. **证毕**.

现在来考察一下当 C 是一个 $(0, 1)$ 矩阵，也就是说当 C 是集 S 的一个子集系的关联矩阵时，(13.1.6)—(13.1.9)的组合意义及其相互关系. 下面即将看到，这样做是很有意义的.

设 C 是一个 $(0, 1)$ 矩阵. 于是，

(1) 由(13.1.6)和(13.1.7)之任一可知，α 和 β 都是非负整数.

(2) (13.1.8)的意义是，C 的每一行有 α 个元为 1，其余元皆为 0；因而(13.1.8)的组合意义是，子集系中的每一子集都含 α 个元.

(3) (13.1.9)的意义是，C 的每一列有 α 个元为 1，其余元皆为 0；因而(13.1.8)的组合意义是，S 的每一元都恰好包含在 α 个子集中.

(4) (13.1.6)的意义是，C 的每一行有 α 个元为 1，其余元都为 0(这由考虑 CC^T 的主对角线上的元而得)，C 的每两个不同的行向量都恰有 β 个位置，使得该二向量在这 β 个位置上的分量都是 1(这由考虑 CC^T 的非主对角线上的元而得)，因而 (13.1.6)的组合意义是，子集系中的每个子集都含有 α 个元，每两个不同的子集恰有 β 个公共元.

(5) (13.1.7)的意义是，C 的每一列有 α 个元为 1，其余元都为 0(这由考虑 $C^T C$ 的主对角线上的元而得)，C 的每两个不同列向量恰有 β 个位置，使得该二向量在其任一上的二分量都是 1(这由考虑 $C^T C$ 的非主对角线上的元而得)；因而(13.1.7)

的组合意义是, S 中的每一元恰好包含在 α 个子集中, S 中的每个二元子集恰好包含在 β 个子集中.

这样一来,当 C 是(0,1)矩阵时,(13.1.8)和(13.1.9)分别蕴含在(13.1.6)和(13.1.7)之中. 因此, 由定理 13.1.2 立得

定理 13.1.4.　设 A 是一个 v 阶非异(0,1)矩阵. 那么(13.1.18)和(13.1.19)等阶, 且 A 是一个 $(v$, k , $\lambda)$ 设计的关联矩阵的充要条件是(13.1.18)和(13.1.19)之一成立(因而二者都成立).

基于这个定理, 可以有对称设计的另一等价的定义.

定义 13.1.1.　设 $\mathscr{B}=\{B_1$, B_2 ,$\cdots$, $B_v\}$ 是 v 元集 S 的一个区组设计. 如果 $\mathscr{B}$ 满足条件

(1) $|B_i|$ 是一个常数,

(2) $\left|B_i\bigcap B_j\right|(i\neq j)$, 也是一个常数,

则称 $\mathscr{B}$ 是一个对称区组设计. 如果(1)中的常数值为 k , (2)中的常数值为 λ , 则又称这个设计是一个 $(v$, k , $\lambda)$ 对称设计或简单地叫做 $(v$, k , $\lambda)$ 设计.

作为这个等价定义的一个推论, 有

系.　如果 $\mathscr{B}=\{B_1$, B_2 , $\cdots$, $B_v\}$ 是 v 元集 S 上的一个 $(v$, k , $\lambda)$ 对称设计, 则

(1) $\mathscr{B}$ 的每一区组由 k 个元组成,

(2) $\mathscr{B}$ 的每两个不同的区组恰有 λ 个公共元,

(3) S 中每一元恰在 $\mathscr{B}$ 的 k 个区组中出现,

(4) S 中的每一个二元子集恰在 $\mathscr{B}$ 的 λ 个区组中出现.

下节将继续剖析满足性质(13.1.6)—(13.1.9)的(0, 1)矩阵的性质, 并利用这里和那里得出的性质, 由一个对称设计引出另外的设计.

13.2　由对称设计引出的一些设计

首先继续考察当 C 是一个(0, 1)矩阵时, (13.1.6)—(13.1.9)诸式的组合意义, 并由此引出另外的设计.

当 C 是一个(0, 1)矩阵时, 由上节对(13.1.7)和(13.1.9)的意义的分析和定理 13.1.2 可得对称区组设计的另一等价定义.

定义 13.2.1.　设 $\mathscr{B}=\{B_1$, B_2 ,$\cdots$, $B_v\}$ 是 v 元集 S 的一个区组设计. 如果 $\mathscr{B}$ 满足条件

(1) S 中的每一元所属的 $\mathscr{B}$ 中区组的个数都相同,

(2) $\mathscr{B}$ 中包含 S 的每一个二元子集的区组的个数都相同, 则称 $\mathscr{B}$ 是 S 上的一

个对称设计. 如果(1)中的那个相同的数的值为 k, (2)中那个相同的数的值为 λ, 则称 $\mathscr{B}$ 为一个 (v, k, λ) 对称设计, 或简单地叫做 (v, k, λ) 设计.

设 $\mathscr{B}=\{B_1, B_2, \cdots, B_v\}$ 是 v 元集 $S=\{s_1, s_2, \cdots, s_v\}$ 上的一个 (v, k, λ) 设计. 今作另一个 v 元集

$$S'=\{s_1', s_2', \cdots, s_v'\},$$

和 S' 的一个子集系

$$\mathscr{B}'=\{B_1', B_2', \cdots, B_v'\},$$

这里诸 B_i' 是如下确定的:

$$s_j' \in B_i' \text{ 当且仅当 } B_j \ni s_i (1 \leqslant i, j \leqslant v). \tag{13.2.1}$$

现在来证明子集系 $\mathscr{B}'$ 是 v 元集 S' 上的一个 (v, k, λ) 设计.

对任一固定 $j (1 \leqslant j \leqslant v)$, 因 $\mathscr{B}$ 是 S 上的一个 (v, k, λ) 设计, 故 B_j 中恰有 k 个元, 记为 $s_{i_1}, s_{i_2}, \cdots, s_{i_k}$. 由(13.2.1), 这就意味着 S' 中的元 s_j' 恰好在 B_{i_1}', B_{i_2}', $\cdots$, B_{i_k}', S' 的这 k 个子集中. 这就是说, S' 中的每一元都恰好属于 $\mathscr{B}'$ 中的 k 个区组.

另一方面, 对任二固定的 $j_1, j_2 (1 \leqslant j_1 \neq j_2 \leqslant v)$, 因 $\mathscr{B}$ 是 S 上的一个 (v, k, λ) 设计, 由对称设计的等价定义 13.1.1 知, B_{j_1}' 和 B_{j_2}' 恰有 λ 个公共元, 记为 s_{i_1}, $s_{i_2}, \cdots, s_{i_\lambda}$. 再由(13.2.1)知, S' 的二元子集 $\{s_{j_1}', s_{j_2}'\}$ 恰好包含在 $\mathscr{B}'$ 的 λ 个区组 B_{i_1}', B_{i_2}', $\cdots$, B_{i_λ}' 中. 这就是说, S' 的任一个二元子集都恰好包含在 $\mathscr{B}'$ 的 λ 个区组中.

结合上述两个方面, 再由对称设计的等价定义知, 由(13.2.1)确定出 B_1', $B_2', \cdots, B_v'$ 组成 S' 上的一个 (v, k, λ) 设计.

这一事实也可由关联矩阵的性质如下地导出. 因为, 如果 (v, k, λ) 设计的关联矩阵是 A, 则如上定义的子集系 $\mathscr{B}'$ 的关联矩阵是 A^T. 由定理 13.1.4, A 满足(13.1.18)和(13.1.19), 从而 A^T 也满足(13.1.19)和(13.1.18)

$$\left(A^T\right)\left(A^T\right)^T = (k-\lambda)I + \lambda J,$$
$$\left(A^T\right)^T\left(A^T\right) = (k-\lambda)I + \lambda J.$$

再由定理 13.1.4 知 A^T 也是一个 (v, k, λ) 设计的关联矩阵.

定义 13.2.2. 按(13.2.1)由$(v，k，\lambda)$设计$\mathscr{B}$产生的设计$\mathscr{B}'$叫做$\mathscr{B}$的对偶设计，而$\mathscr{B}$叫做原设计.

由(13.2.1)知，$\mathscr{B}$也为$\mathscr{B}'$的对偶设计. 这就是说，一个对称设计的对偶设计的对偶设计即为原设计.

在进行下面的讨论之前，先看两个例子.

例 13.2.1. 在第十五章将构造出集$[0，14]$的下列$(15，7，3)$设计：

$$
\begin{aligned}
B_0 &= \{0，1，2，4，5，8，10\}，\\
B_1 &= \{1，2，3，5，6，9，11\}，\\
B_2 &= \{2，3，4，6，7，10，12\}，\\
B_3 &= \{3，4，5，7，8，11，13\}，\\
B_4 &= \{4，5，6，8，9，12，14\}，\\
B_5 &= \{0，5，6，7，9，10，13\}，\\
B_6 &= \{1，6，7，8，10，11，14\}，\\
B_7 &= \{0，2，7，8，9，11，12\}，\\
B_8 &= \{1，3，8，9，10，12，13\}，\\
B_9 &= \{2，4，9，10，11，13，14\}，\\
B_{10} &= \{0，3，5，10，11，12，14\}，\\
B_{11} &= \{0，1，4，6，11，12，13\}，\\
B_{12} &= \{1，2，5，7，12，13，14\}，\\
B_{13} &= \{0，2，3，6，8，13，14\}，\\
B_{14} &= \{0，1，3，4，7，9，14\}.
\end{aligned}
\tag{13.2.2}
$$

对这个设计可以在集$S' = [0，14]$上作出它的对偶设计如下：

$$
\begin{aligned}
B_0' &= \{0，5，7，10，11，13，14\}，\\
B_1' &= \{0，1，6，8，11，12，14\}，\\
B_2' &= \{0，1，2，7，9，12，13\}，\\
B_3' &= \{1，2，3，8，10，13，14\}，\\
B_4' &= \{0，2，3，4，9，11，14\}，\\
B_5' &= \{0，1，3，4，5，10，12\}，\\
B_6' &= \{1，2，4，5，6，11，13\}，\\
B_7' &= \{2，3，5，6，7，12，14\}，\\
B_8' &= \{0，3，4，6，7，8，13\}，\\
B_9' &= \{1，4，5，7，8，9，14\}，\\
B_{10}' &= \{0，2，5，6，8，9，10\}，
\end{aligned}
\tag{13.2.3}
$$

$$B'_{11} = \{1,\ 3,\ 6,\ 7,\ 9,\ 10,\ 11\},$$
$$B'_{12} = \{2,\ 4,\ 7,\ 8,\ 10,\ 11,\ 12\},$$
$$B'_{13} = \{3,\ 5,\ 8,\ 9,\ 11,\ 12,\ 13\},$$
$$B'_{14} = \{4,\ 6,\ 9,\ 10,\ 12,\ 13,\ 14\}.$$

可以证明，设计(13.2.3)同(13.2.2)是同构的. 为此在(13.2.2)中对[0，14]的诸元作一置换

$$\overline{i} \rightarrow -\overline{i}\ ,$$

则(13.2.3)变为(13.2.2).

下章将证明，任一循环对称设计的对偶设计同它自身同构.

读者自然会问：任一对称设计是否同它的对偶设计同构？回答是，不尽然. 下例中的设计同其对偶设计就不同构，而且这个设计的参数与例 13.2.1 中的设计的参数完全一样.

例 13.2.2. 下面列出的是集[0，14]上的一个(15，7，3)设计：

$$B_0 = \{0,\ 1,\ 2,\ 3,\ 4,\ 5,\ 6\},$$
$$B_1 = \{0,\ 1,\ 2,\ 7,\ 8,\ 9,\ 10\},$$
$$B_2 = \{0,\ 1,\ 2,\ 11,\ 12,\ 13,\ 14\},$$
$$B_3 = \{0,\ 3,\ 4,\ 7,\ 8,\ 11,\ 12\},$$
$$B_4 = \{0,\ 3,\ 4,\ 9,\ 10,\ 13,\ 14\},$$
$$B_5 = \{0,\ 5,\ 6,\ 7,\ 8,\ 13,\ 14\},$$
$$B_6 = \{0,\ 5,\ 6,\ 9,\ 10,\ 11,\ 12\},$$
$$B_7 = \{1,\ 3,\ 5,\ 7,\ 9,\ 11,\ 13\},\qquad\text{(13.2.4)}$$
$$B_8 = \{1,\ 3,\ 6,\ 7,\ 10,\ 12,\ 14\},$$
$$B_9 = \{1,\ 4,\ 5,\ 8,\ 10,\ 11,\ 14\},$$
$$B_{10} = \{1,\ 4,\ 6,\ 8,\ 9,\ 12,\ 13\},$$
$$B_{11} = \{2,\ 3,\ 5,\ 8,\ 10,\ 12,\ 13\},$$
$$B_{12} = \{2,\ 3,\ 6,\ 8,\ 9,\ 11,\ 14\},$$
$$B_{13} = \{2,\ 4,\ 5,\ 7,\ 9,\ 12,\ 14\},$$
$$B_{14} = \{2,\ 4,\ 6,\ 7,\ 10,\ 11,\ 13\}.$$

这个设计有一个性质：[0，14]的十五个元素除一个特定的元(这里是 0)外其余十四个元素分成互无公共元的七个二元子集(这里是{1，2}，{3，4}，{5，6}，{7，8}，{9，10}，{11，12}，{13，14})然后把这个特定的元添入上面的每一个二元子集中，得到七个三元子集，这里是

$$\{0,\ 1,\ 2\},\ \{0,\ 3,\ 4\},\ \{0,\ 5,\ 6\},\ \{0,\ 7,\ 8\},$$

$$\{0,\ 9,\ 10\},\ \{0,\ 11,\ 12\},\ \{0,\ 13,\ 14\}. \tag{13.2.5}$$

这七个三元子集的每一个同时恰好包含在三个区组中，且它们是这样的三元子集的全部. 这一点可以直接验证.

设计(13.2.4)在集 $S' = [0,\ 14]$ 上的对偶设计是：

$$
\begin{aligned}
B_0' &= \{0,\ 1,\ 2,\ 3,\ 4,\ 5,\ 6\},\\
B_1' &= \{0,\ 1,\ 2,\ 7,\ 8,\ 9,\ 10\},\\
B_2' &= \{0,\ 1,\ 2,\ 11,\ 12,\ 13,\ 14\},\\
B_3' &= \{0,\ 3,\ 4,\ 7,\ 8,\ 11,\ 12\},\\
B_4' &= \{0,\ 3,\ 4,\ 9,\ 10,\ 13,\ 14\},\\
B_5' &= \{0,\ 5,\ 6,\ 7,\ 9,\ 11,\ 13\},\\
B_6' &= \{0,\ 5,\ 6,\ 8,\ 10,\ 12,\ 14\},\\
B_7' &= \{1,\ 3,\ 5,\ 7,\ 8,\ 13,\ 14\},\\
B_8' &= \{1,\ 3,\ 5,\ 9,\ 10,\ 11,\ 12\},\\
B_9' &= \{1,\ 4,\ 6,\ 7,\ 10,\ 12,\ 13\},\\
B_{10}' &= \{1,\ 4,\ 6,\ 8,\ 9,\ 11,\ 14\},\\
B_{11}' &= \{2,\ 3,\ 6,\ 7,\ 9,\ 12,\ 14\},\\
B_{12}' &= \{2,\ 3,\ 6,\ 8,\ 10,\ 11,\ 13\},\\
B_{13}' &= \{2,\ 4,\ 5,\ 7,\ 10,\ 11,\ 14\},\\
B_{14}' &= \{2,\ 4,\ 8,\ 9,\ 12,\ 13,\ 5\}.
\end{aligned}
\tag{13.2.6}
$$

包含在(13.2.6)的恰好三个区组中的三元子集的全部是：

$$\{0,\ 1,\ 2\},\ \{0,\ 3,\ 4\},\ \{0,\ 5,\ 6\},\ \{1,\ 3,\ 5\},$$

$$\{1,\ 4,\ 6\},\ \{2,\ 3,\ 6\},\ \{2,\ 4,\ 5\}). \tag{13.2.7}$$

(13.2.5)的七个三元子集有一个公共元 0，而(13.2.7)的七个三元子集却没有一个公共元. 然而，包含在一个设计的恰好三个区组中的全部三元子集是否有公共元这一性质并不随 S 中诸元的更名和 $\mathscr{B}$ 中诸区组的更名而改变. 因此，(13.2.4)与(13.2.6)是不同构的.

从对称设计还可引出另一个设计. 由对称设计的等价定义 13.1.1 的系知，一个对称设计中任二区组的公共元的个数相同. 设 $\mathscr{B} = \{B_0,\ B_1,\ \cdots,\ B_{v-1}\}$ 是集 S 上的一个 $(v,\ k,\ \lambda)$ 设计. 今对任一固定的 j 考虑

$$\mathscr{B}' = \{ B_0', \ B_2', \ \cdots, \ B_{j-1}', \ B_{j+1}', \ \cdots, \ B_{v-1}' \}, \tag{13.2.8}$$

这里 $B_i' = B_j \bigcap B_i$ $(0 \le i \le v-1 ; \ i \ne j)$. 于是有

定理 13.2.1. $\mathscr{B}'$ 是集 B_j 上的一个 $(v-1, \ k, \ k-1, \ \lambda, \ \lambda-1)$ 设计.

证明. 由 $\mathscr{B}'$ 的构造可知, $\mathscr{B}'$ 中共有 $v-1$ 个区组, 诸区组 $B_i' \ (i \ne j)$ 的元都在 B_j 中, 且对任一 $i(i \ne j)$, 有

$$\left| B_i' \right| = \left| B_j \bigcap B_i \right| = \lambda .$$

因为 B_j 中每一元出现在 $\mathscr{B}$ 的 k 个区组中. 但 B_j 不包含在 $\mathscr{B}'$ 中, 因而出现在 $\mathscr{B}'$ 的 $k-1$ 个区组中. 又因 B_j 的每一个二元子集出现在 $\mathscr{B}$ 的 λ 个子集中, 但 B_j 不含在 $\mathscr{B}'$ 中, 因而出现在 $\mathscr{B}'$ 的 $\lambda-1$ 个子集中. 综上所证即得定理. **证毕.**

定义 13.2.3. 区组设计 (13.2.8) 叫做区组设计 $\mathscr{B}$ 的导出设计.

由集 S 上的 $(v, \ k, \ \lambda)$ 设计 $\mathscr{B} = \{ B_0, \ B_1, \ \cdots, \ B_{v-1} \}$ 引出导出设计的同时, 还可产生另一设计. 记

$$\mathscr{B}'' = \{ B_0 \setminus B_j, \ B_1 \setminus B_j, \ \cdots, \ B_{j-1} \setminus B_j, \ B_{j+1} \setminus B_j, \ \cdots, \ B_{v-1} \setminus B_j \},$$

$$\tag{13.2.9}$$

于是有

定理 13.2.2. $\mathscr{B}''$ 是集 $S \setminus B_j$ 上的一个 $(v-1, \ v-k, \ k, \ k-\lambda, \ \lambda)$ 设计.

证明. 由 $\mathscr{B}''$ 的构造可知, $\mathscr{B}''$ 中诸区组共有 $v-1$ 个, 它们的元组成 $S \setminus B_j$, 而 $\left| S \setminus B_j \right| = v-k, \left| B_i \setminus B_j \right| = k-\lambda \, (i \ne j)$.

因为 $S \setminus B_j$ 中的每一元恰在 $\mathscr{B}$ 的 k 个 $B_i \, (i \ne j)$ 中出现, 故也恰在 k 个 $B_i \setminus B_j \, (i \ne j)$ 中出现. 由于 $S \setminus B_j$ 中任一二元子集恰好包含在 λ 个 $B_i \, (i \ne j)$ 中, 故也恰好包含在 λ 个 $B_i \setminus B_j \, (i \ne j)$ 中. 综上所证即得定理的结论. **证毕.**

定义 13.2.4. (13.2.9) 叫做区组设计 $\mathscr{B}$ 的剩余设计.

从关联矩阵出发也可证明定理 13.2.1 和定理 13.2.2.

定理 13.2.1 和定理 13.2.2 的第二个证明. 不失一般性, 可设 $(v, \ k, \ \lambda)$ 设计的关联矩阵为

$$A = \begin{pmatrix} e & 0 \\ A_1 & A_2 \end{pmatrix},$$

这里

$$e = (\underbrace{1,\cdots,1}_{k\uparrow}), \quad 0=(\underbrace{0,\cdots,0}_{v-k\uparrow}).$$

于是，

$$A^{\mathrm{T}}A = \begin{pmatrix} e^{\mathrm{T}}e + A_1^{\mathrm{T}}A_1 & A_1^{\mathrm{T}}A_2 \\ A_2^{\mathrm{T}}A_1 & A_2^{\mathrm{T}}A_2 \end{pmatrix},$$

$$A A^{\mathrm{T}} = \begin{pmatrix} k & e A_1^{\mathrm{T}} \\ A_1^{\mathrm{T}}e & A_1 A_1^{\mathrm{T}} + A_2 A_2^{\mathrm{T}} \end{pmatrix}.$$

由此得

$$A_1^{\mathrm{T}}A_1 = \big((k-1)-(\lambda-1)\big)I_k + (\lambda-1)J_k,$$
$$A_1 J_k = \lambda J_{v-1},$$
$$A_2^{\mathrm{T}}A_2 = (k-\lambda)I_{v-k} + \lambda J_{v-k},$$
$$A_2 J_{v-k} = (k-\lambda)J_{v-1}.$$

所以，A_1 和 A_2 分别是一个 $(v-1,\ k\ ,\ k-1,\ \lambda,\ \lambda-1)$ 设计和 一个 $(v-1,\ v-k,\ k,\ k-\lambda,\ \lambda)$ 设计的关联矩阵. **证毕**.

例 13.2.3. 为求出设计 (13.2.2) 的导出设计和剩余设计，把 (13.2.2) 改写成下面的形式是方便的：

B_0 :	0,	1,	2	4,	5,	8,	10
B_1' :	1,	2,	5	3,	6,	9,	11	B_1''
B_2' :	2,	4,	10	3,	6,	7,	12	B_2''
B_3' :	4,	5,	8	3,	7,	11,	13	B_3''
B_4' :	4,	5,	8	6,	9,	12,	14	B_4''
B_5' :	0,	5,	10	6,	7,	9,	13	B_5''
B_6' :	1,	8,	10	6,	7,	11,	14	B_6''
B_7' :	0,	2,	8	7,	9,	11,	12	B_7''
B_8' :	1,	8,	10	3,	9,	12,	13	B_8''
B_9' :	2,	4,	10	9,	11,	13,	14	B_9''
B_{10}' :	0,	5,	10	3,	11,	12,	14	B_{10}''
B_{11}' :	0,	1,	4	6,	11,	12,	13	B_{11}''
B_{12}' :	1,	2,	5	7,	12,	13,	14	B_{12}''
B_{13}' :	0,	2,	8	3,	6,	13,	14	B_{13}''
B_{14}' :	0,	1,	4	3,	7,	9,	14	B_{14}''

(13.2.10)

这里水平线上方的区组是原设计 $\mathscr{B}$ 中的一个区组，竖线右边的诸行上的元是剩余设计 $\mathscr{B}''$ 的诸区组中的元，竖线左边的诸行上的元是导出设计 $\mathscr{B}'$ 的诸区组中的元. 在这里，$\mathscr{B}'$ 和 $\mathscr{B}''$ 的参数分别是 $(14，7，6，3，2)$ 和 $(14，8，7，4，3)$.

一个对称设计的对偶设计仍是一个对称设计；但是一个非平凡的 $(v，k，\lambda)$ 对称设计的导出设计和剩余设计都一定不再是对称设计. 这是因为，如果导出设计(其参数为 $(v-1，k，k-1，\lambda，\lambda-1)$)是对称的，则 $k=v-1$，$\lambda=v-2$，而 $(v，v-1，v-2)$ 对称设计是平凡的；如果剩余设计(其参数为 $(v-1，v-k，k，k-\lambda，\lambda)$)是对称的，则 $k=1$，$\lambda=0$，而 $(v，1，0)$ 对称设计是平凡的.

尽管如此，但有时却能由一个导出设计意外地产生一个对称设计. 这可用 $(13.2.10)$ 作为例子来说明. $(13.2.10)$ 中所表示的导出设计 $\mathscr{B}'$ 的全部区组可以分成完全相同的两个部分. 说得确切些，$\mathscr{B}'$ 是 $\mathscr{B}'_1$ 重复两次的结果，这里

$$\mathscr{B}'_1 := \{ B'_1，B'_2，B'_3，B'_5，B'_6，B'_7，B'_{11} \}.$$

因此，由 $\mathscr{B}'$ 是一个 $(14，7，6，3，2)$ 设计可知 $\mathscr{B}'_1$ 是一个 $(7，7，3，3，1)$ 设计，也即 $(7，3，1)$ 对称设计.

但是，对一般情形，$\mathscr{B}'$ 不能是它的部分区组的同一次数的重复，即使 $\mathscr{B}'$ 中有一些区组是另一些区组的重复；因而上面由 $\mathscr{B}'$ 得出 $\mathscr{B}'_1$ 的方法无效. 例如，设计 $(13.2.4)$ 的导出设计就是这样的：

B_0:	0,	1,	2,	3,	4,	5,	6	
B'_1:	0,	1,	2	7,	8,	9,	10	B''_1
B'_2:	0,	1,	2	11,	12,	13,	14	B''_2
B'_3:	0,	3,	4	9,	10,	13,	14	B''_3
B'_4:	0,	3,	4	9,	10,	13,	14	B''_4
B'_5:	0,	5,	6	7,	8,	13,	14	B''_5
B'_6:	0,	5,	6	9,	10,	11,	12	B''_6
B'_7:	1,	3,	5	7,	9,	11,	13	B''_7
B'_8:	1,	3,	6	7,	12,	14		B''_8
B'_9:	1,	4,	5	8,	10,	11,	14	B''_9
B'_{10}:	1,	4,	6	8,	9,	12,	13	B''_{10}
B'_{11}:	2,	5,	3	8,	10,	12,	14	B''_{11}
B'_{12}:	2,	3,	6	8,	9,	11,	14	B''_{12}
B'_{13}:	2,	4,	5	7,	9,	12,	13	B''_{13}
B'_{14}:	2,	4,	6	7,	10,	11,	13	B''_{14}

这里 B_1'，B_3'，B_5' 分别与 B_2'，B_4'，B_6' 相同，但其他区组却彼此不同，因而由 $\mathscr{B}'=\{B_1'，B_2'，\cdots，B_{14}'\}$ 不能像上面那样地产生一个 $(7，3，1)$ 对称设计.

从一个对称设计产生导出设计和剩余设计的逆问题是把一个设计嵌入一个对称设计中. 具体说来，有两个嵌入问题. 一个是，如果已知一个 $(v-1，k，k-1，\lambda，\lambda-1)$ 设计 $\mathscr{B}'$，问能否对 $\mathscr{B}'$ 添加一个区组 S'（$\mathscr{B}'$ 的基集），且把 $\mathscr{B}'$ 的每一区组增加某一 $(v-k)$ 元集中的 $k-\lambda$ 个元，使这样得出的子集系是一个 $(v，k，\lambda)$ 对称设计? 另一个是，如果已知一个 $(v-1，v-k，k，k-\lambda，\lambda)$ 设计 $\mathscr{B}''$，能否对 $\mathscr{B}''$ 增加一个新区组，它的全部 k 个元都不在 $\mathscr{B}''$ 的基集中，且把 $\mathscr{B}''$ 的每一区组增加该新区组中的 λ 个元，使这样得出的子集系是一个 $(v，k，\lambda)$ 设计? 下面的例子表明，并非对满足 $(13.1.1)$ 和 $(13.1.5)$ 的任何设计 $\mathscr{B}'$ 和 $\mathscr{B}''$，嵌入都是可能的.

例 13.2.4(Bhattacharya[2]). 下面给出的是一个 $(24，16，9，6，3)$ 设计：

$$
\begin{aligned}
B_1'' &=\{1，2，3，4，5，6\}，\\
B_2'' &=\{1，2，3，11，12，15\}，\\
B_3'' &=\{1，2，7，8，14，15\}，\\
B_4'' &=\{1，3，9，10，15，16\}，\\
B_5'' &=\{1，4，5，13，14，15\}，\\
B_6'' &=\{1，4，7，8，11，16\}，\\
B_7'' &=\{1，5，9，10，11，14\}，\\
B_8'' &=\{1，6，7，9，12，13\}，\\
B_9'' &=\{1，6，8，10，12，13\}，\\
B_{10}'' &=\{2，3，8，9，13，16\}，\\
B_{11}'' &=\{2，4，8，10，12，14\}，\\
B_{12}'' &=\{2，4，9，10，11，13\}，\\
B_{13}'' &=\{2，5，6，11，12，16\}，\\
B_{14}'' &=\{2，5，7，10，13，15\}，\\
B_{15}'' &=\{2，6，7，9，14，16\}，\\
B_{16}'' &=\{3，4，6，13，14，15\}，\\
B_{17}'' &=\{3，4，7，10，12，16\}，\\
B_{18}'' &=\{3，5，7，8，11，13\}，\\
B_{19}'' &=\{3，5，8，9，12，14\}，\\
B_{20}'' &=\{3，6，7，10，11，14\}，\\
B_{21}'' &=\{4，5，7，9，12，15\}，\\
B_{22}'' &=\{4，6，8，9，11，15\}，\\
B_{23}'' &=\{5，6，8，10，15，16\}，
\end{aligned}
$$

(13.2.11)

$$B''_{24} = \{11,\ 12,\ 13,\ 14,\ 15,\ 16\}.$$

如果令 $(v{-}1,\ v{-}k,\ k,\ k{-}\lambda,\ \lambda) = (24,\ 16,\ 9,\ 6,\ 3)$，则 $(v,\ k,\ \lambda) = (25,\ 9,\ 3)$. 对这组 v，k，λ 的值，条件 (13.1.1) 满足. 因 $2 \nmid 25$，故条件 (13.1.5) 实际上未加约束. 但设计 (13.2.11) 却不能嵌入一个 (25, 9, 3) 对称设计中. 这可用反证法证明如下. 假定它能嵌入一个 (25, 9, 3) 对称设计 $\mathscr{B} = \{B_1,\ B_2,\ \cdots,\ B_{24}\}$ 中，这里诸 $B_i\,(1 \leqslant i \leqslant 24)$ 是 (13.2.11) 的诸 B''_i 扩充后的区组. 那么，

$$|B_8 \cap B_9| \geqslant |B''_8 \cap B''_9| = 4\,.$$

然而，由对称设计的性质知，任一 (25, 9, 3) 对称设计的任二区组 B_i 和 $B_j\,(i \neq j)$ 的公共元素的个数是 3. 所以这是不可能的.

在什么条件下嵌入才可能呢? 有关这一问题的部分讨论将在第十七章中进行.

13.3 存 在 性

在对称设计的存在性理论中有一个著名而基本的定理，它指出了一个很重要的必要条件. 这个定理就是

定理 13.3.1. 记 $n = k{-}\lambda$. 如果 $(v,\ k,\ \lambda)$ 对称设计存在，则当 $2 \mid v$ 时，n 必为一个完全平方数；当 $2 \nmid v$ 时，不定方程

$$z^2 = nx^2 + (-1)^{\frac{v-1}{2}} \lambda y^2 \tag{13.3.1}$$

有不全为零的整数解 x, y, z.

这个定理的前半已经包含在定理 13.1.1 中，这里再述它是为了定理 13.3.1 的完备性. 这个定理通常称为 Bruck-Ryser-Chowla 定理，定理中有关不定方程 (13.3.1) 的条件通常叫做 Bruck-Ryser-Chowla 条件. 在看了本节末所介绍的有关这一定理的简短历史后这些名称的含义便会自明.

下面将给这个定理三个不同的证明. 虽然这要多花一些篇幅，但却是值得的. 这是因为，一方面，这个定理很重要；它的重要性不仅表现在用它可以否定一系列参数的对称设计的存在，而且还表现在，迄今为止尚未发现一组参数 v, k, λ 满足 (13.1.1) 和 Bruck-Ryser-Chowla 条件而能确证 $(v,\ k,\ \lambda)$ 设计不存在 (自然，有参数 v, k, λ 满足 (13.1.1) 和 Bruck-Ryser-Chowla 条件而不能断定 $(v,\ k,\ \lambda)$ 设计是否存在)，因而有人猜想，条件 (13.1.1) 和 Bruck-Ryser-Chowla 条件对存在对称设计也是充分的. 另一方面，下面的三个证明表明了组合学同初等数论、二次型论、不定方程的众多联系；深入到这些联系中去，进而再发掘出一些新联系，

势必会产生些新方法和新结果 ，从而促进组合数学的发展. 再者，不同的证明有
不同的优点，有的不借助于其他学科过多的专门知识，有的却能导出更多一些结
果.

这一节很长，进行的步骤如下. 首先介绍一下应用定理 13.3.1 的例子. 第二，
依次给出三个证明，在每一证明之前都简略地介绍一下该证明所需的预备知识和
一些参考资料. 第三，介绍一些有关的问题. 第四，再一次回到这个定理的应用并
简短地介绍一下这个定理发展的历史.

下面就依上述步骤进行工作. 先看一些例子.

例 13.3.1. 考察 $(29，8，2)$ 设计的存在性.

设 $v = 29$，$k = 8$，$\lambda = 2$，则它们满足条件 $(13.1.1)$. 现在证明与这些参数相
应的不定方程

$$z^2 = 6x^2 + 2y^2 \qquad (13.3.2)$$

无不全为零的整数解，从而根据定理 13.3.1 得知 $(29，8，2)$ 设计不存在.

如果 x, y, z 是 $(13.3.2)$ 的不全为零的整数解，且 $(x, y) = d$，则 $d^2 \big| z^2$，因而 $d | z$.
于是可用 d^2 除 $(13.3.2)$ 式，得 $z_1^2 = 6x_1^2 + 2y_1^2$，这里 $x_1 = \dfrac{x}{d}$，$y_1 = \dfrac{y}{d}$，$z_1 = \dfrac{z}{d}$ 且 $(x_1,$
$y_1) = 1$. 因此，不失一般性，可设 $(x，y) = 1$.

由 $(13.3.2)$ 知 $2 \big| z$，记 $z = 2z_1$，则

$$2z_1^2 = 3x^2 + y^2， \qquad (13.3.3)$$

因为 $2 \nmid (x，y)$，故

$$3x^2 \nmid y^2 \equiv \begin{cases} 1 \pmod 4，\ 若 2|x, 2 \nmid y, \\ 3 \pmod 4，\ 若 2 \nmid x, 2|y, \\ 4 \pmod 8，\ 若 2 \nmid xy. \end{cases} \qquad (13.3.4)$$

但是

$$2z_1^2 \equiv \begin{cases} 2 \pmod 8，\ 若 2 \nmid z_1, \\ 0 \pmod 8，\ 若 2|z_1. \end{cases} \qquad (13.3.5)$$

由 $(13.3.4)$ 和 $(13.3.5)$ 知，$(13.3.3)$ 不可能对不全为零的 $x，y，z$ 成立，所以 $(29，8，$
$2)$ 设计不存在.

例 13.3.2. 考察 $(43，7，1)$ 设计的存在性.

这组参数也满足条件 $(13.1.1)$，但其相应的不定方程

$$z^2 = 6x^2 - y^2 \qquad (13.3.6)$$

无不全为零的整数解. 若不然, (13.3.6)有不全为零的整数解 x, y, z 则

$$z^2 + y^2 = 6x^2, \qquad (13.3.7)$$

不失一般, 可设 $(z, y)=1$. 在此条件下, 一方面,

$$z^2 + y^2 \equiv \begin{cases} 2(\mathrm{mod}\,3), & \text{若}3 \nmid zy, \\ 1(\mathrm{mod}\,3), & \text{若}3 \mid yz. \end{cases} \qquad (13.3.8)$$

另一方面,

$$6x^2 \equiv 0(\mathrm{mod}\,3). \qquad (13.3.9)$$

由(13.3.8)和(13.3.9)知, (13.3.7)因而(13.3.6)无不全为 0 的整数解. 所以, (43, 7, 1)设计不存在.

例 13.3.3. 考察(46, 10, 2)设计的存在性.

这组参数也满足(13.1.1), 但 10−2 = 8 不是完全平方数, 故(46, 10, 2)设计不存在.

现在转而证明定理 13.3.1.

在第一个证明中将用到 Lagrange 的四平方和定理: 任一正整数 n 都可表为四个整数的平方之和: $n = b_1^2 + b_2^2 + b_3^2 + b_4^2$. (可参看华罗庚[1, p.224] 或 Hardy-wright[1, 302].)

此外, 还将用到二个四平方和之积的恒等式:

$$\left(b_1^2 + b_2^2 + b_3^2 + b_4^2\right)\left(x_1^2 + x_2^2 + x_3^2 + {}_4^2\right) = y_1^2 + y_2^2 + y_3^2 + y_4^2, \qquad (13.3.10)$$

这里

$$\begin{aligned} y_1 &= b_1 x_1 - b_2 x_2 - b_3 x_3 - b_4 x_4, \\ y_2 &= b_2 x_1 + b_1 x_2 - b_4 x_3 + b_3 x_4, \\ y_3 &= b_3 x_1 + b_4 x_2 + b_1 x_3 - b_2 x_4, \\ y_4 &= b_4 x_1 - b_3 x_2 + b_2 x_3 + b_1 x_4. \end{aligned} \qquad (13.3.11)$$

可以把(13.3.11)代入(13.3.10)来证明(13.3.10)的真确性. 下面给出一个便于记忆(13.3.11)中的结构而且也很简单的证明.

用 i 记虚数单位 $\sqrt{-1}$, I 记二阶单位阵.因为

$$\begin{pmatrix} 0 & i \\ i & 0 \end{pmatrix}^2 = -I \ , \quad \begin{pmatrix} 0 & -1 \\ 1 & 0 \end{pmatrix}^2 = -I \ , \quad \begin{pmatrix} i & 0 \\ 0 & -i \end{pmatrix}^2 = -I \ ,$$

$$\begin{pmatrix} 0 & i \\ i & 0 \end{pmatrix}\begin{pmatrix} 0 & -1 \\ 1 & 0 \end{pmatrix} = \begin{pmatrix} i & 0 \\ 0 & -i \end{pmatrix},$$

$$\begin{pmatrix} 0 & -1 \\ 1 & 0 \end{pmatrix}\begin{pmatrix} 0 & i \\ i & 0 \end{pmatrix} = -\begin{pmatrix} i & 0 \\ 0 & -i \end{pmatrix},$$

$$\begin{pmatrix} 0 & i \\ i & 0 \end{pmatrix}\begin{pmatrix} i & 0 \\ 0 & -i \end{pmatrix} = -\begin{pmatrix} 0 & -1 \\ 1 & 0 \end{pmatrix},$$

$$\begin{pmatrix} i & 0 \\ 0 & -i \end{pmatrix}\begin{pmatrix} 0 & i \\ i & 0 \end{pmatrix} = \begin{pmatrix} 0 & -1 \\ 1 & 0 \end{pmatrix},$$

$$\begin{pmatrix} 0 & -1 \\ 1 & 0 \end{pmatrix}\begin{pmatrix} i & 0 \\ 0 & -i \end{pmatrix} = \begin{pmatrix} 0 & i \\ i & 0 \end{pmatrix},$$

$$\begin{pmatrix} i & 0 \\ 0 & -i \end{pmatrix}\begin{pmatrix} 0 & -1 \\ 1 & 0 \end{pmatrix} = -\begin{pmatrix} 0 & i \\ i & 0 \end{pmatrix},$$

故

$$\left(b_1\begin{pmatrix} 1 & 0 \\ 0 & 1 \end{pmatrix} + b_2\begin{pmatrix} 0 & i \\ i & 0 \end{pmatrix} + b_3\begin{pmatrix} 0 & -1 \\ 1 & 0 \end{pmatrix} + b_4\begin{pmatrix} i & 0 \\ 0 & -i \end{pmatrix} \right)$$

$$\times \left(x_1\begin{pmatrix} 1 & 0 \\ 0 & 1 \end{pmatrix} + x_2\begin{pmatrix} 0 & i \\ i & 0 \end{pmatrix} + x_3\begin{pmatrix} 0 & -1 \\ 1 & 0 \end{pmatrix} + x_4\begin{pmatrix} i & 0 \\ 0 & -i \end{pmatrix} \right)$$

$$= (b_1 x_1 - b_2 x_2 - b_3 x_3 - b_4 x_4)\begin{pmatrix} 1 & 0 \\ 0 & 1 \end{pmatrix}$$

$$+ (b_2 x_1 + b_1 x_2 - b_4 x_3 + b_3 x_4)\begin{pmatrix} 0 & i \\ i & 0 \end{pmatrix}$$

$$+ (b_3 x_1 + b_4 x_2 + b_1 x_3 - b_2 x_4)\begin{pmatrix} 0 & -1 \\ 1 & 0 \end{pmatrix}$$

$$+ (b_4 x_1 - b_3 x_2 + b_2 x_3 + b_1 x_4)\begin{pmatrix} i & 0 \\ 0 & -i \end{pmatrix}.$$

上式左节的第一个因子矩阵的行列式为

$$\det\begin{pmatrix} b_1 + b_4 i & -b_3 + b_2 i \\ b_3 + b_2 i & b_1 - b_4 i \end{pmatrix} = b_1^2 + b_2^2 + b_3^2 + b_4^2 \ ,$$

右节的矩阵的行列式为

$$(b_1 x_1 - b_2 x_2 - b_3 x_3 - b_4 x_4)^2$$
$$+ (b_2 x_1 + b_1 x_2 - b_4 x_3 + b_4 x_4)^2$$
$$+ (b_3 x_1 + b_4 x_2 + b_1 x_3 - b_2 x_4)^2$$
$$+ (b_4 x_1 - b_3 x_2 + b_2 x_3 + b_1 x_4)^2.$$

因此有(13.3.11).

现已作好了第一个证明的准备.

定理 13.3.1 的第一个证明.　设存在(v, k, λ)设计, 且$2 \nmid v$. 对于(v, k, λ)对称设计, (12.2.14)变为

$$L_1^2 + L_2^2 + \cdots + L_v^2$$
$$= n\left(x_1^2 + x_2^2 + \cdots + x_v^2\right) + \lambda\left(x_1 + x_2 + \cdots + x_v\right)^2. \tag{13.3.12}$$

这是$x_1, x_2, \cdots, x_v$ 的一个恒等式. 首先讨论$v \equiv 1 \pmod 4$ 的情形. 由 Lagrange 的四平方和定理, n 可以表为$b_1^2 + b_2^2 + b_3^2 + b_4^2$, 因而

$$n\left(x_1^2 + x_2^2 + x_3^2 + x_4^2\right) = y_1^2 + y_2^2 + y_3^2 + y_4^2 \ ,$$

这里诸y_i 由(13.3.11)给出. 在(13.3.12)中把$x_1^2 + x_2^2 + \cdots + x_{v-1}^2$ 依次每四个分成一组, 应用上面的方法就可把(13.3.12)化为

$$L_1^2 + L_2^2 + \cdots + L_v^2 = y_1^2 + y_2^2 + \cdots + y_{v-1}^2 + n x_v^2 + \lambda\left(x_1 + x_2 + \cdots + x_v\right)^2. \tag{13.3.13}$$

因为(13.3.11)中诸x_i 的系数行列式为$b_1^2 + b_2^2 + b_3^2 + b_4^2 = n > 0$, 故可由此解出诸$x_i$, 是诸$y_j$ 的线性组合, 且其系数为有理数, 这些有理数的公分母为 n. 把如此解出的诸x_i代入(13.3.13), 且令$y_v := x_v$, 则(13.3.13)化为

$$L_1^2 + L_2^2 + \cdots + L_v^2 = y_1^2 + y_2^2 + \cdots + y_{v-1}^2 + n y_v^2 + \lambda l^2 \ , \tag{13.3.14}$$

这里诸L_i 和l是诸y的有理线性型.

假定$L_1 = c_{11} y_1 + c_{12} y_2 + \cdots + c_{1v} y_v$. 由

$$L_1 = \begin{cases} y_1, & 若 c_{11} \neq 1, \\ -y_1, & 若 c_{11} = 1, \end{cases}$$

可以解出y_1为$y_2, \cdots, y_v$ 的有理线性型. 把此线性型代入(13.3.14), 得$y_2, y_3, \cdots,$

y_v 的一个恒等式

$$L_2^2 + \cdots + L_v^2 = y_2^2 + \cdots + y_{v-1}^2 + ny_v^2 + \lambda l^2 , \qquad (13.3.15)$$

这里诸 $L_i \, (2 \leqslant i \leqslant v)$ 和 l 都是 y_2 , $y_3 \cdots$, y_v 的有理线性型, 且 y_2 , y_3 , $\cdots$, y_v 都是独立变量. 假定

$$L_2 = c_{22} y_2 + c_{23} y_3 + \cdots + c_{2v} y_v .$$

由

$$L_2 = \begin{cases} y_2, & \text{若 } c_{22} \neq 1, \\ -y_2, & \text{若 } c_{22} = 1, \end{cases}$$

可以解出 y_2 为 y_3 , $\cdots$, y_v 的有理线性型. 仿上进行, (13.3.15)又可化为

$$L_3^2 + \cdots + L_v^2 = y_3^2 + \cdots + y_{v-1}^2 + ny_v^2 + \lambda l^2 .$$

照此逐步作下去, 最后得 y_v 的恒等式

$$L_v^2 = ny_v^2 + \lambda l^2 , \qquad (13.3.16)$$

这里 L_v 和 l 都是 y_v 的一元有理线性型, 而 y_v 是独立变量. 写 $L_v = \dfrac{z}{x} y_v$, $l = \dfrac{y}{x} y_v$, 这里 x, y 和 z 都是整数且 $x \neq 0$. 于是, (13.3.16)成为(13.3.1)当 $v \equiv 1 \, (\mathrm{mod} \, 4)$ 时的方程.

当 $v \equiv 3 \, (\mathrm{mod} \, 4)$ 时, 在(13.3.12)的两节同加 nx_{v+1}^2 , 这里 x_{v+1} 是一个新的变元, 然后应用 Lagrange 四平方和定理, 便得

$$L_1^2 + L_2^2 + \cdots + L_v^2 + nx_{v+1}^2 = y_1^2 + \cdots + y_{v+1}^2 + \lambda l^2 .$$

类似于上段的作法, 由此得

$$nx_{v+1}^2 = y_{v+1}^2 + \lambda l^2 ,$$

其中 x_{v+1} 和 l 都是 y_{v+1} 的一元有理线性型, 而 y_{v+1} 是独立变量, 因此上式可化为

$$z^2 = nx^2 - \lambda y^2 ,$$

这里 x, y 和 z 都是整数且 $z \neq 0$. 此式即(13.3.1)当 $v \equiv 3 \, (\mathrm{mod} \, 4)$ 时的方程.

综合上述 $v \equiv 1 \, (\mathrm{mod} \, 4)$ 和 $v \equiv 3 \, (\mathrm{mod} \, 4)$ 这两种情形的结果, 便得定理. **证毕.**

在上面的证明中并未用到(13.3.12)中的诸线性型 $L_i(1 \leqslant i \leqslant v)$ 的系数是 0 或 1 这一性质, 而只要诸 L_i 是整系数线性型即可. 因此, 实际上已证明了更一般的结果, 为今后引用方便起见, 把它写成下面的

系. 如果 w 阶整数矩阵 C 满足

$$C^{\mathrm{T}}C = \alpha I_w + \beta J_w,$$

$$\det C \neq 0,$$

则当 $w \equiv 1 \pmod 2$ 时, 不定方程

$$z^2 = \alpha x^2 + (-1)^{\frac{w-1}{2}} \beta y^2$$

有不全为零的整数解 x, y, z.

为了给出定理 13.3.1 的第二个证明, 这里需要对二次型的一些术语和结果(参看 Jones[1])预先做点说明. 设 f 和 g 是域 F 上的两个 v 元二次型. 如果存在 F 上的非异线性变换把其中一个化为另一个, 则称 f 和 g 是在 F 上相合, 简称为相合, 记为

$$f \sim g.$$

易证, "相合"是一个等阶关系. 如果 f, g, h 是三个二次型, 合于 $f = g + h$, 且 g 和 h 无公共变元, 则称型 f 是型 g 和型 h 的直和, 记为

$$f = g + h.$$

上面的概念也可用矩阵的说法转述如下. 设 A 和 B 是域 F 上的两个 v 阶对称矩阵. 如果存在域 F 上的非异 v 阶矩阵 Q, 使得 $A = Q^{\mathrm{T}}BQ$, 则称 A 和 B 在 F 上相合, 简称为相合, 记为

$$A \sim B.$$

如果 A, B 和 C 是三个对称矩阵, 合于

$$A = \begin{pmatrix} B & 0 \\ 0 & C \end{pmatrix},$$

则称矩阵 A 是矩阵 B 和 C 的直和, 记为

$$A = B + C.$$

关于矩阵的相合, 有下面的

Witt[1]定理. 设 A, B 和 C 是特征 $\neq 2$ 的域 F 上的三个对称矩阵. 如果

$$C \dotplus A \sim C \dotplus B,$$

$$A \sim B.$$

这个定理常被形象地叫做 Witt 消去律.

今后把有理数域上的相合叫做有理相合, 记为" 有理 ".

现已做好了第二个证明的准备.

定理 13.3.1 的第二个证明. 假定 (v, k, λ) 设计存在, A 是其关联矩阵. 作 $v+1$ 阶加边矩阵如下:

$$A_1 = \begin{pmatrix} A & w \\ w^T & \dfrac{k}{\lambda} \end{pmatrix},$$

这里 $w = w_v$ 是一个 $v \times 1$ 的矩阵, 其全部元都是 1.

记

$$D = \begin{pmatrix} I_v & 0 \\ 0 & -\lambda \end{pmatrix},$$

$$E = \begin{pmatrix} (k-\lambda)I_v & \\ & -\dfrac{k-\lambda}{\lambda} \end{pmatrix}.$$

由 (13.1.1)—(13.1.3), 有

$$A_1^{\mathrm{T}} D A_1 = \begin{pmatrix} A^{\mathrm{T}}A - \lambda ww^{\mathrm{T}} & A^{\mathrm{T}}w - kw \\ w^{\mathrm{T}}A - kw^{\mathrm{T}} & w^{\mathrm{T}}w - \dfrac{k^2}{\lambda} \end{pmatrix}$$

$$= E.$$

这就是说,

$$D \underbrace{}_{\text{有理}} E. \tag{13.3.17}$$

另一方面, 在定理 13.1.1 的第一个证明中已有

$$mI_4 \underbrace{}_{\text{有理}} I_4,$$

这里 m 是任一正整数；从而当 $t \equiv 0 (\bmod 4)$ 时，有

$$mI_t \underbrace{}_{\text{有理}} I_t. \tag{13.3.18}$$

先考虑 $v \equiv 1 (\bmod 4)$ 的情形. 由(13.3.17)和(13.3.18)，此时有

$$I_v \dotplus (-\lambda I_1) \sim (nI_{v-1}) \dotplus (nI_i) \dotplus \left(-\frac{n}{\lambda} I_1\right)$$

$$\sim (I_{v-1}) \dotplus (nI_1) \dotplus \left(-\frac{n}{\lambda} I_1\right).$$

由 Witt 消去律，从上式可得

$$\begin{pmatrix} 1 & 0 \\ 0 & -\lambda \end{pmatrix} \sim \begin{pmatrix} n & 0 \\ 0 & -\dfrac{n}{\lambda} \end{pmatrix}.$$

这就是说，存在有理矩阵 $\begin{pmatrix} z_1, & z_2 \\ y_1, & y_2 \end{pmatrix}$，合

$$\begin{pmatrix} z_1 & y_1 \\ z_2 & y_2 \end{pmatrix} \begin{pmatrix} 1 & 0 \\ 0 & -\lambda \end{pmatrix} \begin{pmatrix} z_1 & z_2 \\ y_1 & y_2 \end{pmatrix} = \begin{pmatrix} n & 0 \\ 0 & -\dfrac{n}{\lambda} \end{pmatrix},$$

由左节的积矩阵和右节的矩阵的(1，1)位置上的相应元素相等，便得

$$z_1^2 - \lambda y_1^2 = n.$$

化去 z_1 和 y_1 的公分母，便得(13.1.1)当 $v \equiv 1 (\bmod 4)$ 时的方程.

现在来考虑 $v \equiv 3 (\bmod 4)$ 的情形. 由(13.3.17)和(13.3.18)，有

$$I_v \dotplus nI_1 \dotplus (-\lambda I_1) \sim (nI_v) \dotplus (nI_1) \dotplus \left(-\frac{n}{\lambda} I_1\right)$$

$$\sim I_{v+1} \dotplus \left(-\frac{n}{\lambda} I_1\right).$$

由 Witt 消去律从上式可得

$$\begin{pmatrix} n & 0 \\ 0 & -\lambda \end{pmatrix} \sim \begin{pmatrix} 1 & 0 \\ 0 & -\dfrac{n}{\lambda} \end{pmatrix}.$$

这就是说，存在有理矩阵 $\begin{pmatrix} x_1 & x_2 \\ y_1 & y_2 \end{pmatrix}$，合

$$\begin{pmatrix} x_1 & y_1 \\ x_2 & y_2 \end{pmatrix} \begin{pmatrix} n & 0 \\ 0 & -\lambda \end{pmatrix} \begin{pmatrix} x_1 & x_2 \\ y_1 & y_2 \end{pmatrix} = \begin{pmatrix} 1 & 0 \\ 0 & -\dfrac{n}{\lambda} \end{pmatrix}.$$

由左节的积矩阵和右节矩阵的(1，1)位置上的对应元素相等，便得

$$nx_1^2 - \lambda y_1^2 = 1.$$

化去 x_1 和 y_1 的公分母，便得(13.1.1)当 $v \equiv 3 \pmod 4$ 时的方程.

综上所证即得定理. **证毕**.

为了介绍定理 13.1.1 的第三个证明，需要一些二次型和不定方程中的结果(参看 Jones[1]或 Watson[1]).

设 b 和 c 都是非零整数，p 是一个素数. 今考虑同余方程

$$bx^2 + cy^2 \equiv z^2 \left(\operatorname{mod} p^m \right). \tag{13.3.19}$$

定义

$$(b,c)_p = \begin{cases} 1, \text{若 (13.3.19) 对任意正整数} m \text{有不} \\ \quad \text{全为 } p \text{ 的倍数的整数解} x, y, z, \\ -1, \text{其他}. \end{cases} \tag{13.3.20}$$

与(13.3.19)相对应地，有不定方程

$$bx^2 + cy^2 = z^2. \tag{13.3.21}$$

定义

$$(b,c)_\infty = \begin{cases} 1, \text{若 (13.3.21) 有不全为零的实数解} x, y, z, \\ -1, \text{其他}. \end{cases} \tag{13.3.22}$$

为了统一叙述和处理的方便，常把(13.3.22)作为(13.3.20)当 $p = \infty$ 时的扩充. 今后若不特别说明，在写出 $(b, c)_p$ 时，不排除 $p = \infty$ 的情形且暗含 b, c 是非零整数的假定. 在文献中，$(b, c)_p$ 常称为 Hilbert 模方剩余符号.

Hilbert 模方剩余符号有一些非常良好的重要性质，使得既便于计算它们的值，又便于对它们进行理论处理. 主要的性质有：

1. $(b,c)_\infty = \begin{cases} -1, & \text{若 } b<0, \ c<0, \\ 1, & \text{其他}. \end{cases}$

2. $(b,c)_p = (c,b)_p$.

3. $\left(bd^2, ce^2\right)_p = (b,c)_p$.

4. $(b,-b)_p = 1$, $\quad \left(b^2, c\right)_p = 1$.

5. $(b_1,c)(b_2,c)_p = (b_1 b_2, c)_p$.

6. 若 p 是奇素数，且 $p \nmid bc$ ，则

$$(b,c)_p = 1.$$

7. 若 p 是个奇素数，且 $p \nmid b$ ，则

$$(b,p)_p = \left(\frac{b}{p}\right).$$

这里 $\left(\dfrac{b}{p}\right)$ 为 Legendre 符号.

8. 若 p 是个奇素数，则

$$(b,b)_p = (-1,b)_p.$$

9. 若 p 是个奇素数且 $b_1 \equiv b_2 \not\equiv 0 \pmod{p}$ ，则

$$(b_1,c)_p = (b_2,c)_p.$$

10. $\displaystyle\prod_{\text{一切} p} (b,c)_p = 1$.

Hilbert 模方剩余符号的威力可以从下面的结果窥见一斑：

不定方程

$$bx^2 + cy^2 = z^2 \tag{13.3.23}$$

有不全为零的整数解 x, y, z 的充要条件是

$$(b, \ c)\, p = 1, \quad \text{一切素数 } p.$$

下面将借助于 Hilbert 模方剩余符号来证明定理 13.3.1，实际上可以证明比定理 13.3.1 更多的东西. 为此，需要介绍二次型理论中的一个基本结果.

设 f 是一个二次型：

$$f = \sum_{1 \leqslant i,j \leqslant m} b_{ij} x_i x_j , \qquad\qquad b_{ij} = b_{ji}.$$

对 $t = 1, 2, \cdots, m$, 行列式

$$D_t := \det\left(b_{ij}\right), \qquad\qquad 1 \leqslant i, \quad j \leqslant t$$

叫做型 f 的第 t 个左上主子式. 今假定一切 b_{ij} 都是整数, 且 $D_1 D_2 \cdots D_m \neq 0$. 于是, 可定义

$$C_p(f) = (-1, -D_m)_p \prod_{i=1}^{m-1} (D_i, -D_{i+1})_p ,$$

这里 p 是任一素数, 不排除 $p = \infty$.

现在来叙述下面即将要用到的一个十分重要的结果.

整型的有理相合定理(Hasse-Minkowski). 设 f_1 和 f_2 都是整系数 m 元二次型, 其左上主子式都不为零. 那么, f_1 和 f_2 有理相合的充要条件是:

$D_p(f_1) = C_p(f_2)$, 一切素数 p,

f_1 和 f_2 的符号差相等,

且 f_1 和 f_2 的行列式的商是一个有理数的平方.

现在来进行定理 13.1.1 的第三个证明. 事实上, 下面要证明一个比定理 13.3.1 更强的结果:

定理 13.3.2. 二次型

$$f_1 = n\left(x_1^2 + x_2^2 + \cdots + x_v^2\right) + \lambda\left(x_1 + x_2 + \cdots + x_v\right)^2$$

和二次型

$$f_2 = x_1^2 + x_2^2 + \cdots + x_v^2$$

有理相合的充要条件是不定方程(13.3.1)有不全为零的整数解 x, y, z, 这里 n 和 λ 都是正整数, $2 \nmid v$, $k = n + \lambda$, 而且 v, k, λ 满足(13.1.1).

这个定理的证明较长且有较多的计算, 故分成几个引理来叙述和证明.

引理 13.3.1. 在定理 13.3.2 的条件下, 有

$$C_\infty(f_1) = -1.$$

证明. 由引理 12.1.1 知, 型 f_1 的第 t 个左上主子式为

$$D_t(f_1) = n^{t-1}\left(k + (t-1)\lambda\right), \quad 1 \leqslant t \leqslant v. \tag{13.3.24}$$

因为 $2 \nmid v$ 且有(13.1.1), 故

$$C_{\infty}(f_1) = (-1, \ -n^{v-1}k^2)_{\infty} \prod_{i=1}^{v-1} \left(n^{i-1}\big(k+(i-1)\lambda\big), n^i\big(k+i\lambda\big) \right)_{\infty}$$

$$= (-1, \ -1)_{\infty} = -1.$$

证毕.

引理 13.3.2. 在定理 13.3.2 的条件下, 有

$$C_p(f_2) = \begin{cases} 1, & \text{若} p \text{是奇素数}, \\ -1, & \text{若} p = \infty. \end{cases}$$

证明. 显然.

引理 13.3.3. 设 p 是奇素数. 在定理 13.3.2 的条件下, 有

$$C_p(f_1) = (n,-1)_p^{\frac{v-1}{2}} \ (k,n)_p \prod_{i=1}^{v-1} (k+(i-1)\lambda, -(k+i\lambda))_p.$$

证明. 在下面的推导中若不引起混淆, 常省去模方剩余符号 $(b, \ c)_p$ 括号外的 p, 而把 b 和 c 的最大公因数记为 $\gcd(b, \ c)$.

由(13.3.24)和 $C(f)$ 的定义, 有

$$C(f_1) = \left(-1, -n^{v-1}k^2\right)\prod_{i=1}^{v-1}(n^{i-1}(k+(i-1)\lambda), -n^i(k+i\lambda))$$

$$= \prod_{i=1}^{v-1}((n^{i=1}, -n^i)(n^{i-1}, k+i\lambda)(k+(i-1)\lambda, n^i)$$

$$\cdot (k+(i-1)\lambda, -(k+i\lambda))). \tag{13.3.25}$$

因为

$$(n^{i-1}, -n^i) = \begin{cases} (n,-1), & \text{若} 2 \mid i, \\ (1,-n) = 1, & \text{若} 2 \nmid i, \end{cases}$$

故

$$\prod_{i=1}^{v-1}(n^{i-1}, -n^i) = (n,-1)^{\frac{v-1}{2}}. \tag{13.3.26}$$

此外,

$$\prod_{i=1}^{v-1}(n^{i-1}, \ k+i\lambda) = \prod_{i=1}^{v-1}(n^2 \cdot n^{i-1}, \ k+i\lambda) = \prod_{i=1}^{v-1}(n^{i+1}, \ k+i\lambda)$$

$$= (n^v, \ k+(v-1)\lambda)\prod_{i=2}^{v-1}(n^i, \ k+(i-1)\lambda)$$

$$= (n^v, \ k^2)\prod_{i=2}^{v-1}(n^i, \ k+(i-1)\lambda)$$

$$= \prod_{i=2}^{v-1}(n^i, k+(i-1)\lambda). \tag{13.3.27}$$

应用(13.3.26)和(13.3.27)，(13.3.25)化为

$$C(f_1) = (n, \ -1)^{\frac{v-1}{2}}\prod_{i=2}^{v-1}(n^i, \ k+(i-1)\lambda)$$

$$\cdot \prod_{i=1}^{v-1}(n^i, \ k+(i-1)\lambda)$$

$$\cdot \prod_{i=1}^{v-1}(k+(i-1)\lambda, \ -(k+i\lambda))$$

$$= (n, \ -1)^{\frac{n-1}{2}}(n, \ k)\prod_{i=1}^{v-1}(k+(i-1)\lambda, \ -(k+i\lambda)).$$

证毕.

引理 13.3.4. 设 p 是奇素数. 在定理 13.3.2 的条件下，有

$$\prod_{i=1}^{v-1}(k+(i-1)\lambda, \ -(k+i\lambda))_p = (k, n)_p(\lambda, n)_p. \tag{13.3.28}$$

证明. 设 $p^a \| \gcd(k, \lambda)$，这里不排除 $a = 0$ 的情形；且 $p^a \| b$ 的意思是，$p^a | b$，但 $p^{a+1} \nmid b$. 记

$$k = p^a k_1, \lambda = p^a \lambda_1.$$

从而

$$p \nmid \gcd(k_1, \ \lambda_1),$$
$$k_1 + (v-1)\lambda_1 = p^a k_1^2.$$

因此，若记(13.3.28)的左节为 π，则

$$\pi = \prod_{i=1}^{v-1} \left(p^a(k_1 + (i-1)\lambda_1), - p^a(k_1 + i\lambda_1) \right)$$

$$= \prod_{i=1}^{v-1} ((p^a, - p^a)(p^a, \ k_1 + i\lambda_1)(k_1 + (i-1)\lambda_1, \ p^a)$$

$$\cdot (k_1 + (i-1)\lambda_1, -(k_1 + i\lambda_1)))$$

$$= \prod_{i=1}^{v-1} (p^a, \ k_1 + i\lambda_1) \cdot \prod_{i=0}^{v-2} (p^a, \ k_1 + i\lambda_1)$$

$$\cdot \prod_{i=1}^{v-1} (k_1 + (i-1)\lambda_1, -(k_1 + i\lambda_1)) \qquad (13.3.29)$$

$$= (p^a, \ p^a k_1^2) \cdot (p^a, \ k_1) \cdot \prod_{i=1}^{v-2} (p^a, \ k + i\lambda_1)^2$$

$$\cdot \prod_{i=1}^{v-1} (k_1 + (i-1)\lambda_1, -(k_1 + i\lambda_1))$$

$$= (p^a, \ p^a)(p^a, \ k_1) \prod_{i=1}^{v-1} (k_1 + (i-1)\lambda_1, -(k_1 + i\lambda_1)).$$

下面分几种情形考虑:

情形 1: $p \mid \lambda_1$.

情形 2: $p \nmid \lambda_1$, $a = 0$.

情形 3: $p \nmid \lambda_1$, $a > 0$.

在第一种情形时, 由(13.1.1), 有

$$k_1(p^a k_1 - 1) = \lambda_1(v-1) . \qquad (13.3.30)$$

又因 $p \nmid \gcd(k_1, \ \lambda_1)$, 故 $p \nmid k_1$, 从而由(13.3.30)知 $p \mid p^a k_1 - 1$. 所以, 必有

$$a = 0, \ k = k_1, \ \lambda = \lambda_1 .$$

再者, 因 $p \mid \lambda$, $p \nmid k_1$, 故对任意 i, 有

$$p \nmid k + i\lambda .$$

因此, 由(13.3.29)知,

$$\pi = (1,1)(1, \quad k_1)\prod_{i=1}^{v-1}(k_1 + (i-1)\lambda, -(k_1 + i\lambda_1))$$
$$= 1$$
$$= (\lambda, k^2)$$
$$= (\lambda, k(k-1) + k)$$
$$= (\lambda, k)$$
$$= 1 \cdot (\lambda, \quad k - \lambda)$$
$$= (k, \quad n) \cdot (\lambda, \quad n).$$

这就是说，对第一种情形，(13.3.28)成立.

现在设 $p \nmid \lambda_1$. 因为

$$\gcd(k_1 + (i-1)\lambda_1, \quad k_1 + i\lambda_1) \mid \gcd(\lambda_1, k_1 + i\lambda_1),$$
$$\gcd(\lambda, \quad k_1 + i\lambda_1) = \gcd(\lambda_1, \quad k_1),$$

故

$$p \nmid \gcd(k_1 + (i-1)\lambda_1, \quad k_1 + i\lambda_1).$$

如果 $p \nmid (k_1 + (i-1)\lambda_1), \quad (k_1 + i\lambda_1)$，则

$$(k_1 + (i-1)\lambda_1, \quad -(k_1 + i\lambda_1)) = 1. \tag{13.3.31}$$

如果 $p \mid k_1 + i\lambda_1$，则

$$(k_1 + (i-1)\lambda_1, -(k_1 + i\lambda_1))(k_1 + i\lambda_1, -(k_1 + (i+1)\lambda_1))$$
$$= (-\lambda_1, -(k_1 + i\lambda_1))(k_1 + i\lambda_1, -\lambda_1)$$
$$= (-\lambda_1, -(k_1 + i\lambda_1)^2) = (-\lambda_1, -1) = 1; \tag{13.3.32}$$

而且 $p \nmid (k_1 + (i-1)\lambda_1)(k_1 + (i+1)\lambda_1)$，因此由(13.3.32)和(13.3.29)有

$$\pi = \begin{cases} (p^a, \quad p^a)(p^a, \quad k_1), \ 若 p \nmid k_1(k_1 + (v-1)\lambda_1), \\ (p^a, \quad p^a)(p^a, \quad k_1)(k_1, -(k_1 + \lambda_1)), \ 若 p \mid k_1, \ p \nmid (k_1 + (v-1)\lambda_1), \\ (p^a, \quad p^a)(p^a, \quad k_1)(k_1 + (v-2)\lambda_1, -(k_1 + (v-1)\lambda_1)), \ 若 p \mid (k_1 + (v-1)\lambda_1), \ p \nmid k_1, \\ (p^a, \quad p^a)(p^a, \quad k_1)(k_1, -(k_1 + \lambda_1))(k_1 + (v-2)\lambda_1, -(k_1 + (v-1)\lambda_1)), \\ \qquad 若 p \mid k_1, \ p \mid (k_1 + (v-1)\lambda_1). \end{cases}$$
$$\tag{13.3.33}$$

在情形 2 时，$k_1 = k$，$\lambda_1 = \lambda$，故 $k_1 + (v-1)\lambda_1 = k^2$，因而当 $p \nmid k_1$ 时，有

$p \nmid k_1(k_1 + (v-1)\lambda_1)$. 由 $a = 0$ 和(13.3.33), 得

$$\pi = (1,\ 1)(1,\ k_1)$$
$$= \begin{cases} 1 \cdot 1 = (k,\ n)(\lambda,\ n), & \text{若} p \nmid (k-\lambda), \\ 1 = (k,\ n)^2 = (k,\ n)(\lambda,\ n), & \text{若} p \,|\,(k-\lambda). \end{cases}$$

当 $p\,|\ k_1$ 时, 有 $p\,|(k_1 + (v-1)\lambda_1)$. 由 $a = 0$ 和(13.3.33),

$$\pi = (1,\ 1)(1,\ k)(k, -(k+\lambda))(k+(v-2)\lambda, -(k+(v-1)\lambda))$$
$$= (k, -(k+\lambda))(k+(v-2)\lambda, -(k+(v-1)\lambda))$$
$$= (k,\ k-\lambda)(-\lambda, -k^2)$$
$$= (k,\ n) \cdot 1$$
$$= (k,\ n)(\lambda,\ n).$$

这就证明了, 对第二种情形, (13.3.28)成立.

在情形 3 时, 有

$$k_1 + (v-1)\lambda_1 = p^a k_1^2, \quad a > 0 \tag{13.3.34}$$

故

$$(k_1 + (v-2)\lambda_1, -(k_1 + (v-1)\lambda_1)) = (-\lambda_1, -p^a k_1^2)$$
$$= (-\lambda_1, -p^a)$$
$$= (-\lambda_1, -1) \cdot (-\lambda_1, p^a)$$
$$= 1 \cdot (-1, p^a)(\lambda_1, p^a)$$
$$= (p^a, p^a)(\lambda_1, p^a). \tag{13.3.35}$$

由(13.3.34)知 $p\,|\ k_1 + (v-1)\lambda_1$, 故(13.3.33)和(13.3.35)给出

$$\pi = \begin{cases} (p^a,\ k_1)(p^a,\ \lambda_1), & \text{若} p \nmid k_1, \\ (p^a,\ k_1)(p^a,\ \lambda_1)(k_1, -k_1 - \lambda_1), & \text{若} p \,|\ k_1. \end{cases} \tag{13.3.36}$$

当 $p \nmid k_1$ 时,

$$(k_1,\ k_1 - \lambda_1) = \begin{cases} 1 = (\lambda_1,\ k_1 - \lambda_1), & \text{若} k_1 \not\equiv \lambda_1 (\mathrm{mod}\, p), \\ (\lambda_1,\ k_1 - \lambda_1), & \text{若} k_1 \equiv \lambda_1 (\mathrm{mod}\, p), \end{cases}$$

故

$$
\begin{aligned}
(p^a,\ k_1)(p^a,\ \lambda_1) &= (p^a,\ k_1)(k_1,\ k_1-\lambda_1)\cdot(p^a,\ p^a(k_1-\lambda_1))\\
&\quad\cdot(p^a,\ p^a(k_1-\lambda_1))(\lambda_1,\ k_1-\lambda_1)(p^a,\ \lambda_1)\\
&= (p^a k_1,\ p^a(k_1-\lambda_1))(p^a\lambda_1,\ p^a(k_1-\lambda_1))\\
&= (k,\ n)(\lambda,\ n).
\end{aligned}
\tag{13.3.37}
$$

当 $p\,|\,k_1$ 时，$-k_1-\lambda_1\equiv k_1-\lambda_1\equiv-\lambda_1\not\equiv 0(\mathrm{mod}\,p)$，故

$$
\begin{aligned}
(k_1,-k_1-\lambda_1)&=(k_1,-\lambda_1)=(k_1,\ k_1-\lambda_1),\\
(\lambda_1,\ k_1-\lambda_1)&=1.
\end{aligned}
$$

因此

$$
\begin{aligned}
&(p^a,\ k_1)(p^a,\ \lambda_1)(k_1,-k_1-\lambda_1)\\
&=(p^a,\ k_1)(k_1,\ k_1-\lambda_1)(p^a,\ p^a(k_1-\lambda_1))\\
&\quad\cdot(p^a,\ p^a(k-\lambda))(\lambda_1,\ k_1-\lambda_1)(p^a,\ \lambda_1)\\
&=(k,\ n)(\lambda,\ n).
\end{aligned}
\tag{13.3.38}
$$

结合(13.3.36)—(13.3.38)，得

$$
\pi=(k,\ n)(\lambda,\ n).
$$

这就是说，对第三种情形，(13.3.28)成立.

综上所证即得引理. **证毕**.

定理 13.3.2 的证明. 先证条件的必要性. 由 Hasse-Minkowski 定理，若 $f_1\sim f_2$，则

$$
C_p(f_1)=C_p(f_2)，\text{一切 }p.
$$

由引理 13.3.2，引理 13.3.3 和引理 13.3.4 知，

$$
\begin{aligned}
1=C_p(f_2)&=C_p(f_1)\\
&=(n,-1)_p^{\frac{v-1}{2}}(k,\ n)_p(k,\ n)_p(\lambda,\ n)_p\\
&=(n,(-1)^{\frac{v-1}{2}}\lambda)_p，\text{一切奇素数}p.
\end{aligned}
\tag{13.3.39}
$$

另一方面，显然有

$$
(n,(-1)^{\frac{v-1}{2}}\lambda)_\infty=1.
\tag{13.3.40}
$$

于是由 Hilbert 模方剩余符号的性质 10 和(13.3.39)，(13.3.40)，有

$$(n, (-1)^{\frac{v-1}{2}} \lambda)_2 = 1 \,.$$

因此

$$(n, (-1)^{\frac{v-1}{2}} \lambda)_p = 1 \,, \quad 一切 \; p \,. \tag{13.3.41}$$

所以对整数 $b = n$ 和 $c = (-1)^{\frac{v-1}{2}} \lambda$，方程(13.3.23)有不全为零的整数解. 条件的必要性得证.

现在来证条件的充分性. 定理中的型 f_1 和 f_2 的符号差都是 v. 又，f_1 的行列式为

$$D(f_1) = n^{v-1}(k + (v-1)\lambda) = (n^{\frac{v-1}{2}} k)^2 \,,$$

f_2 的行列式 $D(f_2) = 1$，故 $\dfrac{D(f_1)}{D(f_2)} = (n^{\frac{v-1}{2}} k)^2$ 是一个完全平方数.

因方程(13.3.1)有不全为零的整数解，而此论为真的充要条件时(13.3.41)成立，故由引理 13.3.1，引理 13.3.3 和引理 13.3.4 知

$$\begin{aligned} C_p(f_2) &= 1 = (n, (-1)^{\frac{v-1}{2}} \lambda)_p \\ &= C_p(f_1), \quad 一切奇素数 p. \end{aligned}$$

由引理 13.3.1 和引理 13.3.2，又有 $C_\infty(f_1) = C_\infty(f_2) = -1$. 于是由 Hilbert 模方剩余符号的性质 10，得

$$C_2(f_1) = C_2(f_2) = -1 \,.$$

这样一来，已证

$$C_p(f_1) = C_p(f_2) \,, \quad 一切素数 \; p.$$

由 Hasse-Minkowski 定理，综上所证即得条件的充分性. **证毕**.

如果存在$(v，k，\lambda)$对称设计，则其关联矩阵 A 满足 $A^{\mathrm{T}} A = nI + \lambda J$. A 是个$(0，1)$矩阵，自然可以看作一个有理矩阵，因而定理 13.3.2 中的型 f_1 和 f_2 有理相合，故由该定理知不定方程(13.3.1)有不全为零的正整数解. 这就是定理 13.3.1 中所需证的那部分结论.

因为定理 13.3.2 中的条件不仅是必要的，而且是充分的，这就成为支持下述猜想的一个依据：如果方程(13.3.1)有不全为零的整数解，且 $2 \nmid v$，则存在$(v，k，\lambda)$对称设计. 然而这一猜想是否成立尚属未知；即使成立，要证明也并非易事.

为证定理 13.3.2 中的条件的充分性, 使用了二次型的算术理论中一些较深刻的结果, 如 Hasse-Minkowski 定理等. 正如定理 13.3.1 的第一个证明所表明的, 条件的必要性可用初等的办法证明. 在一些特殊情形, 条件的充分性也可用很初等的办法来证明. 下面将介绍两种这样的特殊情形. 但是, 要在一般的情形下证明条件的充分性, 看来仅用初等的办法是很困难的.

由于 f_1 和 f_2 有理相合的矩阵表示是存在矩阵 A 合 $A^{\mathrm{T}}A = nI + \lambda J$, 今考虑 A 就是 $\alpha I + \beta J$ 的情形, 此时有

$$A^2 = A^{\mathrm{T}}A = nI + \lambda J,$$

即

$$\alpha^2 I = (2\alpha\beta + \beta^2 v)J = nI + \lambda J.$$

因此,

$$\alpha^2 = n,$$
$$v\beta^2 + 2\alpha\beta - \lambda = 0.$$

在定理 13.3.2 的条件下, 由此解得

$$\alpha = \sqrt{n},$$
$$\beta = \frac{-\alpha \pm \sqrt{n + v\lambda}}{v} = \frac{-\sqrt{n} \pm k}{v}. \tag{13.3.42}$$

当 n 是一个完全平方数时, α 和 β 都是有理数, 且因上面每一步推导都是可逆的, 故得到第一种特殊情形: n 是一个完全平方数时, 定理 13.3.2 中的条件的充分性可以如上初等地证明.

另一个特殊情形是 $\lambda = 1$. 此时在定理 13.3.2 的条件下, f_1 为

$$\begin{aligned}
f_1 &= n(x_1^2 + x_2^2 + \cdots + x_v^2) + (x_1 + x_2 + \cdots + x_v)^2 \\
&= n\left(x_2^2 + \cdots + x_v^2 + \frac{2}{n}x_2 x_1 + \cdots + \frac{2}{n}x_v x_1 + \frac{n+1}{n}x_1^2\right) + (x_2 + \cdots + x_v)^2 \\
&= n\left(x_2 + \cdots + x_v^2 + \frac{2}{n}x_2 x_1 + \cdots + \frac{2}{n}x_v x_1 + \frac{v-1}{n^2}x_1^2\right) + (x_2 + \cdots + x_v)^2 \\
&= n\left(\left(x_2 + \frac{x_1}{n}\right)^2 + \cdots + \left(x_v + \frac{x_1}{n}\right)^2\right) + (x_2 + \cdots + x_v)^2. \tag{13.3.43}
\end{aligned}$$

n 可表为四个整数的平方和, 然后每次四项地用四平方和之积的定理把 f_1 改写. 当 $v \equiv 1 \pmod 4$ 时, 这样得到的 f_1 为

$$f_1 = y_1^2 + y_2^2 + \cdots + y_v^2, \tag{13.3.44}$$

这里 $y_1 = x_2 + \cdots + x_v$. 由于改写 f_1 所用到的线性变换是有理满秩的, 故 (13.3.44) 表明 f_1 与 f_2 有理相合. 当 $v \equiv 3 \pmod 4$ 时, (13.3.43) 中的 f_1 可以用上面的办法改写为

$$f_1 = y_1^2 + y_2^2 + \cdots + y_{v-2}^2$$
$$+ n((x_{v-1} + \frac{x_1}{n})^2 + (x_v + \frac{x_1}{n})^2), \tag{13.3.45}$$

其中 $y_1 = x_2 + \cdots + x_v$. 因 $v \equiv 3 \pmod 4$, 由定理 13.3.2 的条件, 不定方程

$$z^2 = nx^2 - y^2$$

有不全为零的整数解 x, y, z, 故 $x \neq 0$, 且 n 可表为两个有理数的平方和:

$$n = r^2 + s^2, \quad r = \frac{y}{x}, \quad s = \frac{z}{x}.$$

把恒等式

$$(r^2 + s^2)(u^2 + t^2) = (ru + st)^2 + (rt - su)^2$$

用于 (13.3.45), f_1 就化为

$$f_1 = y_1^2 + y_2^2 + \cdots + y_v^2.$$

在上述化 f_1 的全部过程中所用到的线性变换都是有理非异的. 这就证明了, 当 $v \equiv 3 \pmod 4$ 时, f_1 与 f_2 有理相合.

综上所述可得第二种特殊情形: 当 $\lambda = 1$ 时, 定理 13.3.2 中条件的充分性可以如上初等地证明.

现在应用方程 (13.2.23) 的可解性的充要条件来重新考察例 13.3.1 和例 13.3.2.

对例 13.3.1, 如果 (29, 8, 2) 设计存在, 则不定方程

$$z^2 = 6x^2 + 2y^2 \tag{13.3.46}$$

有不全为零的整数解. 然而

$$(6, 2)_3 = (3, 2)_3(2, 2)_3 = (3, 2)_3 = \left(\frac{2}{3}\right) = -1,$$

故 (13.3.46) 无不全为零的整数解. 所以, (29, 8, 2) 设计不存在.

对例 13.3.2, 此时的方程为

$$z^2 = 6x^2 - y^2.$$

因为

$$(6, -1)_3 = (6, 2)_3 = -1,$$

故$(29,8,2)$设计不存在.

由此可见，利用 Hilbert 模方剩余符号来判明方程(13.3.1)的可解性是比较方便的. 这是因为有 Hilbert 模方剩余的性质 $1-10$，故计算是不难进行的.

现在简要地介绍一下上述定理及其证明的历史. 定理 13.3.1 的后一部分首先由 Bruck 和 Ryser[11]于 1949 年对 $\lambda = 1$ 的情形给出证明. 次年，Chowla 和 Ryser[1]对一切 λ 证明了这个定理. 第二个证明则是由 Ryser[11]于 1982 年给出的，正如读者已经看到的，它非常简明.

13.4 关 联 方 程

定理 13.1.4 断言，如果 A 是一个 v 阶非异$(0，1)$矩阵，则 A 是一个$(v，k，\lambda)$设计的关联矩阵的充要条件是(13.1.18)或(13.1.19)成立(因而二者都成立). 这里自然产生了一个问题，如果事先不知道 A 是否是一个 v 阶非异$(0，1)$矩阵，而只知是一个 v 阶非异整数矩阵，关于 A 能否成为一个$(v，k，\lambda)$设计的关联矩阵这一问题，会有些什么结果呢？本节就将介绍这一问题.

首先证明 Ryser[2]的一个结果.

定理 13.4.1. 设 $A = (a_{ij})$ 是一个 v 阶整数矩阵，合

$$A^{\mathrm{T}}A = AA^{\mathrm{T}} = (k - \lambda)I + \lambda J, \quad k \neq \lambda, \tag{13.4.1}$$

这里 $v，k，\lambda$ 是合(13.1.1)的正整数. 那么，矩阵 A 或 $-A$ 是一个$(v，k，\lambda)$设计的关联矩阵.

证明. 记

$$m_j = \sum_{t=1}^{v} a_{tj} \qquad (1 \leqslant j \leqslant v). \tag{13.4.2}$$

矩阵$(k - \lambda)I + \lambda J$ 诸元之和为

$$v(k - \lambda) + v^2 \lambda = v(v\lambda - \lambda + k) = vk^2,$$

这里用到了(13.1.1). 矩阵 AA^{T} 中诸元之和为

$$\sum_{t, \, i=1}^{v} \sum_{j=1}^{v} a_{tj}a_{ij} = \sum_{j=1}^{v} \sum_{t=1}^{v} a_{tj} \sum_{i=1}^{v} a_{ij} = \sum_{j=1}^{v} m_j^2.$$

因此，由(13.4.1)得

$$\sum_{j=1}^{v} m_j^2 = vk^2.\tag{13.4.3}$$

比较 $A^{\mathrm{T}}A$ 和 $(k-\lambda)I + \lambda J$ 的主对角线之元得

$$\sum_{i=1}^{v} a_{ij}^2 = k \quad (1 \leqslant j \leqslant v).$$

由于对任意整数 a 都有 $|a| \leqslant a^2$，故

$$\left|m_j\right| \leqslant \sum_{i=1}^{v} \left|a_{ij}\right| \leqslant \sum_{i=1}^{v} \left|a_{ij}\right|^2 = k \quad (1 \leqslant j \leqslant v),\tag{13.4.4}$$

(13.4.3)和(13.4.4)给出

$$vk^2 = \sum_{j=1}^{v} m_j^2 \leqslant \sum_{j=1}^{v} k^2 = vk^2.\tag{13.4.5}$$

因此(13.4.5)中的闭口不等号实为等号，从而(13.4.4)中的二个闭口不等号也实为等号：

$$\left|m_j\right| = k \quad (1 \leqslant j \leqslant v).\tag{13.4.6}$$

且 $|a_{ij}| = a_{ij}^2 (1 \leqslant i, \ j \leqslant v)$，故

$$a_{ij} = 0, \ 1, \ -1 \quad (1 \leqslant i, \ j \leqslant v)\tag{13.4.7}$$

由(13.4.7)和(13.4.4)的最后一个等式知，对任一固定的 j，恰有 k 个 $a_{ij} = \pm 1$，其余 $(v-k)$ 个 a_{ij} 为零. 再由(13.4.6)可知，对任一固定的 j，或者 a_{ij} 无正元，或者 a_{ij} 中无负元.如果对固定的 j 和 l，$j \neq l$，全体 a_{ij} 中无正元，而全体 a_{ij} 中无负元，则

$$\sum_{i=1}^{v} a_{ij}a_{il} \leqslant 0.$$

这与(13.4.1)蕴含的关系式

$$\sum_{i=1}^{v} a_{ij}a_{il} = \lambda > 0$$

相矛盾. 因此 A 中全部元非负或非正. 这就是说，或者 A，或者 $-A$ 是 $(0, 1)$ 矩阵. 再者，由(13.4.1)知 $\det A^{\mathrm{T}}A \neq 0$，从而 A 非异. 于是由定理 13.1.4 便得定理 13.4.1.

证毕.

定理 13.4.1 中的条件(13.4.1)实际上是两个条件

$$A^{\mathrm{T}}A = (k - \lambda)I + \lambda J, \ k \neq \lambda, \tag{13.4.8}$$

$$AA^{\mathrm{T}} = (k - \lambda)I + \lambda J, \ k \neq \lambda. \tag{13.4.9}$$

它们同(v, k, λ)设计的关联矩阵所满足的方程式有相同的形式, 叫做关联方程.
如果 A 只满足其中一个条件, 那么在辅之以别的条件后, 也可以期望得到类似的
结果. 下面一些定理就说明了这一点.

    定理 13.4.2. 设 A 是一个 v 阶整数矩阵, 满足条件(13.4.8)或(13.4.9), 同时
又满足条件

$$AJ = kJ, \tag{13.4.10}$$

或

$$JA = kJ, \tag{13.4.11}$$

这里 v, k, λ 都是正整数. 那么 A 是一个(v, k, λ)设计的关联矩阵.

    证明. 由定理 13.1.2, A 是同时满足(13.4.8)—(13.4.11)的非异矩阵, 且 $v, k,$
λ 符合(13.1.1). 所以, 由定理 13.4.1 知本定理成立. **证毕**.

    定理 13.4.3. 设 v, k, λ 是正整数, 合(13.1.1)和

$$2 \nmid k - \lambda, \tag{13.4.12}$$

$$\gcd(k, \lambda) 无平方因子大于 1. \tag{13.4.13}$$

又设 A 是满足(13.4.9)的一个 v 阶整数矩阵. 那么, 把 A 中列和为负数的那些列乘
以 -1 所得的结果矩阵是一个(v, k, λ)设计的关联矩阵.

    证明. 由 v, k, λ 的正性和(13.4.12)知, A^{-1} 存在. 对(13.4.9)的两节左乘
A^{-1}, 得

$$A^{\mathrm{T}} = (k - \lambda)A^{-1} + \lambda A^{-1}J \tag{13.4.14}$$

由此和(13.1.1)得

$$A^{\mathrm{T}}J = (k - \lambda)A^{-1}J + \lambda v A^{-1}J = k^2 A^{-1}J.$$

从上式中解出 $A^{-1}J$ 并代入(13.4.14),

$$A^{\mathrm{T}} = (k - \lambda)A^{-1} + \frac{\lambda}{k^2}A^{\mathrm{T}}J.$$

把此式的两节右乘 A，得

$$A^{\mathrm{T}}A = (k-\lambda)I + \frac{\lambda}{k^2}A^{\mathrm{T}}JA.\tag{13.4.15}$$

比较 (13.4.15) 两节的矩阵的 $(i,\ i)$ 元，得

$$\sum_{h=1}^{v}a_{hi}^2 = k-\lambda+\frac{\lambda}{k^2}\sum_{h,j=1}^{v}a_{hi}a_{ji}$$

$$= k-\lambda+\frac{\lambda}{k^2}m_i^2 \quad (1\leqslant i\leqslant v),\tag{13.4.16}$$

这里的 m_i 由 (13.4.2) 界定. 设 $\gcd(k,\ \lambda)=d$，则有 k_1，λ_1 合

$$k=dk_1,\quad \lambda=d\lambda_1,\quad \gcd(k_1,\ \lambda_1)=1.\tag{13.4.17}$$

由此和 (13.1.1) 得

$$k_1\left(dk_1-1\right)=\lambda_1(v-1),$$

从而由 (13.4.17) 知 $\lambda_1\mid dk_1-1$，故

$$\gcd\left(\lambda_1,\ d\right)=1.\tag{13.4.18}$$

把 (13.4.17) 代入 (13.4.16)，

$$\sum_{h=1}^{v}a_{hi}^2=k-\lambda+\frac{\lambda_1}{dk_1^2}m_i^2 \quad (1\leqslant i\leqslant v).\tag{13.4.19}$$

(13.4.18) 和 (13.4.19) 给出

$$dk_1^2\,\big|\,m_i^2 \quad (1\leqslant i\leqslant v).$$

因 d 无平方因数，故 $dk_1\mid m_i$，即

$$m_i\equiv 0\,(\bmod k) \quad (1\leqslant i\leqslant v).\tag{13.4.20}$$

因为把矩阵 A 的任意一些列乘以 -1 并不改变它是否满足 (13.4.9) 这一性质,故可假定, 对于 A，有

$$m_i\geqslant 0 \quad (1\leqslant i\leqslant v).$$

这样一来，(13.4.20) 可改写为

$$m_i = ku_i, \quad u_i \geqslant 0 \quad (1 \leqslant i \leqslant v). \tag{13.4.21}$$

把(13.4.21)代入(13.4.16),

$$\sum_{h=1}^{v} a_{hi}^2 = k - \lambda + \lambda u_i^2 \quad (1 \leqslant i \leqslant v). \tag{13.4.22}$$

现在用反证法来证明 $u_i \geqslant 1$,从而

$$m_i \geqslant k \quad (1 \leqslant i \leqslant v). \tag{13.4.23}$$

若有 i 使 $u_i = 0$,则由(13.4.22)得

$$0 = m_i^2 \equiv \sum_{h=1}^{v} a_{hi}^2 \equiv k - \lambda \pmod 2,$$

这与(13.4.12)矛盾,从而(13.4.23)得证.
由(13.4.9),有

$$JAA^{\mathrm T}J = (k-\lambda)J^2 + \lambda J^3 = v(k-\lambda+\lambda v)J = vk^2 J.$$

比较该式两节的矩阵的$(i,\ i)$元,得

$$uk^2 = \sum_{h,\ l,\ t=1}^{v} a_{hl}a_{tl} = \sum_{l=1}^{v}\sum_{h=1}^{v} a_{hl}\sum_{t=1}^{v} a_{tl} = \sum_{l=1}^{v} m_l^2. \tag{13.4.24}$$

再由(13.4.23)得

$$vk^2 = \sum_{l=1}^{v} m_1^2 \geqslant vk^2,$$

从而

$$\sum_{h=1}^{v} a_{hi} = m_i = k \quad (1 \leqslant i \leqslant v). \tag{13.4.25}$$

代此入(13.4.16),得

$$\sum_{h=1}^{v} a_{hi}^2 = k. \tag{13.4.26}$$

因 a_{hi} 都是整数,故 $a_{hi}^2 \geqslant a_{hi}$. 于是,(13.4.25)和(13.4.26)给出 $a_{hi}^2 = a_{hi}$,即

$$a_{hi} = 0 \text{ 或 } 1 \quad (1 \leqslant h,\ i \leqslant v).$$

这就是说，A 是一个 $(0, -1)$ 矩阵. 由定理 13.4.1 即得本定理. **证毕.**

若把这个定理中的 A 换为 A^{T}，则得一个相应的结果，故有

系. 设 v，k，λ 是正整数，合 (13.1.1)，(13.4.12) 和 (13.4.13). 又设 A 是满足 (13.4.8) 的一个 v 阶整数矩阵. 那么，把 A 中行和为负数的那些行乘以 -1 所得的结果矩阵是一个 (v, k, λ) 设计的关联矩阵.

定理 13.4.1 和定理 13.4.3 首先由 Ryser[2] 建立. 关于它们的证明和有关的一些其他问题也可参看 Hall[4, 9].

定理和系中的条件 $2 \nmid k - \lambda$ 具有本质的重要性. 如若它不具备，则有许多例子说明定理的结论也不复成立. 下面的定理就 $\lambda = 1$ 的情形给出 $2 \mid k - \lambda$ 时矩阵 A 的结构. 至于这样的矩阵 A 以及把 A 的任一些列乘以 -1 所得到的结果矩阵不再是一个 (v, k, λ) 设计的关联矩阵的例子，我们将在第十六章中具体给出.

定理 13.4.4. 设 $\lambda = 1$，$k = n + 1$，$v = n^2 + n + 1$. 设 $A = \left(a_{ij}\right)$ 是一个 v 阶整矩阵，满足

$$AA^{\mathrm{T}} = nI + J.$$

乘 A 的某些列以 -1 使得结果矩阵的全部列和非负. 那么，结果矩阵是下列两种类型之一:

1. 一个 (v, k, λ) 设计的关联矩阵;

2. 它的某一列只有一个 0，其余 $n^2 + n$ 个元都为 1; 它有 $n + 1$ 个列，其中每一列都有 $n + 1$ 个 1 和 n^2 个 0 且其与第一列的那个 0 同行的元都为 1; 它的其余的列的列和都为零.

如果结果矩阵是第二型矩阵，则必有 $2 \mid n$.

证明. 如果 $2 \nmid n$，或者在定理 13.4.3 的证明中出现的诸 $u_i (1 \leqslant i \leqslant v)$ 都不为零，则因 $\gcd(k, 1) = 1$，故定理 13.4.3 在 $\lambda = 1$ 时的全部条件都满足. 因此定理 13.4.3 的结论成立，亦即 A 是一个 (v, k, λ) 设计的关联矩阵，故当 $2 \nmid n$ 或 $u_i \geqslant 1 (1 \leqslant i \leqslant v)$ 时本定理的结论成立.

余下要考察的情形是

$$2 \mid n \text{ 且某些 } u_i = 0. \tag{13.4.27}$$

在 (13.4.24) 的推导中并未用到 $2 \nmid k - \lambda$ 这一性质，故该式在 (13.4.27) 的情形下仍成立，把 (13.4.21) 代入 (13.4.24) 得

$$\sum_{i=1}^{v} u_i^2 = v = n^2 + n + 1. \tag{13.4.28}$$

于是有

$$(n+1)u_j = ku_j = m_j = \sum_{i=1}^{v} a_{ij} \leqslant \sum_{i=1}^{v} a_{ij}^2 = t_{jj}. \tag{13.4.29}$$

这里

$$t_{lj} = \sum_{i=1}^{v} a_{il}a_{ij} \ (1 \leqslant l, \ j \leqslant v).$$

在(13.4.22)的推导中并未用到 $2 \nmid k - \lambda$ 这一性质,故该式在(13.4.27)的情形下仍成立. 此式给出

$$t_{jj} = n + u_j^2. \tag{13.4.30}$$

结合(13.4.29)和(13.4.30),得

$$0 \leqslant n - (n+1)u_j + u_j^2 = (1-u_j)(n-u_j). \tag{13.4.31}$$

若 $u_j \leqslant 1 \ (1 \leqslant j \leqslant v)$,则由(13.4.28)得

$$v \geqslant \sum_{i-1}^{v} u_i^2 \geqslant v.$$

这就是说,一切 $u_i \ (1 \leqslant i \leqslant v)$ 都为 1.由前段所说,此时 A 是一个 $(v, k, 1)$ 设计的关联矩阵,因而本定理成立. 若有某 $u_j > 1$,则对此 j,(13.4.31)给出 $u_j \geqslant n$. 由于 $(n+1)^2 > n^2 + n + 1 = v$,故由(13.4.28)推得,对此 j 有

$$u_j = n,$$

当 $2 \nmid n$ 时,$n > 1$. 再由(13.4.28)可知,当 $n > 1$ 时,不能有多于一个 u_j 为 n. 对矩阵 A 实施列的置换不影响本定理的条件是否成立,也不影响结果是否成立. 于是可设

$$u_1 = n,$$

因而(13.4.28)化为

$$\sum_{i=2}^{v} u_i^2 = n + 1. \tag{13.4.32}$$

这就是说,$u_2, u_3, \cdots, u_v$ 中有 $n+1$ 个 1,其余全为零. 同上面的理由类似,可设

$$u_2 = u_3 = \cdots = u_{n+2} = 1,$$
$$u_{n+3} = u_{n+4} = \cdots = u_{n^2+n+1} = 0.$$

这样一来,

$$m_1 = (n+1)u_1 = n^2 + n \; ; \tag{13.4.33}$$
$$m_i = n+1 \;\; (2 \leqslant i \leqslant n+2) \; ; \tag{13.4.34}$$
$$m_j = 0 \;\; \left(n+3 \leqslant j \leqslant n^2+n+1\right). \tag{13.4.35}$$

由(13.4.30), 又有

$$t_{ii} = n + u_1^2 = n + n^2 \, , \tag{13.4.36}$$

$$t_{ii} = n + u_i^2 = n + 1 \;\; (2 \leqslant i \leqslant n+2) \, , \tag{13.4.37}$$

结合(13.4.33)和(13.4.36), 由于 a_{ij} 都是整数, 可得

$$n^2 + n = \sum_{l=1}^{v} a_{l1} \tag{13.4.38}$$

$$\leqslant \sum_{l=1}^{v} a_{l1}^2 = n^2 + n \, , \tag{13.4.39}$$

所以, (13.4.39)中的闭口不等号实为等号, 因而诸 $a_{l1} = 0$ 或 1, 且其中 1 的个数恰为 $n^2 + n$. 类似地, 由(13.4.34)和(13.4.37)得, 对每一固定的 $i (2 \leqslant i \leqslant n+2)$, 诸 $a_{li} = 0$ 或 1, 且其中 1 的个数恰为 $n+1$. (13.4.35)的意思是, 该矩阵的最后 $v - (n+2)$ 列的列和都为零.

此外, 在(13.4.15)中代 $\lambda = 1$, $k - 1 = n$ 所得矩阵的(1, i)元为

$$t_{li} = \frac{1}{k^2} \sum_{j=1}^{v} a_{j1} \sum_{l=1}^{v} a_{li} = u_1 u_i = n \;\; (2 \leqslant i \leqslant n+2).$$

这就是说, A 的第二到第 $n+2$ 列的每一列与第一列的那个零同行的元都是 1.

至此定理的结论就已全部**证毕**.

类似于定理 13.4.3 的系, 对定理(13.4.4)可有一个类似的结果. 这里就不再具体写出来了.

这个定理虽然并未肯定第二型矩阵一定存在, 但利用这里的结果和

Hadamard 矩阵的知识, 即可证明第二型矩阵的存在性. 第十六章中再来进行这一工作.

本章介绍了对称设计的一些性质, 主要以矩阵、二次型和初等数论为工具. 至于对称设计的构造方法和结果, 将在从下章以后的五章里结合对一些具有特殊性质的对称设计的构造来介绍.

第十四章　循环设计的性质、变体和推广

本章主要研究循环设计的性质. 首先把循环设计化为与之等价的循环差集问题, 并且提供了若干种刻划循环设计的方法, 研究了循环差集的平移、等价、补, 以及循环设计的对偶设计与原设计的关系等问题(14.1). 对循环差集的性质中最重要的两个, 即存在性和乘数的问题, 则分别在 14.2 和 14.3 节中讨论. 此外, 还介绍了循环差集的一种变体, 即循环拟差集(14.4 节). 又介绍了循环差集的几种推广, 即 $m - (v;\ k_1,\ k_2, \cdots,\ k_m;\ \lambda)$ 循环差集(14.5 节), 循环相对差集(14.6 节), 循环加集(14.7 节)和群差集(14.8 节). 基于本章有关循环差集的性质, 下章将提供构造循环差集的若干方法.

14.1　循环设计与循环差集的关系以及对二者的刻划

在 11.4 节中已经介绍了循环设计的概念, 并指出 Z_v 上的循环设计与循环差集密切相关. 在对循环设计作进一步的探讨之前, 先对一般循环设计与循环差集的关系问题详加说明是有益的.

设 $\mathscr{B} = \{B_0,\ B_1, \cdots,\ B_{v-1}\}$ 是集 $S = \{s_0,\ s_1, \cdots,\ s_{v-1}\}$ 上的一个循环设计, 那么, 该设计的一个自同构群是个 v 阶循环群, 记为 $G = \{e,\ \alpha,\ \alpha^2, \cdots,\ \alpha^{v-1}\}$, 这里 e 是 G 的单位元. 于是可设

$$s_i = \alpha^i s_0,\quad B_i = \alpha^i B_0 \quad (0 \leqslant i \leqslant v-1).$$

记

$$
\begin{aligned}
B_i' &= \{j \mid \alpha^j s_0 \in B_i\} \quad (0 \leqslant i \leqslant v-1), \\
S' &= [0,\ v-1], \\
B_i'' &= \{\alpha^j \mid \alpha^j s_0 \in B_i\} \quad (0 \leqslant i \leqslant v-1).
\end{aligned}
$$

那么集 S 的子集系 $\mathscr{B}$ 的关联矩阵(S 中诸元和 $\mathscr{B}$ 中诸子集皆依上面列出的顺序) 与 S' 的子集系 $\mathscr{B}' := \{B_0',\ B_1', \cdots,\ B_{v-1}'\}$ 的关联矩阵(S' 中诸元和 $\mathscr{B}'$ 中诸子集皆依上面列出的顺序)相同. 因此, $\mathscr{B}'$ 是集 S' 上的一个循环设计. 而且, 该设计的一个自同构群是 v 阶循环群.

$$G' := \{0, 1, 2, \cdots, \ v-1\} (\mathrm{mod}\, v),$$

其中的运算为模 v 的加法. 此外，由于

$$\alpha^{ti} = \alpha^j, \quad \text{当且仅当 } ti \equiv j (\mathrm{mod}\, v),$$

故可按此在 S' 中定义一个乘法运算，从而 S' 实际上是模 v 的剩余类环 Z_v. 同理，子集系 $\mathscr{B}'' := \{B_0'', \ B_1'', \cdots, \ B_{v-1}''\}$ 是群 G 上的一个循环设计. 由这里的说明可知，设计 $\mathscr{B}'$，$\mathscr{B}''$ 和 $\mathscr{B}$ 都是同构的. 综上所述即知，任一 $(v, \ k, \ \lambda)$ 循环设计可化为剩余类环 Z_v 的加群上的循环设计，其一自同构群就是 Z_v 的加群本身. 又由定理 11.4.1 可知，剩余类环 Z_v 的加群上的循环设计可以化为模 v 的循环差集. 因此，一般的循环设计就化为了模 v 的循环差集. 为简化说法，常把剩余类环 Z_v 的加群上的循环设计说成是 Z_v 上的循环设计.

本节之首在 v 阶循环群 G 上得到的循环设计 $\mathscr{B}''$ 的任一区组 B'' 具有类似于定理 11.4.1 中 D 所具有的性质：对任一元 $g \in G$，$g \neq e$，都恰有 λ 种方式把 g 写成 B'' 中一元 g_i 与另一元 g_j 的逆之积：

$$g = g_i g_j^{-1}.$$

因此，很自然地把 G 的具有这样性质的 k 元子集叫做循环群 G 上的一个 $(v, \ k, \ \lambda)$ 循环差集. 易知，循环群 G 上的任一 $(v, \ k, \ \lambda)$ 循环差集同 Z_v 上的一个 $(v, \ k, \ \lambda)$ 循环差集同构，因而，欲知前者，只要研究后者就足够了.

本节的其余部分研讨循环设计，亦即循环差集的刻画问题.

11.4 节中已经指出，循环设计是一种特殊的对称设计，而对称设计又是一种特殊的平衡不完全区组设计，因而在第十二和第十三两章中研究一般的平衡不完全区组设计和对称设计的方法和结果自然而然地适用于循环设计. 当然，由于循环设计的特殊性，还可以期望有特殊的方法导出更丰富的结果.

现以循环设计的刻画问题为例来说明这一点.

前两章已经介绍了刻画平衡不完全区组设计的三种方法，即

第一，列表法. 把设计 $\mathscr{B} = \{B_1, B_2, \cdots, B_b\}$ 的全部区组按其所包含的元素逐个列出. 在举例子或需要构造一些特定的设计以供使用时，就常采用这种方法.

第二，关联矩阵的方法. 以诸区组 $B_1, B_2, \cdots, B_b$ 所组成的子集系的关联矩阵来代替该集系，这在研究和应用中都常会带来方便. 这一点从前两章已经清楚地看出.

第三，线性型的方法. 把设计 $\mathscr{B} = \{B_1, B_2, \cdots, B_b\}$ 的每一个区组用一个线性型

$$L_i = l_{i1}x_1 + l_{i2}x_2 + \cdots + l_{iv}x_v \qquad (1 \leqslant i \leqslant b)$$

来表示. 这里

$$l_{ij} = \begin{cases} 1, & 若 s_j \in B_i, \\ 0, & 其他. \end{cases}$$

由于循环设计的特殊性, 还可有其他一些刻划方法.

11.4 节已经指出, 每一循环设计可由一个循环差集产生, 因而循环设计可以借助于循环差集的刻划方法来刻划. 这些方法是:

第四, 差集的列出法. 把 Z_v 上的一个 (v, k, λ) 循环差集 D 中的全部元素列出:

$$D = \{\bar{a}_1, \bar{a}_2, \cdots, \bar{a}_k\}, \quad \bar{a}_i \in Z_v. \tag{14.1.1}$$

第五, 差集的序列刻划法. 设 (14.1.1) 中诸类 $\bar{a}_i$ 的代表 a_i 合

$$0 \leqslant a_1 < a_2 < \cdots < a_k \leqslant v-1. \tag{14.1.2}$$

那么, 可以把 (14.1.1) 中的循环差集用一个 $(0, 1)$ 序列 (或向量)

$$\underbrace{\underbrace{\underbrace{(0,\cdots,0,1}_{a_1+1个},0,\cdots,0,1}_{a_2+1个},0,\cdots,0,1}_{a_3+1个},0,\cdots,0,1,0,\cdots0)}_{a_k+1个} \tag{14.1.3}$$

来刻划, 该序列的长为 v, 除了第 (a_i+1) 个位置上的元为 1 外 $(1 \leqslant i \leqslant k)$, 其余的元均为零. 自然, 在条件 (14.1.2) 之下, (14.1.1) 和 (14.1.3) 之间的这一对应是一一的. 序列 (14.1.3) 叫做差集 (14.1.1) 的特征序列, 关联向量, 或关联序列.

第六, Hall 多项式法. 设 $D = \{\bar{a}_1, \bar{a}_2, \cdots, \bar{a}_k\}$ 是 Z_v 的任一子集. 多项式环 $Z[x]/(x^v - 1)$ 中的多项式

$$\theta(x) := \theta_{D(x)} \equiv x^{a_1} + x^{a_2} + \cdots + x^{a_k} \left(\mathrm{mod}\left(x^v - 1\right)\right) \tag{14.1.4}$$

叫做 D 的 Hall 多项式. 很明显, $\theta_{D(x)}$ 是对 D 的一个刻划. 当 D 是循环差集时, 它的作用特别大.

现在来看一个例子.

例 14.1.1. (13.2.2) 就是一个 $(15, 7, 3)$ 循环设计的列出表示法, 那里列出了全部 15 个区组的每一个所包含的全部元素.

若诸区组依 (13.2.2) 中列出的顺序, 集 [0, 14] 中的元依其从小到大的顺序, 则

循环设计(13.3.2)的关联矩阵是

$$
\begin{vmatrix}
1 & 1 & 1 & 0 & 1 & 1 & 0 & 0 & 1 & 0 & 1 & 0 & 0 & 0 & 0 \\
0 & 1 & 1 & 1 & 0 & 1 & 1 & 0 & 0 & 1 & 0 & 1 & 0 & 0 & 0 \\
0 & 0 & 1 & 1 & 1 & 0 & 1 & 1 & 0 & 0 & 1 & 0 & 1 & 0 & 0 \\
0 & 0 & 0 & 1 & 1 & 1 & 0 & 1 & 1 & 0 & 0 & 1 & 0 & 1 & 0 \\
0 & 0 & 0 & 0 & 1 & 1 & 1 & 0 & 1 & 1 & 0 & 0 & 1 & 0 & 1 \\
1 & 0 & 0 & 0 & 0 & 1 & 1 & 1 & 0 & 1 & 1 & 0 & 0 & 1 & 0 \\
0 & 1 & 0 & 0 & 0 & 0 & 1 & 1 & 1 & 0 & 1 & 1 & 0 & 0 & 1 \\
1 & 0 & 1 & 0 & 0 & 0 & 0 & 1 & 1 & 1 & 0 & 1 & 1 & 0 & 0 \\
0 & 1 & 0 & 1 & 0 & 0 & 0 & 0 & 1 & 1 & 1 & 0 & 1 & 1 & 0 \\
0 & 0 & 1 & 0 & 1 & 0 & 0 & 0 & 0 & 1 & 1 & 1 & 0 & 1 & 1 \\
1 & 0 & 0 & 1 & 0 & 1 & 0 & 0 & 0 & 0 & 1 & 1 & 1 & 0 & 1 \\
1 & 1 & 0 & 0 & 1 & 0 & 1 & 0 & 0 & 0 & 0 & 1 & 1 & 1 & 0 \\
0 & 1 & 1 & 0 & 0 & 1 & 0 & 1 & 0 & 0 & 0 & 0 & 1 & 1 & 1 \\
1 & 0 & 1 & 1 & 0 & 0 & 1 & 0 & 1 & 0 & 0 & 0 & 0 & 1 & 1 \\
1 & 1 & 0 & 1 & 1 & 0 & 0 & 1 & 0 & 1 & 0 & 0 & 0 & 0 & 1
\end{vmatrix}. \tag{14.1.5}
$$

(13.2.2)的诸区组所对应的线性型是

$$L_0\left(x\right) = x_0 + x_1 + x_2 + x_4 + x_5 + x_8 + x_{10}\,,$$
$$L_1\left(x\right) = x_1 + x_2 + x_3 + x_5 + x_6 + x_9 + x_{11}\,,$$
$$L_2\left(x\right) = x_2 + x_3 + x_4 + x_6 + x_7 + x_{10} + x_{12}\,,$$
$$L_3\left(x\right) = x_3 + x_4 + x_5 + x_7 + x_8 + x_{11} + x_{13}\,,$$
$$L_4\left(x\right) = x_4 + x_5 + x_6 + x_8 + x_9 + x_{12} + x_{14}\,,$$
$$L_5\left(x\right) = x_0 + x_5 + x_6 + x_7 + x_9 + x_{10} + x_{13}\,,$$
$$L_6\left(x\right) = x_1 + x_6 + x_7 + x_8 + x_{10} + x_{11} + x_{14}\,,$$
$$L_7\left(x\right) = x_0 + x_2 + x_7 + x_8 + x_9 + x_{11} + x_{12}$$
$$L_8\left(x\right) = x_1 + x_3 + x_8 + x_9 + x_{10} + x_{12} + x_{13}\,,$$
$$L_9\left(x\right) = x_2 + x_4 + x_9 + x_{10} + x_{11} + x_{13} + x_{14}\,, \tag{14.1.6}$$
$$L_{10}\left(x\right) = x_0 + x_3 + x_5 + x_{10} + x_{11} + x_{12} + x_{14}\,,$$
$$L_{11}\left(x\right) = x_0 + x_1 + x_4 + x_6 + x_{11} + x_{12} + x_{13}\,,$$
$$L_{12}\left(x\right) = x_1 + x_2 + x_5 + x_7 + x_{12} + x_{13} + x_{14}\,,$$
$$L_{13}\left(x\right) = x_0 + x_2 + x_3 + x_6 + x_8 + x_{13} + x_{14}\,,$$
$$L_{14}\left(x\right) = x_0 + x_1 + x_3 + x_4 + x_7 + x_9 + x_{14}\,.$$

因该循环设计所对应的差集可以由(13.2.2)中任一区组来充任，故可取任一个区

组, 比如 B_1 来刻画它:

$$D = \{\overline{0}, \overline{1}, \overline{2}, \overline{4}, \overline{5}, \overline{8}, \overline{10}\}. \tag{14.1.7}$$

与(14.1.7)相对应, 循环设计(13.2.2)可以用序列

$$1, \ 1, \ 1, \ 0, \ 1, \ 1, \ 0, \ 0, \ 1, \ 0, \ 1, \ 0, \ 0, \ 0, \ 0 \tag{14.1.8}$$

来刻划, 还可以用 Hall 多项式

$$\theta(x) \equiv 1 + x + x^2 + x^4 + x^5 + x^8 + x^{10} \left(\operatorname{mod}\left(x^{15} - 1\right)\right) \tag{14.1.9}$$

来刻划.

由上面的几种刻划方法立即看出, (14.1.7)—(14.1.9)这三种刻划远比(13.2.2), (14.1.5)和(14.1.6)中的三种刻划简单. 事实上, (14.1.8)就是矩阵(14.1.5)的第一行, 因为其他行只是该行的循环移位, 故完全由第一行所决定. 不仅如此, 下面还将看到, (14.1.9)的刻划非常便于使用, 并可由此推出有关差集的许多结果.

在进一步讨论(14.1.7)—(14.1.9)的三种刻划之前, 先对它们作一些注记.

首先要说明的是, 有时把 Z_v 的子集 $D = \{\overline{a}_1, \ \overline{a}_2, \cdots, \ \overline{a}_k\}$ 又写为

$$D \equiv \{a_1, \ a_2, \cdots, \ a_k\} \ (\operatorname{mod} v) \tag{14.1.10}$$

或

$$D = \{a_1, \ a_2, \cdots, \ a_k\} \ (\operatorname{mod} v). \tag{14.1.11}$$

不同的场合采用不同的写法往往会带来方便.

由循环差集的定义可知, 如果 (14.1.1)是一个$(v, \ k, \ \lambda)$循环差集, 则对任意整数 s,

$$\overline{\{a_1 + s, \overline{a_2 + s}, \cdots, \overline{a_k + s}\}} \tag{14.1.12}$$

也是一个$(v, \ k, \ \lambda)$循环差集. 今后常把(14.1.12)简记为 $D + \overline{s}$ 或 $D + s \,(\operatorname{mod} v)$, 且把 $D + (-\overline{s})$ 记为 $D - \overline{s}$ 或 $D - s\,(\operatorname{mod} v)$.

采用关联向量(14.1.3)来刻划循环差集, 有

定理 14.1.1. 一个长为 v 的$(0, \ 1)$序列

$$s_0, s_1, s_2, \cdots, s_{v-1} \tag{14.1.13}$$

是一个$(v, \ k, \ \lambda)$循环差集的特征序列的充要条件是, 对任一整数 j, 都有

$$\sum_{i=0}^{v-1} s_i s_{\langle i+j \rangle} = \begin{cases} k, & \text{若 } j \equiv 0 (\mathrm{mod}\, v), \\ \lambda, & \text{其他}, \end{cases} \qquad (14.1.14)$$

其中足标 $\langle i+j \rangle$ 为 $i+j$ 的最小非负剩余 $(\mathrm{mod}\, v)$.

证明. 记

$$R_s(j) = \sum_{i=0}^{v-1} s_i s_{\langle i+j \rangle}. \qquad (14.1.15)$$

设 (14.1.13)是(v, k, λ)循环差集 D 的关联序列. 因为当 $j \not\equiv 0 (\mathrm{mod}\, v)$ 时, D 和 $D-j (\mathrm{mod}\, v)$ 是差集 D 所对应的循环设计的两个不同的区组，故 $|D \cap (D-j)| = \lambda$. 另一方面,

$$R_s(j) = \sum_{i=0}^{v-1} s_i s_{\langle i+j \rangle} = \sum_{\substack{i \in D \\ \langle i+j \rangle \in D}} 1 = \sum_{i \in D \cap (D-j)} 1 = \left| D \cap (D-\bar{j}) \right|,$$

所以，(14.1.14)成立的充要条件是

$$|D \cap (D-\bar{j})| = \begin{cases} k, & \text{若 } j \equiv 0 (\mathrm{mod}\, v), \\ \lambda, & \text{其他}, \end{cases}$$

而这等价于 D 是一个(v, k, λ)循环差集. **证毕.**

由(14.1.15)所定义的 $R_s(j)$ 叫做序列(或向量)(14.1.13)的自相关函数. 定理 14.1.1 说明了，循环差集的关联向量具有一个重要而优美的性质：该向量同它经任一非 $0(\mathrm{mod}\, v)$的循环移位后所得的向量的内积的值都相同，而这个值与该向量同其自身的内积的值相异(注意，$k = \lambda$ 时的对称设计是平凡的). 这一性质使得循环差集在数字通讯理论中很有用. 对此有兴趣的读者可以参看 Golomb 等人的文章[1]. 这里不拟深入讨论这个课题，只是指出下面两点：第一，有时使用所谓规范自相关函数

$$r_s(j) = \frac{1}{v} R_s(j)$$

更为方便. 第二，有时不用$(0, 1)$序列，而用$(1, -1)$序列

$$s_0', \quad s_1', \cdots, \quad s_{v-1}', \qquad (14.1.16)$$

这里

$$s_i' = 2s_i - 1 \ (0 \leqslant i \leqslant v-1).$$

对于序列(14.1.16)，不难求得它的自相关函数的值

$$R_{s'}(j) = \sum_{i=0}^{v-1} s_i' s_{\langle i+j \rangle}'$$

$$= \sum_{i=0}^{v-1} (2s_i - 1)(2s_{\langle i+j \rangle} - 1)$$

$$= 4R_s(j) - 4\sum_{i=0}^{v-1} s_i + \sum_{i=0}^{v-1} 1$$

$$= \begin{cases} v, & \text{若} j \equiv 0 \,(\mathrm{mod}\, v), \\ v - 4(k - \lambda), & \text{其他}. \end{cases}$$

采用 Hall 多项式来刻划循环差集，有

定理 14.1.2. 一个多项式

$$\theta(x) \equiv x^{a_1} + x^{a_2} + \cdots + x^{a_k} \left(\mathrm{mod}\left(x^v - 1\right)\right) \tag{14.1.17}$$

是一个(v, k, λ)循环差集

$$D \equiv \{a_1, a_2, \cdots, a_k\} \pmod{v} \tag{14.1.18}$$

的 Hall 多项式的充要条件是

$$\theta(x)\theta\left(x^{-1}\right) \equiv n + \lambda T(x) \left(\mathrm{mod}\left(x^v - 1\right)\right), \tag{14.1.19}$$

这里 $n = k - \lambda$，且

$$T(x) = 1 + x + x^2 + \cdots + x^{v-1}.$$

证明. 因为

$$\theta(x)\theta\left(x^{-1}\right) = \sum_{1 \leqslant i,\ j \leqslant k} x^{a_i - a_j}$$

$$\equiv \sum_{0 \leqslant d \leqslant v-1} \Big(\sum_{\substack{a_i - a_j \equiv d (\mathrm{mod}\, v) \\ 1 \leqslant i,\ j \leqslant k}} 1 \Big) x^d \left(\mathrm{mod}\left(x^v - 1\right)\right),$$

故(14.1.19)成立的充要条件是

$$\sum_{\substack{a_i - a_j \equiv d (\mathrm{mod}\, v) \\ 1 \leqslant i, \ j \leqslant k}} 1 = \begin{cases} k, & \text{若 } d \equiv 0 (\mathrm{mod}\, v), \\ \lambda, & \text{其他.} \end{cases}$$

此式成立的充要条件就是(14.1.18)中的 D 是一个 $(v, \ k, \ \lambda)$ 循环差集. **证毕**.

系 1. 设 w 是 v 的一个正因数, (14.1.17)是循环差集(14.1.18)的 Hall 多项式, 则有

$$\theta(x)\theta\left(x^{-1}\right) \equiv n + \frac{\lambda v}{w}\left(1 + x + \cdots + x^{w-1}\right)$$
$$\left(\mathrm{mod}\left(x^w - 1\right)\right). \tag{14.1.20}$$

证明. 因为

$$\left(x^w - 1\right)\Big|\left(x^v - 1\right),$$

$$T(x) \equiv \frac{v}{w}\left(1 + x + \cdots + x^{w-1}\right)\left(\mathrm{mod}\left(x^w - 1\right)\right),$$

故由(14.1.19)立得(14.1.20). **证毕**.

系 2. 在系 1 的条件下, 再若

$$\theta(x) \equiv c_0 + c_1 x + \cdots + c_{w-1} x^{w-1} \left(\mathrm{mod}\left(x^w - 1\right)\right),$$

则

$$\sum_{i=0}^{w-1} c_i = k, \quad c_i \geqslant 0,$$
$$\sum_{i=0}^{w-1} c_i^2 = n + \frac{\lambda v}{w}, \tag{14.1.21}$$
$$\sum_{i=0}^{w-1} c_i c_{\langle i-j \rangle} = \frac{\lambda v}{w}, \quad j \not\equiv 0 (\mathrm{mod}\, w),$$

这里 $\langle i-j \rangle$ 是 $i-j$ 的最小非负剩余 $(\mathrm{mod}\, w)$ 的值.

证明. (14.1.21)的第一式是明显的.

$$\theta(x)\theta\left(x^{-1}\right) \equiv \sum_{l=0}^{w-1} c_l x^l \sum_{i=0}^{w-1} c_i x^{-i}$$
$$\equiv \sum_{j=0}^{w-1}\bigg(\sum_{\substack{l-i \equiv j(\mathrm{mod}\, w) \\ 0 \leqslant l, \ i \leqslant w-1}} c_l c_i\bigg)x^j \left(\mathrm{mod}\left(x^w - 1\right)\right),$$

故与(14.1.20)比较诸 x^j 的系数即得(14.1.21)的其余二式. **证毕**.

差集的 Hall 多项式在研究差集之间的一些相互关系时也很有用，其中重要者是同构、位移和等价.

定义 14.1.1. 如果 D_1 是循环群 G_1 上的一个 $(v$，k，$\lambda)$ 循环差集，D_2 是循环群 G_2 上的一个 $(v$，k，$\lambda)$ 循环差集，且由它们所对应的循环设计是同构的，则说这两个循环差集是同构的. 如果 D_1 和 D_2 是 Z_v 的二个子集，且 $D_1 = D_2 + \overline{s}$ 对某一个 $\overline{s} \in Z_v$ 成立，则说 D_1 是 D_2 的一个 s 移位，或简单地说成 D_1 是 D_2 的一个移位. 如果存在 $\overline{t}$，$\overline{s} \in Z_v$，$\overline{t} \neq \overline{0}$，合于

$$\overline{t} D_1 = D_2 + \overline{s}，$$

则说 D_1 和 D_2 等价，这里，$\overline{t} D_1 = \{\overline{t}\,\overline{a}|\ \overline{a} \in D_1\}$. 如果对 Z_v 的子集 D，$\overline{t}D$ 就是 D 本身的一个移位，则称 $\overline{t}$ 或 $t(\bmod v)$ 是 D 的一个乘数. 当上面的 D_1，D_2 和 D 都是循环差集时，则分别得到循环差集的 s 移位的概念，以及两个循环差集等价的概念.

因 $k = 0, 1, 2, v-2, v-1, v$ 的循环差集所对应的循环设计是平凡的(退化的)，而且很容易把它们都构造出来，故这些循环差集也叫做平凡的(退化的). 今后论及循环差集时，若无特殊的说明，均指非平凡的循环差集.

当 D_1 和 D_2 都是循环差集时，若 $\overline{t} D_1 = D_2 + \overline{s}$，则必有

$$\gcd(t,\ v) = 1.$$

易知，对一个固定的循环差集 D，它的全部乘数对 Z_v 中的乘法形成一个群，称为 D 的乘数群. 这个群是模 v 的缩系所组成的乘群的一个子群. 又，循环差集的同构、移位和等价三个关系都是等价关系.

引理 14.1.1. 设 D_1 和 D_2 是二个 $(v$，k，$\lambda)$ 循环差集. D_1 是 D_2 的一个 s 移位的充要条件是

$$\theta_{D_1}(x) \equiv x^s \theta_{D_2}(x)\ \left(\bmod\left(x^v - 1\right)\right).$$

证明. 这是因为，若 $D_2 \equiv \{a_1,\ a_2, \cdots,\ a_k\}\ (\bmod v)$，则
$$D_1 \equiv \{a_1+s,\ a_2+s,\ \cdots, a_k+s\}\ (\bmod v)，$$
故
$$\theta_{D_1}(x) \equiv x^{a_1+s} + x^{a_2+s} + \cdots + x^{a_k+s}$$
$$\equiv x^s \theta_{D_2}(x)\quad \left(\bmod\left(x^v-1\right)\right)，$$

且反过来也对. **证毕.**

引理 14.1.2. 设 D 是 Z_v 上的一个 $(v$，k，$\lambda)$ 循环差集，$\gcd(t, v) = 1$. $t(\bmod v)$ 是 D 的乘数的充要条件是存在整数 s，合

$$\theta\left(x^t\right) \equiv x^s \theta(x) \qquad \left(\mathrm{mod}\left(x^v-1\right)\right).$$

证明. 因为

$$\theta_{\bar{t}D}(x) = \theta_D\left(x^t\right),$$

故由引理 14.1.1 得此引理. **证毕.**

引理 14.1.3. 设 D 是 Z_v 上的一个 $(v,\ k,\ \lambda)$ 循环差集，t 是一个整数，合于 $\gcd(t,\ v)=1$，则 $\bar{t}D\ (\mathrm{mod}\,v)$ 也是一个 $(v,\ k,\ \lambda)$ 差集.

证明. 因为

$$\theta_{\bar{t}D}(x) \cdot \theta_{\bar{t}D}\left(x^{-1}\right) \equiv \theta_D\left(x^t\right) \cdot \theta_D\left(x^{-t}\right)$$
$$\equiv n + \lambda T\left(x^t\right) \qquad \left(\mathrm{mod}\left(x^v-1\right)\right),$$

以及当 $\gcd(t,\ v)=1$ 时，

$$T\left(x^t\right) \equiv T(x) \qquad \left(\mathrm{mod}\left(x^v-1\right)\right),$$

所以

$$\theta_{\bar{t}D}(x)\theta_{\bar{t}D}\left(x^{-1}\right) \equiv n + \lambda T(x) \qquad \left(\mathrm{mod}\left(x^v-1\right)\right).$$

这就是说，$\bar{t}D\ (\mathrm{mod}\,v)$ 是一个 $(v,\ k,\ \lambda)$ 循环差集. **证毕.**

现在来证明 13.2 节中陈述过的下述结果.

定理 14.1.3. 集 $[0,\ v-1]$ 上的循环设计 $\mathscr{B}$ 同其对偶设计 $\mathscr{B}'$ 同构.

证明. 设 $\mathscr{B} = \{B_0,\ B_1,\cdots,\ B_{v-1}\}$，且对 $i \in [0,\ v-1]$，有 $B_i \equiv B_0 + i\,(\mathrm{mod}\,v)$. 又设 $\mathscr{B}$ 中诸区组依这里列出的顺序，$[0,v-1]$ 中诸元依其自然顺序而对应的关联矩阵为 A. 记

$$B_i' := \left\{j \in \left[0,\ v-1\right] \mid i \in B_j\right\} \quad (0 \leqslant i \leqslant v-1),$$

则 $\mathscr{B}' = \{B_0',\ B_1',\cdots,\ B_{v-1}'\}$. 那么 $\mathscr{B}'$ 中诸区组依这里列出的顺序，$[0,\ v-1]$ 中诸元依其自然顺序而对应的关联矩阵就是 A^{T}. 于是，A 是循环矩阵，即 A 有形状

$$A = \begin{pmatrix} a_0 & a_1 & a_2 & \cdots & a_{v-2} & a_{v-1} \\ a_{v-1} & a_0 & a_1 & \cdots & a_{v-3} & a_{v-2} \\ a_{v-2} & a_{v-1} & a_0 & \cdots & a_{v-4} & a_{v-3} \\ \vdots & \vdots & \vdots & & \vdots & \vdots \\ a_2 & a_3 & a_4 & \cdots & a_0 & a_1 \\ a_1 & a_2 & a_3 & \cdots & a_{v-1} & a_0 \end{pmatrix},$$

(这里 $a_i = 0$，1，)故

$$
A^{\mathrm{T}} = \begin{pmatrix}
a_0 & a_{v-1} & a_{v-2} & \cdots & a_2 & a_1 \\
a_1 & a_0 & a_{v-1} & \cdots & a_3 & a_2 \\
a_2 & a_1 & a_0 & \cdots & a_4 & a_3 \\
\vdots & \vdots & \vdots & & \vdots & \vdots \\
a_{v-2} & a_{v-3} & a_{v-4} & \cdots & a_0 & a_{v-1} \\
a_{v-1} & a_{v-2} & a_{v-3} & \cdots & a_1 & a_0
\end{pmatrix}.
$$

把 A^{T} 的第 v 列调到第二列，第 $v-1$ 列调到第三列，如此等等，即把 A^{T} 的第二至第 v 列的顺序颠倒，同时把 A^{T} 的第二至第 v 行的顺序颠倒，则 A^{T} 就化为 A. 因此，$\mathscr{B}$ 同 $\mathscr{B}'$ 同构. **证毕.**

这个定理也可用 16.3 节中介绍的循环矩阵的性质来证明. 这里的处理较为直观些.

设 D 是 Z_v 上的一个 (v, k, λ) 循环差集，且 $\bar{D} = [0, v-1] \backslash D$. 利用 Hall 多项式很容易证明下面的定理.

定理 14.1.4.　$\bar{D}$ 是一个 $(v, v-k, v-2k+\lambda)$ 循环差集.

证明.　因为

$$
\theta_D(x) + \theta_{\bar{D}}(x) = T(x),
$$
$$
\theta_D(x)\theta_D(x^{-1}) \equiv n + \lambda T(x) \qquad \left(\mathrm{mod}\left(x^v - 1\right)\right),
$$
$$
x^i T(x) \equiv T(x) \qquad \left(\mathrm{mod}\left(x^v - 1\right)\right),
$$
$$
T(x^{-1}) \equiv T(x) \qquad \left(\mathrm{mod}\left(x^v - 1\right)\right),
$$

故

$$
\begin{aligned}
\theta_{\bar{D}}(x)\theta_{\bar{D}}(x^{-1}) &= (T(x) - \theta_D(x))(T(x^{-1}) - \theta_D(x^{-1})) \\
&\equiv (T(x) - \theta_D(x))(T(x) - \theta_D(x^{-1})) \\
&\equiv (v - 2k)T(x) + \theta_D(x)\theta_D(x^{-1}) \\
&\equiv n + (v - 2k + \lambda)T(x) \qquad \left(\mathrm{mod}\left(x^v - 1\right)\right).
\end{aligned}
$$

所以，$v - 2k + \lambda \geqslant 0$，故由定理 14.1.2 可知，$\bar{D}$ 是一个 $(\bar{v}, \bar{k}, \bar{\lambda})$ 循环差集，这里 $\bar{v} = v$，$\bar{\lambda} = v - 2k + \lambda$，$\bar{k} = k - \lambda + \bar{\lambda} = v - k$. **证毕.**

定理 14.1.4 中的差集 $\bar{D}$ 叫做已给差集 D 的补差集，或简单地叫做 D 的补. 易知，当 $\bar{D}$ 是 D 的补时，D 也是 $\bar{D}$ 的补.

如果差集 D 和 $\bar{D}$ 有同样的参数，即

$$\lambda = \overline{\lambda}, \quad k = \overline{k},$$

则 $v = 2k$，因而 $\lambda(2k-1) = k(k-1)$. 由此知 $k \mid \lambda$，故

$$k(k-1) = \lambda(2k-1) \geqslant k(2k-1),$$

这只有当 $k = 0$ 时才可能成立. 因此，对非平凡的循环差集 D，D 和 $\overline{D}$ 的参数组不同. 因此，这二者既不同构又不等价.

由此可知，对非平凡的 (v, k, λ) 循环差集 D，$v \neq 2k$，故 k 和 $v-k$ 中之一小于 $\dfrac{v}{2}$. 由于 D 和 D' 互为补差集，在构造差集时只要能构造出其中之一，则另一就可自然地得到，所以只需考虑构造 $k < \dfrac{v}{2}$ 的循环差集即可.

设 $k < \dfrac{v}{2}$，易知，

$$k\overline{k} = k(v-k) = n(v-1), \tag{14.1.22}$$

$$\lambda\overline{\lambda} = \lambda(v-2n-\lambda) = n(n-1). \tag{14.1.23}$$

因为 $\lambda + \overline{\lambda} = v - 2n$，且对非平凡循环差集有 $\lambda \geqslant 1$，故

$$\lambda\overline{\lambda} \geqslant \lambda + \overline{\lambda} - 1 = v - 2n - 1,$$

$$\lambda\overline{\lambda} \leqslant \left(\frac{\lambda + \overline{\lambda}}{2}\right)^2 = \left(\frac{v-2n}{2}\right)^2.$$

再由 (14.1.23)，得

$$\left(\frac{v-2n}{2}\right)^2 \geqslant n(n-1) \geqslant v - 2n - 1. \tag{14.1.24}$$

由 (14.1.24) 的右节，得

$$n^2 + n + 1 \geqslant v. \tag{14.1.25}$$

由 (14.1.24) 的左节，得 $v^2 \geqslant 4n(v-1)$. 因 $\gcd(v, v-1) = 1$，故 $v^2 \neq 4n(v-1)$，除非 $v-1 = 1$，而 $v = 2$ 的循环差集是平凡的. 所以，$v^2 \geqslant 4n(v-1) + 1$，由此立得

$$v \geqslant 4n - 1,$$

这与(14.1.25)可以合写为

$$n^2 + n + 1 \geqslant v \geqslant 4n - 1, \tag{14.1.26}$$

今后常考虑其参数在这一范围内的循环差集.

引理 14.1.2 中的充要条件自然可充作乘数的定义. 由这种定义形式,可将乘数的概念推广.

定义 14.1.2. 设 D 是 Z_v 上的一个 $(v,\ k,\ \lambda)$ 循环差集,w 是 v 的一个正因数. 如果 $t(\mathrm{mod}\ w)$ 满足

$$\gcd(t,\ w) = 1,$$

且

$$\theta\left(x^t\right) \equiv x^s \theta(x) \quad \left(\mathrm{mod}\left(x^w - 1\right)\right)$$

对某一 $s(\mathrm{mod}\ \omega)$ 成立,则称 $t(\mathrm{mod}\ \omega)$ 是循环差集 D 的一个 w 乘数.

这一推广今后将会用到.

由 w 乘数的定义可知,如果 w_1 是 w 的正因数,则对同一差集,一个 w 乘数也是一个 w_1 乘数. 这样一来,一个 $(v,\ k,\ \lambda)$ 循环差集的乘数也是它的 w 乘数,这里 w 是 v 的任一正因数.

上面介绍的是循环设计的刻划方法:一些承袭了一般平衡不完全区组设计和对称设计的刻划方法,另一些则是循环差集所特有的. 不仅刻划方法如此,其他方面的问题也是如此. 下节即将介绍的存在性问题也体现了这两个方面.

对于若干具体参数值的循环设计的构造或不存在性方面的结果,已有表供查. 例如,可以参看 Baumert[1].

14.2 存 在 性

因为循环设计是一种特殊的对称设计,故第十三章有关对称设计的存在性结果都可自动转移到循环设计(循环差集)上来. 它们可归述为下面的定理.

定理 14.2.1. 若存在一个 $(v,\ k,\ \lambda)$ 循环差集(循环设计),则

$$\lambda(v-1) = k(k-1); \tag{14.2.1}$$

$$\frac{v+\lambda}{2} \geqslant k \geqslant \sqrt{\lambda v}; \tag{14.2.2}$$

如果 $2 \mid v$, 则

$$k - \lambda \text{ 是一个完全平方数;} \tag{14.2.3}$$

如果 $2 \nmid v$, 则不定方程

$$z^2 = nx^2 + (-1)^{\frac{v-1}{2}} \lambda y^2 \tag{14.2.4}$$

有不全为零的整数解 x, y, z; 如果 A 是该设计的关联矩阵, 则

$$A^{\mathrm{T}} A = (k - \lambda) I + \lambda J, \tag{14.2.5}$$

$$A A^{\mathrm{T}} = (k - \lambda) I + \lambda J, \tag{14.2.6}$$

$$JA = kJ, \tag{14.2.7}$$

$$AJ = kJ. \tag{14.2.8}$$

下面来讨论由循环设计的特性所导出的有关它们的存在性问题的一些结果.

定理 14.2.2. 如果存在一个 $(v$, k, $\lambda)$ 循环差集(循环设计), 且 w 是 v 的任一正奇因数, 则不定方程

$$z^2 = nx^2 + (-1)^{\frac{w-1}{2}} \frac{\lambda v}{w} y^2 \tag{14.2.9}$$

和

$$z^2 = nx^2 + (-1)^{\frac{w-1}{2}} w y^2 \tag{14.2.10}$$

都有不全为零的整数解 x, y, z.

证明. 如果存在一个 $(v$, k, $\lambda)$ 循环差集 D, 则可作 w 阶矩阵 C

$$C = \begin{pmatrix} c_0 & c_1 & c_2 & \cdots & c_{w-2} & c_{w-1} \\ c_1 & c_2 & c_3 & \cdots & c_{w-1} & c_0 \\ c_2 & c_3 & c_4 & \cdots & c_0 & c_1 \\ \vdots & \vdots & \vdots & & \vdots & \vdots \\ c_{w-1} & c_0 & c_1 & \cdots & c_{w-3} & c_{w-2} \end{pmatrix},$$

其中诸 c_i 由

$$\theta_D(x) \equiv c_0 + c_1 x + \cdots + c_{w-1} x^{w-1} \quad \left(\mathrm{mod}\left(x^w - 1\right)\right)$$

确定. 由(14.1.21),

$$C^{\mathrm{T}} C = n I_w + \frac{\lambda v}{w} J_w. \tag{14.2.11}$$

因此, 从定理 13.3.1 的第一个证明的系可知, 不定方程(14.2.9)有不全为零的整数解 x, y, z.

下面证明: 方程(14.2.9)和(14.2.10)同有或同无不全为零的整数解. 注意到

$$k^2 - n = k^2 - k + \lambda = \lambda v \, ,$$

由(14.2.9)可得

$$\left(k^2 - n\right) z^2 = n\left(k^2 - n\right) x^2 + (-1)^{\frac{w-1}{2}} \frac{\lambda^2 v^2}{w} y^2 \, ,$$

即

$$(kz + nx)^2 = n(kx + z)^2 + (-1)^{\frac{w-1}{2}} w \left(\frac{\lambda v}{w} y\right)^2.$$

这就是说, 如果方程(14.2.9)有不全为零的整数解 x, y, z, 则方程(14.2.10)有整数解

$$x' = kx + z, \quad y' = \frac{\lambda v}{w} y, \quad z' = kz + nx \, . \tag{14.2.12}$$

再者, x, y, z 不全为零的充要条件是 x', y', z' 不全为零. 另一方面, 如果方程 (14.2.10)有不全为零的整数解 (x', y', z'), 则由(14.2.12)可知, 方程(14.2.9)有不全为零的整数解

$$x = kx' - z', \quad y = wy', \quad z = kz' - nx' \, .$$

证毕.

当 n 是一个完全平方数 $n = m^2$ 时, 方程(14.2.9)和(14.2.10)都有不全为零的整数解:

$$(x, \ y, \ z) = (1, \ 0, \ m) \, .$$

此时用这个定理就不能否定 $(v, \ k, \ \lambda)$ 循环设计的存在性.

当 $2 \nmid v$ 且 $w = v$ 时, 方程(14.2.9)就回到方程(14.2.4), 从而方程(14.2.9)和

(14.2.10)都不蕴含更多的新内容. 当 $w = 1$ 时，方程(14.2.10)化为

$$z^2 = nx^2 + y^2,$$

它恒有不全为零的整数解 $(x,\ y,\ z) = (0,\ 1,\ 1)$. 所以，当 $w = 1$ 时，方程(14.2.9)和(14.2.10)都不蕴含更多的新内容. 据此，当方程(14.2.4)有不全为零的整数解时，只能够希望适当选择处于中间状态的因数 w，使得方程(14.2.10)无不全为零的整数解，从而否定 $(v,\ k,\ \lambda)$ 循环设计的存在性. 下面的例子说明了，有时这是能够办到的.

例 14.2.1. 讨论$(39，19，9)$循环设计的存在性.

因为不定方程

$$z^2 = 10x^2 - 9y^2$$

有明显的不全为零的整数解 $(x,\ y,\ z) = (1, 1, 1)$，故用定理 14.2.1 或在定理 14.2.2 中选取 $w = v$ 是不能判定$(39，19，9)$循环设计存在与否的. 今选取 $\omega = 13$. 对此 w 的方程(14.2.10)为

$$z^2 = 10x^2 + 13y^2. \tag{14.2.13}$$

由 Hilbert 模方剩余符号的性质，知

$$(10, 13)_5 = (2, 13)_5 \cdot (5, 13)_5$$
$$= 1 \cdot \left(\frac{13}{5}\right)$$
$$= \left(\frac{2}{3}\right) = -1.$$

因此，方程(13.2.13)无不全为零的整数解. 这就说明了，不存在$(39，19，9)$循环设计. **解毕**.

上面利用定理 14.1.2 的系 2 得到了定理 14.2.2. 现在转而再对定理 14.2.2 本身作进一步的研究.

设 ζ 是一个 v 次单位根，$\zeta \neq 1$. 由(14.1.19)知

$$\theta(\zeta)\theta(\zeta^{-1}) = n, \tag{14.2.14}$$

这就是说，如果存在 $(v,\ k,\ \lambda)$ 循环设计，则 n 可以在分圆域 $R(\zeta)$ 中分解为两个代数整数 $\theta(\zeta)$ 和 $\theta(\zeta^{-1})$ 之积. 因此，n 在 $R(\zeta)$ 中的分解情形对于 $(v,\ k,\ \lambda)$ 循环设计的存在性问题至关重要. 很自然地，下面要用到分圆域的一些知识(可参

看 H.B.Mann[3]，E.Heck[1]，Ireland 和 Rosen[1]等). 为了引用方便起见，下面列出几个有关的重要结果.

分圆域的正规性定理. 设 ξ_d 是 d 次单位原根，则分圆域 $R(\xi_d)$ 是有理数域 R 上的一个 $\varphi(d)$ 次正规扩域. 这里 $\varphi(d)$ 为 Euler 函数. 再者，数 1，ξ_d，ξ_d^2，$\cdots$，$\xi_d^{\varphi(d)-1}$ 组成 $R(\xi_d)$ 的一组整底.

在上面那一段叙述中，由于 $\zeta \neq 1$，故 ζ 是一个 w 次单位原根，这里 w 是某一个有理整数，合 $w \mid v$ 且 $w > 1$. 因此，分圆域 $R(\zeta)$ 是一个 $\varphi(w)$ 次正规扩域. 由于 $\theta(x)$ 是一个整系数多项式，故 $\theta(\zeta)$ 是 $R(\zeta)$ 中的一个代数整数，且由此可知 $\theta(\zeta^{-1})$ 也是 $R(\zeta)$ 中的一个代数整数.

有理素数在 $R(\xi_d)$ 中分解为素理想数之积的分解定理. 设 ξ_d 是一个 d 次单位原根，p 是一个有理素数.

当 $d = p^a\,(a > 0)$ 时，(p) 有素理想数分解式:

$$(p) = (1 - \xi_d)^{\varphi(d)}.\tag{14.2.15}$$

当 $p \nmid d$ 时，(p) 有素理想数分解式:

$$(p) = P_1 P_2 \cdots P_g,\tag{14.2.16}$$

这里 $g = \dfrac{\varphi(d)}{h}$，$h$ 是 p 的次数$(\bmod d)$. 而且，$R(\xi_d)$ 的自同构

$$\xi_d \to \xi_d^p$$

使得(14.2.16)中的每一素理想数不变.

当

$$d = p^a d_1,\quad p \nmid d_1,\quad d_1 > 1,\quad a > 0\tag{14.2.17}$$

时，(p) 有素理想数分解式:

$$(p) = \left(p_1 p_2 \cdots p_g\right)^{\varphi\left(p^a\right)},\tag{14.2.18}$$

这里 $g = \dfrac{\varphi(d_1)}{h}$，$h$ 是 p 的次数 $(\bmod d_1)$.

再者，(14.2.16)和(14.2.18)中的诸 P_i 可以按下面的方法确定. 设 $f(x)$ 是 ξ_d 的定义多项式. $f(x)$ 有分解式$(\bmod p)$:

$$f(x) \equiv (f_1(x)f_2(x)\cdots f_g(x))^{\varphi(p^a)} (\bmod\, p) \tag{14.2.19}$$

其中诸 $f_2(x)$ 都是不可约多项式$(\bmod\, p)$. 那么, P_i 为

$$P_i = (p,\ f_i(\xi_d)),\ 1 \leqslant i \leqslant g.$$

单位根的特征定理. 一个代数整数是一个单位根的充要条件是它同它的全部共轭数都在一个单位圆的圆周上.

现在来证明 H.B.Mann[4]的一个定理, 并由它推出有关方程(14.2.4)的重要结果.

定理 14.2.3. 假定存在一个$(v,\ k,\ \lambda)$循环差集 D, w 是 v 的一个正因数, $t(\bmod\, v)$是 D 的一个 w –乘数. 设 p 是 n 的一个素因数, $\gcd(p,\ w)=1$. 如果有非负整数 f 合 $tp^f \equiv -1 (\bmod\, w)$, 且 $p^e \| n$, 则 e 是一个偶数.

证明. 因 $\gcd(p, w)=1$, 故有理素数 p 在分圆域 $R(\xi_w)$ 中有解式(14.2.16). 对 P_1, P_2,$\cdots$, P_g 中的任一个, 记为 P, 设

$$P^b \| \theta(\xi_w). \tag{14.2.20}$$

由于 t 是 D 的一个 w –乘数, 故 $\theta(\xi_w^t) = \xi_w^s \theta(\xi_w)$ 对某一 $s(\bmod\, v)$成立. 由于 $P \nmid \xi_w$, 故

$$P^b \| \theta(\xi_w^t). \tag{14.2.21}$$

由于 $R(\xi_w)$ 的自同构: $\xi_w \to \xi_w^p$ 固定 P, 因此, 由(14.2.21)得

$$P^b \| \theta(\xi_w^{tp}), \theta(\xi_w^{tp^2}), \cdots,\ \theta(\xi_w^{tp^j}),$$

故

$$P^b \| \theta(\xi_w^{-1}). \tag{14.2.22}$$

由(14.2.20)和(14.2.22), 有

$$P^{2b} \| \theta(\xi_w) \theta(\xi_w^{-1}) = n,$$

由此立得定理的结论. **证毕.**

由定理 14.2.3 可以推得定理 14.2.2,从而也可以推出定理 14.2.1 中关于(14.2.4)

的结果. 为此, 首先由它推得 Yamamota[4]的一个定理, 即

系. 假定存在一个(v, k, λ)循环差集, 且 u 是 v 的一个正奇因数. 又设 p 是一个素数, 且 $p^e \| n$, 那么, 不定方程

$$z^2 = p^e x^2 + (-1)^{\frac{u-1}{2}} u y^2 \tag{14.2.23}$$

有不全为零的整数解 x, y, z.

证明. 当 e 是偶数时, Hilbert 模方剩余符号

$$(p^e, (-1)^{\frac{u-1}{2}} u)_q = (1, (-1)^{\frac{u-1}{2}} u)_q = 1$$

对一切素数 q(包括 $q = \infty$)成立. 因此, 由关于方程(13.2.23)的结果可知方程(14.2.23)有不全为零的整数解. 下面考虑 e 是奇数的情形.

设 $e = 2m + 1$, 于是方程(14.2.23)有不全为零的整数解的充要条件是

$$z^2 = p x'^2 + (-1)^{\frac{u-1}{2}} u y^2 \tag{14.2.24}$$

有不全为零的整数解(x', y, z). 这是因为如果方程(14.2.24)有不全为零的整数解(x', y, z), 则方程(14.2.23)就有不全为零的整数解(x', $p^m y$, $p^m z$); 反之, 如果方程(14.2.23)有不全为零的整数解(x, y, z), 则方程(14.2.24)就有不全为零的整数解($p^m x$, y, z).

设 $u = u_1^{a_1} u_2^{a_2} \cdots u_s^{a_s}$ 是 u 的标准分解式. 若能证明: 对每一 u_i 都有

$$(p, (-1)^{\frac{u_i-1}{2}} u_i)_q = 1, \quad \text{一切素数} q, \tag{14.2.25}$$

则由 Hilbert 模方剩余符号的性质和

$$\alpha_1 \frac{u_1 - 1}{2} + \alpha_2 \frac{u_2 - 1}{2} + \cdots + \alpha_s \frac{u_s - 1}{2} \equiv \frac{u - 1}{2} \,(\text{mod}\, 2)$$

推得

$$\left(p, (-1)^{\frac{u-1}{2}} u_q \right) = 1, \quad \text{一切素数} q,$$

从而不定方程(14.2.24)有不全为零的整数解 x', y, z.

剩下的工作就是证明: 对素数 p 和 v 的奇素因数 c, 有

$$\left(p,(-1)^{\frac{c-1}{2}}c\right)_q = 1, \quad \text{一切素数}\, q. \tag{14.2.26}$$

当 $p = c$ 时，

$$\left(p,(-1)^{\frac{p-1}{2}}p\right)_q = 1, \quad q \neq p,2;$$

$$\left(p,(-1)^{\frac{p-1}{2}}p\right)_p = \left(p,(-1)^{\frac{p-1}{2}}\right)_p (p,-1)_p$$

$$= (-1)^{\frac{p2-1}{4}} = 1.$$

因此，

$$\left(p,(-1)^{\frac{p-1}{2}}p\right)_2 = 1 \tag{14.2.27}$$

这就证明了，$p = c$ 时(14.2.26)成立.

以下讨论 $p \neq c$ 的情形. 由 Hilbert 模方剩余符号的性质，有

$$\left(p,(-1)^{\frac{c-2}{2}}c\right)_q = 1, \quad q = \infty \text{或} q \neq 2, \ p, \ c. \tag{14.2.28}$$

此外，还有

$$\left(p,(-1)^{\frac{c-1}{2}}c\right)_c = (p, \ c)_c \left(p,(-1)^{\frac{c-1}{2}}\right)_c = \left(\frac{p}{c}\right), \tag{14.2.29}$$

当 $2 \nmid p$ 时，

$$(p,(-1)^{\frac{c-1}{2}}c)_p = \left(\frac{(-1)^{\frac{c-1}{2}}c}{p}\right) = \left(\frac{p}{c}\right). \tag{14.2.30}$$

如果 $\left(\dfrac{p}{c}\right) = -1$，则

$$p^{\frac{c-1}{2}} \equiv -1 \pmod c.$$

在定理 14.2.3 中取 $w = c$, $t = 1$, $f = \dfrac{c-1}{2}$，则得 $2 \mid e$. 这与前面假设 e 是奇数相

矛盾. 因此,

$$\left(\frac{p}{c}\right) = 1. \tag{14.2.31}$$

由 Hilbert 模方剩余符号的性质 10 和(14.2.28)—(14.2.31)知,

$$\left(p, (-1)^{\frac{c-1}{2}} c\right)_2 = 1.$$

综上所证即得(14.2.26),从而完成了该系的证明. **证毕.**

由这个系可以给出

定理 14.2.2 的第二个证明. 设 $n = p_1^{e_1} p_2^{e_2} \cdots p_t^{e_t}$ 是 n 的标准分解式,且 w 是 v 的任一正奇因数. 那么,由上面的系可知,对任一素数 q(包括 $q = \infty$),有 $(p_i^{e_i}, (-1)^{\frac{w-1}{2}} w)_q = 1$,因而

$$\left(n, (-1)^{\frac{w-1}{2}} w\right)_q = \left(p_1^{e_1} p_2^{e_2} \cdots p_t^{e_t}, (-1)^{\frac{w-1}{2}} w\right)_q$$

$$= \left(p_1^{e_1}, (-1)^{\frac{w-1}{2}} w\right)_q \left(p_2^{e_2}, (-1)^{\frac{w-1}{2}} w\right)_q \cdots \left(p_t^{e_t}, (-1)^{\frac{w-1}{2}} w\right)_q$$

$$= 1 \cdot 1 \cdots 1 = 1,$$

因此,不定方程(14.2.10)有不全为零的整数解. **证毕.**

现在来看应用定理 14.2.3 的一个具体例子.

例 14.2.2. 考察(241,16,1)循环差集的存在性.

如果用定理 14.2.2,则不能对(241,16,1)差集的存在性作出任何结论. 因为 241 是个素数,故形如(14.2.9)的方程只有以下二个,它们分别对应于 $w = 1$ 和 241:

$$z^2 = 15x^2 + 241y^2,$$
$$z^2 = 15x^2 + y^2.$$

同样,形如(14.2.10)的方程也只有上述两个. 第一个方程的可解性与第二个方程的可解性等价,而第二个方程的 y^2 的系数为 1,故有不全为零的整数解.

但是,由于 $3^{60} \equiv -1 \pmod{241}$,故可在定理 14.2.3 中取 $t = 1$,$w = 241$,$f = 60$,$p = 3$. 但 3 在数 15 中的最高方幂数是 1,不是偶数,故由此定理推知,不存在(241,16,1)循环差集. **解毕.**

14.3 乘 数

设 $D = \{a_1,\ a_2, \cdots,\ a_k\}\ (\mathrm{mod}\, v)$ 是一个 $(v\,,\, k\,,\, \lambda)$ 循环差集. 由乘数的定义, $1(\mathrm{mod}\, v)$ 是 $\dot{D}$ 的乘数, 叫做平凡的乘数. 除了平凡的乘数外, 是否还有其他乘数呢? 借助于乘数不仅可以得到差集的一些性质, 而且还可以得到差集的一些构造方法(详见下章). 因此, 非平凡乘数的存在性问题很为重要. 下面的定理将说明, 在一定的条件下可以断定非平凡乘数是存在的.

定理 14.3.1. 设 $\dot{D}\,(\mathrm{mod}\, v)$ 是一个 $(v\,,\, k\,,\, \lambda)$ 循环差集. 且设 $n_0 = p_1 p_2 \cdots p_q$ 是 n 的因数, 这里 $p_1, p_2, \cdots, p_q$ 是不同的素数, 如果.

$$\gcd(n_0,\ v) = 1\ (n_0 > \lambda),$$

且对任一 $i\,(1 \leqslant i \leqslant q)$ 都有整数 e_i, 使

$$p_i^{e_i} \equiv t\,(\mathrm{mod}\, v)\,(1 \leqslant i \leqslant q) \tag{14.3.1}$$

对某一固定的整数 t 成立, 那么 t 就是 D 的一个乘数.

证明. 把差集 D 的 Hall 多项式 $\theta_D(x)$ 简记为 $\theta(x)$, 则有

$$\theta(x)\theta\left(x^{-1}\right) \equiv n + \lambda T(x)(\mathrm{mod}(x^v - 1)). \tag{14.3.2}$$

因为

$$(\theta(x))^p = \theta\left(x^p\right) + pw(x),$$

这里 $w(x)$ 是 x 的一个整系数多项式, 故

$$\begin{aligned}(\theta(x))^{p_i^{e_i}} &\equiv \theta(x^{p_i^{e_i}}) \\ &\equiv \theta(x^t)\ \left(\mathrm{mod}(p_i,\ x^v - 1)\right).\end{aligned} \tag{14.3.3}$$

这里用到了一个记号: 设 a 是一个整数, 三个整系数多项式 $A(x)$, $B(x)$ 和 $C(x)$, 满足关系式

$$A(x) \equiv B(x)\ \left(\mathrm{mod}(a,\ C(x)\right)$$

的意思是, 存在整系数多项式 $R(x)$ 和 $S(x)$, 合

$$A(x) - B(x) = aR(x) + C(x)S(x).$$

对(14.3.2)的两节同乘以 $(\theta(x))^{p_i^{e_{i-1}}}$ ，得

$$
\begin{aligned}
(\theta(x))^{p_i^{e_i}} \theta\left(x^{-1}\right) &\equiv n(\theta(x))^{p_i^{e_{i-1}}} + \lambda(\theta(x))^{p_i^{e_{i-1}}} T(x) \\
&\equiv \lambda k^{p_i^{e_{i-1}}} T(x) \ \left(\mathrm{mod}(p_i,\ x^v - 1)\right).
\end{aligned}
\tag{14.3.4}
$$

由于 $p_i \mid n$ ，故当 $p_i \mid k$ 时， $p_i \mid \lambda$ ；而当 $p_i \nmid k$ 时，有

$$
k^{p_i^{e_{i-1}}} \equiv 1 \ (\mathrm{mod}\, p_i).
$$

因此，(14.3.4)式可以重写为

$$
\begin{aligned}
(\theta(x))^{p_i^{e_i}} \theta\left(x^{-1}\right) &\equiv \lambda(k^{p_i^{e_{i-1}}} - 1)T(x) + \lambda T(x) \\
&\equiv \lambda T(x) \ \left(\mathrm{mod}(p_i,\ x^v - 1)\right).
\end{aligned}
\tag{14.3.5}
$$

这还可以写为

$$
(\theta(x))^{p_i^{e_i}} \theta\left(x^{-1}\right) \equiv 0 \ (\mathrm{mod}(p_i,\ T(x))).
\tag{14.3.6}
$$

由(14.3.3)和(14.3.5)，有

$$
\theta\left(x^t\right)\theta\left(x^{-1}\right) \equiv \lambda T(x) \ \left(\mathrm{mod},(p_i, x^v - 1)\right).
\tag{14.3.7}
$$

因为(14.3.7)的两节都与 i 的选择无关，且诸 p_i 是互素的，故由(14.3.7)得，

$$
\theta\left(x^t\right)\theta\left(x^{-1}\right) \equiv \lambda T(x) \ \left(\mathrm{mod}(n_0, x^v - 1)\right),
\tag{14.3.8}
$$

即

$$
\theta\left(x^t\right)\theta\left(x^{-1}\right) \equiv n_0 R(x) + \lambda T(x) \left(\mathrm{mod}(x^v - 1)\right),
\tag{14.3.9}
$$

这里 $R(x)$ 是 x 的一个整系数多项式：

$$
R(x) := \sum_{i=0}^{v-1} r_i x^i .
$$

在(14.3.9)中代 $x = 1$ ，得 $k^2 = n_0 \sum_{i=0}^{v-1} r_i + \lambda v$ ，故

$$
n_0 \sum_{i=0}^{v-1} r_i = k - \lambda = n .
\tag{14.3.10}
$$

(14.3.9)左节的乘积展开式中每一项的系数都是非负整数，故(14.3.9)的右节的每一项的系数也都是非负整数，因而 $n_0 r_i + \lambda \geqslant 0$；又因 $n_0 > \lambda$，故

$$r_i \geqslant 0 \quad (0 \leqslant i \leqslant v-1). \tag{14.3.11}$$

由(14.3.10)，又有

$$
\begin{aligned}
n_0 R(x) T(x) &\equiv n_0 \sum_{i=0}^{v-1} r_i x^i T(x) \\
&\equiv n_0 \sum_{i=0}^{v-1} r_i T(x) \\
&\equiv n T(x) \quad \left(\mathrm{mod}(x^v - 1)\right).
\end{aligned}
\tag{14.3.12}
$$

由(14.3.1)知 $\gcd(t,\ v) = 1$，故

$$\theta\left(x^t\right)\theta\left(x^{-t}\right) \equiv n + \lambda T(x) \left(\mathrm{mod}(x^v - 1)\right). \tag{14.3.13}$$

在(14.3.9)中把 x 换为 x^{-1}，有

$$\theta\left(x^{-t}\right)\theta(x) \equiv n_0 R^*(x) + \lambda T(x) \left(\mathrm{mod}(x^v - 1)\right), \tag{14.3.14}$$

且 $R^*(x) = r_0 + \sum_{i=1}^{v-1} r_{v-i} x^i$，从而

$$n_0 R^*(x) T(x) \equiv n T(x) \left(\mathrm{mod}(x^v - 1)\right). \tag{14.3.15}$$

把(14.3.2)和(14.3.13)的左右两节分别相乘，得

$$\theta(x)\theta\left(x^{-t}\right)\theta\left(x^t\right)\theta\left(x^{-1}\right) \equiv (n + \lambda T(x))^2 \left(\mathrm{mod}(x^v - 1)\right).$$

把(14.3.9)和(14.3.14)代入上式，得

$$(n_0 R(x) + \lambda T(x))(n_0 R^*(x) + \lambda T(x)) \equiv (n + \lambda T(x))^2 \left(\mathrm{mod}(x^v - 1)\right).$$

利用(14.3.12)和(14.3.15)，此式可简化为

$$n_0^2 R(x) R^*(x) = n^2 \left(\mathrm{mod}(x^v - 1)\right). \tag{14.3.16}$$

如果 $R(x)$ 中至少有二个系数(设为 r_i，r_j，$i \neq j$)不为零，由(14.3.11)知其为正，因而

$$R(x)R^*(x) \equiv (r_i x^i + r_j x^j + \cdots)(r_i x^{v-i} + r_j x^{v-j} + \cdots)$$
$$\equiv r_i r_j x^{v-j+i} + \cdots\left(\mathrm{mod}(x^v - 1)\right). \tag{14.3.17}$$

但由 $v - j + i \not\equiv 0 (\mathrm{mod}\, v)$ 得知(14.3.16)和(14.3.17)矛盾. 因此，$R(x)$是一个单项式，且其系数为 $\dfrac{n}{n_0}$:

$$R(x) = \frac{n}{n_0} x^s, \ \text{某}s \in [0, \ v-1]. \tag{14.3.18}$$

把(14.3.18)代入(14.3.19)，得

$$\theta\left(x^t\right)\theta\left(x^{-1}\right) \equiv n x^s + \lambda T(x).$$

用 $\theta(x)$ 乘上式的左右两节，并利用(14.3.2)，有

$$\theta\left(x^t\right)(n + \lambda T(x)) \equiv n x^s \theta(x) + \lambda \theta(x) T(x)$$
$$\equiv n x^s \theta(x) + \lambda k T(x) \ \left(\mathrm{mod}(x^v - 1)\right),$$

化简，即

$$\theta\left(x^t\right) \equiv x^s \theta(x) \left(\mathrm{mod}(x^v - 1)\right).$$

由引理 14.1.2 知，t 是循环差集 D 的一个乘数. 证毕.

在该定理中，如果取 n_0 就是 n 的一个素因数 p，则得其特款：

系. 设 $D(\mathrm{mod}\, v)$ 是一个$(v, \ k, \ \lambda)$循环差集，且设素数 $p \mid n$, $p > \lambda$. 那么，p 是 D 的一个乘数.

证明. 在定理 14.3.1 中取 $q = 1$, $p_1 = p_1^{e_1} = p$，则 $t = p$. 由 $p > \lambda$ 知 $p \nmid \lambda$. 由此和 $\gcd(v, \ v-1) = 1$, $p \mid n$，

$$\left(\frac{\lambda(v-1)}{k-1}\right)^2 = \lambda v + n$$

知 $p \nmid v$. 由定理 14.3.1, p 是 D 的乘数. 证毕.

在定理 14.3.1 的证明中，条件 $n_0 > \lambda$ 是至关重要的. 因为当这一条件不成立时，$R(x)$ 就可能是项数多于 1 的多项式. 下面是一个这样的例子：

$$(-1 + 2x^a + 2x^{2a})(-1 + 2x^{-a} + 2x^{-2a}) \equiv 9 \ \left(\mathrm{mod}(x^{3a} - 1)\right).$$

但是，对已知的全部差集，如果 $p \mid n$ 且 $\gcd(p, v) = 1$，则 p 一定是乘数. 看来系中的条件 $p > \lambda$ 又像是不必要的. 据此，人们猜想，在系中，条件 $p > \lambda$ 可以去掉而不影响系的结论；或者弱一些，在定理中，条件 $n_0 > \lambda$ 可以去掉而不影响定理的结论. 然而，至今这一猜想并未获证或反证.

定理 14.3.1 或其系和其他类似的结果常称为乘数定理. 在乘数的存在性的研究过程中，Hall[5]首先证明了系中的结果当 $\lambda = 1$ 时的真确性. 尔后不久，Hall 和 Ryser[1]证明了系中的结果普遍地成立. 定理 14.3.1 还可进一步推广成下面的定理 14.3.2，它本质上也是 Hall[6]证明的.

定理 14.3.2. 设 $D(\mathrm{mod}\ v)$ 是一个 (v, k, λ) 循环差集，且设 n_0 是 n 的一个正因数，合 $n_0 > \lambda$，$\gcd(n_0, v) = 1$. 如果对 n_0 的每一素因数 p，都有整数 e，使

$$p^e \equiv t \,(\mathrm{mod}\ v)$$

对某一固定的整数 t 成立，那么，t 就是 D 的一个乘数.

证明. 设 $n = n_0 n_1$. 如果 $f(x)$ 是

$$T(x) = 1 + x + \cdots + x^{v-1}$$

是一个不可约(在有理数域上)因式，且首项系数为 1，则 $f(x)$ 就是一个分圆多项式，因而其系数都是整数，其根是不为 1 的单位根. 设 ζ 是 $f(x)$ 的一个根，则 ζ 是一个 m 次单位原根，这里 m 是 v 的某一正因数. 由(14.2.14)，

$$\theta(\zeta)\theta\left(\zeta^{-t}\right) = n_0 n_1.$$

这就是说，在分圆域 $R(\zeta)$ 中，n_0 整除 $\theta(\zeta)\theta\left(\zeta^{-1}\right)$. 设 p 是 n_0 的一个有理素因数，则 $\gcd(p, v) = 1$，故 $\gcd(p, m) = 1$. 由于域 $R(\zeta)$ 的自同构 $\alpha : \zeta \to \zeta^p$ 使 p 的每一素理想数因子 P 保持不变，因而 $R(\zeta)$ 的自同构 $\alpha^e : \zeta \to \zeta^{p^e}$ 即 $\zeta \to \zeta^t$ 也保持 p 的每一素理想数因子 P 不变，所以 n_0 也整除 $\theta(\zeta)\theta\left(\zeta^{-1}\right)$：

$$\theta(\zeta)\theta\left(\zeta^{-t}\right) = n_0 \beta, \tag{14.3.19}$$

这里 β 是 $R(\zeta)$ 中的一个代数整数. 在分圆域 $R(\zeta)$ 中，代数整数 1，ζ，$\cdots$，ζ^{u-1} 组成它的一个基底，这里 u 是 $f(x)$ 的次数，故 $R(\zeta)$ 中的代数整数可用有理整系数多项式$(\mathrm{mod} f(x))$来表示. 于是，(14.3.19)可改写为

$$\theta(x)\theta\left(x^{-t}\right) = n_0 \beta(x) \,(\mathrm{mod}\ f(x)), \tag{14.3.20}$$

其中 $B(x)$ 是一个有理整系数多项式.

设 $f_1(x)$，$f_2(x),\cdots,$ $f_j(x),\cdots$ 是 $T(x)$ 的全部不可约(在有理数域上)的首 1 多项式因式，又记

$$F_j(x) = f_1(x) f_2(x)\cdots f_j(x).$$

由于诸 $f_j(x)$ 彼此互素，故 $f_{j+1}(x)$ 与 $F_1(x)$，$F_2(x),\cdots,$ $F_j(x)$ 都互素.

现在对 j 用归纳法来证明

$$\theta(x)\theta\left(x^{-t}\right) \equiv n_0 R_j(x) + A_j(x) F_j(x) \ (\mathrm{mod}(x^v - 1)) , \qquad (14.3.21)$$

这里 $R_j(x)$ 和 $A_j(x)$ 都是有理整系数多项式. 当 $j = 1$ 时，(14.3.21)与(14.3.20)中取 $f(x)=f_1(x)$ 的结果是等阶的. 今设(14.3.21)成立. 下面来证明(14.3.21)中换 j 为 $j + 1$ 时也成立.

因首 1 多项式 $f_{j+1}(x)$ 与 $F_j(x)$ 没有次数为正的公因数，且它们的系数都是有理整数，故它们的结式为非零的有理整数，记为 a. 由结式的性质知，存在有理整系数多项式 $K(x)$，$M(x)$ 合

$$K(x)F_j(x) + M(x)f_{j+1}(x) = a . \qquad (14.3.22)$$

另一方面，二个多项式的结式可以用它们的根之差的积来表示. $f_{j+1}(x)$ 和 $F_j(x)$ 的根都是 v 次单位根，故为 v 次单位原根(记为 ξ)的方幂. 因此，二个 v 次单位根之差 $\alpha - \beta$ 总可写成

$$\alpha - \beta = \pm\xi^b\left(\xi^c - 1\right),$$

这里 b 和 c 都是有理整数. ξ 是分圆域 $R(\xi)$ 中的单位数，而 $\xi^c - 1$ 是多项式

$$\frac{(x+1)^v - 1}{x} = x^{v-1} + vx^{v-2} + \cdots + v$$

的根，故 $\xi^c - 1$ 整除 v，从而 $\alpha - \beta$ 整除 v. 这样一来，结式 a 整除 v 的某一方幂. 因此，由 $\gcd(n_0,v)= 1$ 知 $\gcd(n_0,a)= 1$.

由(14.3.20)对 $f_{j+1}(x)$ 成立，有

$$\theta(x)\theta\left(x^{-t}\right) \equiv n_0 B_1(x) + B_2(x) f_{j+1}(x)(\mathrm{mod}(x^v-1)).$$

对上式两节同乘以 $K(x)F_j(x)$，利用 $f_{j+1}(x)F_j(x) = F_{j+1}(x)$，则得

$$K(x)F_j(x)\theta(x)\theta(x^{-t})$$
$$\equiv n_0 B_1(x)K(x)F_j(x) + B_2(x)K(x)F_{j+1}(x) \left(\mathrm{mod}(x^v-1)\right) \tag{14.3.23}$$

对(14.3.21)的两节同乘以 $M(x)f_{j+1}(x)$ 后与(14.3.23)相加，得

$$a\theta(x)\theta(x^{-t}) \equiv n_0 K_1(x) + M_1(x)F_{j+1}(x)(\mathrm{mod}(x^v-1)), \tag{14.3.24}$$

其中 $K_1(x)$ 和 $M_1(x)$ 都是有理整系数多项式. 另一方面,

$$n_0\theta(x)\theta(x^{-t}) \equiv n_0 K_2(x)(\mathrm{mod}(x^v-1)), \tag{14.3.25}$$

其中 $K_2(x)$ 是有理整系数多项式. 由于 $\gcd(a, n_0) \equiv 1$, 存在有理整数 b_1, b_2 合 $ab_1 + n_0 b_2 = 1$. 把(14.3.24)全式乘以 b_1, 然后加上(14.3.25)全式乘以 b_2 所得的式子, 便得

$$\theta(x)\theta(x^{-t}) \equiv n_0 R_{j+1}(x) + A_{j+1}(x)F_{j+1}(x)(\mathrm{mod}(x^v-1)),$$

其中 $R_{j+1}(x)$ 和 $A_{j+1}(x)$ 都是有理整系数多项式. 这就完成了归纳法证明.

注意到 $T(x)$ 是全体 $f_1(x)$, $f_2(x),\cdots$ 之积, 故由(14.3.21)对一切 $F_j(x)$ 成立推知

$$\theta(x)\theta(x^{-t}) \equiv n_0 R_0(x) + A_0(x)T(x)(\mathrm{mod}(x^v-1)), \tag{14.3.26}$$

其中 $R_0(x)$, $A_0(x)$ 都是有理整系数多项式. 在(14.3.26)中代 $x=1$, 得

$$k^2 = n_0 R_0(1) + A_0(1)v. \tag{14.3.27}$$

把 $k^2 = n_0 n_1 + \lambda v$ 同上式比较, 利用 $\gcd(n_0, v) = 1$, 得 $n_0|(\lambda - A_0(1))$, 即

$$A_0(1) = \lambda + ln_0, \tag{14.3.28}$$

这里 l 是一个有理整数. 把(14.3.28)代入(14.3.26), 利用

$$A_0(x)T(x) \equiv A_0(1)T(x)(\mathrm{mod}(x^v-1)),$$

便得

$$\theta(x)\theta(x^{-t}) \equiv n_0 R(x) + \lambda T(x)(\mathrm{mod}(x^v-1)), \tag{14.3.29}$$

这里 $R(x) = R_0(x) + lT(x)$.

此后的证明与定理 14.3.1 自(14.3.9)以后的证明完全类似，故从略. **证毕**.

当 $\lambda = 1$ 时，定理中的条件 $n_0 > \lambda$ 化为 $n_0 > 1$，而 1 又是平凡的乘数，故此时定理中的这一条件可以取消. $\lambda = 1$ 的循环差集与有限射影平面密切相关，故又叫做平面差集.

当 $n_0 = n$ 时，定理中的条件 $n_0 > \lambda$ 可以删去. 这是关于 w 乘数存在性的一个结果的直接推论，见下章的定理 15.1.1 的系 1.

上面的定理说明了，n 的因数是 D 的乘数的重要源泉. 但是，这并不意味着它是唯一的源泉. 不过，Mann[2]证明了，当 n 是奇数时，2 不可能是 D 的乘数；吴晓红[1]证明了，当 $3 \nmid n$ 时，3 不可能是 D 的乘数；这里 D 是非平凡的$(v$，k，$\lambda)$循环差集，$n = k - \lambda$.

有的数却不为任何循环差的乘数. 例如，稍后即将证明，$v - 1$ 不能是任何(非平凡)循环差集的乘数. 在证明这一结果时，需要用到乘数的一个重要性质，即

定理 14.3.3. 设 $D(\mathrm{mod}\, v)$ 是一个 $(v$，k，$\lambda)$ 循环差集，t 是其乘数. 那么，恰有 $d := \gcd(t-1,\ v)$ 个 D 的不同的移位 D_i 被 t 所固定，即 $tD_i \equiv D_i\,(\mathrm{mod}\, v)$. 更具体地说，如果 D_1 是 D 的一个移位，且被 t 固定，则 $D_1 + j\dfrac{v}{d}$ 也被 t 固定 $(0 \leqslant j \leqslant d-1)$.

证明. 设 D 所对应的循环设计是 $\mathscr{B} = \{B_1,\ B_2, \cdots,\ B_v\}$，则 tD 所对应的循环设计是 $\mathscr{R} = \{tB_1,\ tB_2, \cdots,\ tB_v\}$. 设 $\mathscr{B}$ 中诸区组依 B_1，$B_2, \cdots$，B_v 的顺序，$[0, v-1]$ 中诸元依其自然顺序所对应的关联矩阵是 A，那么，B_1 中诸区组依 tB_1，$tB_2, \cdots$，tB_v 的顺序，$[0, v-1]$ 中诸元依 0，$\langle t \rangle, \langle t\cdot 2 \rangle, \cdots, \langle t(v-1) \rangle$ 的顺序所对应的关联矩阵也是 A，这里 $\langle a \rangle$ 表 a 的最小非负剩余$(\mathrm{mod}\, v)$. 这是因为，由 $\gcd(t, v) = 1$ 知，$ti \in tB_j$ 的充要条件是 $i \in B_j$. 设 $P = (p_{ij})$ 是一个 v 阶置换矩阵，其元素为

$$p_{ij} = \begin{cases} 1, & \text{若}\, ti \equiv j\,(\mathrm{mod}\, v) \\ 0, & \text{其他}, \end{cases} \quad 0 \leqslant i,\ j \leqslant v-1.$$

又设 $Q = (q_{ij})$ 是一个 v 阶置换阵，其元素为

$$q_{ij} = \begin{cases} 1, & \text{若}\, tB_i \equiv B_j\,(\mathrm{mod}\, v), \\ 0, & \text{其他}, \end{cases} \quad 1 \leqslant i,\ j \leqslant v.$$

那么，有 $Q^{-1}AP = A$，即

$$A^{-1}Q^{-1}A = P^{-1}. \tag{14.3.30}$$

今用 $\mathrm{Tr}(M)$ 记方阵 M 的迹. 因为 P 和 Q 是置换矩阵，故有

$$\mathrm{Tr}(Q^{-1}) = \mathrm{Tr}(Q) \text{ 和 } \mathrm{Tr}(P^{-1}) = \mathrm{Tr}(P).$$

由迹的性质，从(14.3.30)可得

$$\begin{aligned}
\mathrm{Tr}(P) = \mathrm{Tr}(P^{-1}) &= \mathrm{Tr}(A^{-1}Q^{-1}A) \\
&= \mathrm{Tr}(Q^{-1}) = \mathrm{Tr}(Q).
\end{aligned} \tag{14.3.31}$$

$\mathrm{Tr}(Q)$ 是 Q 的主对角线上 1 的个数，即乘数 t 作用时 $\mathscr{B}$ 的不变区组的个数，$\mathrm{Tr}(P)$ 是 P 的主对角线上 1 的个数，即经乘数 t 作用时 $[0, v-1]$ 中保持不变的元的个数. 由(14.3.31)，这二者相等，而后一个数是 $tx \equiv x (\mathrm{mod}\, v)$ 的解的个数，亦即 $\gcd(t-1, v)$.

如果 $tD_1 = D_1 (\mathrm{mod}\, v)$，则因 $j\dfrac{t-1}{d}v \equiv 0 (\mathrm{mod}\, v)$，有

$$\begin{aligned}
t(D_1 + j\frac{v}{d}) &\equiv tD_1 + jt\frac{v}{d} \\
&\equiv D_1 + j\frac{v}{d} (\mathrm{mod}\, v).
\end{aligned}$$

这就证明了定理的后一论断. **证毕**.

定理 14.3.4. 如果 t_1 是固定循环差集 D 的一个乘数，t_2 合 $\gcd(t_2, v) = 1$，则 t_1 也固定 $t_2 D$.

证明. 因为

$$t_1(t_2 D) = t_2(t_1 D) = t_2 D,$$

故有定理的结论. **证毕**.

由这个定理可知，对循环差集 D 的乘数 t_1，合 $\gcd(t_2, v) = 1$ 的 t_2 作用于 D 的被 t_1 固定的诸移位，所引起的是这些移位之间的置换. 这是因为，若记

$$\mathscr{D} = \{D + s \mid t_1(D+s) = D+s\},$$

则由 $D+s \in \mathscr{D}$ 和 $t_1(t_2(D+s)) = t_2(D+s)$ 知 $t_2(D+s) \in \mathscr{D}$. 这就是说 $t_2\mathscr{D} \subseteq \mathscr{D}$. 同理，$t_2^{-1}\mathscr{D} \subseteq \mathscr{D}$，即 $t_2\mathscr{D} \supseteq \mathscr{D}$. 因此 $t_2\mathscr{D} = \mathscr{D}$，即 t_2 对 $\mathscr{D}$ 的作用仅引起 $\mathscr{D}$ 中诸移位间的置换.

由此可以就被其一切乘数所固定的循环差集的存在问题得到一些结果.

定理 14.3.5. 设 $D(\mathrm{mod}\,v)$ 是一个 $(v,\ k,\ \lambda)$ 循环差集,t 是 D 的一个乘数.

(1)如果 $\gcd(t-1,\ v)=1$,则恰好存在 D 的一个移位,它被其全体乘数所固定.

(2)如果 $\gcd(k,\ v)=1$,则至少存在 D 的一个移位,它被其全体乘数所固定.

证明. 由定理 14.3.3,当 $\gcd(t-1,\ v)=1$ 时,恰有 D 的一个移位被 t 所固定,故

$$\mathscr{D}=\{D+s|\ t(D+s)=D+s\}$$

中只有一个移位. 前段已经证明,对任何乘数 t',都有 $t'\mathscr{D}=\mathscr{D}$,即 $t'(D+s)=D+s$. 这就是(1)中的结论.

设 $D=\{a_1,\ a_2,\cdots,\ a_k\}\ (\mathrm{mod}\,v)$.若 $\gcd(k,\ v)=1$,则同余式

$$kx\equiv-(a_1+a_2+\cdots+a_k)\ (\mathrm{mod}\,v)$$

有唯一 解$(\mathrm{mod}\,v)$. 把此解记为 $x_0\,(\mathrm{mod}\,v)$. 对 D 的移位 $D+x_0$ 中诸元的和,有

$$(a_1+x_0)+(a_2+x_0)+\cdots+(a_k+x_0)=(a_1+a_2+\cdots+a_k)+kx_0$$
$$\equiv0\ (\mathrm{mod}\,v);$$

而且只有 D 的这个移位具有性质:该移位中全部元之和为 $0(\mathrm{mod}\,v)$. 另一方面,任一乘数 t 作用于具有这一性质的移位后所得的移位仍具有这一性质

$$\sum_{a\in tD}a=\sum_{a\in D}ta=t\sum_{a\in D}a\equiv0(\mathrm{mod}\,v).$$

所以,$D+x_0$ 被其一切乘数所固定. 这就是(2)中的结论. **证毕**.

现在来证明定理 14.3.3 之前提到的结果.

定理 14.3.6. $v-1$ 不能是任何(非平凡)$(v,\ k,\ \lambda)$ 循环差集 D 的乘数.

证明. 今用反证法来证明. 设 $v-1$ 是 D 的乘数. 由定理 14.3.3,至少有 D 的一个移位被 $v-1$ 所固定. 不失一般,可设 $v-1$ 固定 D. 于是,有

$$\theta\left(x^{-1}\right)\equiv\theta(x)(\mathrm{mod}(x^v-1)).$$

设

$$D=\{a_1,\ a_2,\cdots,\ a_k\}\ (\mathrm{mod}\,v),\ 0\leqslant a_i\leqslant v-1.$$

于是,从

$$(\theta(x))^2\equiv\theta(x)\theta\left(x^{-1}\right)\equiv n+\lambda T(x)(\mathrm{mod}(x^v-1))$$

得

$$\sum_{i=1}^{k} x^{2a_i} + 2 \sum_{1 \leqslant i < j \leqslant k} x^{a_i + a_j} \equiv n + \lambda T(x) (\operatorname{mod}(x^v - 1)). \qquad (14.3.32)$$

(14.3.32)的左节的第二个和集项后的每一项的系数都是偶数,而第一个和中只有 k 项,最多生产 k 个不同的项. 对非平凡循环差集,有 $k < v - 2$. 因此在第一个和中,至少 x^1, $x^2, \cdots,$ x^{v-1} 中有一项不出现. 比较(14.3.32)中左右两节该项的系数得

$$\lambda \equiv 0 (\operatorname{mod} 2). \qquad (14.3.33)$$

如果当(14.3.32)的第一个和集项后, 有一个非常数项的系数为奇, 则比较(14.3.32)两节该项的系数, 得 $2 \nmid \lambda$, 这与(14.3.33)矛盾. 因此, (14.3.32)的第一个和中除了可能发生的一项常数项外, 其余项都可配对, 使得每一对中的二项相同$(\operatorname{mod} v)$. 不失一般, 可设

$$2a_1 \equiv 2a_2, 2a_3 \equiv 2a_4, \cdots,$$

$$\begin{cases} 2a_{k-2} \equiv 2a_{k-1} & \text{若} 2 \nmid k, \\ & (\operatorname{mod} v), \\ 2a_{k-1} \equiv 2a_k & \text{其他.} \end{cases} \qquad (14.3.34)$$

而且当 $2 \mid v$ 时, 由(14.3.34)得

$$a_1 \equiv a_2, \quad a_3 \equiv a_4, \quad \cdots \left(\operatorname{mod} \frac{v}{2}\right),$$

$$\begin{cases} a_{k-2} \equiv a_{k-1} & \text{若} 2 \nmid k, \\ & \left(\operatorname{mod} \frac{v}{2}\right), \\ a_{k-1} \equiv a_k & \text{其他.} \end{cases}$$

这就是说, $x^{\frac{v}{2}}$ 在

$$\theta(x) \theta\left(x^{-1}\right) \equiv \sum_{1 \leqslant i, \, j \leqslant k} x^{a_i - a_j} \equiv n + \lambda T(x) (\operatorname{mod}(x^v - 1))$$

的右节中出现至少 $k - 1$ 次, 从而 $\lambda \geqslant k - 1$. 然而此时的循环差集是平凡的. 当 $2 \nmid v$ 时, (14.3.34)给出

$$a_1 \equiv a_2, \quad a_3 \equiv a_4, \cdots (\bmod v),$$

$$\begin{cases} a_{k-2} \equiv a_{k-1} & \text{若} 2 \nmid k, \\ & (\bmod v), \\ a_{k-1} \equiv a_k & \text{其他}. \end{cases}$$

这只有 $k = 1$ 才可能. 此时的循环差集也是平凡的. 综上所证即得定理. **证毕**.

可以利用循环差集的乘数的性质来构造一些循环差集, 或者证明某些指定参数的循环差集的不存在性. 这一课题将在下章讨论. 为了那里的需要, 下面证明一个与此有关的结果.

引理 14.3.1. 假设存在一个 (v, k, λ) 循环差集 $D(\bmod v)$, 且 $t(\bmod v)$ 是它的一个乘数. 对任一 $a \in [0, v-1]$, 假设 m 是使 $t^m a \equiv a(\bmod v)$ 成立的最小正整数, 且作 $[0, v-1]$ 的子集 ($\langle b \rangle$ 表 b 的最小非负剩余)

$$\left\{ \langle a \rangle, \langle ta \rangle, \langle t^2 a \rangle, \cdots, \langle t^{m-1} a \rangle \right\}, (\bmod v) \tag{14.3.35}$$

那么, 在形如 (14.3.35) 的子集中, 一定存在若干个, 它们的元素的总数为 k, 它们一起组成一个 (v, k, λ) 循环差集.

证明. 因为 t 是已给差集 D 的乘数, 故存在 D 的一个移位 $D+s$, 合 $t(D+s) = D+s$, 即 $D+s$ 由形如 (14.3.35) 的某些子集组成. **证毕**.

对循环差集 D, 形如 (14.3.35) 的子集叫做乘数 t 固定的块. 由初等数论的知识可知, 形如 (14.3.35) 的二块, 要么它们无公共元, 要么它们完全一样. 所以, 形如 (14.3.15) 的全部不同的块构成集 $[0, v-1]$ 的一个分解. 因块 (14.3.15) 中诸元互不相同, 故其元素个数为 m, 且 m 是 t 的次数 $(\bmod v)$ 的因数; 当 $\gcd(a, v) = 1$ 时, m 就是 t 的次数 $(\bmod v)$. 因此, 有

系 1. 设 v 是一个素数. 如果存在 (v, k, λ) 循环差集以 t 为其一个乘数, 则

$$k \equiv 0, \ \text{或} 1(\bmod m),$$

这里 m 是 t 的次数 $(\bmod v)$.

此外, 还有

系 2. 设 v 是一个素数, $k \geqslant 2$. 如果存在 (v, k, λ) 循环差集 D 以 t 为其乘数, 则必有与 D 等价的一个循环差集, 它含 $\bar{1}$ 所在的块, 且被 t 固定.

证明. 由定理 14.3.3, 可设 D 是被 t 固定的一个 (v, k, λ) 循环差集. 当 $k \geqslant 2$ 时, D 中至少有一个元非 $\bar{0}$, 记该元为 $\bar{a}$. 因 $\gcd(v, a) = 1$, 故有 a' 合 $aa' \equiv 1(\bmod v)$. 因此, $a'D$ 就含 $\bar{1}$ 所在的块, 而 $a'D$ 是一个被 t 固定且与 D 等价的循环差集. **证毕**.

对于 w-乘数, 有

系 3. 假设存在一个 (v, k, λ) 循环差集 D, 且 w 是 v 的一个正因数. 又设 t 是 D 的一个 w- 乘数. 对任一 $a \in [0, w-1]$, 设 m 是使 $t^m a \equiv a (\bmod w)$ 成立的最小正整数, 且作 $[0, w-1]$ 的子集

$$S_a = \{\langle a \rangle, \langle ta \rangle, \langle t^2 a \rangle, \cdots, \langle t^{m-1} a \rangle\},$$

这里, $\langle b \rangle$ 表 b 的最小非负剩余 $(\bmod w)$. 那么 D 的 Hall 多项式 $\theta(x)$ 满足

$$\theta(x) \equiv \sum_a c_a \sum_{i \in s_a} x^i (\bmod (x^w - 1)),$$

$$0 \leqslant c_a \leqslant \frac{v}{w}.$$

这里第一个和的求和指标 a 遍历使诸 S_a 互不相同的全部可能的 a 值.

14.4 循环拟差集

在 (v, k, λ) 循环差集 $D(\bmod v)$ 的定义中, 要求对每一数 $d \not\equiv 0(\bmod v)$ 都恰有 λ 种方式表为 D 中二数之差 $(\bmod v)$. 如果不是合 $d \not\equiv 0(\bmod v)$ 的每一数, 而是绝大多数这样的数都恰有 λ 种方式表为某一集 $D'(\bmod v)$ 中二数之差 $(\bmod v)$, 则 D' 不是循环差集. 但是, 它却很接近于一个循环差集. H.J.Ryser[9] 首先研究这样的集, 并把它叫做循环拟差集. 更准确地说, Ryser 研究了他叫做 I 型和 II 型循环拟差集的集存在性问题.

定义 14.4.1. 设 $v \geqslant 4, 2 \mid v$ 且 $D_1 \equiv \{a_1, a_2, \cdots, a_k\}(\bmod v)$. D_1 叫做 $(v, k \lambda)$– I 型循环拟差集, 如果对于每一数

$$d \not\equiv 0, \frac{v}{2}(\bmod v),$$

都恰有 λ 种方式表为 D_1 中二数之差 $(\bmod v)$:

$$a_i - a_j \equiv d(\bmod v),$$

而数 $\frac{v}{2}(\bmod v)$ 没有一种方式可以表为 D_1 中二数之差 $(\bmod v)$.

由此定义立刻推得, 存在 (v, k, λ)– I 型循环拟差集的一个必要条件是

$$\lambda(v-2) = k(k-1).\tag{14.4.1}$$

这是因为，该式的左右两节都是方程

$$x \equiv y - z \pmod{v}, \quad x \not\equiv 0, \frac{v}{2} \pmod{v}, \quad y, \ z \in D_1$$

的解$(x, \ y, \ z)$的个数.

定义 14.4.2.　设$v \geqslant 4$且$D_2 \equiv \{a_1, \ a_2, \cdots, \ a_k\} \pmod{v}$. D_2叫做$(v, \ k, \ \lambda)$-II型循环拟差集，如果对于每一数

$$d \not\equiv 0, \pm 1 \pmod{v},$$

都恰有λ种方式表为D_2中二数之差$\pmod{v}$:

$$a_i - a_j \equiv d \pmod{v},$$

而数$\pm 1 \pmod{v}$没有一种方式可以表为D_2中二数之差$\pmod{v}$.

由此定义立刻推得，存在$(v, \ k, \ \lambda)$-II型循环拟差集的一个必要条件是

$$\lambda(v - 3) = k(k - 1). \tag{14.4.2}$$

同$(14.4.1)$类似地，$(14.4.2)$的左右两节都是方程

$$x \equiv y - z \pmod{v}, \quad x \not\equiv 0, \pm 1 \pmod{v}, \quad y, \ z \in D_2$$

的解$(x, \ y, \ z)$的个数.

除了$(14.4.1)$和$(14.4.2)$以外，Ryser[9]还得出了其他一些必要条件. 这里只拟介绍循环差集的这两种变体的概念，使得读者知道存在这两种变体，而当需知其详的时候，可以从上面所引的论文中寻得更多的结果.

14.5　$m - (v; \ k_1, \ k_2, \cdots, \ k_m; \ \lambda)$循环差集

本节讨论循环差集的一种推广.

定义 14.5.1.　设$D_1, \ D_2, \cdots, \ D_m \pmod{v}$是$m$个非空子集，且$|D_i| = k_i . (1 \leqslant i \leqslant m)$对$d \not\equiv 0 \pmod{v}$，记方程

$$d \equiv y - z \pmod{v}, \quad y, \ z \in D_i$$

的解$(y, \ z)$的个数为λ_i. 如果对每一$d \not\equiv 0 \pmod{v}$，$\sum\limits_{i=1}^{m} \lambda_i$都是一个不依赖于$d$的常值$\lambda$，则称这$m$个子集的有序组$(D_1, \ D_2, \cdots, \ D_m)$是一个$m - (v; k_1, \ k_2, \cdots, \ k_m;$

$\lambda)$ 循环差集 $(\bmod v)$.

当 $k_1 = k_2 = \cdots = k_m = k$ 时，$m-(v;\ k_1,\ k_2,\cdots,\ k_m;\ \lambda)$ 循环差集又简记为 $m-(v;\ k;\ \lambda)$ 循环差集.

当 $m = 1$ 时，$1-(v;\ k;\ \lambda)$ 循环差集就是 $(v,\ k,\ \lambda)$ 循环差集. 所以，$m-(v;\ k_1,\ k_2,\cdots,\ k_m;\ \lambda)$ 循环差集确为 $(v,\ k,\ \lambda)$ 循环差集的一种推广.

关于 $m-(v;\ k_1,\ k_2,\cdots,\ k_m;\ \lambda)$ 循环差集的诸参数之间的关系，有

引理 14.5.1.   如果存在 $m-(v;\ k_1,\ k_2,\cdots,\ k_m;\ \lambda)$ 循环差集，则

$$\lambda(v-1) = \sum_{j=1}^{m} k_j(k_j-1). \tag{14.5.1}$$

证明.   (14.5.1)的左右两节都是以下诸方程

$$x \equiv y_1 - z_1 (\bmod v),\ \ x \not\equiv 0(\bmod v),\ \ y_1,\ z_1 \in D_1,$$
$$x \equiv y_2 - z_2 (\bmod v),\ \ x \not\equiv 0(\bmod v),\ \ y_2,\ z_2 \in D_2,$$
$$\cdots\cdots$$
$$x \equiv y_m - z_m (\bmod v),\ \ x \not\equiv 0(\bmod v),\ \ y_m,\ z_m \in D_m$$

的解的总数，故相等. **证毕.**

根据下面的定理可以构造出一些 $m-(v;\ k_1,\ k_2,\cdots,\ k_m;\ \lambda)$ 循环差集.

定理 14.5.1.   设 $p = 4t + 1$ 是一个素数，g 是 p 的原根. 记 p 的全体非零二次剩余所组成的集为 Q：

$$Q \equiv \left\{ g^{2i} \big|\ i \in [0,2t-1] \right\}(\bmod v),$$

p 的全体二次非剩余所组成的集为 R：

$$R \equiv \left\{ g^{2i+1} \big|\ i \in [0,2t-1] \right\} \equiv gQ(\bmod v).$$

那么，$(Q,\ R)$ 就是一个 $2-(4t+1; 2t; 2t-1)$ 循环差集，$(\bmod(4t+1))$.

证明.   设 $d \not\equiv 0(\bmod p)$ 是一个固定的数，$q \in Q$，$r \in R$. 那么，同余式

$$d \equiv q_1 - q_2 (\bmod p),\ \ q_1,\ q_2 \in Q \tag{14.5.2}$$

成立的充要条件是

$$qd \equiv qq_1 - qq_2 (\bmod p) \tag{14.5.3}$$

成立，也是

$$rd \equiv rq_1 - rq_2 \,(\mathrm{mod}\, p) \qquad\qquad (14.5.4)$$

成立，让 q 遍历 Q 中元，则当 $d \in Q$ 时，qd 遍历 Q 中元；当 $d \in R$ 时，qd 遍历 R 中元.

对 $d_1 \in Q$，$d_2 \in R$，考虑以下四个方程：

$$d_1 \equiv q_1 - q_2 \,(\mathrm{mod}\, p), \quad q_1, \quad q_2 \in Q, \qquad\qquad (14.5.5)$$

$$d_2 \equiv q_1 - q_2 \,(\mathrm{mod}\, p), \quad q_1, \quad q_2 \in Q, \qquad\qquad (14.5.6)$$

$$d_1 \equiv r_1 - r_2 \,(\mathrm{mod}\, p), \quad r_1, \quad r_2 \in R, \qquad\qquad (14.5.7)$$

$$d_2 \equiv r_1 - r_2 \,(\mathrm{mod}\, p), \quad r_1, \quad r_2 \in R. \qquad\qquad (14.5.8)$$

由(14.5.2)和(14.5.3)知，对任意固定的 $d_1 \in Q$，方程(14.5.5)的解的个数都是一个不依赖于 d_1 的常数. 记这个数为 λ_1. 由 (14.5.2) 和 (14.5.4)知，对任意固定的 $d_2 \in R$，方程(14.5.8)的解的个数也是 λ_1.

类似地，同余式

$$d \equiv r_1 - r_2 \,(\mathrm{mod}\, p), \quad r_1, \quad r_2 \in R \qquad\qquad (14.5.9)$$

成立的充要条件是

$$qd \equiv qr_1 - qr_2 \,(\mathrm{mod}\, p)$$

成立，也是

$$rd \equiv rr_1 - rr_2 \,(\mathrm{mod}\, p)$$

成立. 因此，对任意固定的 $d_2 \in R$，方程(14.5.6)的解的个数都是一个不依赖于 d_2 的常数(记为 λ_2)；而且对任意固定的 $d_1 \in Q$，方程(14.5.7)的解的个数也是 λ_2.

这样一来，对任意固定的 $d_1 \in Q$，它可表为 λ_1 对 Q 中元之差，λ_2 对 R 中元之差；对任意固定的 $d_2 \in R$，它可表为 λ_2 对 Q 中元之差，λ_1 对 R 中元之差. 因此，由 $|Q| = |R| = 2t$ 知，$(Q,\ R)$ 是一个 $2-(4t+1; 2t; \lambda_1 + \lambda_2)$ 循环差集.

剩下的工作就只是证明

$$\lambda_1 + \lambda_2 = 2t - 1. \qquad\qquad (14.5.10)$$

由 (14.5.1)，对 $2-(4t+1; 2t; \lambda_1 + \lambda_2)$ 循环差集，$2t(2t-1) + 2t(2t-1) = (\lambda_1 + \lambda_2)((4t+1)-1)$，故(14.5.10)成立. **证毕**.

14.6 循环相对差集

A.T.Butson[1]在 1963 年, J.E.H.Elliott 和 A.T.Butson[1]在 1966 年, J.Summer 和 A.T.Butson[1]在 1983 年等先后将循环差集推广为循环相对差集.

设 m 和 n 都是正整数, 且 $v = mn$. 于是,

$$H = \{\overline{0},\ \overline{m},\ \overline{2m}, \cdots, \overline{(n-1)m}\}$$

是循环群 Z_v 的子群. 设 $D = \{\overline{a}_1,\ \overline{a}_2, \cdots,\ \overline{a}_k\}$ 是 Z_v 的一个 k 元子集, $\overline{a}_i \neq \overline{a}_j (1 \leqslant i \neq j \leqslant k)$.

定义 14.6.1. 如果 D 满足条件

(1)对 $\overline{d} \notin H$, 方程

$$\overline{x} - \overline{y} = \overline{d}\,(\overline{x},\ \overline{y} \in D) \tag{14.6.1}$$

都恰有 λ_1 个解 $(\overline{x},\ \overline{y})$

(2)对 $\overline{d} \in H$, $\overline{d} \neq \overline{0}$, 方程(14.6.1)都恰有 λ_2 个解 $(\overline{x},\ \overline{y})$, 则称 D 是 Z_v 相对于子群 H 的一个 $(m,\ n;\ k;\ \lambda_1,\ \lambda_2)$ 循环差集, 或简称为 $(m,\ n;\ k;\ \lambda_1,\ \lambda_2)$ 循环相对差集.

如果 $n = 1$, 则 $H = \{\overline{0}\}$. 记 $\lambda_1 = \lambda$, 则此时的循环差集就是 $(v,\ k,\ \lambda)$ 循环差集.

对 v 分解为多个正整数之积的形式时, 在适当的条件下, 有类似的定义.

设 $v_1,\ v_2, \cdots,\ v_t$ 是 $t(\geqslant 2)$ 个两两互素的正整数, 且 $v = v_1 v_2 \cdots v_t$. 今设 α 是集 $V = \{v_1,\ v_2, \cdots,\ v_t\}$ 的全部真子集到 $[1, 2^t - 1]$ 上的一个 $(1, 1)$ 映射. 对 V 的真子集 Y, 记

$$C(Y) = \left\{z \in [0,\ v-1] \,\middle|\, \begin{array}{l} y \mid z \text{对一切} y \in Y \text{成立}, \\ \text{且} y' \nmid z \text{对一切} y' \in \overline{Y} \text{成立} \end{array}\right\},$$

这里 $\overline{Y} = V \setminus Y$. 再设 $D = \{\overline{a}_1,\ \overline{a}_2, \cdots,\ \overline{a}_k\}$ 是 Z_v 的一个 k 元子集.

定义 14.6.2. 如果 D 满足条件: 对任一固定的 $i(1 \leqslant i \leqslant 2^t - 1)$, 当 $\alpha(Y) = i$ 时, 对任一 $d \in C(Y)$, 方程

$$\overline{x} - \overline{y} = \overline{d},\ \overline{x},\ \overline{y} \in D$$

恰有 λ_i 个解 $(\overline{x},\ \overline{y})$，则称 D 是 Z_v 的一个 $\left(v_1,\ v_2,\cdots,\ v_t;\ k;\ \lambda_1,\ \lambda_2,\cdots,\ \lambda_{2^t-1}\right)$ 循环相对差集.

14.4 节中介绍的 Ⅰ 型循环拟差集可以视为一种特殊的循环相对差集. 因为此时 $2\mid v$，故只要取 $n=2$，$m=\dfrac{v}{2}$，$\lambda_1=\lambda$，$\lambda_2=0$，则 $\left(\dfrac{v}{2},2,\ \lambda,0\right)$ 循环相对差集就是 $(v,\ k,\ \lambda)$–Ⅰ 型循环拟差集.

关于循环相对差集的构造方法和不存在性定理以及它同区组设计的关系等课题，可参看本节首所引的文献，以及沈国祥[1].

14.7　循　环　加　集

1975 年起，C.W.H.Lam[1-5]提出并研究了循环差集的另一种推广，这就是本节要概略介绍的课题.

设 $D=\{\overline{a}_1,\ \overline{a}_2,\cdots,\ \overline{a}_k\}$ 是 Z_v 的一个 k 元子集，且 g 是整数，合 $0<g<v$.

定义 14.7.1.　如果 D 满足条件：对 Z_v 中任一元 $\overline{s}\neq\overline{0}$，方程

$$\overline{x}+\overline{g}\overline{y}=\overline{s},\quad \overline{x},\ \overline{y}\in D$$

的解 $(\overline{x},\overline{y})$ 的个数都是 λ，则称 D 是一个 $(v,\ k,\ \lambda,\ g)$ 循环加集.

于是，$(v,\ k,\ \lambda,\ -1)$ 循环加集就是 $(v,\ k,\ \lambda)$ 循环差集.

与循环差集的情况类似，对任意正整数 v 和 $\overline{g}\neq 0$，$k=0,\ 1,\ v-1$，v 的循环加集很容易全部列出，故称这些加集是平凡的，满足

$$2\leqslant k\leqslant v-2 \tag{14.7.1}$$

的循环加集是非平凡的.

由集 D 的 Hall 多项式 $\theta_D(x)$（或简记为 $\theta(x)$）在循环差集研究中的重要作用，可以预料，它在循环加集的研究中也将起重要的作用. 关于 $\theta_D(x)$，有

定理 14.7.1.　$D=\{\overline{a}_1,\ \overline{a}_2,\cdots,\ \overline{a}_k\}$ 是一个 $(v,\ k,\ \lambda,\ g)$ 循环加集的充要条件是

$$\theta(x)\theta\left(x^g\right)\equiv \beta+\lambda T(x)\left(\mathrm{mod}(x^v-1)\right). \tag{14.7.2}$$

证明.　类似于定理 14.1.2 的证明. **证毕.**

定理 14.7.2.　对非平凡的 $(v,\ k,\ \lambda,\ g)$ 循环加集，有

$$k^2=\beta+\lambda v, \tag{14.7.3}$$

$$0 \leqslant \beta + \lambda \leqslant k, \tag{14.7.4}$$
$$0 < \lambda < k, \tag{14.7.5}$$
$$|\beta| < k. \tag{14.7.6}$$

证明. 设 $D = \{\bar{a}_1, \bar{a}_2, \cdots, \bar{a}_k\}$ 是一个 (v, k, λ, g) 循环加集, θ 是 D 的 Hall 多项式. 那么, 在(14.7.2)中代 $x = 1$ 便得(14.7.3). 由于(14.7.2)左节展开式的系数都非负, 故比较(14.7.2)两节 x^0 的系数得(14.7.4)的左不等式, 且有 $\lambda \geqslant 0$. 由于 $\theta(x)$ 恰有 k 个不同的项, 故 $\theta(x)\theta(x^g)$ 中 x^i 的系数不超过 k, 从而得(14.7.4)的右不等式, 且有 $\lambda \leqslant k$. 由(14.7.4)和

$$0 \leqslant \lambda \leqslant k \tag{14.7.7}$$

得

$$-k \leqslant \beta \leqslant k. \tag{14.7.8}$$

如果 $\beta = -k$, 则 $\lambda = k$, 代此二值入(14.7.3)得

$$k^2 = -k + kv,$$

因而 $k = 0$ 或 $k = v - 1$, 与(14.7.1)矛盾. 如果 $\beta = k$, 则 $\lambda = 0$, 代此二值入(14.7.3)得

$$k^2 = k,$$

因而 $k = 0, 1$, 也与(14.7.1)矛盾. 这就证明了(14.7.8)中的两个不等号实际上都是开口号, 从而(14.7.7)中的两个不等号实际上也都是开口号. **证毕.**

由(14.7.3)知, β 只依赖于 v, k, λ, 而不依赖于 g.

下面一个定理给出了很多平凡的情形.

定理 14.7.3. 若 $\beta \neq 0$, 则合 $\gcd(g, v) > 1$ 的 (v, k, λ, g) 循环加集都是平凡的.

证明. 设 D 是一个 (v, k, λ, g) 循环加集, $\theta(x)$ 为其 Hall 多项式. 记 $\gcd(g, v) = w$, 则(14.7.2)给出

$$\theta(x)\theta(x^g) \equiv \beta + \lambda T(x) \left(\bmod(x^w - 1) \right). \tag{14.7.9}$$

设 ξ 是一个 w 次的本原单位根, 且代 ξ 入(17.7.9)得

$$\theta(\xi)\theta(\xi^g) = \beta.$$

因 $w \mid g$, 故 $\xi^g = 1$, 因而

$$\theta(\xi)k = \beta . \tag{14.7.10}$$

由此知 $\dfrac{\beta}{k}$ 是一个有理整数. 再由 $\beta \neq 0$ 知

$$|\beta| \geqslant k ,$$

由此和(14.7.6)知, D 是平凡的循环加集. **证毕**.

定理 14.4.4. 设 D 是一个(v, k, λ, g)循环加集, 且$2\mid v, 2\nmid g$, 则 β 是一个完全平方数.

证明. 记 D 的 Hall 多项式为 $\theta(x)$, 在(14.7.4)中代 $x = -1$, 有

$$(\theta(-1))^2 = \theta(-1)\theta((-1)^g) = \beta .$$

证毕.

系. 设 D 是一个非平凡的(v, k, λ, g)循环加集, 且$2\mid v$, 则 β 是一个完全平方数.

证明. 如果 $\beta = 0$, 系的结论成立. 如果 $\beta \neq 0$, 由系的条件和定理 14.7.3 得, $\gcd(g, v) = 1$, 故$2\nmid g$. 于是, 再由定理 14.7.4 知 β 是一个完全平方数. **证毕**.

由定义 14.1.1 可得循环加集 D 的移位和乘数, 以及两个循环加集等价的概念. 值得注意的是, 虽然当 D 是一个(v, k, λ, g)循环加集, 且 $\gcd(t, v) = 1$ 时, tD 也是一个(v, k, λ, g)循环加集, 然而 $D + \bar{s}$ 却不一定再是一个循环加集.

下面的定理研究 Z_v 的同一子集既是一个(v, k, λ, g)循环加集, 又是一个(v, k, λ, h)循环加集的条件.

定理 14.7.5. 设 D 是一个非平凡的(v, k, λ, g)循环加集, 且 $\beta \neq 0$. 又设 h 是一个整数, 合 $\gcd(h, v) = 1$. 那么, 当且仅当 gh 是一个固定 D 的乘数时, D 也是一个(v, k, λ, h)循环加集.

证明. 设 D 是一个(v, k, λ, g)循环加集, 也是一个(v, k, λ, h)循环加集且 $\beta \neq 0$. 那么, (14.7.2)成立, 且有

$$\theta(x)\theta(x^h) \equiv \beta + \lambda T(x)\left(\operatorname{mod}(x^v - 1)\right). \tag{14.7.11}$$

(14.7.2)中代 $x = x^h$, 由定理 14.7.3 知 $\gcd(g, v) = 1$, 有

$$\theta(x^h)\theta(x^{gh}) \equiv \beta + \lambda T(x)\left(\operatorname{mod}(x^v - 1)\right), \tag{14.7.12}$$

用 $\theta(x)$ 乘(14.7.12)的两节, 得

$$\left(\theta(x)\theta(x^h)\right)\theta(x^{gh}) \equiv \beta\theta(x) + \lambda k T(x)\left(\operatorname{mod}(x^v - 1)\right),$$

结合(14.7.11)，
$$\beta\theta(x) + \lambda k T(x) \equiv (\beta + \lambda T(x))\theta(x^{gh})$$
$$\equiv \beta\theta(x^{gh}) + \lambda k T(x)\big(\mathrm{mod}(x^v - 1)\big),$$
即
$$\theta(x) \equiv \theta(x^{gh})\big(\mathrm{mod}(x^v - 1)\big). \tag{14.7.13}$$

这就是说，gh 是固定 D 的一个乘数.

现在假设 D 是一个非平凡的(v, k, λ, g)循环加集，$\beta \neq 0$，且 gh 是固定 D 的一个乘数. 于是，由(14.7.3)和(14.7.12)，
$$\theta(x)\theta(x^h) \equiv \theta(x^{gh})\theta(x^h) \equiv \beta + \lambda T(x)\big(\mathrm{mod}(x^v - 1)\big). \tag{14.7.14}$$

可以利用(14.7.12)的原因是，在导出它的过程中只用到(14.7.2)和 $\gcd(g, v) = 1$. (14.7.14)表明了，D 也是一个(v, k, λ, h)循环加集. **证毕**.

作为本定理的一个直接推论，可得有关(v, k, λ, g)循环加集的乘数的下述重要结果.

定理 14.7.6. 若 D 是一个非平凡的(v, k, λ, g)循环加集，且 $\beta \neq 0$，则 g^2 是固定 D 的一个乘数.

但是，这个定理对循环加集的非常重要的特款——循环差集，未能提供任何有用的结果，因为 $g = -1$ 时，$g^2 = 1$ 是一个循环差集的平凡的乘数.

有关循环加集的性质，类似于循环差集的乘数定理，以及某些类型的循环加集的构造方法等，已有不少有趣的结果，可参看本节首所引的文献.

值得一提的是，C.W.H.Lam[1]证明了：不存在非平凡的$(v, k, \lambda, 1)$循环加集. C.W.H.Lam，S.L.Ma 和 M.K.Siu[1]把 $g = 1$ 时的循环加集的概念略加修改提出了完美加集(perfect addition set)的概念，并研究了这类加集的存在性和构造等方面的问题.

14.8 群差集和正则设计

Bruck[1]于 1955 年对循环差集的概念作了另一很有意义的推广，即把基于有限循环群上的循环差集的概念推广到基于一般有限群上.

定义 14.8.1. 设 G 是一个 v 阶群，其么元记为 e，其运算叫做乘法. 设
$$D := \{a_1, a_2, \cdots, a_k\} \quad (a_i \in G)$$

是 G 的一个 k 元子集. 如果对任一 $d \in G$, $d \neq e$, d 都恰有 λ 种方式表为

$$d = a_i a_j^{-1} (1 \leqslant i \neq j \leqslant k) , \tag{14.8.1}$$

则称 D 是群的一个 (v, k, λ) 群差集, 简称为群差集.

如果 G 是 Z_v 的加群, 则(14.8.1)化为

$$d \equiv a_i - a_j (\mathrm{mod}\, v)(1 \leqslant i \neq j \leqslant k) ,$$

从而此时的群差集就是循环差集. 因此, 群差集确为循环差集的一种推广.

正如循环差集可以产生一类特殊的对称设计即循环设计一样, 群差集也可以产生一种特殊的对称设计. 为了叙述方便, 下面先给出这类特殊设计的定义.

定义 14.8.2. 设 $\mathscr{B}$ 是 v 元集 S 上的一个 (v, k, λ) 对称设计. 如果 $\mathscr{B}$ 有一个自同构群 G 满足条件:

(1) $|G| = v$,

(2) 存在 $s_0 \in S$, $B_0 \in \mathscr{B}$, 合

$$\{g(s_0) \mid g \in G\} = S,$$

$$\{g(B_0) \mid g \in G\} = \mathscr{B},$$

这里 $g(B_0) = \{g(s) \mid s \in B_0\}$, $g(s)$ 表 s 在自同构 g 之下的象, 则称 G 是设计 $\mathscr{B}$ 的一个自同构正则群, s_0 叫做 S 的基元. 一个具有自同构正则群的 (v, k, λ) 对称设计叫做 (v, k, λ) 正则设计.

定理 14.8.1. 设 D 是 v 阶群 G 的一个 (v, k, λ) 群差集, 则

$$\mathscr{B} := \{g(D) \mid g \in G\} \tag{14.8.2}$$

是以 G 为基集的一个 (v, k, λ) 正则设计, 且该设计的一个自同构正则群也是 G, 这里基集中元 $a \in G$ 在自同构 $g \in G$ 下的象 $g(a)$ 为 a 与 g 之积 $a \cdot g$.

证明. 首先证明, 由(14.8.2)确定的设计是一个 (v, k, λ) 设计. 设

$$D = \{a_1, a_2, \cdots, a_k\}, G = \{g_1, g_2, \cdots, g_v\} ,$$

其中 $g_1 = e$. 那么, 以 $\mathscr{B}$ 中诸集之元为行的列阵是

$$
\begin{array}{llll}
a_1 & a_2 & \cdots a_k \\
a_1 \cdot g_2 & a_2 \cdot g_2 & \cdots a_k \cdot g_2 \\
\multicolumn{4}{c}{\cdots\cdots} \\
a_1 \cdot g_l & a_2 \cdot g_l & \cdots a_k \cdot g_l \\
\multicolumn{4}{c}{\cdots\cdots} \\
a_1 \cdot g_v & a_2 \cdot g_v & \cdots a_k \cdot g_v
\end{array}
\tag{14.8.3}
$$

设 $\{g_i,\ g_j\}$ 是 G 的任一固定的二元子集. 因 $g_i \neq g_j$, 故 $d := g_i g_j^{-1} \neq e$. $\{g_i,\ g_j\} \subseteq g_l(D)$ 的充要条件是, 存在 a_β 和 a_δ 合

$$a_\beta \cdot g_l = g_i,\quad a_\delta \cdot g_l = g_j,$$

即

$$g_l = a_\beta^{-1} \cdot g_i = a_\delta^{-1} \cdot g_j . \tag{14.8.4}$$

因此, 存在 g_l 合 $\{g_i,\ g_j\} \subseteq g_l(D)$ 的充要条件是存在 a_β 和 a_δ 合

$$a_\beta \cdot a_\delta^{-1} = d , \tag{14.8.5}$$

且当(14.8.5)满足时, g_l 可由(14.8.4)定出. 由于合(14.8.5)的有序偶 $(a_\beta,\ a_\delta)$ 共有 λ 个, 故包含 g_i 和 g_j 的 $g_l(D)$ 共有 λ 个. 很明显, G 是 $\mathscr{B}$ 的一个自同构正则群. **证毕**.

这个定理的逆也成立, 即有

定理 14.8.2. 设 $\mathscr{B}$ 是基集 S 上的一个 $(v,\ k,\ \lambda)$ 正则设计, G 是它的一个自同构正则群, s_0 是 S 的基元. 设 $B = \{s_1,\ s_2, \cdots,\ s_k\} \in \mathscr{B}$, 且 $s_i = g_i(s_0)(1 \leqslant i \leqslant k)$, $g_i \in G$. 那么,

$$D := \{g_1,\ g_2, \cdots,\ g_k\}$$

是群 G 的一个 $(v,\ k,\ \lambda)$ 群差集.

证明. 因 G 是设计 $\mathscr{B}$ 的自同构正则群, 故 $\mathscr{B}$ 的全部区组为

$$g(B) = \{g(g_1(s_0)),\ g(g_2(s_0)), \cdots,\ g(g_k(s_0))\},\quad g \in G .$$

设 $h \in G, h \neq e$, 则存在 $h_1 \neq h_2 \in G$, 合 $h = h_1 \cdot h_2^{-1}$. S 中二相异元 $h_1(s_0)$, $h_2(s_0)$ 在 $g(B)$ 中出现的充要条件是, 存在 $i, j(1 \leqslant i \neq j \leqslant k)$, 合

$$(g_i \cdot g)(s_0) = h_1(s_0), (g_j \cdot g)(s_0) = h_2(s_0),$$

即

$$g = g_i^{-1} \cdot h_1 = g_j^{-1} \cdot h_2 .$$

此式成立的充要条件是

$$g_i \cdot g_j^{-1} = h_1 \cdot h_2^{-1} . \tag{14.8.6}$$

由于 $h_1(s_0)$ 和 $h_2(s_0)$ 在 λ 个 $g(B)$ 中出现, 故存在 λ 对足标 i, j 合(14.8.6), 因而 h

可有 λ 种方式表为 $g_i \cdot g_j^{-1}$. 由 $h(\neq e)$ 的任意性即得定理. **证毕**.

由上面两个定理可知，$(v，k，\lambda)$ 群差集的研究可化为 $(v，k，\lambda)$ 正则设计的研究，且反之亦然.

综合上面两个定理还可得

系.   定义 14.8.1 中的条件"对任一 $d \in G$，$d \neq e$，d 都恰有 λ 种方式表为 (14.8.1) 的形式"与下述条件等价：对任一 $d \in G$，$d \neq e$，d 都恰有 λ 种方式表为

$$d = a_i^{-1} a_j (1 \leqslant i \neq j \leqslant k). \tag{14.8.7}$$

证明.   设 $h \in G$，$h \neq e$. 那么存在 $h_1 \neq h_2 \in G$，合 $h = h_1 \cdot h_2^{-1}$. 对于 v 阶群 G 上的 $(v，k，\lambda)$ 群差集 $D = \{a_1，a_2，\cdots，a_k\}$，由定理 14.8.1，(14.8.2) 所界定的 $\mathscr{B}$ 是一个 $(v，k，\lambda)$ 对称设计，因而 (14.8.3) 的任二行恰有 λ 个公共元. 因此，对 h_1 和 h_2，恰有 λ 对 i_l，$j_l (1 \leqslant l \leqslant \lambda)$ 合 $1 \leqslant i_1 < i_2 < \cdots < i_\lambda \leqslant k$，且

$$a_{i_l} \cdot h_1 = a_{i_l} \cdot h_2 (1 \leqslant l \leqslant \lambda)， \tag{14.8.8}$$

即

$$a_{i_l}^{-1} \cdot a_{i_l} = h_1 \cdot h_2^{-1} = h \ (1 \leqslant l \leqslant \lambda). \tag{14.8.9}$$

这就证明了结论的前一半.

反之，若 (14.8.9) 成立，则 (14.8.8) 成立，因而由 (14.8.2) 界定的 $\mathscr{B}$ 的任二区组都恰有 λ 个公共元，故是一个 $(v，k，\lambda)$ 对称设计，而且 G 是该设计的一个自同构正则群. 再由定理 14.8.2 知，关于 (14.8.1) 的条件成立. 这就证明了结论的后一半. **证毕**.

对于群差集，也有类似的 Hall 多项式，乘数定理等. 这里不拟讨论这些问题. 对此有兴趣的读者可以把这些问题的研究作为练习，或者参看 M. Hall[4].

下面介绍一个简单的例子，它给出了一个非循环差集的群差集.

例 14.8.1.   设 G 是由 a，b，c，d 四个元素生成的 Abel 群，这里 a，b，c，d 合

$$2a = 2b = 2c = 2d = 0. \tag{14.8.10}$$

于是

$$D = \{a，b，c，d，a+b，c+d\}$$

组成 G 的一个 $(16，6，2)$ 群差集.

证明.   由于 (14.8.10)，G 中共有 16 个元素：

$$
\begin{aligned}
&a,\ b,\ c,\ d,\ a+b,\ a+c,\ a+d,\ b+c,\\
&b+d,\ c+d,\ a+b+c,\ a+b+d,\ a+c+d,\\
&b+c+d,\ a+b+c+d,0.
\end{aligned}
\tag{14.8.11}
$$

全部可能的 D 中二相异元之差为

$$
\begin{aligned}
&\pm(a-b)=a+b,\pm(a-c)=a+c,\\
&\pm(a-d)=a+d,\pm(a-(a+b))=b,\\
&\pm(a-(c+d))=a+c+d,\pm(b-c)=b+c,\\
&\pm(b-d)=b+d,\pm(b-(a+b))=a,\\
&\pm(b-(c+d))=b+c+d,\pm(c-d)=c+d,\\
&\pm(c-(a+b))=a+b+c,\pm(c-(c+d))=d,\\
&\pm(d-(a+b))=a+b+d,\pm(d-(c+d))=c,\\
&\pm((a+b)-(c+d))=a+b+c+d.
\end{aligned}
\tag{14.8.12}
$$

(14.8.12)中诸等式的右节正好是(14.8.11)中除 0 以外的全部元. 因此，G 中任一非零元都恰有两种方式表为 D 中二元之差. 这就是说，D 是 G 中的一个$(16，6，2)$群差集. **证毕**.

对于若干具体参数值的 Abel 群差集的构造或不存在性方面的结果，已有表供查. 例如，可参看 Lander [1]，该书是有关 Abel 群差集的系统的著作.

自然，可以把 14.5—14.8 诸节对循环差集的几种推广的某一些或全体结合起来，产生更一般的概念. 因篇幅和本书主题的限制，这里不拟沿此路线深入下去，只是简单介绍一下把 14.5 节和本节的推广结合起来而得的一种推广供用.

定义 14.8.3. 设 G 是一个 v 阶群，其么元记为 e，其运算叫做乘法. 设 $D_i(1\leqslant i\leqslant m)$ 是 G 的 k_i 元子集. 对 $d\in G$，$d\neq e$，记方程

$$
d=yz^{-1},\ y,\ z\in D_i
$$

的解$(y，z)$的个数为 $\lambda_i(d)$. 如果对每一 $d\neq e,\displaystyle\sum_{i=1}^{m}\lambda_i(d)$ 都是一个不依赖于 d 的常数 λ，则称这 m 个子集的有序组 $(D_1，D_2，\cdots，D_m)$ 是群 G 的一个 $m-(v;\ k_1，k_2,\cdots，k_m;\ \lambda)$ 群差集. 如果 $k_1=k_2=\cdots=k_m=k$，则简称为 $m-(v;\ k;\ \lambda)$ 群差集.

同引理 14.5.1 类似，有

引理 14.8.1. 如果存在 $m-(v;\ k_1，k_2,\cdots，k_m;\ \lambda)$ 群差集，则诸参数间有关系式(14.5.1).

当 $m = 1$ 时，得

系. 如果存在 (v, k, λ) 群差集，则

$$\lambda(v-1) = k(k-1).$$

下面的定理构造出了一类 2-(4t+1; 2t; 2t-1)群差集.

定理 14.8.3. 设 $p^n = 4t+1$ 是一个素数的方幂，g 是有限域 $GF(p^n)$ 的一个原根. 记 $GF(p^n)$ 中全体非零平方元所组成的集为 Q :

$$Q := \{g^{2i} | 0 \leqslant i \leqslant 2t-1\},$$

全体非平方元所组成的集为 R:

$$R := \{g^{2i+1} | 0 \leqslant i \leqslant 2t+1\}.$$

那么，(Q, R) 就是 $GF(p^n)$ 的加法群的一个 2-(4t+1; 2t; 2t-1)群差集.

只需把定理 14.5.1 的证明移植过来即可证得本定理.

有关群差集的其他一些构造方面的结果将在第十五章中介绍.

第十五章 循环设计和正则设计的构造方法

有五个常用的构造循环设计的方法. 第一个方法基于乘数所固定的块(15.1)，第二个方法基于差集的 Hall 多项式的性质(15.2)，第三个方法以有限射影几何为工具(15.3)，第四个方法由奇素数模的 m 次剩余所产生的某些类所组成(15.4)，第五个方法把第四个方法推广到两个相异奇素数之积的情形. 这些方法都只在一定的范围内有效，各有各的用途. 第四和第五两种方法可以推广而构造出一些类型的群差集(15.6). 本章的宗旨就是介绍这些构造方法.

15.1 循环设计的构造方法一

基于引理 14.3.1，可以提出一个构造某些 $(v，k，\lambda)$ 循环差集或否定其存在的方法. 当其需要构造出一个 $(v，k，\lambda)$ 循环差集以供使用或者需要判明它的存在性，而已知的构造方法例如本章的 15.2—15.4 节中提供的方法或已知的存在性定理又得不出任何结论时，在参数 v 不太大的情况下往往借助于穷举法. 但是穷举法的工作量很大，因为在最坏而又可能发生的情形，要验证 $[0，v-1]$ 的 $\binom{v}{k}$ 个 k 元子集的每一个是否为 $(v，k，\lambda)$ 循环差集. 但是 $\binom{v}{k}$ 这个数常常大得无法进行这一验证，哪怕借助于高速电子计算机. 由引理 14.3.1 提供的下述方法往往能把需要验证的 k 元子集的个数大大减少而使得验证工作成为可行的.

这个办法的步骤如下：假定存在 $(v，k，\lambda)$ 循环差集 D,

(1)用乘数定理或其他方法，找到 D 的一个乘数 t;

(2)作集 $[0，v-1]$ 的一个分解，其中每一子集都是乘数 t 所固定的块;

(3)元素的总数为 k 的诸块才可能组成一个 $(v，k，\lambda)$ 循环差集，暂且把它们叫做 $(v，k，\lambda)$ 后备;

(4)对(3)中的每一 $(v，k，\lambda)$ 后备验证其是否为一个 $(v，k，\lambda)$ 循环差集，若是，则得出所求的循环差集;

(5)如果经(4)未得出任何循环差集，则可以断定不存在任何 $(v，k，\lambda)$ 循环差集.

当 v 是素数时，由引理 14.3.1 的系 2，可以认定 1 所在的块包含在所要求的差集之中，因而只需考虑包含该块的那些 $(v，k，\lambda)$ 后备.

下面来看应用这一方法的一些例子.

例 15.1.1. 考察(7，3，1)循环差集的存在性，如果存在，试构造出一个这样的差集，并讨论互不等价的这样的差集的个数.

解. 假定存在(7，3，1)循环差集 D. 因为 $3-1=2>1$，故素数 2 是 D 的一个乘数. 不失一般，设 2 固定差集 D. [0，6]可以分解成被 2 固定的诸块：

$$\{0\}, \{1, 2, 4\}, \{3, 5, 6\},$$

其中包含 1 的(7，3，1)后备的仅有：

$$\{1, 2, 4\}.$$

可以直接验证，$\{1，2，4\}$ 是一个(7，3，1)循环差集. 因此，由 7 是素数和引理 14.3.1 的系 2 知，在等价的意义下，这是唯一的(7，3，1)循环差集. **解毕.**

例 15.1.2. 考察(21，5，1)循环差集的存在性，如果存在，试构造出一个这样的差集.

解. 设存在(21，5，1)差集 D. 由定理 14.3.2，2 是 D 的一个乘数. 不失一般，设 2 固定差集 D. [0，20]可以分解成被 2 固定的诸块：

$$\{0\}, \{1, 2, 4, 8, 11, 16\},$$

$$\{3, 6, 12\}, \{5, 10, 13, 17, 19, 20\},$$

$$\{7, 14\}, \{9, 15, 18\},$$

由此能作出的(21，5，1)后备的仅有

$$\{3, 6, 7, 12, 14\}, \tag{15.1.1}$$

$$\{7, 9, 14, 15, 18\}. \tag{15.1.2}$$

可以直接验证(15.1.1)是一个(21，5，1)循环差集. 又从

$$\left(x^5\right)^3 + \left(x^5\right)^6 + \left(x^5\right)^7 + \left(x^5\right)^{12} + \left(x^5\right)^{14}$$
$$\equiv x^7 + x^9 + x^{14} + x^{15} + x^{18} (\mathrm{mod}(x^{21}-1)),$$

知，(15.1.2)也是一个(21，5，1)循环差集，且与(15.1.1)等价. **解毕.**

实际上已经证明了(21，5，1)差集在等价的意义下是唯一的. 值得一提的是，差集(15.1.1)中的每一个数都与 $v=21$ 不互素. 在已知的差集中，具有这样的性质的互不等价的差集只有这一个.

例 15.1.3. 考察(151，51，17)循环差集的存在性.

解. 假定存在一个(151，51，17)循环差集 D. 因为 $51 - 17 = 34 = 2 \cdot 17$，而

$$2^{14} \equiv 17^{35} \equiv 76 (\mathrm{mod}\, 151)，$$

故 $76(\mathrm{mod}\, 151)$ 是 D 的一个乘数. 注意到 151 是个素数，且 76 的次数 $(\mathrm{mod}\, 151)$ 是 15，所以 D 中元的个数 $\equiv 0$ 或 $1(\mathrm{mod}\, 15)$. 但是，$51 \not\equiv 0$，$1(\mathrm{mod}\, 15)$，所以，(151，51，17)循环差集不存在. **解毕.**

用这里的方法来构造具特定参数的循环差数或反证其存在性时，关于 w-乘数的结果有时会提供一些方便.

沿用定理 14.3.2 的证明可以推得一个类似的结果：如果 w 是 v 的一个正因数，$\gcd(n_0，w)=1$，$n_0 > \dfrac{\lambda v}{w}$，且对 n_0 的每一素因数 p 都有一个非零整数 e 合 $p^e \equiv t(\mathrm{mod}\, w)$，这里 t 是一个固定的整数，那么，t 是一个 w 乘数. 但是，条件 $n_0 > \dfrac{\lambda v}{w}$ 很难满足，因而这一结果的用处不大. 下面的定理却有用一些.

定理 15.1.1. 假定存在 $(v，k，\lambda)$ 循环差集 D，且正整数 $w \mid v$. 又假定对于 $n = k - \lambda$ 的每一素因数 p 都有一个非负整数 e 合

$$p^e \equiv t(\mathrm{mod}\, w)，$$

这里 t 是一个固定的整数，且 $\gcd(t，w)=1$. 那么，t 是 D 的一个 w 乘数.

证明. 设 $\theta(x)(\mathrm{mod}(x^v - 1))$ 是 D 的 Hall 多项式. 同定理 14.3.2 的证明相仿，可以得到一个类似于(14.3.29)的同余式

$$\theta(x)\theta\left(x^{-t}\right) \equiv nR(x) + \frac{\lambda v}{w}(1 + x + \cdots + x^{w-1})(\mathrm{mod}(x^w - 1)). \qquad (15.1.3)$$

在(15.1.3)中代 $x = 1$，得 $R(1)=1$. 又在(15.1.3)中换 x 为 x^{-1}，得

$$\theta\left(x^{-1}\right)\theta\left(x^t\right) \equiv n \cdot R\left(x^{-1}\right) + \frac{\lambda v}{w}(1 + x + \cdots + x^{w-1})(\mathrm{mod}(x^w - 1)). \qquad (15.1.4)$$

又有

$$\theta(x)\theta\left(x^{-1}\right) \equiv n + \frac{\lambda v}{w}(1 + x + \cdots + x^{w-1})(\mathrm{mod}(x^w - 1)), \qquad (15.1.5)$$

$$\theta\left(x^{t}\right)\theta\left(x^{-t}\right) \equiv n + \frac{\lambda v}{w}(1 + x + \cdots + x^{w-1})(\mathrm{mod}(x^{w}-1)). \qquad (15.1.6)$$

因为(15.1.3)和(15.1.4)的左节相乘的结果同(15.1.5)和(15.1.6)的左节相乘的结果一样，故相应的右节相乘的结果也应一样. 所以，

$$\left(nR(x) + \frac{\lambda v}{w}(1 + x + \cdots + x^{w-1})\right)\left(nR\left(x^{-1}\right) + \frac{\lambda v}{w}(1 + x + \cdots + x^{w-1})\right)$$

$$\cdot\left(n + \frac{\lambda v}{w}(1 + x + \cdots + x^{w-1})\right)^{2}(\mathrm{mod}(x^{w}-1)).$$

展开此式并消去同类项，得

$$R(x)R\left(x^{-1}\right) \equiv 1(\mathrm{mod}(x^{w}-1)). \qquad (15.1.7)$$

由此可以推得 $R(x)$ 是个单项式，再从 $R(1)$ 得知 $R(x) = x^{s}$，这里 s 是某一个整数. 此后的证明同定理 14.3.1 自(14.3.18)以后的证明完全类似. **证毕**.

取 $w = v$ 即得：

系 1.   假定存在 (v, k, λ) 循环差集 D，且对于 $n = k - \lambda$ 的每一素因数 p 都有一个非负整数 e 合 $p^{e} \equiv t(\mathrm{mod}\,v)$，这里 t 是一个固定的整数，$\gcd(t, v) = 1$. 那么，t 是 D 的一个乘数.

系 2.   假设存在 (v, k, λ) 循环差集 D，且 n 是一个素数的方幂 $n = p^{\alpha}$，则 p 是 D 的乘数.

值得注意的是，在系 1 中没有条件 $n > \lambda$，在系 2 中没有条件 $p > \lambda$.

类似于定理 14.3.3，有

定理 15.1.2.   假定存在一个 (v, k, λ) 循环差集 $D(\mathrm{mod}\,v)$，且 w 是 v 的一个正因数. 如果 t 是 D 的一个 w 乘数，则存在 D 的一个移位 $D + s$，合

$$t(D + s) = D + s\,(\mathrm{mod}\,w).$$

证明.   设 $\theta(x)$ 是 D 的 Hall 多项式，且

$$\theta(x) \equiv c_{0} + c_{1}x + c_{2}x^{2} + \cdots + c_{w-1}x^{w-1}(\mathrm{mod}(x^{w}-1)). \qquad (15.1.8)$$

那么，对 D 的移位 $D + l$，其 Hall 多项式为

$$x^{l}\theta(x) \equiv c_{0}x^{l} + c_{1}x^{l+1} + \cdots + c_{w-1}x^{l+(w-1)}(\mathrm{mod}(x^{w}-1)). \qquad (15.1.9)$$

w 乘数 t 对(15.1.9)作用的结果是

$$x^{tl}\theta\left(x^t\right) \equiv c_0 x^{tl} + c_1 x^{t(l+1)} + c_2 x^{t(l+2)}$$
$$+ \cdots + c_{w-1} x^{t(l+w-1)} (\text{mod}(x^w - 1)). \tag{15.1.10}$$

另一方面, 因 t 是 D 的 w 乘数, 故有整数 s, 合

$$\theta\left(x^t\right) \equiv x^s \theta\left(x\right)(\text{mod}(x^w - 1)),$$

从而

$$x^{tl}\theta\left(x^t\right) \equiv x^{tl+s}\theta\left(x\right)$$
$$\equiv c_0 x^{tl+s} + c_1 x^{tl+s+1} + c_2 x^{tl+s+2} + \cdots$$
$$+ c_{w-1} x^{tl+s+w-1}(\text{mod}(x^w - 1)). \tag{15.1.11}$$

今如下构作一个 w 阶矩阵 A : A 的第 $l + 1$ 行中的元依次是 $x^l\theta(x)$ 的 x^0, x^1, x^2, $\cdots$, x^{w-1} 的系数, 即

$$A = \begin{pmatrix} c_0 & c_1 & c_2 & \cdots & c_{w-1} \\ c_{w-1} & c_0 & c_1 & \cdots & c_{w-2} \\ c_{w-2} & c_{w-1} & c_0 & \cdots & c_{w-2} \\ \vdots & \vdots & \vdots & & \vdots \\ c_1 & c_2 & c_3 & \cdots & c_0 \end{pmatrix}.$$

那么, 因 $\gcd(t, w) = 1$, 由(15.1.10)可知 A 的第 $l + 1$ 行中诸元依次是 $x^{tl}\theta\left(x^t\right)$ 中 x^0, x^t, $x^{2t}, \cdots$, $x^{(w-1)t}$ 的系数. 设 $P = \left(p_{ij}\right)$ 是一个 w 阶置换阵, 其元素为

$$p_{ij} = \begin{cases} 1, & \text{若 } ti \equiv j (\text{mod}\, w), \\ 0, & \text{其他}. \end{cases}$$

又设 $Q = (q_{ij})$ 是一个 w 阶置换阵, 其元素为

$$q_{ij} = \begin{cases} 1, & \text{若 } x^{ti}\theta\left(x^t\right) \equiv x^j \theta(x)(\text{mod}(x^w - 1)), \\ 0, & \text{其他}. \end{cases}$$

那么, 有 $Q^{-1}AP = A$. 于是, 类似于定理 14.3.3 中的推理得知本定理的结论成立.
证毕.

　　下面的例子表明了定理 15.1.1 和定理 15.1.2 在构造差集或否定差集的存在性的问题中的作用.

　　例 15.1.4. 考察(70, 24, 8)循环差集 $D(\text{mod}70)$ 的存在性.

解. 假定 D 存在且其 Hall 多项式为 $\theta(x)\,(\mathrm{mod}(x^{70}-1))$. 由定理 15.1.1 知, 2 是 D 的一个 w 乘数, 这里 $w=35$, 或 5, 或 7. 由定理 15.1.2, 存在 D 的一个移位 $D+l$, 它的 Hall 多项式合 $x^{2l}\theta(x^2)\equiv x^l\theta(x)(\mathrm{mod}(x^{35}-1))$. 今把集 $[0,34]$ 按 $\mathrm{mod}35$, $\mathrm{mod}7$ 和 $\mathrm{mod}5$ 分别分解成被 35 乘数, 7 乘数, 5 乘数 2 固定的诸块列成表(15.1.12),

	mod35	mod7	mod5
	$\{0\}$	$\{0\}$	$\{0\}$
$S_1=$	$\{1,2,4,8,16,32,$ $29,23,11,22,9,18\}$	$4\{1,2,4\}$	$3\{1,2,3,4\}$
$S_2=$	$\{3,6,12,24,13,26$ $17,34,33,31,27,19\}$	$4\{3,6,5\}$	$3\{1,2,3,4\}$
$S_3=$	$\{5,10,20\}$	$\{3,6,5\}$	$3\{0\}$
$S_4=$	$\{15,30,25\}$	$\{1,2,4\}$	$3\{0\}$
$S_5=$	$\{7,14,28,21\}$	$4\{0\}$	$\{1,2,3,4\}$

(15.1.12)

其中每块前的数字表示该集出现的次数, 而第一、二两列之每一行上的二集是彼此对应的, 即后者由前者产生, 第一、三两列每一行上的二集也是彼此对应的. 取 $w=35$ 得

$$\theta(x)=c_0+c_1\sum_{i\in S_1}x^i+c_2\sum_{i\in S_2}x^i+c_3\sum_{i\in S_3}x^i$$
$$+c_4\sum_{i\in S_4}x^i+c_5\sum_{i\in S_5}x^i(\mathrm{mod}(x^{35}-1)), \qquad (15.1.13)$$

其中诸 c_i 合 $0\leqslant c_i\leqslant 2(0\leqslant i\leqslant 5)$. 这是因为, 集 $\{0\}$ 和诸 $S_i(1\leqslant i\leqslant 5)$ 的每一个最多出现 $\dfrac{70}{35}=2$ 次. 类似地, 有

$$\theta(x)\equiv c_6+c_7(x+x^2+x^4)+c_8(x^3+x^6+x^5)(\mathrm{mod}(x^7-1)), \quad (15.1.14)$$

$$0\leqslant c_i\leqslant 10(6\leqslant i\leqslant 8)$$

和

$$\theta(x)\equiv c_9+c_{10}(x+x^2+x^3+x^4)(\mathrm{mod}(x^5-1)) \qquad (15.1.15)$$
$$0\leqslant C_i\leqslant 14(i=9,10).$$

当 $w=5$ 时, (14.1.21)给出

$$c_9 + 4c_{10} = 24, \quad c_9^2 + 4c_{10}^2 = 128.$$

它们的非负整数解是唯一的：

$$c_9 = 8 \text{ 和 } c_{10} = 4. \tag{15.1.16}$$

这就是说，(15.1.12)的第三列中的集$\{1，2，3，4\}$要在 $D(\bmod 5)$中出现四次. 但是，(15.1.12)说明了，四个集$\{1，2，3，4\}$不能全由(15.1.12)中的第三列的第二行和第三行产生，故

$$c_5 = 1, \tag{15.1.17}$$

由此和表(15.1.12)的最后一行知，$c_6 \geqslant 4$.

当 $w = 7$ 时，(14.1.21)给出

$$c_6 + 3(c_7 + c_8) = 24, \quad c_6^2 + 3(c_7^2 + c_8^2) = 96.$$

该方程组合于$c_6 \geqslant 4$的非负整数解只有两组：

$$(c_6，\ c_7，\ c_8) = (6, 2, 4)\text{和}(6, 4, 2).$$

由于$c_6 = 6$，$c_5 = 1$，故表(15.1.12)的第二列给出

$$c_0 = 2. \tag{15.1.18}$$

如果$(c_7，\ c_8) = (4, 2)$，则

$$c_3 = 2, \quad c_1 = 1, \quad c_2 = c_4 = 0; \tag{15.1.19}$$

如果$(c_7，\ c_8) = (2, 4)$，则

$$c_4 = 2, \quad c_2 = 1, \quad c_1 = c_3 = 0. \tag{15.1.20}$$

但是，变换"$x \to x^3$"把(15.1.20)变成(15.1.19)，从而它们对应的差集是等价的. 因此，只要考虑(15.1.19)和(15.1.20)之一就行了. 由(15.1.16)—(15.1.19)得

$$\begin{aligned} \theta(x) = {} & 2(1 + x^5 + x^{10} + x^{20}) + x + x^2 + x^4 + x^7 \\ & + x^8 + x^9 + x^{11} + x^{14} + x^{16} + x^{18} + x^{21} + x^{22} \\ & + x^{23} + x^{28} + x^{29} + x^{32}(\bmod(x^{35} - 1)). \end{aligned} \tag{15.1.21}$$

经由直接但较冗长的验证可以证明，没有差集的 Hall 多项式满足(15.1.21). 因此，$(70，24，8)$循环差集不存在. **解毕.**

15.2 循环设计的构造方法二

假定存在一个 (v, k, λ) 循环差集 $D\,(\text{mod}\,v)$, w 是 v 的一个正因数. 设 $f_w(x)$ 是 w 次单位原根所满足的、有理数域上的不可约多项式, 且 $\theta(x)$ 是 D 的 Hall 多项式. 那么, 存在有整系数多项式 $\theta_{[w]}(x)$ 和 $\theta_w(x)$ 合

$$\theta(x) \equiv \theta_{[w]}(x)(\text{mod}(x^w - 1)), \tag{15.2.1}$$

$$\theta(x) \equiv \theta_w(x)(\text{mod}\,f_w(x)), \tag{15.2.2}$$

而且 $\theta_{[w]}(x)$ 的系数是非负的. 反过来, 如果对 v 的全部正因数 w 都确定有满足 (15.2.2) 的整系数多项式 $\theta_w(x)$, 由于诸 $f_w(x)$ 是彼此互素的且其乘积为 $x^v - 1$, 根据中国剩余定理 (的多项式变体), 存在有唯一一个多项式 $\theta(x)(\text{mod}(x^v - 1))$, 它对一切可能的 w 合 (15.2.2). 如果适当选取 $\theta_w(x)$, 使得这样确定出的 $\theta(x)$ 的系数都是 0 或 1, 它就可能是某一循环差集的 Hall 多项式, 因而由此得出一个循环差集. 下面就来详细而精确地讨论这个问题.

引理 15.2.1. 对 v 的一切可能的正因数 w, 满足同余式组 (15.2.2) 的解由

$$\theta(x) \equiv \frac{1}{v} \sum_{w \mid v} \theta_w(x) B_{v,\,w}(x)(\text{mod}(x^v - 1)) \tag{15.2.3}$$

唯一确定, 这里

$$B_{v,\,w}(x) := \sum_{s \mid w} \mu\left(\frac{w}{s}\right) s \frac{x^v - 1}{x^s - 1}, \tag{15.2.4}$$

$\mu(x)$ 是 Möbius 函数.

证明. 首先注意到

$$x^w - 1 \equiv \prod_{d \mid w} f_d(x). \tag{15.2.5}$$

设 u 和 s 都是 v 的因数, 于是, 当 $u \mid s$ 时, 有

$$\frac{x^v - 1}{x^s - 1} = \frac{\dfrac{x^v - 1}{x^u - 1}}{\dfrac{x^s - 1}{x^u - 1}} = \frac{\left(x^u\right)^{\frac{v}{u}-1} + \left(x^u\right)^{\frac{v}{u}-2} + \cdots + 1}{\left(x^u\right)^{\frac{s}{u}-1} + \left(x^u\right)^{\frac{s}{u}-2} + \cdots + 1} \equiv \frac{\dfrac{v}{u}}{\dfrac{s}{u}}$$

$$\equiv \frac{v}{s}(\text{mod}\,f_u(x)); \tag{15.2.6}$$

当 $u \nmid s$ 时，由(15.2.5)得

$$\frac{x^v - 1}{x^s - 1} = \frac{\prod\limits_{d|v} f_d(x)}{\prod\limits_{d_1|s} f_{d_1}(x)}$$

$$= f_u(x) \prod_{\substack{d|v \\ d\nmid s \\ d\nmid u}} f_{d_1}(x) \equiv 0 \left(\bmod f_u(x)\right). \tag{15.2.7}$$

因此，当 $w|v$ 且 $u \mid w$ 时，有

$$B_{v,w}(x) \equiv \sum_{\substack{s|w \\ u|s}} \mu\left(\frac{w}{s}\right) s \frac{v}{s}$$

$$\equiv v \sum_{\substack{s|w \\ u|s}} \mu\left(\frac{w}{s}\right) \left(\bmod f_u(x)\right). \tag{15.2.8}$$

此式结合(15.2.6)—(15.2.8)，得知当 $w \mid v$ 时，

$$B_{v,\,w}(x) \equiv \begin{cases} v(\bmod f_w(x)), \\ 0(\bmod f_u(x)), \quad u \neq w. \end{cases} \tag{15.2.9}$$

于是，当 $u \mid v$ 时，

$$\frac{1}{v} \sum_{w\,|\,v} \theta_w(x) B_{v,\,w}(x) \equiv \frac{1}{v} \left(\sum_{\substack{w|v \\ w\nmid u}} \theta_w(x) \cdot 0 + \theta_u(x) \cdot v \right)$$

$$\equiv \theta_u(x) \left(\bmod f_u(x)\right). \tag{15.2.10}$$

这就是说，(15.2.3)确满足同余式(15.1.2). 至于此解 $(\bmod(x^v - 1))$ 的唯一性是由中国剩余定理的多项式变体得出的. **证毕**.

在下面的推导中要用到

$$f_w(x) = \prod_{d\,|\,w} (x^d - 1)^{\mu\left(\frac{w}{d}\right)}. \tag{15.2.11}$$

因为由(15.2.5)可得

$$\log(x^w - 1) = \sum_{d\,|\,w} \log f_d(x).$$

对此式进行 Möbius 反演(参看 3.4 节)，得

$$\log f_w(x) = \sum_{d \mid w} \mu\left(\frac{w}{d}\right) \log(x^d - 1).$$

由此立得(15.2.11).

引理 15.2.2. 假定 w 是一个正整数，对 w 的每一正因数 d，已给定一个整系数多项式 $\theta_d(x)$，且对 w 的每一素因数 p，已给一个整系数多项式 $\theta_{\left[\frac{w}{p}\right]}(x)$，合

$$\theta_{\left[\frac{w}{p}\right]}(x) \equiv \theta_d(x)(\mathrm{mod} f_d(x)), \tag{15.2.12}$$

这里 d 过 $\dfrac{w}{p}$ 的全部正因数. 于是，存在整系数多项式 $\theta_{[w]}(x)$ 对 w 的一切正因数 d 合

$$\theta_{[w]}(x) \equiv \theta_d(x)(\mathrm{mod} f_d(x)), \tag{15.2.13}$$

当且仅当对 w 的一切素因数 p，有

$$\theta_w(x) \equiv \theta_{\left[\frac{w}{p}\right]}(x)(\mathrm{mod}(p,\ f_{w_1}^{p^{a-1}}(x))), \tag{15.2.14}$$

这里 $w = p^a w_1, \gcd(p,\ w_1) = 1$.

证明. 先证明条件的必要性. 设 $\theta_{[w]}(x)$ 是一个合(15.2.13)的整系数多项式. 因为当 $p \mid w$ 时，有

$$\prod_{d \mid \frac{w}{p}} f_d(x) = x^{\frac{w}{p}} - 1,$$

故对(15.2.13)中一切 $d \left| \dfrac{w}{p} \right.$ 用中国剩余定理的多项式变体，由(15.2.12)得

$$\theta_{[w]}(x) \equiv \theta_{\left[\frac{w}{p}\right]}(x)(\mathrm{mod}(x^{\frac{w}{p}} - 1)).$$

因 $x^{\frac{w}{p}} - 1$ 的诸系数的最大公因数为 1，故存在整系数多项式 $A(x)$，合

$$\theta_{\left[\frac{w}{p}\right]}(x) - \theta_w(x) = A(x)(x^{\frac{w}{p}} - 1).$$

因为

$$x^{\frac{w}{p}} - 1 = x^{p^{a-1}w_1} - 1 \equiv \left(x^{w_1} - 1\right)^{p^{a-1}}$$

$$\equiv 0\left(\mathrm{mod}\left(p, f_{w_1}^{p^{a-1}}(x)\right)\right),$$

故

$$\theta_{\left[\frac{w}{p}\right]}(x) \equiv \theta_w(x)(\mathrm{mod}(p, \ f_{w_1}^{p^{a-1}}(x))).$$

这就是(15.2.14).

为了证条件的充分性, 只要证明由已给的诸 $\theta_d(x)$ 按中国剩余定理的多项式变体, 由(15.2.13)定出的 $\theta_{[w]}(x)$ 是一个整系数多项式 $(\mathrm{mod}(x^w - 1))$ 就足够了. 现在来证明这一点.

对这个 $\theta_{[w]}(x)$, 由(15.2.9)知

$$\left[\theta_{[w]}(x) - \theta_w(x)\right]B_{w, \ w}(x) \equiv 0(\mathrm{mod}(x^w - 1)),$$

从而

$$\sum_{s \mid w} \mu\left(\frac{w}{s}\right)s\left[\theta_{[w]}(x) - \theta_w(x)\right]\frac{x^w - 1}{x^s - 1} \equiv 0\left(\mathrm{mod}\left(x^w - 1\right)\right). \qquad (15.2.15)$$

如果 $s \mid w$, 由中国剩余定理的多项式变体定出的 $\theta_{[s]}(x)$ 和 $\theta_{[w]}(x)$ 合 $\theta_{[s]}(x) \equiv \theta_{[w]}(x)(\mathrm{mod}(x^s - 1))$, 故

$$\theta_{[w]}(x)\frac{x^w - 1}{x^s - 1} \equiv \theta_{[s]}(x)\frac{x^w - 1}{x^s - 1}(\mathrm{mod}(x^w - 1)).$$

由此和(15.2.15)得出

$$w\theta_{[w]}(x) \equiv w\theta_w(x) - \sum_{\substack{s \mid w \\ s \neq w}} \mu\left(\frac{w}{s}\right)s(\theta_{[s]}(x) - \theta_w(x)) \times \frac{x^w - 1}{x^s - 1}(\mathrm{mod}(x^w - 1)).$$

$$(15.2.16)$$

设 w 有标准分解式

$$w = p^a p_2^{a_2} \cdots p_j^{a_j}, \qquad (15.2.17)$$

且记 $w_2 = p_2 p_3 \cdots p_j$，$w_3 = p^{a-1} p_2^{a_2-1} \cdots p_j^{a_j-1}$. 于是，(15.2.16)的和式中的项，由于 $\mu\left(\dfrac{w}{s}\right)$ 的缘故，只有当 $w_3 \mid s$ 时才可能不为零. 在(15.2.16)中换 s 为 $w_3 s$，便有

$$pw_2 \theta_{[w]}(x) \equiv pw_2 \theta_w(x) - \sum_{\substack{s \mid pw_2 \\ s \neq pw_2}} \mu\left(\frac{pw_2}{s}\right) s(\theta_{[sw_3]}(x) - \theta_w(x)) \frac{x^w-1}{x^{sw_3}-1} (\mathrm{mod}(x^w-1)).$$

$$(15.2.18)$$

下面来证明，pw_2 整除(15.2.18)右节和式中每一 x^i 的系数.

在(15.2.11)中换 w 为 $w_1 := p_2^{a_2} \cdots p_j^{a_j}$，换 x 为 $x^{p^{a-1}}$，得

$$f_{w_1}(x^{p^{a-1}}) = f_{p_2^{a_2} \cdots p_j^{a_j}}(x^{p^{a-1}}) = \prod_{d \mid p_2^{a_2} \cdots p_j^{a_j}} ((x^{p^{a-1}})^d - 1)^{\mu\left(\frac{p_2^{a_2} \cdots p_j^{a_j}}{d}\right)}$$

$$= \prod_{h \mid p_2 \cdots p_j} (x^{p^{a-1} p_2^{a_2-1} \cdots p_j^{a_j-1} h} - 1)^{\mu\left(\frac{p_2 \cdots p_j}{h}\right)}$$

$$= f_{w_2}(x^{w_3}),$$

故有

$$f_{w_2}(x^{w_3}) \equiv f_w^{p^{a-1}}(x) (\mathrm{mod}\, p).$$

因此由(15.2.14)可得

$$\theta_w(x) - \theta_{\left[\frac{w}{p}\right]}(x) \equiv 0(\mathrm{mod}(p,\; f_{w_2}(x^{w_3}))).$$

当 $w \mid v$ 时，令

$$F(x) := \frac{x^v-1}{f_w(x)} x f_w'(x),$$

这里，"′"表微商. 因 $f_w(x) \mid x^v - 1$，故 $F(x)$ 是一个多项式. 若 ζ 是一个 v 次单位根但非 w 次单位原根，即 $\zeta^v - 1 = 0$ 但 $f_w(\zeta) \neq 0$，则 $F(\zeta) = 0$. 若 ξ 是一个 w 次单位原根，则由 L′hospital 法则得

$$\lim_{x \to \xi} F(x) = \lim_{x \to \xi} \frac{(v+1)x^v f_w'(x) + x^{v+1} f_w''(x) - f_w'(x) - x f_w''(x)}{f_w'(x)}.$$

因 $f'_w(\xi) \neq 0$，故

$$\lim_{x \to \xi} F(x) = v .$$

因此，由(15.2.9)得

$$B_{v,\;w}(x) = \frac{x^v - 1}{f_w(x)} x f'_w(x) (\mathrm{mod}(x^w - 1)) .$$

这样一来，

$$(\theta_{\left[\frac{w}{p}\right]}(x) - \theta_w(x)) B_{pw_2,\;w_2}(x^{w_3}) \equiv 0 (\mathrm{mod}(p,\;x^w - 1)),$$

即

$$(\theta_{\left[\frac{w}{p}\right]}(x) - \theta_w(x)) \sum_{s\mid w_2} \mu\left(\frac{w_2}{s}\right) s \frac{x^w - 1}{x^{sw_3} - 1} \equiv 0 (\mathrm{mod}(p,\;x^w - 1)). \quad (15.2.19)$$

因为当 $s\mid w_2$ 时，$sw_3 \left|\dfrac{w}{p}\right.$，故 $(x^{sw_3} - 1)|(x^{\frac{w}{p}} - 1)$，因而

$$\theta_{[sw_3]}(x) \equiv \theta_{\left[\frac{w}{p}\right]}(x) (\mathrm{mod}(x^{sw_3} - 1)).$$

由此和(15.2.19)，得

$$\sum_{s\mid w_2} \mu\left(\frac{w_2}{s}\right) s \left(\theta_{[sw_3]}(x) - \theta_w(x)\right) \frac{x^w - 1}{x^{sw_3} - 1} \equiv 0 \left(\mathrm{mod}\left(p, x^w - 1\right)\right), \quad (15.2.20)$$

其左节是 x 的一个整系数多项式.

记

$$\sum \equiv \sum_{\substack{s\mid pp_2\cdots p_j \\ s\neq pp_2\cdots p_j}} \mu\left(\frac{pp_2\cdots p_j}{s}\right) s(\theta_{[sw_3]}(x) - \theta_w(x)) \times \frac{x^w - 1}{x^{sw_3} - 1} (\mathrm{mod}(x^w - 1)).$$

素数 $p, p_2, \cdots, p_j$ 在 $\sum$ 中的地位完全是平等的，所以只要证明 $p, p_2, \cdots, p_j$ 中一个能整除 $\sum$ 中 x^i 的系数. $\sum$ 可改写为

$$\sum \equiv \sum_{\substack{s\mid p_2\cdots p_j \\ s\neq p_2\cdots p_j}} \mu\left(\frac{pw_2}{ps}\right) ps(\theta_{[spw_3]}(x) - \theta_w(x)) \frac{x^w - 1}{x^{spw_3} - 1}$$

$$+ \sum_{s\mid p_2\cdots p_j} \mu\left(\frac{pw_2}{s}\right) s(\theta_{[sw_3]}(x) - \theta_w(x)) \times \frac{x^w - 1}{x^{sw_3} - 1} (\mathrm{mod}(x^w - 1)),$$

而 p 整除第一个和式的每一 x^i 的系数，且由(15.2.20)知 p 整除第二个和式的每一 x^i 的系数，故知 $\sum \equiv 0(\mathrm{mod}(p,\ x^w-1))$. 因此

$$\sum \equiv 0(\mathrm{mod}(pw_2,\ x^w-1)).$$

由(15.2.18)得条件的充分性. **证毕**.

根据上面的结果，可以提出一个寻求 $(v,\ k,\ \lambda)$ 循环差集或证明不存在的方法，其步骤如下：

第一步：由

$$\theta_{[1]}(x) \equiv \theta_D(x) \equiv k(\mathrm{mod}(x-1))$$

得到 $\theta_{[1]}(x)=k$.

第二步：设 v 有标准分解式

$$v = p_1^{b_1}p_2^{b_2}\cdots p_j^{b_j}.$$

设 ζ 是 p_1 次单位原根. 在分圆域 $R(\zeta)$ 中，把 $n=k-\lambda$ 分解为主理想数之积：

$$n = (\sum c_i\zeta^i)(\sum c_i\overline{\zeta}^i),\tag{15.2.21}$$

其中诸 c_i 是有理整数. 那么，一个形如(15.2.21)的分解式中的理想数因数 $(\sum c_i\zeta^i)$ 对应于多项式

$$\theta(x) \equiv \pm x^s\sum c_ix^i(\mathrm{mod}\, f_{p_1}(x)).\tag{15.2.22}$$

这是因为，如果 $\alpha \in R(\zeta)$，且

$$n = (\alpha\sum c_i\zeta^i)(\overline{\alpha}\sum c_i\overline{\zeta}^i),$$

则 $\alpha\overline{\alpha}=1$，从而 $\alpha=\zeta^s$ 对某一有理整数 s 成立. 利用已得到的 $\theta_{[1]}(x)$ 和(15.2.14)，从所有可能的形如(15.2.22)的多项式中挑出那些合(15.2.14)者作为候选的 $\theta_{p_1}(x)$.

第三步：在 (15.2.16) 中换 w 为 p_1，并由候选的 $\theta_{p_1}(x)$ 得出 $\theta_{[p_1]}(x)(\mathrm{mod}(x^{p_1}-1))$.

第四步：对 $p_1^2,\ p_1^3,\cdots,\ p_1^{a_1},\ p_2,\ p_2^2,\cdots,\ p_2^{a_2},\cdots,\ p_j,\ p_j^2,\cdots,\ p_j^{a_j},\cdots,\ p_1^{i_1}p_2^{i_2}\cdots p_j^{i_j}$ $(1\leqslant i_1\leqslant a_1,1\leqslant i_2\leqslant a_2,\cdots,1\leqslant i_j\leqslant a_j)$ 重复第二步和第三步，最后，或者得到合要求的 $\theta(x)$ 并检验它是一个差集的 Hall 多项式，从而得到所欲构造的循环差集，或

者得不到任何欲求的循环差集, 从而证明其不存在性.

下面来看一个简单的例子.

例 15.2.1. 在不知道例 15.1.2 的情况下, 考察(21, 5, 1)循环差集的存在性.

解. 首先, 有 $\theta_{[1]}(x) = 5$. 现在来考察 $v = 21$ 的素因数 3.因为(2)是 $R(\zeta)$ 中的素理想数, 这里 ζ 是三次单位原根, 故对某个整数 s, 有

$$\theta_3(x) \equiv \pm 2x^s(\mathrm{mod}(x^2 + x + 1)).$$

由(15.2.14),

$$5 = \theta_{[1]}(x) \equiv \pm 2x^s \equiv \pm 2(\mathrm{mod}(x-1,3)),$$

故这里必须取正号. 由此和(15.2.16),得

$$\theta_{[3]}(x) \equiv 2x^s + \frac{1}{3}\left(5 - 2x^s\right)\frac{x^3 - 1}{x - 1}$$
$$\equiv 2x^s + 1 + x + x^2(\mathrm{mod}(x^3 - 1)).$$

经适当移位后, 就可取

$$\theta_{[3]}(x) \equiv 3 + x + x^2(\mathrm{mod}(x^3 - 1)). \tag{15.2.23}$$

现在来考虑 21 的素因数 7. 设 ξ 是本原七次单位根. 由于(2)在 $R(\xi)$ 中分解为主理想数之积的分解式为

$$(1 + \xi^4 + \xi^6)(1 + \xi + \xi^3),$$

所以主理想数 $(\theta_\eta(\xi))$ 只可能是(2)或 $(1 + \xi^4 + \xi^6)^2$, 或 $(1 + \xi + \xi^3)^2$. 因为后二者对应于等价的循环差集, 故只需考虑其中之一就行了.

如果 $(\theta_7(\xi)) = (2)$, 则有一整数 s 使 $\theta_7(x) \equiv \pm 2x^s(\mathrm{mod}\, f_7(x))$. 由(15.2.14)知, 在上式中只可能取负号. 但是, 当 $\theta_7(x) = -2x^6$ 时, (15.2.16)定出的 $\theta_{[7]}(x)$ 有系数为负, 故这样的 $\theta_{[7]}(x)$ 不能作为候选者.

如果 $(\theta_7(\xi)) = ((1 + \xi^4 + \xi^6)^2)$, 则有一整数 s 使

$$\theta_7(x) = \pm x^s(1 + x^4 + x^6)^2.$$

由(15.2.14)知

$$5 \equiv \pm x^s(1 + x^4 + x^6)^2 \equiv \pm 9(\mathrm{mod}(7,\ x-1)).$$

因此应取负号, 从而由(15.2.16)定出

$$\theta_{[7]}(x) \equiv -x^s \left(1 + x + 2x^3 + 2x^4 + x^5 + 2x^6\right)$$
$$+ 2\left(1 + x + \cdots + x^6\right) (\mathrm{mod}(x^7 - 1)).$$

因为 $\gcd(3, 7) = 1$，上式中的 s 可以任定而不影响 $\theta_{[3]}(x)$．这样一来，选 $s = 5$，可得

$$\theta_7(x) = 2 + x^3 + x^5 + x^6, \tag{15.2.24}$$

现在来考虑 21 本身．设 η 是 21 次本原单位根．在 $R(\eta)$ 中主理想数 (2) 的分解式为

$$(2) = (1 + \eta^{12} + \eta^{18})(1 + \eta^3 + \eta^9).$$

因此，$\theta_{21}(x)$ 只可能是 $\pm 2x^s$，$\pm x^s(1 + x^{12} + x^{18})^2, \pm x^s(1 + x^3 + x^9)^2$ 之一，这里 s 是某一整数．若 $\theta_{21}(x) = \pm 2x^s$，则在 (15.2.14) 中取 $w = 21$，$p = 3$，得

$$\pm 2x^s \equiv 2 + x^3 + x^5 + x^6 (\mathrm{mod}(3, \ f_7(x))).$$

但因 $f_7(x) = x^6 + x^5 + x^4 + x^3 + x^2 + x + 1$，上式不可能成立．若 $\theta_{21}(x) = \pm x^s(1 + x^{12} + x^{18})^2$，则在 (15.2.14) 中取 $w = 21$，$p = 3$ 得

$$\pm x^s(1 + x^{12} + x^{18})^2 \equiv 2 + x^3 + x^5 + x^6 (\mathrm{mod}(3, \ f_7(x))),$$

即

$$\pm x^s(1 + x - x^2 + x^3 - x^4 - x^5) - 1 + x + x^2 + x^4 \equiv 0 (\mathrm{mod}(3, \ f_7(x))).$$

此式成立的充要条件是其左节的 $\pm$ 号取 $+$ 号且 s 合

$$s \equiv 1 (\mathrm{mod}\, 7). \tag{15.2.25}$$

又在 (15.2.14) 中取 $w = 21$，$p = 7$，得

$$\pm x^s(1 + x^{12} + x^{18})^2 \equiv 3 + x + x^2 (\mathrm{mod}(7, \ f_3(x))),$$

即

$$\pm 2x^s \equiv 3 + x + x^2 (\mathrm{mod}(7, \ f_3(x))).$$

此式成立的充要条件是其左节取 $+$ 号，且

$$s \equiv 0 (\mathrm{mod}\, 3). \tag{15.2.26}$$

(15.2.25) 和 (15.2.26) 的唯一解 $(\mathrm{mod}\, 21)$ 是 $s \equiv 15 (\mathrm{mod}\, 21)$．于是

$$\theta_{21}(x) \equiv x^{15}(1 + x^{12} + x^{18})^2$$
$$\equiv x^9 + x^{15} + x^{18} + 2(x^3 + x^6 + x^{12})(\mathrm{mod}(x^{21} - 1)).$$

把上面求得的诸 $\theta_{[w]}(x)$ 和 $\theta_w(x)$ 代入 (15.2.16)，便可求得

$$\theta_{[21]}(x) \equiv x^3 + x^6 + x^7 + x^{12} + x^{14}(\mathrm{mod}(x^{21} - 1)). \qquad (15.2.27)$$

由 (15.2.3) 和 (15.2.5) 知 $\theta_{[v]}(x) = \theta(x)$. 又，由 $\pm x^s(1 + x^3 + x^9)^2$ 所能得出的差集只能同由 $\pm x^s(1 + x^{12} + x^{18})^2$ 所能得出的差集等价. 因此，若 D 存在，则在等价的意义下它的 Hall 多项式只可能是 (15.2.27). 容易验证，(15.2.27) 确是一个 (21，5，1) 循环设计的 Hall 多项式. 所以，(21，5，1) 循环差集在等价的意义下是唯一的，且为

$$\{3，6，7，12，14\}.$$

解毕.

这里介绍的方法的局限性较大且较麻烦，因为此法需要事先知道，对一切 $d \mid v$, $n = k-\lambda$ 在 d 次分圆域 $R(\zeta)$ 中分解成素理想数之积的分解式. 对较大且一般的 n 值，这个问题本身就很难. 另外，逐步求出诸 $\theta_{[d]}(x)$ 和 $\theta_d(x)$ 的过程也是相当麻烦的. 而且这种方法只能逐个地构造出所需的循环差集. 从而断定其存在性. 虽然在特定的一些场合这个方法是有用的，但人们还是希望能较易且成批地构造出循环差集来. 下面一节将要介绍的方法可以成批地断定哪些参数的循环差集存在，而 15.4 节将要介绍的方法可以把一些循环差集成批地构造出来.

15.3　循环设计的构造方法三

设 p 是一个素数，e 是一个正整数，$q = p^e$, 且 GF(q) 是具有 q 个元的有限域. 把 GF(q) 上的一个 $(m + 1)$ 维向量

$$x = (x_m，x_{m-1}，\cdots，x_1，x_0) \neq 0$$

叫做一个点，如果对一切 $b \neq 0$, $b \in$ GF(q), $(m + 1)$ 维向量

$$bx := (bx_m，bx_{m-1}，\cdots，bx_1，bx_0)$$

都表示同一点. 把全部这样的点所组成的集叫做 $F_q :=$ GF(q) 上的 m 维射影空间，记为 PG$(m，q)$ 或 PG$_m(F_q)$. 有时也把 PG$_m(F_q)$ 中点所对应的向量叫做 PG$_m(F_q)$ 的向量. 如果 $y_0，y_1，\cdots，y_l$ 是 $l + 1$ 个在 GF(q) 上线性无关的向量，则把由一切向量

$$b_l y_l + b_{l-1} y_{l-1} + \cdots + b_1 y_1 + b_0 y_0 , \tag{15.3.1}$$

$$b_i \in \mathrm{GF}(q)(b_l,\ b_{l-1}, \cdots,\ b_1,\ b_0) \neq 0$$

所对应的全部点所构成的集叫做 $\mathrm{PG}(m,\ q)$ 的一个 l 维子空间.因此,一个点是零维子空间. $(m-1)$ 维子空间又叫做超平面.

如果 $(c_m,\ c_{m-1}, \cdots,\ c_1,\ c_0) \neq 0$,则满足方程

$$c_m x_m + c_{m-1} x_{m-1} + \cdots + c_1 x_1 + c_0 x_0 = 0 \tag{15.3.2}$$

的全部非零向量 $(x_m,\ x_{m-1}, \cdots,\ x_1,\ x_0)$ 所对应的点组成一个超平面;反过来,每一个超平面都可以这样确定,且当 $b \in \mathrm{GF}(q)$, $b \neq 0$ 时, $(c_m,\ c_{m-1}, \cdots,\ c_0)$ 和 $(bc_m,\ bc_{m-1}, \cdots,\ bc_0)$ 确定同一个超平面.再者,任二不同超平面的交是一个 $m-2$ 维子空间.

因为 $\mathrm{GF}(q)$ 上的 $m+1$ 维非零向量的个数是 $q^{m+1}-1$,而 $\mathrm{PG}(m,\ q)$ 中每一点对应于 $q-1$ 个向量,所以 $\mathrm{PG}(m,\ q)$ 中点的总数是

$$\frac{q^{m+1}-1}{q-1}. \tag{15.3.3}$$

由(15.3.2)可知,这也是 $\mathrm{PG}(m,\ q)$ 的超平面的总数.由(15.3.1)可知,在(15.3.3)中换 m 为 l 所得到的 $\dfrac{q^{l+1}-1}{q-1}$ 就是任一 l 维子空间中点的个数.特别地,对于由二不同超平面的交所确定的 $m-2$ 维子空间,其中点的个数是 $\dfrac{q^{m-1}-1}{q-1}$.

Singer[1]于 1938 年证明了

定理 15.3.1. 把 $\mathrm{PG}(m,\ q)$ 中的点作为元,全体超平面作为区组这样得到一个 $(v,\ k,\ \lambda)$ 对称设计,其参数为

$$v = \frac{q^{m-1}-1}{q-1}, k = \frac{q^{m-1}-1}{q-1}, \lambda = \frac{q^{m-1}-1}{q-1}.$$

再者,这个设计是循环的,因而每一超平面上点组成一个 $(v,\ k,\ \lambda)$ 循环差集.

证明. 因为 $\mathrm{PG}(m,\ q)$ 中点的总数是 v ,且任一超平面含 k 个点,任二不同的超平面的交是一个 $m-2$ 维子空间.含 λ 个点,所以,由对称设计的等价定义13.1.1知,全体超平面组成的集确为一个 $(v,\ k,\ \lambda)$ 对称设计.

下面来证明这个设计是循环的.

由有限域的知识可知,存在 $\mathrm{GF}(q)$ 上的一个 $m+1$ 次本原多项式,记为

$$f(x) = x^{m+1} + c_m x^m + \cdots + c_1 x + c_0 ;$$

添加 $f(x)$ 的一个根 α 与 $\mathrm{GF}(q)$ 所作出的扩域是具有 q^{m+1} 个元的有限域, 记为 $\mathrm{GF}(q^{m+1})$. 由于 α 是 $\mathrm{GF}(q^{m+1})$ 的原根, 且

$$\alpha^{m+1} = -c_m\alpha^m - \cdots - c_1\alpha - c_0 ,$$

故任一 $\alpha^i (0 \leqslant i \leqslant q^{m+1} - 2)$ 都可写为

$$\alpha^i = e_m\alpha^m + \cdots + e_1\alpha + e_0, (e_m,\ e_{m-1}, \cdots,\ e_1,\ e_0) \neq 0 \tag{15.3.4}$$

从而同 $\mathrm{GF}(q)$ 上的一个 $m+1$ 维非零向量相对应. 因为 $\alpha^{q^{m+1-j}} = 1$, 故 α^v 是方程 $x^{q-1} = 1$ 的根, 即 $\alpha^v \in \mathrm{GF}(q)$, 故 $\alpha^{jv} \in \mathrm{GF}(q)$ 对任何整数 j 成立, 因此, 对固定的 i 和任意 j, α^i 和 α^{i+jv} 所对应的向量对应于 $\mathrm{PG}(m,\ q)$ 中的同一点. 这样一来, 可以用 α^0, $\alpha^1, \cdots$, α^{v-1} 来表示 $\mathrm{PG}(m,\ q)$ 中的点, 或者就叫做 α^i 为点.

定义映射 σ 如下:

$$\sigma : \begin{cases} \alpha^i \to a^{i+1}, \\ 0 \to 0. \end{cases} \tag{15.3.5}$$

由 (15.3.4) 知, σ 即

$$\sigma : \begin{cases} (e_m,\ e_{m-1}, \cdots,\ e_1,\ e_0) \to (e_{m-1} - e_m c_m,\ e_{m-2} - e_m c_{m-1}, \\ \qquad \cdots,\ e_1 - e_m e_2,\ e_0 - e_m e_1, -e_m e_0)\ , \\ (0,\ 0, \cdots,\ 0) \to (0,\ 0, \cdots,\ 0). \end{cases} \tag{15.3.6}$$

由 (12.3.5) 知 σ 把 $\mathrm{PG}(m,\ q)$ 的点映成 $\mathrm{PG}(m,\ q)$ 的点, 且是 v 阶循环的; 由 (15.3.6) 知 σ 把任一子空间映成一个同维子空间, 故把超平面映成超平面. 这是因为, $c_0 \neq 0$, 故当矩阵

$$\begin{pmatrix} e_{0m} & e_{0,\ m-1} & \cdots & e_{01} & e_{00} \\ e_{1m} & e_{1,\ m-1} & \cdots & e_{11} & e_{10} \\ \vdots & \vdots & & \vdots & \vdots \\ e_{lm} & e_{l,\ m-1} & \cdots & e_{l1} & e_{l0} \end{pmatrix}$$

的秩为 $l+1$ 时, 矩阵

$$\begin{pmatrix} -e_{0m}c_0 & e_{0,m-1} - e_{0m}c_m & \cdots & e_{00} - e_{0m}c_1 \\ -e_{1m}c_0 & e_{1,m-1} - e_{1m}c_m & \cdots & e_{10} - e_{1m}c_1 \\ \vdots & \vdots & & \vdots \\ -e_{lm}c_0 & e_{l,m-1} - e_{lm}c_m & \cdots & e_{l0} - e_{lm}c_1 \end{pmatrix}$$

的 秩 也 为 $l+1$. 设 H 是 任 一 超 平 面. 现 在 用 反 证 法 来 证 明,

$H, \sigma H, \sigma^2 H, \cdots,\ \sigma^{v-1} H$ 就是全部不同的超平面. 如果其中有两个相同，设为 $\sigma^j H = \sigma^{j'} H$，这里 $j,\ j'$ 是合 $0 \leqslant j < j' < v$ 的两个定数. 记 $\sigma^j H = H_1$，则 $H_1 = \sigma^{j'-j} H_1$，且 $1 \leqslant j' - j \leqslant v-1$. 记 $s = j' - j$，于是 σ^s 固定超平面 H_1. 设 $\alpha^i \in H_1$，且 t 是使 α^{i+ts} 和 α^i 代表同一点的最小正整数. 于是 $\alpha^i(\alpha^{ts} - 1) = 0$. 所以 t 是使 ts 被 v 整除的最小正整数. 由于 s 是个定数，故 t 也是个定数，因而它不随 H_1 中元的选择而改变. 这就是说，H_1 中 k 个元可以分成两两不交的若干组，每组中元的个数为 t. 由此推知 $t \mid k$. 因 $v \mid ts$，$v \nmid s$，故 $\gcd(v,\ t) > 1$. 由此和 $t \mid k$ 得知

$$\gcd(v,\ k) > 1. \tag{15.3.7}$$

但是，$v - qk = 1$，这与 (15.3.7) 矛盾. 这一矛盾就证明了前面所作 "$\sigma^j H = \sigma^{j'} H$，$0 \leqslant j < j' \leqslant v-1$" 假设不成立，因而定理中的对称设计是循环的. 而且由同构 σ 的定义 (15.3.5) 知，每一超平面所含诸点 α^{a_1}，$\alpha^{a_2}, \cdots,\ \alpha^{a_k}$ 的方幂 a_1，$a_2, \cdots,\ a_k$ 组成一个 Z_v 上的 $(v,\ k,\ \lambda)$ 循环差集. **证毕**.

根据这个定理，一大批循环差集的存在性得到了肯定，虽然要构造它们还得逐个地进行. 下面来看两个利用该定理构造循环差集的例子.

例 15.3.1. 在不知例 15.1.2 和例 15.2.1 的情况下，考察 (21，5，1) 循环差集的存在性；若存在，试构造出一个来.

解. 因为

$$21 = \frac{(2^2)^3 - 1}{2^2 - 1}, 5 = \frac{(2^2)^2 - 1}{2^2 - 1}, 1 = \frac{2^2 - 1}{2^2 - 1},$$

故由定理 15.2.1，(21，5，1) 循环差集是存在的.

取 $q = 2^2$，$m = 2$. 现在来求 PG$(2, 2^4)$ 的一个超平面.

记 GF(2^2) 的四个元素为 $0, 1, \beta, \beta+1$，这里 0 为 GF(2^2) 的零元，1 为幺元，β 是 $x^2 + x + 1 = 0$ 在 GF(2^2) 中的根. 今考察 GF(2^2) 上的三次方程

$$f(x) = x^3 + \beta x^2 + \beta x + \beta, \tag{15.3.8}$$

如果 $f(x)$ 在 GF(2^2) 上可约，则它至少有一个一次因式，也就是说，GF(2^2) 中至少有一个元为 (15.3.8) 的根. 但是简单的计算给出

$$f(0) = \beta \neq 0, \quad f(1) = 1 + \beta \neq 0,$$
$$f(\beta) = \beta(1 + \beta) \neq 0,$$
$$f(1 + \beta) = f(\beta^2) = \beta(1 + \beta) \neq 0.$$

所以，$f(x)$ 是 GF(2^2) 上的一个三次不可约多项式. 由下面的设计知 $f(x)$ 是本原的. 设 $f(x)$ 是 GF(q^3) 中的一个根为 α，则有

$$1 = 1,$$
$$\alpha = \alpha,$$
$$\alpha^2 = \alpha^2,$$
$$\alpha^3 = \beta + \beta\alpha + \beta\alpha^2,$$
$$\alpha^4 = (\beta + 1) + \alpha + \alpha^2,$$
$$\alpha^5 = \beta + \alpha + (\beta + 1)\alpha^2,$$
$$\alpha^6 = 1 + (\beta + 1)\alpha,$$
$$\alpha^7 = \alpha + (\beta + 1)\alpha^2,$$
$$\alpha^8 = 1 + \alpha,$$
$$\alpha^9 = \alpha + \alpha^2,$$
$$\alpha^{10} = \beta + \beta\alpha + (\beta + 1)\alpha^2,$$
$$\alpha^{11} = 1 + (\beta + 1)\alpha + (\beta + 1)\alpha^2,$$
$$\alpha^{12} = 1 + \beta\alpha^2,$$
$$\alpha^{13} = (\beta + 1) + \beta\alpha + (\beta + 1)\alpha^2,$$
$$\alpha^{14} = 1 + \beta\alpha + (\beta + 1)\alpha^2,$$
$$\alpha^{15} = 1 + (\beta + 1)\alpha^2, \tag{15.3.9}$$
$$\alpha^{16} = 1 + \alpha^2,$$
$$\alpha^{17} = \beta + (\beta + 1)\alpha + \beta\alpha^2,$$
$$\alpha^{18} = (\beta + 1) + \alpha,$$
$$\alpha^{19} = (\beta + 1)\alpha + \alpha^2,$$
$$\alpha^{20} = \beta + \beta\alpha + \alpha^2,$$
$$\alpha^{21} = \beta,$$

其中 $\alpha^i = c_2\alpha^2 + c_1\alpha + c_0$ 代表 $\mathrm{PG}(2, 2^2)$ 中的一点, 其坐标为 (c_2, c_1, c_0). 在超平面 $c_2 = 0$ 上的点为 α^0, α, α^6, α^8, α^{18}. 所以, $\{0, 1, 6, 8, 18\}(\mathrm{mod}21)$ 便是一个 $(21, 5, 1)$ 循环差集. **解毕.**

例 15.3.2. 考察 $(63, 35, 15)$ 循环差集的存在性. 若存在, 试构造出一个来.

解. 因为

$$63 = \frac{2^6 - 1}{2 - 1}, \quad 31 = \frac{2^5 - 1}{2 - 1}, \quad 15 = \frac{2^4 - 1}{2 - 1},$$

故由定理 15.2.1 知, $(63, 35, 15)$ 循环差集是存在的.

不难验证，多项式

$$f(x) = x^6 + x + 1 \tag{15.3.10}$$

是 GF(2) 上的一个本原多项式. 设 α 是 $f(x)$ 在 GF(2^6) 中的一个根. 由(15.3.10)，

$$\alpha^6 = 1 + \alpha. \tag{15.3.11}$$

记

$$\alpha^i = a_i + b_i\alpha + c_i\alpha^2 + d_i\alpha^3 + e_i\alpha^4 + f_i\alpha^5, \tag{15.3.12}$$

其中诸 a_i, b_i, c_i, d_i, e_i, $f_i \in$ GF(2). 由(15.3.11)和(15.3.12)得

$$\alpha^{i+1} = f_i + (f_i + a_i)\alpha + b_i\alpha^2 + c_i\alpha^3 + d_i\alpha^4 + e_i\alpha^5,$$
$$\alpha^{i+2} = e_i + (e_i + f_i)\alpha + (f_i + a_i)\alpha^2 + b_i\alpha^3 + c_i\alpha^4 + d_i\alpha^5,$$
$$\alpha^{i+3} = d_i + (d_i + e_i)\alpha + (e_i + f_i)\alpha^2 + (f_i + a_i)\alpha^3 + b_i\alpha^4 + c_i\alpha^5,$$
$$\alpha^{i+4} = c_i + (c_i + d_i)\alpha + (d_i + e_i)\alpha^2$$
$$+ (e_i + f_i)\alpha^3 + (f_i + a_i)\alpha^4 + b_i\alpha^5,$$
$$\alpha^{i+5} = b_i + (b_i + c_i)\alpha + (c_i + d_i)\alpha^2$$
$$+ (d_i + e_i)\alpha^3 + (e_i + f_i)\alpha^4 + (f_i + a_i)\alpha^5,$$
$$\alpha^{i+6} = (f_i + a_i) + (f_i + a_i + b_i)\alpha + (b_i + c_i)\alpha^2$$
$$+ (c_i + d_i)\alpha^3 + (d_i + e_i)\alpha^4 + (e_i + f_i)\alpha^5,$$

因此有 f_i 之间的递归关系式：

$$f_{i+6} = e_i + f_i = f_{i+1} + f_i. \tag{15.3.13}$$

据此递归关系式和初始值

$$f_0 = f_1 = f_2 = f_3 = f_4 = 0, f_5 = 1,$$

即可算出全部 $f_i (0 \leqslant i \leqslant 62)$ 的值：

i	0	1	2	3	4	5	6	7	8	9	10	11	12	13	14	15	16
f_i	0	0	0	0	0	1	0	0	0	0	1	1	0	0	0	1	0

i	17	18	19	20	21	22	23	24	25	26	27	28	29	30	31	32	33
f_i	1	0	0	1	1	1	1	0	1	0	0	0	1	1	1	0	0

i	34	35	36	37	38	39	40	41	42	43	44	45	46	47	48	49	50
f_i	1	0	0	1	0	1	1	0	1	1	1	1	0	1	1	0	1

i	51	52	53	54	55	56	57	58	59	60	61	62
f_i	1	0	1	0	1	0	1	1	1	1	1	1

$$\tag{15.3.14}$$

由表(15.3.14)可知,若把 PG(5,2) 中的点 α^i 的坐标表达式记为 $(a_i,\ b_i,\ c_i,\ d_i,\ e_i,\ f_i)$,则超平面 $f=0$ 上的点 α^i 的方幂组成 Z_v 上的一个 $(63,31,15)$ 循环差集:

$$\{0,\ 1,\ 2,\ 3,\ 4,\ 6,\ 7,\ 8,\ 9,\ 12,\ 13,\ 14,\ 16,\ 18,\ 19,\ 24,\ 26,\ 27,$$
$$28,\ 32,\ 33,\ 35,\ 36,\ 38,\ 41,\ 45,\ 48,\ 49,\ 52,\ 54,\ 56\}(\mathrm{mod}63).$$

解毕.

递归关系(15.3.13)可以写成

$$f_{i+6} = 0 \cdot f_{i+5} + 0 \cdot f_{i+4} + 0 \cdot f_{i+3} + 0 \cdot f_{i+2} + 1 \cdot f_{i+1} + 1 \cdot f_i,$$

由此可以看出,它的诸系数正好是关系式(15.3.11)中 α 的诸方幂的对应系数

$$\alpha^6 = 0 \cdot \alpha^5 + 0 \cdot \alpha^4 + 0 \cdot \alpha^3 + 0 \cdot \alpha^2 + 1 \cdot \alpha + 1 \cdot \alpha^0.$$

这里有一简单方法导出一个关于此递归关系的一般性结果,今列在下面以供使用.

引理 15.3.1. 若 α 是域 F 上的不可约多项式

$$f(x) = -x^{m+1} + c_m x^m + c_{m-1} x^{m-1} + \cdots + c_1 x + c_0 \tag{15.3.15}$$

的根,且记

$$\alpha^i = b_{im}\alpha^m + b_{i,\ m-1}\alpha^{m-1} + \cdots + b_{i1}\alpha + b_{i0},$$

则对任一固定的 $l(0 \leqslant l \leqslant m)$,都有递归关系

$$b_{i+m+1,\ l} = c_m b_{i+m,\ l} + c_{m-1} b_{i+m-1,\ l} + \cdots + c_1 b_{i+1,\ l} + c_0 b_{il}. \tag{15.3.16}$$

证明. 由(15.3.15)知

$$\alpha^{m+1} = \sum_{0 \leqslant j \leqslant m} c_j \alpha^j. \tag{15.3.17}$$

今考虑和 $\sum\limits_{i \leqslant j \leqslant i+m+1} c_{j-i}\alpha^j$,其中 $c_{m+1} = -1$. 一方面,由(15.3.17),有

$$\sum_{i \leqslant j \leqslant i+m+1} c_{j-i}\alpha^j = \alpha^i \sum_{0 \leqslant j-i \leqslant m+1} c_{j-i}\alpha^{j-i} = 0; \tag{15.3.18}$$

另一方面,

$$\sum_{i \leqslant j \leqslant i+m+1} c_{j-i}\alpha^j = \sum_{i \leqslant j \leqslant i+m+1} c_{j-i} \sum_{0 \leqslant l \leqslant m} b_{jl}\alpha^l$$

$$= \sum_{0 \leqslant l \leqslant m} \left(\sum_{i \leqslant j \leqslant i+m+1} b_{jl} c_{j-i} \right) \alpha^l. \tag{15.3.19}$$

由(15.3.15)的不可约性，以及(15.3.18)和(15.3.19)得

$$\sum_{i\leqslant j\leqslant i+m+1} b_{jl}c_{j-i} = 0 ,$$

此即(15.3.16). **证毕.**

由定理 15.3.1 可知，两个不同的超平面所对应的循环差集，其一是另一的平移. 如果不是从原根 α 出发，而是从另一原根 α^t 出发，则此时所得的循环差集 $(\bmod v)$ 只是原得的循环差集 $(\bmod v)$ 的 t' 倍，这里 t' 是 t 的逆 $(\bmod v)$. 这是因为，由 α^t 是原根知有 t' 存在合 $tt' = 1(\bmod v)$. 假设原差集由 $\mathrm{PG}(m, q)$ 中的点

$$\alpha^{a_1}, \ \alpha^{a_2}, \cdots, \ \alpha^{a_k}$$

组成，那么以 α^t 为原根出发作出的差集就由点

$$(\alpha^t)^{t'a_1}, (\alpha^t)^{t'a_2}, \cdots, (\alpha^t)^{t'a_k}$$

组成，用 Z_v 上的元写出，前者和后者分别为

$$D \equiv \{a_1, \ a_2, \cdots, \ a_k\} \ (\bmod v),$$
$$t'D \equiv \{t'a_1, \ t'a_2, \cdots, \ t'a_k\} \ (\bmod v).$$

15.4　循环设计的构造方法四

在例 15.1.1 所构造的 $(7, 3, 1)$ 循环差集

$$\{1, 2, 4\}(\bmod 7) \tag{15.4.1}$$

中，诸元 1，2，4 是 mod7 的全部非零二次剩余. 这是因为 3 是 7 的原根，而 $3^2 \equiv 2(\bmod 7)$. 1933 年，Paley[1]证明了一个一般性的结果，由它可知，像(15.4.1)这样的循环差集的存在并非偶然.

Paley 的结果是：

定理 15.4.1. 设 $v = 4t - 1$ 是一个素数. 那么，$\bmod v$ 的全部非零二次剩余组成的集 D 是一个 $(4t - 1, 2t - 1, t - 1)$ 循环差集.

证明. 因 -1 是非平方剩余 $(\bmod v)$，故当 $a_1, a_2 \in D$ 且 $a_1 \neq a_2(\bmod v)$ 时，$a_1 - a_2$ 与 $a_2 - a_1$ 中一个是平方剩余，另一是非平方剩余 $(\bmod v)$. 假定

$$a_1 - a_2 \equiv a(\bmod v) \tag{15.4.2}$$

是平方剩余. 如果 $b \neq 0$，$a(\bmod v)$，b 是另一平方剩余，则由 $a^{-1}(\bmod v)$ 是平方剩

余知 $a^{-1}b$, $a^{-1}ba_1$, $a^{-1}ba_2(\bmod v)$ 都是平方剩余. 由(15.4.2)得

$$a^{-1}ba_1 - a^{-1}ba_2 \equiv a^{-1}ba \equiv b \not\equiv 0(\bmod v). \tag{15.4.3}$$

(15.4.2)和(15.4.3)说明了，任二非零平方剩余表为二个平方剩余的差的表示法的个数相同，暂记这个数为 λ_1. 把(15.4.2)和(15.4.3)的两节同乘-1，得

$$a_2 - a_1 \equiv -a \not\equiv 0(\bmod v).$$
$$a^{-1}ba_2 - a^{-1}ba_1 \equiv -b \not\equiv 0(\bmod v).$$

这两式说明了，任二平方非剩余表为二个平方剩余的差的表示法的个数相同，且这个个数等于 λ_1. 因此，D 确是一个 $(4t-1, 2t-1, \lambda_1)$ 循环差集. 由

$$\lambda_1(4t-2)=(2t-1)(2t-2)$$

得 $\lambda_1 = t - 1$. **证毕**.

该定理给出的设计是一类 Hadamard 设计(参看 11.4 或 16.1 节).

当 $t = 2$ 时，这个定理就给出 $(7, 3, 1)$ 循环设计(15.4.1).

由这个定理自然产生一个想法：对于由 m 次剩余$(\bmod v)$所组成的集合，情形会怎样呢？它们能否成为一个循环差集呢？对于这个问题的研究导出了构造一系列与 m 次剩余有关的循环差集的方法和结果，这就是本节要介绍的主要内容.

设 v 是一个奇素数. 现在来说明，在考虑与 m 次剩余$(\bmod v)$有关的循环差集时，可以只限于 m 是 $v - 1$ 的因数的情形. 如果 m 不是 $v - 1$ 的因数，记 $m_1 = \gcd(m, v - 1)$，则 m_1 是 m 的因数. 设 g 是 v 的一个原根. 同余式

$$g^{m_1} \equiv g^{xm}(\bmod v) \tag{15.4.4}$$

对某一整数 x 成立的充要条件是

$$m_1 \equiv xm(\bmod(v - 1)) \tag{15.4.5}$$

对 x 成立，而(15.4.5)有解 x 的充要条件是

$$\gcd(v - 1, m) \mid m_1. \tag{15.4.6}$$

由(15.4.6)恒成立这一事实便知有 x 使(15.4.4)成立，亦即一个 m_1 次剩余一定是一个 m 次剩余. 反过来，一个 m 次剩余一定是一个 m_1 次剩余：

$$g^m = (g^{\frac{m}{m_1}})^{m_1} (\mathrm{mod}\, v).$$

因此，今后在考虑与 m 次剩余$(\mathrm{mod}\, v)$有关的循环差集时，总假定 $m \mid (v-1)$. 因而对某一整数 f, 有

$$v = mf + 1. \tag{15.4.7}$$

在考虑与 m 次剩余$(\mathrm{mod}\, v)$有关的循环差集时，分圆数$(l,\ h)_m$ 起着重要的作用，故需对它作些讨论.

设 v 是形如(15.4.7)的奇素数，g 是 v 的一个原根. 记

$$C_i \equiv \{g^{mx+i} | 0 \leqslant x \leqslant f-1\}(\mathrm{mod}\, v), 0 \leqslant i \leqslant m-1. \tag{15.4.8}$$

所谓 m 阶分圆数，或简称为分圆数，记为$(l,\ h)_m$, 是方程

$$a_l + 1 \equiv a_h (\mathrm{mod}\, v),\quad a_l \in C_l,\quad a_h \in C_h \tag{15.4.9}$$

的解$(a_l,\ a_h)$的个数，亦即方程

$$\begin{aligned} &g^{mx+l} + 1 \equiv g^{my+h}(\mathrm{mod}\, v),\\ &0 \leqslant x,\ y \leqslant f-1 \end{aligned} \tag{15.4.10}$$

的解$(x,\ y)$的个数. 总共有 m^2 个分圆数

$$(l,\ h)_m, 0 \leqslant l,\ h \leqslant m-1.$$

关于分圆数的性质，有

引理 15.4.1.

$$(l,\ h)_m = (l',\ h')_m,\ 若 l \equiv l' 且 h \equiv h'(\mathrm{mod}\, m). \tag{15.4.11}$$

$$(l,\ h)_m = (m-l,\ h-l)_m \tag{15.4.12}$$

$$= \begin{cases} (h,\ l)_m, & 若 2 \mid f, \\ (h+\dfrac{m}{2},\ l+\dfrac{m}{2})_m, & 若 2 \nmid f. \end{cases} \tag{15.4.13}$$

$$\sum_{h=0}^{m-1} (l,\ h)_m = f - \varepsilon_l, \tag{15.4.14}$$

$$这里\,\varepsilon_l = \begin{cases} 1, & 若\,l \equiv 0(\mathrm{mod}\,m)且2\,|\,f,\ 或\,l \equiv \dfrac{m}{2}(\mathrm{mod}\,m)且2 \nmid f, \\ 0, & 其他. \end{cases}$$

$$(l,\ h)'_m = (sl,\ sh)_m, \tag{15.4.15}$$

这里$(l,\ h)'_m$是基于原根$g' \equiv g^s(\mathrm{mod}\,v)$定义出的分圆数，$s$同$v-1$互素.

证明. (15.4.11)和(15.4.15)是分圆数的定义的直接推论.

方程(15.4.10)的两节同乘以g^{mx+l}的逆$(\mathrm{mod}\,v)$得

$$1 + g^{m(f-x)+(m-l)} \equiv g^{m(f+y-x)+(m+h-l)}(\mathrm{mod}\,v),$$

故有(15.4.12).

因为g是原根，故

$$-1 \equiv g^{\frac{v-1}{2}} \equiv \begin{cases} g^{m\frac{f}{2}}, & 若\,2\,|\,f, \\ g^{m\frac{f-1}{2}+\frac{m}{2}}, & 若\,2 \nmid f, \end{cases} \tag{15.4.16}$$

方程(15.4.10)可以改写为

$$-g^{mx+h} + 1 \equiv -g^{my+l}(\mathrm{mod}\,v). \tag{15.4.17}$$

当$2\,|\,f$时，由(15.4.16)知(15.4.17)即

$$g^{m\left(y+\frac{f}{2}\right)+h} + 1 \equiv g^{m\left(x+\frac{f}{2}+l\right)}(\mathrm{mod}\,v);$$

当$2 \nmid f$时，(15.4.17)即

$$g^{m\left(y+\frac{f-1}{2}\right)+\left(h+\frac{m}{2}\right)} + 1 \equiv g^{m\left(x+\frac{f-1}{2}\right)+\left(l+\frac{m}{2}\right)}(\mathrm{mod}\,v);$$

故有(15.4.13).

(15.4.14)左节的和是C_l中这样的数a_l的个数：$a_l + 1 \not\equiv 0(\mathrm{mod}\,v)$，亦即

$$a_l \not\equiv -1(\mathrm{mod}\,v). \tag{15.4.18}$$

由(15.4.16)知，(15.4.18)成立的充要条件是，当$2\,|\,f$时，$l \equiv 0(\mathrm{mod}\,m)$；当$2 \nmid f$时，$l \equiv \dfrac{m}{2}(\mathrm{mod}\,m)$. 因此，(15.4.14)成立. **证毕.**

现在已作好准备来证明与 m 次剩余$(\bmod v)$有关的循环差集存在的主要条件.

定理 15.4.2. 设奇素数 $v = mf + 1$. (1)v 的 m 次剩余组成的集 C_0 是一个循环差集的充要条件是

$$2 \nmid f (\text{从而 } 2 \mid m),$$

$$(l,0)_m = \frac{f-1}{m} \left(0 \leqslant l \leqslant \frac{m}{2} - 1 \right). \tag{15.4.19}$$

这样的循环差集的参数是

$$(v, \ k, \ \lambda) = \left(v, \ f, \frac{f-1}{m} \right). \tag{15.4.20}$$

(2)v 的 m 次剩余和 0 组成的集 $C_0 \bigcup \{0\}$ 是一个循环差集的充要条件是

$$2 \nmid f(\text{从而 } 2 \mid m),$$

$$1 + (0,0)_m = (l,0)_m = \frac{f+1}{m} \left(1 \leqslant l \leqslant \frac{m}{2} - 1 \right). \tag{15.4.21}$$

这样的循环差集的参数是

$$(v, \ k, \ \lambda) = \left(v, \ f+1, \frac{f+1}{m} \right). \tag{15.4.22}$$

证明. 先证(1)中条件的必要性. 如果 C_0 是一个循环差集, 则因 C_0 中的元的个数是 f, 故有 $\lambda(v-1) = f(f-1)$, 即 $\lambda mf = f(f-1)$, 亦即

$$\lambda = \frac{f-1}{m}.$$

这就得到了(15.4.20). 对任一固定的 $l(0 \leqslant l \leqslant m-1)$, g^l 可以有 $\lambda = \dfrac{f-1}{m}$ 种方式表成 C_0 中二元之差:

$$g^l \equiv g^{mx} - g^{my} (\bmod v). \tag{15.4.23}$$

这就是说, 方程(15.4.23)有 λ 个解$(x, \ y)$, 亦即方程

$$g^{m(f-y)+l} + 1 \equiv g^{m(x+f-y)} (\bmod v) \tag{15.4.24}$$

有 λ 个解$(y, \ x{-}y)$. 另一方面, (15.4.24)的解的个数是$(l, \ 0)_m$, 所以

$$(l,0)_m = \frac{f-1}{m}(0 \leqslant l \leqslant m-1).$$

从而(15.4.19)成立. 如果 $2 \mid f$, 则由(15.4.16)知, -1 是一个 m 次剩余, 因而$(-1)C_0 = C_0$, 故-1 是循环差集 C_0 的乘数. 此与定理 14.3.5 矛盾. 这就证明了(1)中条件的必要性.

现在来证(1)中条件的充分性. 因 $2 \nmid f$, $2 \mid m$, 故由(15.4.13)知

$$\begin{aligned}\left(l+\frac{m}{2},0\right)_m &= \left(0+\frac{m}{2},\left(l+\frac{m}{2}\right)+\frac{m}{2}\right)_m \\ &= \left(\frac{m}{2},\ l\right)_m = \left(-\frac{m}{2},\ l-\frac{m}{2}\right)_m \\ &= \left(\left(l-\frac{m}{2}\right)+\frac{m}{2},-\frac{m}{2}+\frac{m}{2}\right)_m = (l,0)_m \\ &= \frac{f-1}{m}\left(0 \leqslant l \leqslant \frac{m}{2}-1\right),\end{aligned} \tag{15.4.25}$$

因而

$$(l,0)_m = \frac{f-1}{m}(0 \leqslant l \leqslant m-1).$$

另一方面, 对任意固定的 $j(0 \leqslant j \leqslant f-1)$ 和 $l(0 \leqslant l \leqslant m-1)$, 方程

$$g^{mj+l} \equiv g^{mx} - g^{my} \pmod{v}$$

的解的个数即是 $(l,\ 0)_m$. 这就是说, 对任一 $a \not\equiv 0 \pmod{v}$, 都有 $(l,0)_m = \frac{f-1}{m}$ 种方式表成 C_0 中二数之差(mod v). 因此, C_0 是一个循环差集, 且其参数为(15.4.20). 这就证明了(1)中条件的充分性.

现在来证明(2)中条件的必要性. 假设 $C_0 \bigcup \{0\}$ 是一个循环差集. 如前面证明一样, 此时也有 $2 \nmid f$, 因而 $-1 \in C_{\frac{m}{2}}$. 由于现在的集是 $C_0 \bigcup \{0\}$, 且

$$g^{mx} - 0 \equiv g^{mx} \pmod{v}, \tag{15.4.26}$$

$$0 - g^{mx} \equiv -g^{mx} \equiv g^{mx+\frac{m}{2}} \pmod{v}, \tag{15.4.27}$$

故在计算 $a(\in C_l)$ 表为 $C_0 \bigcup \{0\}$ 中二元之差时, 若 $a \not\in C_0$, $C_{\frac{m}{2}}$, 则其表法数为$(l,$

$0)_m$；若 $a \in C_0$ 或 $a \in C_{\frac{m}{2}}$，则由(15.4.26)和(15.4.27)知，其表法数为 $1+(0,\,0)_m$ 或

$1+\left(\dfrac{m}{2},0\right)_l$. 这样一来，(15.4.21)成立. 再者，此时 $C_0 \bigcup \{0\}$ 有 $f+1$ 个元，故由

$\lambda(mf)=(f+1)f$ 知 $\lambda=\dfrac{f+1}{m}$，从而有(15.4.22). 这就证明了(2)中条件的必要性.

至于(2)中条件的充分性，只要注意到(15.4.25)中已有

$$\left(l+\frac{m}{2},\,0\right)_m=(l,\,0)_m\,(0\leqslant l\leqslant m-1)$$

就够了. 因为由此可知

$$1+(0,\,0)_m=1+\left(\frac{m}{2},\,0\right)_m=(l,\,0)_m$$

$$\left(1\leqslant l\leqslant m-1,\ \ l\neq\frac{m}{2}\right).$$

至此，定理的结论已全部**证毕**.

对 m 的具体的值，如果能计算出诸分圆数 $(i,\,0)_m$，那么就能用这个定理判定 m 次剩余所组成的集以及 m 次剩余和 0 所组成的集是否为一个循环差集. 为方便起见，称前一类型的循环差集为 m 次剩余差集，称后一类型的循环差集为 m 次剩余添零差集.

下面的定理就是应用定理 15.4.2 来定出一些 m 次剩余差集和 m 次剩余添零差集所得的具体结果.

定理 15.4.3. (1)当 $v=4t-1$ 是个素数时，存在 v 的二次剩余差集.

(2)当 $v=4x^2+1\,(2\nmid x)$ 是个素数时，存在 v 的四次剩余差集.

(3)当 $v=4x^2+9\,(2\nmid x)$ 是个素数时，存在 v 的四次剩余添零差集.

(4)当 $v=8a^2+1=64b^2+9\,(2\nmid ab)$ 是个素数时，存在 v 的八次剩余差集.

(5)当 $v=8a^2+49=64b^2+441(2\nmid a,\ 2\mid b)$ 是个素数时，存在 v 的八次剩余添零差集.

证明. (1)此时 $m=2,v=4t-1$，故 $f=2t-1$ 是个奇数. 再者，由(15.4.25)的前部分，有

$$(1,\,1)_2=(1,\,0)_2=(0,\,0)_2,\tag{15.4.28}$$

且由(15.4.14)，有

$$(1,\,0)_2+(1,\,1)_2=f-1,$$

因此 $(0,0)_2 = \dfrac{f-1}{2}$. 于是定理 15.4.2 的 (1) 的条件满足, 故存在 v 的二次剩余差集.

(2) 当 $m=4$, $2 \nmid f$ 时, 分圆数有以下性质:

$$
\begin{aligned}
(0,0)_4 &= \left(0+\frac{4}{2}, 0+\frac{4}{2}\right)_4 = (2,2)_4, \\
(2,2)_4 &= (-2, 2-2)_4 = (2,0)_4; \\
(0,1)_4 &= (1+2, 0+2)_4 = (3,2)_4, \\
(3,2)_4 &= (-3, 2-3)_4 = (1,3)_4; \\
(1,2)_4 &= (2+2, 1+2)_4 = (0,3)_4, \\
(1,2)_4 &= (-1, 2-1)_4 = (3,1)_4; \\
(1,0)_4 &= (-1, 0-1)_4 = (3,3)_4, \\
(1,0)_4 &= (0+2, 1+2)_4 = (2,3)_4; \\
(2,3)_4 &= (-2, 3-2)_4 = (2,1)_4, \\
(2,1)_4 &= (1+2, 2+2)_4 = (3,0)_4, \\
(3,0)_4 &= (-3, 0-3)_4 = (1,1)_4.
\end{aligned}
\tag{15.4.29}
$$

利用这些性质, 可以由 (15.4.14) 得出三个彼此独立的关系式:

$$
\begin{aligned}
(0,0)_4 + (1,0)_4 &= \frac{f-1}{2}, \\
3(1,0)_4 - (0,2)_4 &= \frac{f-1}{2}, \\
(0,1)_4 + (1,2)_4 &= f - \frac{2}{3}\left(\frac{f-1}{2} + (0,2)_4\right).
\end{aligned}
\tag{15.4.30}
$$

还可证明, $v = 4x^2 + y^2 (y \equiv 1 \pmod 4)$ 且 $2 \nmid f$ 时, 有

$$
\begin{aligned}
y &= 2f - 1 - 8(1,0)_4, \\
x &= (1,2)_4 - (1,0)_4,
\end{aligned}
\tag{15.4.31}
$$

这些结果的证明较繁, 需较多篇幅, 这里从略; 有兴趣的读者可以参看 Hall[4]. 由 (15.4.30) 和 (15.4.31) 且利用 (15.4.29) 便可得

$$
\begin{aligned}
(0,0)_4 = (2,2)_4 = (2,0)_4 &= \frac{1}{16}(v - 7 + 2y), \\
(0,1)_4 = (1,3)_4 = (3,2)_4 &= \frac{1}{16}(v + 1 + 2y - 8x),
\end{aligned}
$$

$$(1,\ 2)_4=(0,\ 3)_4=(3,\ 1)_4=\frac{1}{16}(v+1+2y+8x),$$

$$(0,\ 2)_4=\frac{1}{16}(v+1-6y),$$

$$(1,\ 0)_4=(1,\ 1)_4=(2,\ 1)_4=(2,\ 3)_4=(3,\ 0)_4$$

$$=(3,\ 3)_4=\frac{1}{16}(v-3-2y),\tag{15.4.32}$$

于是，条件(15.4.19)成立，当且仅当

$$v-7+2y=v-3-2y,$$

即 $y=1$，亦即 $v=4x^2+1$. 此时 $f=x^2$，故需 $2\nmid x$. 这就证明了(2).

(3)由(15.4.32)，条件(15.4.21)成立当且仅当

$$v+2y+9=v-3-2y,$$

即 $y=-3$，故 $v=4x^2+9$.此时 $f=x^2+2$，故需 $2\nmid x$. 这就证明了(3).

(4)和(5)由于 $m=8$ 时分圆数的确定较复杂，需很多篇幅，故这里从略. 有兴趣的读者可参看 Lehmer[3].

定理**证毕**.

该定理的(1)中的结果就是定理 15.4.1，所以可以把这里的证明视为定理 15.4.1 的别证. 这些循环差集的参数很易推出，它们分别是

(1)$(v,\ k,\ \lambda)=(4t-1,\ 2t-1,\ t-1)$,

(2)$(v,\ k,\ \lambda)=\left(4x^2+1,x^2,\frac{x^2-1}{4}\right)$,

(3)$(v,\ k,\ \lambda)=\left(4x^2+9,x^2+3,\frac{x^2+3}{4}\right)$,

(4)$(v,\ k,\ \lambda)=(8a^2+1,\ a^2,\ b^2)$,

(5)$(v,\ k,\ \lambda)=(8a^2+49,\ a^2+7,\ b^2+7)$.

下面给出定理 15.4.3 所构造的循环差集的一些具体例子.

例 15.4.1. 下面的诸循环差集分别为定理 15.4.3 的(1)—(5)所肯定：

(1)(19，9，4)循环差集$\{1,\ 4,\ 5,\ 6,\ 7,\ 9,\ 11,\ 16,\ 17\}(\mod 19)$.

(2)(37，9，2)循环差集$\{1,\ 7,\ 9,\ 10,\ 12,\ 16,\ 26,\ 33,\ 34\}(\mod 37)$.

(3)(13，4，1)循环差集$\{0,\ 1,\ 3,\ 9\}(\mod 13)$.

(4)(73，9，1)循环差集$\{1,\ 2,\ 4,\ 8,\ 16,\ 32,\ 37,\ 55,\ 64\}(\mod 73)$.

(5)(26041，3256，407)循环差集可由 0 和素数 26041 的八次剩余组成.

由定理 15.4.2 可知，决定分圆数对构造循环差集是很重要的工作. 已被计算的分圆数及其出处列出如下：

$$m \in \{2,\ 4,\ 6\}(\text{Dickson}[1]),$$
$$m = 8(\text{Lehmer}[3]),$$
$$m = 10(\text{Whiteman}[3]),$$
$$m = 12(\text{Whiteman}[2]),$$
$$m = 14(\text{Muskat}[1]), \tag{15.4.33}$$
$$m = 16(\text{Whiteman}[1]),$$
$$m = 18(\text{Baumert 和 Fredricken}[1]),$$
$$m = 20(\text{Muskat 和 Whiteman}).$$

利用有关分圆数的这些结果可以证明, (1)不存在二次剩余添零差集, (2)既不存在 m 次剩余差集, 也不存在非平凡的 m 次剩余添零差集, 这里 $m = 6$, 10, 12, 14, 18; 以及 $m = 16$, 但 2 不是 v 的八次剩余; $m = 20$, 但 5 不是 v 的四次剩余. 不存在二次剩余添零差集这一事实可由(15.4.28)得知条件(15.4.21)不满足而推出. $m = 6$ 的结果见 Lehmer[1], $m = 10$, 12, 14, 16, 18, 20 的结果分别见(15.4.33)中所引的文献.

到这里为止只考虑了 m 次剩余差集 C_0 和 m 次剩余添零差集 $C_0 \bigcup \{0\}$. 能否由某些 C_i 的并或者再添零组成循环差集呢? 下面转而讨论这个问题.

首先证明一个有用的引理.

引理 15.4.2. 设 $v = mf + 1$ 是一个奇素数, g 是 v 的一个原根, 诸 C_i 是由(15.3.8)确定的集. 如果

$$C_{k_1} \bigcup C_{k_2} \bigcup \cdots \bigcup C_{k_l} \tag{15.4.34}$$

或

$$\{0\} \bigcup C_{k_1} \bigcup C_{k_2} \bigcup \cdots \bigcup C_{k_l} \tag{15.4.35}$$

是循环差集, 则任一 m 次剩余都是其乘数, 且 $2 \nmid f$.

证明. 因为 $g^{mx} C_i \equiv C_i \pmod{v}$, 故 g^{mx} 是循环差集(15.4.34)或(15.4.35)的乘数.

如果 $2 \mid f$, 那么由(15.4.16), -1 是 v 的 m 次剩余, 因而是差集(15.4.34)(或(15.4.35))的乘数, 这与定理 14.3.5 矛盾. 因此, $2 \nmid f$. **证毕**.

引理 15.4.3. 在引理 15.4.2 的条件下, 对任意整数 s, 当(15.4.34)是循环差集时,

$$C_{k_1+s} \bigcup C_{k_2+s} \bigcup \cdots \bigcup C_{k_l+s} \tag{15.4.36}$$

也是循环差集；当(15.4.35)是循环差集时，

$$\{0\} \bigcup C_{k_1+s} \bigcup C_{k_2+s} \bigcup \cdots \bigcup C_{k_l+s} \tag{15.4.37}$$

也是循环差集；且(15.4.36)和(15.4.37)分别与(15.4.34)和(15.4.35)等价.

证明. 因为 $\gcd\left(g^{mx+s},\ v\right)=1$，故

$$C_{k_1+s} \bigcup C_{k_2+s} \bigcup \cdots \bigcup C_{k_l+s} \equiv g^{mx+s}(C_{k_1} \bigcup C_{k_2} \bigcup \cdots \bigcup C_{k_l}) (\mathrm{mod}\, v),$$
$$\{0\} \bigcup C_{k_1+s} \bigcup C_{k_2+s} \bigcup \cdots \bigcup C_{k_l+s}$$
$$\equiv g^{mx+s}(\{0\} \bigcup C_{k_1} \bigcup C_{k_2} \bigcup \cdots \bigcup C_{k_l}) (\mathrm{mod}\, v),$$

因而引理成立. **证毕.**

引理 15.4.4. 设 $v=mf+1$ 是个奇素数且 $2 \nmid f$. 又设 g 是 v 的一个原根. (15.4.34)是一个循环差集的充要条件是

$$J_0 = J_1 = \cdots = J_{\frac{m}{2}-1}\ , \tag{15.4.38}$$

这里

$$J_s := \sum_{i=1}^{l} \sum_{j=1}^{l} \left(h_i - s,\ h_j - s\right)_m .$$

(15.4.35)是一个循环差集的充要条件是

$$J_0' = J_1' = \cdots = J_{m-1}'\ , \tag{15.4.39}$$

这里

$$J_s' = \begin{cases} J_s + 2,\ \text{若存在} h_i \equiv s,\ h_j \equiv s + \dfrac{m}{2}(\mathrm{mod}\, m), \\ J_s + 1,\ \text{若存在} h_i \equiv s (\mathrm{mod}\, m) \text{或} h_j \equiv s + \dfrac{m}{2}(\mathrm{mod}\, m),\ \text{但两者不同时存在,£} \\ J_s,\ \text{其他.} \end{cases}$$

证明. 设 $d \in C_s$ 是一个固定的数. 方程

$$a - b \equiv d\ (\mathrm{mod}\, v),\ a \in C_{hj},\ b \in C_{hi}$$

的解的个数即方程

$$g^{mx+h_j-s} \equiv g^{my+h_i-s} + 1 \pmod{v} \tag{15.4.40}$$

的解的个数, 亦即分圆数 $(h_i - s,\ h_j - s)_m$. 因此 d 表为(15.4.34)中二数之差的表法个数为 J_s. 于是, (15.4.34)成为一个循环差集的充要条件是

$$J_0 = J_1 = \cdots = J_{m-1}. \tag{15.4.41}$$

另一方面,

$$\begin{aligned} J_s &= \sum_{i=1}^{l}\sum_{j=1}^{l}\left(h_j - s + \frac{m}{2},\ h_i - s + \frac{m}{2}\right)_m \\ &= \sum_{i=1}^{l}\sum_{j=1}^{l}\left(h_i - \left(s - \frac{m}{2}\right),\ h_j - \left(s - \frac{m}{2}\right)\right)_m \\ &= J_{s-\frac{m}{2}}. \end{aligned}$$

因此, (15.4.34)为一个循环差集的充要条件是(15.4.38)成立.

d 表为(15.4.35)中二数之差的表法个数是方程(15.4.40)的解数, 方程

$$a - 0 \equiv d \pmod{v},\quad a \in C_{k_j} \tag{15.4.42}$$

的解的个数, 以及方程

$$0 - b \equiv d \pmod{v},\quad b \in C_{h_i} \tag{15.4.43}$$

的解的个数这三者之和. 方程(15.4.42)有解的充要条件是 $h_j \equiv s \pmod{m}$, 且当此条件满足时, 它只有一个解 $a \equiv d \pmod{v}$. 因为 $-1 \in C_{\frac{m}{2}}$, 故方程(15.4.43)有解的充要条件是 $h_i \equiv \frac{m}{2} + s \pmod{m}$, 且此条件满足时, 它也只有一个解 $b \equiv -d \pmod{v}$. 又, 因 s 是一个固定的数, 故满足 $h_j \equiv s \pmod{m}$ 的 h_j 最多一个, 满足 $h_i \equiv \frac{m}{2} + s \pmod{m}$ 的 h_i 也最多一个. 因此, 三个方程(15.4.40), (15.4.42), (15.4.43)的解数之和即为定理叙述中的 J_s'. **证毕.**

由于形如(15.4.34)和(15.4.35)的循环差集的补差集分别具(15.4.35)和(15.4.34)的形状, 故从 14.1 节的说明, 可以只考虑参数 $k < \frac{v}{2}$ 的循环差集(15.4.34)和(15.4.35). 再者, 由引理 15.4.3, 还可以假定在(15.4.34)和(15.4.35)中, $C_{k_1} = C_0$.

现在来看看 $m = 2$ 和 4 的情形.

定理 15.4.4. 设 $v = mf + 1$ 是个奇素数, 这里 $2 \nmid f$. 又设 g 是 v 的一个原根.

(1)当 $m = 2$ 是,参数为 v,k,λ 且 $k < \dfrac{v}{2}$ 的形如(15.4.34)和(15.4.35)的循环差集在等价的意义下只有二次剩余差集一个.

(2)当 $m = 4$ 时,参数为 v,k,λ 且 $k < \dfrac{v}{2}$ 的形如(15.4.34)和(15.4.35)的循环差集在等价意义下只可能有三个:四次剩余差集 C_0,四次剩余添零差集 $C_0 \bigcup \{0\}$,二次剩余差集 $C_0 \bigcup C_2$.

证明. (1)因 $\mid C_0 \bigcup \{0\} \mid > \dfrac{v}{2}$,故可不考虑 $C_0 \bigcup \{0\}$,从而在等价的意义下只考虑 C_0 即可. 由定理 15.4.3,因为

$$v \equiv 3 \pmod 4,$$

故 C_0 确为二次剩余差集.

(2)在等价的意义下,参数为 v,k,λ 且符合 $k < \dfrac{v}{2}$ 的形如(15.4.34)和(15.4.35)的循环差集只可能是 C_0,$C_0 \bigcup \{0\}$,$C_0 \bigcup C_2$,$C_0 \bigcup C_1$.C_0 是全体四次剩余组成的集.$C_0 \bigcup \{0\}$ 是全体四次剩余和零组成的集,$C_0 \bigcup C_2$ 是全体二次剩余组成的集.下面证明,$C_0 \bigcup C_1$ 不可能成为一个循环差集 $(\bmod v)$.

由(15.4.32)知,

$$J_0 = (0,\ 0)_4 + (1,\ 0)_4 + (0,\ 1)_4 + (1,\ 1)_4 = \frac{1}{16}(4v - 12 - 8x),$$

$$J_1 = (-1,\ -1)_4 + (0,\ -1)_4 + (-1,\ 0)_4 + (0,\ 0)_4 = \frac{1}{16}(4v - 12 + 8x).$$

因此,$J_0 = J_1$ 的充要条件是 $x = 0$. 然而此时 $v = y^2$ 不是一个素数. 由引理 15.4.4 和 $J_0 \neq J_1$ 知,$C_0 \bigcup C_1$ 不可能成为一个循环差集 $(\bmod v)$. **证毕.**

当 $m = 6$ 和 10 时的情形已分别由 Hall[8] 和 Hayashi[1] 所研究.

这里的方法可以往两个方向发展. 第一,如果 v 不是素数,而是一个素数的方幂 p^e 时,因为有限域 $\mathrm{GF}(p^e)$ 有原根,故可有一些类似的结果. 然而,$\mathrm{GF}(p^e)$ 的加群不再是个循环群,因而一般再也得不出循环差集来. 但是,当把循环差集的概念略加推广,即推广到所谓群差集的情形,这里的方法就能提供一些群差集的构造方法. 有关这一问题将在 15.6 节中作些介绍. 第二,如果 v 不是素数,而是两个相异奇素数 p 和 q 之积,此时对 v 就没有原根可供利用. 但是,利用 p 和 q 的公共原根的一些结果,仍能构造出一类型循环差集来. 有关这一问题的研究就是下节的内容.

15.5 循环设计的构造方法五

正如上节末所说, 本节将讨论 $v = pq$ 时循环差集$(\bmod v)$的构造方法, 这里 p 和 q 是二相异的奇素数. 可以预见, 同 15.4 节的情形一样, 类似于分圆数的一种数将在这个问题中起着重要的作用.

在下面的讨论中, 若无特殊说明, p 和 q 是二相异奇素数, $v = pq$, g 代表 p 和 q 的一个公共原根, 即 g 既是 p 的原根, 又是 q 的原根. 这样的 g 的存在性由中国剩余定理所保证.

首先证明将起基本作用的一个引理.

引理 15.5.1. 设

$$\gcd(p - 1,\ q - 1) = m, \quad d = \frac{1}{m}(p - 1)(q - 1),$$

于是存在整数 x 使得下面的 dm 个整数

$$g^s x^i \ (0 \leqslant s \leqslant d - 1; 0 \leqslant i \leqslant m - 1) \tag{15.5.1}$$

组成一个既约剩余系$(\bmod v)$.

证明. 由中国剩余定理, 同余式组

$$\begin{cases} x \equiv g \pmod{p}, \\ x \equiv 1 \pmod{q} \end{cases} \tag{15.5.2}$$

有唯一解 $x \pmod v$; 同余式组

$$\begin{cases} y \equiv 1 \pmod{p}, \\ y \equiv g \pmod{q} \end{cases} \tag{15.5.3}$$

有唯一解 $y \pmod v$. 对这样的 x 和 y, 有 $xy \equiv g \pmod{p}$, $xy \equiv g \pmod{q}$, 故

$$xy \equiv g \pmod{v}. \tag{15.5.4}$$

因为 g 的次数$(\bmod p)$是 $p - 1$, g 的次数$(\bmod q)$是 $q - 1$, 故 g 的次数$(\bmod v)$是 $lcm(p - 1,\ q - 1) = d$.

现在来证明, (15.5.2)的解 x 可以充作(15.5.1)中的 x 而满足要求. 由于(15.5.1)中的数有 $md = (p - 1)(q - 1) = \varphi(p)\varphi(q)$个, 所以只要能证明这些数无二同余$(\bmod v)$, 则它们就组成 $\bmod v$ 的一个既约剩余系, 即欲证明不存在 s, i, t, j 合

$$g^s x^i \equiv g^t x^j \pmod{v} ,$$

$$0 \leqslant s, \ t \leqslant d-1, 0 \leqslant i, \ j \leqslant m-1, (s, \ i) \neq (t, \ j), \tag{15.5.5}$$

亦即要证明，若

$$g^s x^i \equiv 1 \pmod{v}, \qquad 0 \leqslant s \leqslant d-1, 0 \leqslant i \leqslant m-1. \tag{15.5.6}$$

则 $s = i = 0$. 由(15.5.4)知(15.5.6)为

$$x^{i+s} y^s \equiv 1 \pmod{v} ,$$

从而由(15.5.2)和(15.5.3)得

$$g^{i+s} \equiv 1 \pmod{p} ,$$

$$g^s \equiv 1 \pmod{q} .$$

因此，$(p-1) \mid (i+s)$，$(q-1) \mid s$，从而

$$m \mid i, \quad \text{即 } i = 0. \tag{15.5.7}$$

把(15.5.7)代入(15.5.6)，得 $g^s \equiv 1 \pmod{v}$，从而

$$d \mid s, \quad \text{即 } s = 0.$$

证毕.

由于(15.5.2)和(15.5.3)中 x 和 y，以及 p 和 q 在问题中的对称性，故在(15.5.1)中把 x 换为 y，该引理的结论仍真. 这就说明了，符合条件的 x 不一定是唯一的.

基于引理15.5.1，Whiteman[4]定义广分圆数如下. 对引理15.5.1中的 g 和 x，记

$$E_i := \{ g^s x^i \pmod{v} \mid 0 \leqslant s \leqslant d-1 \}, 0 \leqslant i \leqslant m-1 .$$

广分圆数 $(i, j)_m$ 是方程

$$a + 1 \equiv b \pmod{v}, \ a \in E_i, \ b \in E_j$$

的解 (a, b) 的个数，亦即方程

$$g^s x^i + 1 \equiv g^t x^j \pmod{v}, \qquad 0 \leqslant s, \ t \leqslant d-1$$

的解 $(s,\ t)$ 的个数.

设 m 和 d 为引理 15.5.1 中所定义的数, 且 $p-1 \equiv mf$, $q-1 \equiv mf'$. 于是, $2 \mid m$, $\gcd(f,\ f')=1$. 关于广分圆数, 有以下性质.

引理 15.5.2.

(1) 存在整数 u 合

$$x^m \equiv g^u \pmod{v},\quad u \neq 1, 0 \leqslant u \leqslant d-1. \tag{15.5.8}$$

(2)

$$-1 \equiv \begin{cases} g^{\frac{d}{2}} \pmod{v}, & 若 2 \nmid ff', \\ g^z x^{\frac{m}{2}} \pmod{v}, & 若 2 \mid ff', \end{cases} \tag{15.5.9}$$

这里 $0 \leqslant z \leqslant d-1$

(3) $(i,\ j)_m = (i',\ j')_m$, 若 $i \equiv i'$, $j \equiv j' \pmod{m}$. $\tag{15.5.10}$

(4) $(i,\ j)_m = (m-i,\ j-i)_m$

$$= \begin{cases} (j,\ i)_m, & 若 2 \nmid ff', \\ \left(j+\dfrac{m}{2},\ i+\dfrac{m}{2}\right)_m, & 若 2 \mid ff'. \end{cases} \tag{15.5.11}$$

(5)

$$\sum_{j=0}^{m-1} (i,\ j)_m = \frac{(p-2)(q-2)-1}{m} + \delta_i, \tag{15.5.12}$$

这里

$$\delta_i = \begin{cases} 1, & 若 i \equiv 0 \pmod{m} 且 2 \nmid ff', \ 或 i \equiv \dfrac{m}{2} \pmod{m} 且 2 \mid ff', \\ 0, & 其他. \end{cases}$$

(6)

$$\sum_{j=0}^{m-1} (j,\ i) = \frac{(p-2)(q-2)-1}{m} + \varepsilon_i,$$

这里

$$\varepsilon_i = \begin{cases} 1, & 若 i \equiv 0 \pmod{m}, \\ 0, & 其他. \end{cases}$$

证明. 因为 $\gcd\left(x^m,\ v\right)=1$，故由引理 15.5.1 知，存在 s，i 合

$$x^m \equiv g^s x^i \pmod{v}, 0 \leqslant s \leqslant d-1, 0 \leqslant i \leqslant m-1.$$

由此得

$$x^{m-i} \equiv g^s \pmod{v}. \tag{15.5.13}$$

如果 $1 \leqslant i \leqslant m-1$，则 $1 \leqslant m-i \leqslant m-1$，故 $x^{m-i} \not\equiv 1 \pmod{v}$，从而 $\bmod v$ 的既约剩余系(15.5.1)中的二个不同的数 x^{m-i} 和 g 同余 $\pmod{v}$，这是不可能的. 所以 $i=0$，即

$$x^m \equiv g^s \pmod{v}.$$

如果 $s=1$，即 $x^m \equiv g \pmod{v}$，则与(15.5.2)的第二式矛盾. 这就证明了(1).

如果 $2 \mid ff'$，则

$$g^{\frac{d}{2}} \equiv g^{\frac{p-1}{2} \cdot \frac{q-1}{m}} \equiv (-1)^{\frac{q-1}{m}} \equiv (-1)^{f'} \equiv -1 \pmod{p}.$$

同理，$g^{\frac{d}{2}} \equiv -1 \pmod{q}$. 因此 $g^{\frac{d}{2}} \equiv -1 \pmod{v}$. 这就是(15.5.9)的第一式.

如果 $2 \nmid ff'$，则不失一般性，可设 $2 \mid f$. 因 $\gcd(-1,\ v)=1$，故有 s，i 合

$$-1 \equiv g^s x^i \pmod{v},$$
$$0 \leqslant s \leqslant d-1; 0 \leqslant i \leqslant m-1, \tag{15.5.14}$$

现在来证明 $i>0$. 若 $i=0$，则由(15.5.4)知，$s>0$，$-1 \equiv g^s \pmod{p}$，$-1 \equiv g^s \pmod{q}$. 从而 $s \equiv 0 \left(\bmod \frac{p-1}{2}\right)$，$s \equiv 0 \left(\bmod \frac{q-1}{2}\right)$，故 $s \equiv 0 \left(\bmod \frac{d}{2}\right)$. 另一方面，$g^{\frac{d}{2}} \equiv (g^{q-1})^{\frac{f}{2}} \equiv 1 \pmod{q}$. 这是不可能的，故 $i>0$. 因为

$$1 \equiv g^0 x^0 \begin{cases} g^{z'} x^{2i} \\ g^z x^{2i-m} \end{cases} \pmod{v}, \quad \begin{array}{l} \text{若 } 0<2i<m, \\ \text{若 } m \leqslant 2i<2m, \end{array}$$

其中 z' 和 z 是合 $0 \leqslant z'$，$z \leqslant d$ 的两个适当的整数. 因此必有 $i=\dfrac{m}{2}$，即(2)得证.

(3)中的结论是广分圆数的定义的直接推论.

(4)中的结论可由(15.5.9)导出，其推理过程与由(15.4.16)导出(15.4.13)的过程

完全类似.

现在来证明(5). (15.5.12)左节的和,是对固定的 i,形如 $g^s x^i + 1$ 且 $\not\equiv 0 (\bmod v)$ 的数的个数. 形如 $g^s x^i + 1$ 的数共有 d 个, 设其中有 N_v 个是 v 的倍数, 有 N_p 个是 p 的倍数, 有 N_q 个是 q 的倍数. 于是由容斥原理,

$$\sum_{j=0}^{m-1} (i, \ j)_m = d - N_p - N_q + N_v. \tag{15.5.15}$$

由(15.5.9),

$$N_v = \delta_i. \tag{15.5.16}$$

因为 $d = (p-1)\dfrac{q-1}{m}, \gcd(p, \ x) = 1$, 故当 s 遍历 $[0, \ d-1]$ 时, $g^s x^i (\bmod p)$ 过 $[1, p-1]$ 中每一元 $\dfrac{q-1}{m}$ 次, 从而有 $\dfrac{q-1}{m}$ 次取值 $-1(\bmod p)$, 因此,

$$N_p = \frac{q-1}{m}. \tag{15.5.17}$$

同理,

$$N_q = \frac{p-1}{m}. \tag{15.5.18}$$

把(15.5.16)—(15.5.18)代入(15.5.15)便得(15.5.12).

现在来证明(6). 由(15.5.12), 当 $2 \nmid ff'$ 时, 有

$$\sum_{j=0}^{m-1} (j, \ i)_m = \sum_{j=0}^{m-1} (i, \ j)_m = \frac{(p-2)(q-2)-1}{m} + \eta_i, \tag{15.5.19}$$

这里

$$\eta_i = \begin{cases} 1, & \text{若 } i \equiv 0 (\bmod m), \\ 0, & \text{其他}. \end{cases}$$

当 $2 | ff'$ 时, 有

$$\begin{aligned}
\sum_{j=0}^{m-1} (j, \ i)_m &= \sum_{j=0}^{m-1} \left(i + \frac{m}{2}, \ j + \frac{m}{2}\right)_m \\
&= \sum_{j=0}^{m-1} \left(i + \frac{m}{2}, \ j\right)_m \\
&= \frac{(p-2)(q-2)-1}{m} + \theta_i,
\end{aligned} \tag{15.5.20}$$

这里

$$\theta_i = \begin{cases} 1, & \text{若 } i + \dfrac{m}{2} \equiv \dfrac{m}{2}(\mathrm{mod}\, m), \\ 0, & \text{其他}. \end{cases}$$

由于 $\eta_i = \theta_i$，故(15.5.19)和(15.5.20)可以统一写为(15.5.13). 这就证明了(6). 定理证毕.

Whiteman[4]利用广分圆数研究了下列诸数

$$1,\ g,\ g^2,\ \cdots,\ g^{d-1};\ 0,\ q,\ 2q,\ \cdots,\ (p-1)q \tag{15.5.21}$$

组成一个循环差集的条件. (15.5.21)的前 d 个数所组成的集就是 E_0. 今把后 p 个数组成的集记为 Q，则(15.5.21)中诸数组成的集就是 $E_0 \bigcup Q$.

为了检验 $E_0 \bigcup Q$ 是否成为一个循环差集，须考虑方程

$$y - z \equiv w(\mathrm{mod}\, v) \tag{15.5.22}$$

合 y，$z \in E_0 \bigcup Q$ 的解$(y，z)$的个数.

引理 15.5.3. (1)设 w 是一个固定的数且 $q \nmid w$. 那么方程(15.5.22)合条件 $y \in E_0$，$z \in Q$ 的解$(y，z)$的个数是 $\dfrac{p-1}{m}$.

(2)设 w 是一个固定的数且 $p \mid w, q \nmid w$. 那么方程(15.5.22)合条件 $y,z \in E_0$ 的解$(y，z)$的个数是 $\dfrac{(p-1)(q-1-m)}{m^2}$.

(3)设 w 是一个固定的数且 $p \nmid w, q \mid w$. 那么方程(15.5.22)合条件 $y，z \in E_0$ 的解$(y，z)$的个数是 $\dfrac{(q-1)(p-1-m)}{m^2}$.

证明. (1)设 l 是 $\left[0, \dfrac{p-1}{m}-1\right]$ 中一数. 由于 g 是 q 的原根，而 $q \nmid w$，故在$[l(q-1)，\ l(q-1)+q-2]$中恰有一数 s 合

$$g^s \equiv w(\mathrm{mod}\, q).$$

因此，恰有一数 i 合

$$g^s - w \equiv iq(\mathrm{mod}\, pq), \quad 0 \leqslant i \leqslant p-1.$$

这就是说，对每一个 l，(15.5.22)恰有一解$(y，z)$合 $y \in E_0$，$z \in Q$.

今 l 的个数是 $\dfrac{p-1}{m}$, 故(15.5.22)合 $y \in E_0$, $z \in Q$ 的解 $(y$, $z)$ 的个数是 $\dfrac{p-1}{m}$.

(2)当 y , $z \in E_0$ 时, 方程(15.5.22)可改写为

$$g^t - g^s \equiv w(\mathrm{mod}\, v). \qquad (15.5.23)$$

当 $p \mid w$ 时, 由(15.5.23)得 $g^t - g^s \equiv 0(\mathrm{mod}\, p)$, 故 $(p-1) \mid (t-s)$, 即有整数 i 合

$$t = i(p-1) + s.$$

代此 t 入(15.5.23), 得

$$g^s(g^{i(p-1)} - 1) \equiv w(\mathrm{mod}\, v) , \qquad (15.5.24)$$

因 $w \not\equiv 0(\mathrm{mod}\, v)$, 故 i 不能取 $0\left(\mathrm{mod}\,\dfrac{q-1}{m}\right)$. 对任一

$$i \in \left[1, \dfrac{q-1}{m} - 1\right],$$

都恰有一个 s 合

$$g^s(g^{i(p-1)} - 1) \equiv w(\mathrm{mod}\, q) , \qquad (15.5.25)$$

$$s \in [l(q-1), \; l(q-1) + q-2].$$

由于(15.5.24)成立的充要条件是(15.5.25)成立, l 的个数为 $\dfrac{p-1}{m}$, 故(15.5.24)的解 $(s$, $i)$ 的个数是

$$\dfrac{p-1}{m} \cdot \left(\dfrac{q-1}{m} - 1\right) = \dfrac{(p-1)(q-1-m)}{m^2} .$$

(3)由于 p 和 q 在问题中的对称性, 故得所述结果.

引理至此**证毕**.

现在来证明有关 $E_0 \bigcup Q$ 为差集的一个一般性结果.

定理 15.5.1. (Whiteman[4]) 设 p 和 q 是两个奇素数, $v = pq$, $q > p$, $\gcd(p-1$, $q-1) = m$, $p-1 = mf$, $q-1 = mf'$, $d = \dfrac{(p-1)(q-1)}{m}$, g 是 p 和 q 的一个公共原根. 那么, $E_0 \bigcup Q$ 组成一个参数为

$$(v, \ k, \ \lambda) = \left(pq, \frac{v-1}{m}, \frac{v-1-m}{m^2} \right) \tag{15.5.26}$$

的循环差集的充要条件是

$$q = (m-1)p + 2, \tag{15.5.27}$$

$$(i,0)_m = (m-1)\left(\frac{p-1}{m} \right)^2, \quad 0 \leqslant i \leqslant m-1. \tag{15.5.28}$$

证明. 先证条件的必要性. 设 $E_0 \cup Q$ 组成一个参数为(15.5.26)的循环差集. 因 $| E_0 \cup Q | = d + p$, 故

$$\frac{pq-1}{m} = \frac{(p-1)(q-1)}{m} + p,$$

化简即(15.5.27).

设 w 是一个固定的数, 且 $w \in E_i$. w 表为 E_0 中二数之差的方式的个数是方程(15.5.22)合条件 $y, \ z \in E_0$ 的解$(y, \ z)$的个数, 亦即合

$$z'w + 1 \equiv z'y \pmod{v}, \quad z', \ y \in E_0 \tag{15.5.29}$$

的解$(z', \ y)$的个数, 这个数就是广分圆数$(i, \ 0)_m$. 方程(15.5.29)是由(15.5.22)两节同乘 z 的逆 $z' \pmod{v}$ 而得到的. w 表为 E_0 中的数和 Q 中的数之差的方式的个数是方程(15.5.22)合条件 $y \in E_0$, $z \in Q$ 的解$(y, \ z)$的个数. 由引理 15.5.3, 这个数为 $\frac{p-1}{m}$. w 表为 Q 中的数与 E_0 中的数之差的方式的个数是方程(15.5.22)和条件 $y \in Q$, $z \in E_0$ 的解$(y, \ z)$的个数, 亦即方程

$$z - y \equiv -w \pmod{v}, \quad z \in E_0, \ y \in Q$$

的解的个数. 同样由引理15.5.3, 这个数为 $\frac{p-1}{m}$. 综上所述可得, w 表为 $E_0 \cup Q$ 中二数之差的方法的个数是

$$(i, \ 0)_m + \frac{2(p-1)}{m}.$$

另一方面, 这个数应是循环差集 $E_0 \cup Q$ 的参数 λ 的值. 因此

$$(i, \ 0)_m + \frac{2(p-1)}{m} = \frac{v-1-m}{m^2}. \tag{15.5.30}$$

化简此式便得(15.5.28)，且这对任意 i 都成立. 这就证明了条件的必要性.

现在来证条件的充分性. 假定(15.5.27)和(15.5.28)成立. 且 w 是一个合 $w \not\equiv 0 (\mathrm{mod}\, v)$ 的数. 今考虑方程(15.5.22)合条件 y, $z \in E_0 \bigcup Q$ 的解(y , z)的个数, 下面就三种可能的情形分别讨论.

情形 1: $p \mid w$, 因而 $q \nmid w$. 由引理 15.5.3, 方程(15.5.22)合条件 $y \in E_0$, $z \in Q$ 的解(y, z)的个数为 $\dfrac{p-1}{m}$, 合条件 $y \in Q$, $z \in E_0$ 的解(y , z)的个数也为 $\dfrac{p-1}{m}$, 合条件 y, $z \in E_0$ 的解(y , z)的个数为 $\dfrac{(p-1)(q-1-m)}{m^2}$. 因 $q \nmid w$, (15.5.22)合条件 y, $z \in Q$ 的解的个数为 0. 因此, 方程(15.5.22)合条件 y, $z \in E_0 \bigcup Q$ 的解(y , z)的总个数, 由(15.5.27)为

$$\frac{2(p-1)}{m} + \frac{(p-1)(q-1-m)}{m^2} = \frac{1}{m^2}(v-1-m).$$

情形 2: $q \mid w$. 方程(15.5.22)合条件 y, $z \in E_0$ 的解(y, z)的个数, 由引理 15.5.3, 为 $\dfrac{(q-1)(p-1-m)}{m^2}$. 方程(15.5.22)合条件 y, $z \in Q$ 的解(y, z)的个数为 p. 这是因为, 此时方程(15.5.22)化为

$$y_1 - z_1 \equiv w_1(\mathrm{mod}\, p), \quad y_1, \ z_1 \in [\, 0, \ p-1],$$

这里 $w_1 = \dfrac{w}{q}$, 这个方程的解(y_1, z_1)的个数为 p: 对每一 $z_1 \in [\, 0, \ p-1]$, 有唯一的 $y_1 \in [0, \ p-1]$ 适合此方程. 方程 (15.5.22) 合条件 $y \in E_0$, $z \in Q$ 或条件 $y \in Q$, $z \in E_0$ 的解 (y , z) 的个数为 0. 综上所述, 方程(15.5.22)合条件 y, $z \in E_0 \bigcup Q$ 的解(y, z)的个数, 由(15.5.27), 为

$$\frac{(q-1)(p-1-m)}{m^2} + p = \frac{1}{m^2}(v-1-m).$$

情形 3: $\gcd(w, v) = 1$, 因而 w 在某一 E_i 中. 由(15.5.30)式以前的讨论可知, 方程(15.5.22)合条件 y, $z \in E_0 \bigcup Q$ 的解(y , z)的个数为

$$(i, 0)_m + \frac{2(p-1)}{m}.$$

由(15.5.27)和(15.5.28)知, 这个数也为

$$\frac{1}{m^2}(v-1-m).$$

综上所证即得，$E_0 \bigcup Q$ 是一个循环差集. 又该差集的参数为(15.5.26). **证毕**.

由(15.5.26)可知，对定理 15.5.1 中的循环差集 $E_0 \bigcup Q$，有

$$n = k - \lambda = \frac{1}{m^2}((m-1)v+1).$$

由于 $\gcd((m-1)v+1,\ v)=1$，故 $\gcd(n,\ v)=1$.

定理 15.5.1 中的差集叫做 Whiteman 差集.

应用定理 15.5.1 于 $m=2$ 的情形，便得

定理 15.5.2. 设 p 和 $p+2$ 都是素数，g 是其公共原根. 那么，下列诸数

$$1,\ g,\ g^2,\ \cdots,\ g^{\frac{p-3}{2}};\ 0,\ p+2,\ 2(p+2),\ \cdots,\ (p-1)(p+2) \quad (15.5.31)$$

组成一个循环差集，其参数为

$$(v,\ k,\ \lambda) = \left(p(p+2), \frac{v-1}{2}, \frac{v-3}{4}\right). \quad (15.5.32)$$

证明. 记 $p+2=q$，则因 $\gcd(p-1,\ p+1)=2$，故 $m=2$ 且 $f=\frac{p-1}{2}$，$f'=\frac{p+1}{2}$，$q=(2-1)p+2$. 这最后一式说明了(15.5.27)是满足的.

由(15.5.11)，对广分圆数 $(i,\ j)_2$，有

$$(1,0)_2=(-1,\ 0-1)_2=(1,1)_2,$$

$$(1,1)_2=\left(1+\frac{2}{2},1+\frac{2}{2}\right)_2=(0,0)_2. \quad (15.5.33)$$

再由 $\eta_0=1$ 和(14.5.19)得

$$(0,0)_2+(1,0)_2=\frac{(p-2)p-1}{2}+1=\frac{(p-1)^2}{2}.$$

结合(15.5.33)，得

$$(0,0)_2+(1,0)_2=\left(\frac{p-1}{2}\right)^2.$$

这说明了(15.5.28)是满足的.

再者，此时的 d 为

$$d = \frac{(p-1)(p+1)}{2} = \frac{p^2-1}{2},$$

故 $d-1 = \dfrac{p^2-3}{2}$. 这说明了(15.5.31)中的数组成的 $m=2$ 时的集 $E_0 \bigcup Q$. (15.5.32)

中的参数是显然的. 于是，由定理 15.5.1,(15.5.31)中的数组成一个具有参数 (15.5.32)的循环差集. **证毕**.

定理 15.5.2 中的这类特殊 Whiteman 差集叫做孪生素数差集.

例 15.5.1. 当 $p=3$, $q=5$ 时，取公共原根 $g=2$，则

$$\{0,\ 1,\ 2,\ 4,\ 5,\ 8,\ 10\}(\mathrm{mod}15)$$

是一个(15.7.3)循环差集.

$m=4$ 的情形为 Whiteman[4]所研究，$m=6$ 和 8 的情形为 Bergquist[1]所讨论.

关于 Whiteman 差集的乘数，有下面一些结果：

Whiteman 差集 $E_0 \bigcup Q$ 的全部乘数组成的集就是 E_0.

对孪生素数差集，$n=k-\lambda$ 的全部因数都是其乘数.

这些结果的证明是不难的，可参看 Baumert[2].

15.6   一类正则设计的构造方法

本节给出一类正则设计的构造方法.

定理 15.6.1. 设 p 是一个素数，e 是个正整数且 $p^e = 4t-1$. 又设 G 是 $\mathrm{GF}(p^e)$ 的加群.那么 $\mathrm{GF}(p^e)$ 中的全部非零平方元组成的集

$$Q = \left\{ g^2 \mid g \in GF(p^e) \right\}$$

是 G 的一个(4t-1, 2t-1, t-1)群差集.

证明. 完全类似于定理 15.4.1 的证明，只需在那里把"非零平方剩余"换成 "$\mathrm{GF}(p^e)$ 中的非零平方元"，"非平方剩余"换成 "$\mathrm{GF}(p^e)$ 中的非平方元"， "$x-y \equiv z(\mathrm{mod}\ v)$" 换成 "$x-y=z$"，"$x-y \not\equiv z(\mathrm{mod}\ v)$" 换成 "$x-y \neq z$" 即可. **证毕**.

为了叙述和证明下面的定理，需要引入有限域的直和的概念. 设 p^e 和 q^f 都是

素数的方冪. 分别记 $\mathrm{GF}\left(p^e\right)$ 和 $\mathrm{GF}\left(q^f\right)$ 为含有 p^e 个元和 q^f 个元有限域. 今定义

$$\mathrm{GF}\left(p^e\right) \oplus \mathrm{GF}\left(q^f\right) := \left\{(a,\ b) \mid a \in \mathrm{GF}\left(p^e\right),\ b \in \mathrm{GF}\left(q^f\right)\right\}, \tag{15.6.1}$$

且在其上引进 "+" 和 "·" 两个运算如下:

$$(a,\ b) + (c,\ d) := (a + c,\ b + d), \tag{15.6.2}$$
$$(a,\ b) \cdot (c,\ d) := (ac,\ bd), \tag{15.6.3}$$

这里 $a + c$, ac 分别是 $\mathrm{GF}\left(p^e\right)$ 中的加法和乘法运算, $b + d$ 和 bd 分别是 $\mathrm{GF}\left(q^f\right)$ 中的加法和乘法运算, 且在(15.6.3)的左节中常略去乘法符号 "·". 具有运算(15.6.2) 和(15.6.3)的(15.6.1)叫做有限域 $\mathrm{GF}\left(p^e\right)$ 和 $\mathrm{GF}\left(q^f\right)$ 的直和.

再定义(15.6.1)的四个子集如下:

$$D_1 := \{(a,\ b) \mid a = x^2 \neq 0,\ b = y^2 \neq 0, x \in \mathrm{GF}\left(p^e\right),\ y \in \mathrm{GF}\left(q^f\right)\},$$

$$D_2 := \{(c,\ d) \mid c \text{ 是 } \mathrm{GF}\left(p^e\right) \text{ 中的非平方元}, d \text{ 是 } \mathrm{GF}\left(q^f\right) \text{ 中的非平方元}\},$$

$$D_3 := \{(g,\ 0) \mid g \in \mathrm{GF}\left(p^e\right)\}, \tag{15.6.4}$$
$$D = D_1 \bigcup D_2 \bigcup D_3. \tag{15.6.5}$$

于是

$$D_i \bigcap D_j = \varnothing, 1 \leqslant i \neq j \leqslant 3.$$

下面的定理断言, 在一定的条件下, D 为(15.6.1)的加群上的差集.

定理 15.6.2. 如果 p 和 q 是二相异素数, 且

$$p^e = q^f - 2, \tag{15.6.6}$$

则由(15.6.5)确定的集 D 是(15.6.1)的加群上的 $(v,\ k,\ \lambda)$ 群差集, 这里

$$v = p^e q^f,\quad k = \frac{p^e q^f - 1}{2},\quad \lambda = \frac{p^e q^f - 3}{4}. \tag{15.6.7}$$

证明. 由 p 和 q 的相异性以及(15.6.6)知, p 和 q 都是奇素数, 且

$$p^e q^f \equiv -1 (\mathrm{mod}\ 4). \tag{15.6.8}$$

由有限域中平方元与非平方元的个数的结果, 有

$$\left| \mathrm{GF}\left(p^e\right) \oplus \mathrm{GF}\left(q^f\right) \right| = p^e q^f,$$

$$| D_1 | = \frac{\left(p^e - 1\right)\left(q^f - 1\right)}{4} = | D_2 |,$$

$$| D_3 | = p^e.$$

由此和(15.6.5)及(15.6.6)得

$$|D| = \frac{\left(p^e - 1\right)\left(q^f - 1\right)}{2} + p^e = \frac{p^e q^f - 1}{2}. \quad . \tag{15.6.9}$$

设$(h, l) \in \mathrm{GF}\left(p^e\right) \oplus \mathrm{GF}\left(q^f\right)$，且$S$是$\mathrm{GF}\left(p^e\right) \oplus \mathrm{GF}\left(q^f\right)$的一个子集，定义

$$(h, l)S := \{(h, l)(s, s') | (s, s') \in S\}.$$

如果$(h, l) \in D_1$，则

$$(h, l)D_1 = D_1, \quad (h, l)D_2 = D_2, \quad (h, l)D_3 = D_3;$$

如果$(h, l) \in D_2$，则

$$(h, l)D_1 = D_2, \quad (h, l)D_2 = D_1, \quad (h, l)D_3 = D_3.$$

所以，

$$(h, l)D = D, \quad 若(h, l) \in D_1 \bigcup D_2. \tag{15.6.10}$$

由此得知，如果$(h, l) \in D_1 \bigcup D_2$且$(x, y) \in \mathrm{GF}\left(p^e\right) \oplus \mathrm{GF}\left(q^f\right)$可表为$D$中二相异元之差：

$$\begin{aligned} (x, y) &= (z, w) - (z', w'), \\ (z, w), &\ (z', w') \in D, \end{aligned} \tag{15.6.11}$$

则

$$\begin{aligned} (hx, ly) &= (hz, lw) - (hz', lw'), \\ (hz, lw), &\ (hz', lw') \in D. \end{aligned} \tag{15.6.12}$$

因h在$\mathrm{GF}\left(p^e\right)$中有逆元，$l$在$\mathrm{GF}\left(q^f\right)$中有逆元，故$(x, y)$的形如(15.6.11)的两种不同的表法所对应的$(hx, ly)$的形如(15.6.12)的两种表法也不同，且反之亦然. 因此，(x, y)和(hx, ly)表为D中二相异元之差的方式的个数相同.

下面来考察 $\mathrm{GF}\left(p^e\right)\oplus\mathrm{GF}\left(q^f\right)$ 的加法群中的非零元表为 D 中二元之差的方式的个数. 令

$D_4:=\{(\,s,\,u)\mid s$ 和 u 中一个是其所在域中的非零平方元，另一个是其所在域中的非平方元$\}$,

$$D_5:=\{(0,\,u)\mid u\in\mathrm{GF}\left(q^f\right)\backslash\{0\}\}.$$

于是

$$\mathrm{GF}\left(p^e\right)\oplus\mathrm{GF}\left(q^f\right)=D_1\bigcup D_2\bigcup D_3\bigcup D_4\bigcup D_5, \tag{15.6.13}$$

$$D_i\bigcap D_j=\varnothing,1\leqslant i\neq j\leqslant 5.$$

因(15.6.8)，故$(-1,\,-1)\notin D$. 若$(z,\,w)\in D_1\bigcup D_2$，且

$$(z,\,w)=(z_1,\,w_1)-(z_2,\,w_2),\,(z_1,\,w_1),\,(z_2,\,w_2)\in D, \tag{15.6.14}$$

则

$$(-z,\,-w)=(z_2,\,w_2)-(z_1,\,w_1), \tag{15.6.15}$$

且反之亦然. 对任一固定的 $(z,\,w)\in D_1\bigcup D_2$ 和任一固定的 $(x,\,y)\in D_1\bigcup D_2\bigcup D_4$，都有$(h,\,l)\in D_1\bigcup D_2$合

$$(hz,\,lw)=(x,\,y)\text{或}(-hz,\,-lw)=(x,\,y).$$

因此，由 (15.6.11)，(15.6.12) 和 (15.6.14)，(15.6.15) 两处的论断可知，对 $D_1\bigcup D_2\bigcup D_4$ 中的所有元，它们表为 D 中二元之差的方式的个数相同. 记这个数为 λ_1.

D_3 中的诸非(0，0)元表为 D 中二元之差时有两种类型的表示法:

$$(g_1,\,w)-(g_2,\,w)=(g_1-g_2,\,0), \tag{15.6.16}$$
$$w\neq 0,\,(g_1,\,w),\,(g_2,\,w)\in D,\,g_1\neq g_2;$$
$$(g_1,\,0)-(g_2,\,0)=(g_1-g_2,\,0),\,g_1\neq g_2. \tag{15.6.17}$$

在(15.6.16)中，w 的选取有 q^f-1 个，而对每一个固定的 $w\neq 0$，都有 $|\{(g,\,w)\in D\}|=\dfrac{p^e-1}{2}$. 因此，形如(15.6.16)的表示式的总数是

$$(q^f-1)\frac{p^e-1}{2}\cdot\left(\frac{p^e-1}{2}-1\right)=\frac{(q^f-1)(p^e-1)(p^e-3)}{4}. \tag{15.6.18}$$

又，形如(15.6.17)的表示式的个数是

$$p^e(p^e - 1).\tag{15.6.19}$$

对任二固定的$(g，0)$，$(g'，0) \in D_3$，当 $g\, g' \neq 0$ 时都有 $(h, l) \in D_1 \bigcup D_2$ 合

$$(hg, 0) = (g', 0).$$

所以，由(15.6.11)和(15.6.12)处的论断知，D_3 中每一非$(0，0)$元表为 D 中二元的差的方式的个数相同. 再由(15.6.18)和(15.6.19)知这个数为

$$\frac{\left(q^f - 1\right)\left(p^e - 3\right)}{4} + p^e = \frac{p^e q^f - 3}{4},$$

此即 λ.

D_5 中诸元素为 D 中二元之差时有三种类型的表示法：

$$(z, w_1) - (z, w_2) = (0, w_1 - w_2),$$
$$(z, w_1), (z, w_2) \in D_1 \bigcup D_2, \ w_1 \neq w_2.\tag{15.6.20}$$

$$(z, w) - (z, 0) = (0, w),$$
$$(z, w) \in D_1 \bigcup D_2, (z, 0) \in D_3,\tag{15.6.21}$$

$$(z, 0) - (z, w) = (0, w),$$
$$(z, 0) \in D_3, (z, w) \in D_1 \bigcup D_2.\tag{15.6.22}$$

形如(15.6.20)的表示式的个数是

$$\frac{\left(p^e - 1\right)\left(q^f - 1\right)\left(q^f - 3\right)}{4};\tag{15.6.23}$$

形如(15.6.21)或(15.6.22)的表示式的个数都是

$$\frac{\left(p^e - 1\right)\left(q^f - 1\right)}{2}.\tag{15.6.24}$$

再者，由(15.6.11)和(15.6.12)处的论断知，D_5 中每一元表为 D 中二元的差的表法个数相同. 因此，由 $|D_5| = q^f - 1$，以及(15.6.23)和(15.6.24)知这个数为

$$\frac{\left(p^e - 1\right)\left(q^f - 3\right)}{4} + p^e - 1 = \frac{p^e q^f - 3}{4},$$

此即 λ.

D 中二元之差的总个数是 $k(k-1)$, $D_1 \cup D_2 \cup D_4$ 中诸元表为 D 中二元之差的表示法总数为

$$| D_1 \cup D_2 \cup D_4 | \lambda_1 = \left(p^e - 1\right)\left(q^f - 1\right)\lambda_1,$$

D_3, D_5 中诸元表为 D 中二元之差的表示个数分别为

$$\left(p^e - 1\right)\frac{p^e q^f - 3}{4}, \left(q^f - 1\right)\frac{p^e q^f - 3}{4},$$

因此

$$\frac{\left(p^e q^f - 1\right)}{2}\left(\frac{p^e q^f - 1}{2} - 1\right) = (p^e - 1)(q^f - 1)\lambda_1 + (p^e + q^f - 2)\frac{p^e q^f - 3}{4},$$

从而解得

$$\lambda_1 = \frac{p^e q^f - 3}{4} = \lambda.$$

综上所述即得定理. **证毕**.

由于(15.6.8), 可有 $p^e q^f = 4t - 1$. 于是, (15.6.7)中的诸参数可写为

$$v = 4t - 1 \ , \ k = 2t - 1 \ , \ \lambda = t - 1 \ .$$

所以, 定理 15.6.2 给出的群差集所对应的设计是 Hadamard 设计(参看 11.4 或 16.1 节). 当 $e = f = 1$ 时, 满足(15.6.6)的 p, q 是孪生素数故又称此时的差集为孪生素数差集.

当 $e \geqslant 2$ 且 $f \geqslant 2$ 时, 对素数 p, q, 方程(15.6.6)有解

$$(p, \ q, \ e, \ f) = (5, \ 3, \ 2, \ 3).$$

由定理 15.6.2 知, 方程(15.6.6)的解对构造群差集很有意义. 然而求方程(15.6.6)的全部解是一个难题, 甚至当限制 $e = f = 1$ 且只决定方程(15.6.6)的解的个数是否为有限数这一很特殊的问题, 也是非常困难的, 这就是著名的孪生素数问题.

第十六章　Hadamard 设计

Hadamard 矩阵是研究 Hadamard 设计的一个良好而合用的工具. 为了利用这个工具, 首先得建立这二者的联系(16.1). 某些具有特殊性质的 Hadamard 矩阵或矩阵偶, 如对称 Hadamard 矩阵, 反型 Hadamard 矩阵, Hadamard 矩阵睦偶等(16.2)在 Hadamard 矩阵的理论和应用方面都很重要. 一方面由于它们自身是 Hadamard 矩阵, 另一方面, 由它们还能产生其他一些 Hadamard 矩阵. 一般 Hadamard 矩阵和特殊类型的 Hadamard 矩阵的构造方法分述于 16.3—16.8 中. 16.10 介绍了小阶数的 Hadamard 矩阵的存在性及其构造方面的结果. 最后一节(16.11)利用 Hadamard 矩阵对定理 13.4.4 作进一步的讨论. 16.3 则把 16.4—16.8 中要用到的、矩阵论中的一些特殊材料汇在一起. 以便征引.

16.1　Hadamard 设计和 Hadamard 矩阵

Hadamard 设计是一类重要的对称区组设计. 它的定义如下.

定义 16.1.1.　一个$(4t-1, 2t-1, \ t-1)$对称设计叫做 Hadamard 设计, 又简称 H-设计.

这个名称来源于这类设计同即将定义的 Hadamard 矩阵之间的密切联系.

定义 16.1.2.　元素是$+1$或-1的 m 阶矩阵 H_m叫做一个 m 阶 Hadamard 矩阵, 如果它满足条件

$$H_m H_m^{\mathrm{T}} = m I_m . \tag{16.1.1}$$

Hadamard 矩阵常简称为 H 矩阵.

条件$(16.1.1)$即: 矩阵 $H_m = \left(h_{ij}\right)$是一个$(1, -1)$正交矩阵:

$$\sum_{k=0}^{m} h_{ik} h_{jk} = \begin{cases} m, & \text{若} i = j, \\ 0, & \text{若} i \neq j. \end{cases}$$

由正交矩阵的性质知, $(16.1.1)$和

$$H_m^{\mathrm{T}} H_m = m I \tag{16.1.2}$$

等价. 这就是说，若(16.1.1)和(16.1.2)中之一成立，则二者皆成立.

Hadamard[1]曾经证明了下述著名结果：对 m 阶实数方阵

$$A = \left(a_{ij} \right),$$

有不等式

$$|\det A|^2 \leqslant \prod_{k=1}^{m} \sum_{i=1}^{m} a_{ik}^2. \tag{16.1.3}$$

如果$| \, a_{ij} | \leqslant 1 (1 \leqslant i, \; j \leqslant m)$，则由(16.1.3)导出

$$|\det A|^2 \leqslant m^m,$$

即

$$|\det A| \leqslant m^{\frac{m}{2}}. \tag{16.1.4}$$

由(16.1.1)知，H 矩阵 H_m 使得(16.1.4)中的等号成立，即，这类矩阵达到行列式的极大值 $m^{\frac{m}{2}}$：

$$|\det H_m| = m^{\frac{m}{2}}.$$

这就是 "Hadamard 矩阵" 这一术语的由来. 然而，把 Hadamard 矩阵作为正交矩阵来研究远早于它获得 "Hadamard 矩阵" 这个名称以前的 1867 年，这是由 Sylvester[2]开始的.

顺便提一句，可以证明，如果$| \, a_{ij} | \leqslant 1 (1 \leqslant i, \; j \leqslant m)$且(16.1.4)中等式成立，则 A 必为一个 H 矩阵. 这一事实的证明较繁且已离开本书的主题，故此处从略.

假定 H 是一个 m 阶 H 矩阵. 今把对 m 施行下述变换的任意一些所得出的矩阵记为 H'：

(1)行换序，

(2)列换序，

(3)对某些列乘以-1，

(4)对某些行乘以-1，

(5)转置.

由 H 矩阵的正交性知，H'仍为 H 矩阵.

定义 16.1.3.　如果 H'是由对 H 矩阵 H 施行上述五类变换的任一些的组合而得出的矩阵，则称 H 和 H'是 H 等价的. 如果 H''是由对 H 矩阵 H 施行上述(1)至

(4)四类变换的任一些而得出的矩阵,则称 H 和 H'' 是等价的.

假定存在 m 阶 H 矩阵,在等价的 m 阶 H 矩阵中,至少有一个矩阵,其第一行全为 1,这样的矩阵叫做行规范的 H 矩阵,也至少有一个矩阵,其第一列全为 1,这样的矩阵叫做列规范的 H 矩阵;也至少有一个既是行规范又是列规范的 H 矩阵,这样的矩阵叫做规范的 H 矩阵.

下面是一阶和二阶的规范 H 矩阵:

$$H_1 = (1), \quad H_2 = \begin{pmatrix} 1 & 1 \\ 1 & -1 \end{pmatrix}. \tag{16.1.5}$$

关于 m 阶 H 矩阵存在的必要条件,有下面的结果.

定理 16.1.1. 设 $m > 2$,且存在 m 阶 H 矩阵,则 $4 \mid m$.

证明. 设 $H = (h_{ij})$ 是一个 m 阶 H 矩阵,则因 $m > 2$,和 H 的正交性,有

$$\sum_{j=1}^{m} (h_{1j} + h_{2j})(h_{1j} + h_{3j}) = \sum_{j=1}^{m} h_{1j}^2 = m. \tag{16.1.6}$$

另一方面,

$$h_{1j} + h_{2j} = \pm 2, 0; \quad h_{1j} + h_{3j} = \pm 2, 0.$$

因此,(16.1.6)左节的和式中每一项都是 4 的倍数,故 $4 \mid m$. **证毕.**

下面的表格可以使(16.1.6)变得更直观明了. 不失一般,可设 H 是规范的,且经列换序后 H 的前三行行为:

$$\begin{array}{cccc} 1\cdots1 & 1\cdots1 & 1\cdots1 & 1\cdots1 \\ 1\cdots1 & 1\cdots1 & -1\cdots-1 & -1\cdots-1 \\ \underbrace{1\cdots1}_{x\text{列}} & \underbrace{-1\cdots-1}_{y\text{列}} & \underbrace{1\cdots1}_{z\text{列}} & \underbrace{-1\cdots-1}_{w\text{列}} \end{array} \tag{16.1.7}$$

于是,(16.1.6)的左节的和为

$$\sum_{j=1}^{x} (h_{1j} + h_{2j})(h_{1j} + h_{3j}) = 4x.$$

利用(16.1.7),还可给出

定理 16.1.1. 的第二个证明. 由(16.1.7)中第一行的全 1 性和每二行的正交性知,x, y, z, w 满足

$$x + y + z + w = m,$$
$$x + y - z - w = 0,$$
$$x - y + z - w = 0,$$
$$x - y - z + w = 0.$$

这四式相加，得

$$x = \frac{m}{4}.$$

由于 x 是整数，故 $4 \mid m$. **证毕**.

人们猜想，这个定理的逆也是成立的. 然而至今尚未获证或被反证. 这是区组设计理论中一大悬案. 本章将主要围绕这一问题进行讨论.

现在来证明 Hadamard 设计和 Hadamard 矩阵之间的一个基本关系.

定理 16.1.2. 存在 $(4t - 1, 2t - 1, t - 1)$Hadamard 设计的充要条件是存在 $4t$ 阶 Hadamard 矩阵.

证明. 首先证明，由一个 $4t$ 阶的 H 矩阵 H 可以构造出一个 $(4t - 1, 2t - 1, t - 1)$Hadamard 设计.

今假定存在一个 $4t$ 阶的 H 矩阵. 不失一般，可设 H 是规范的，并设 A_1 是把 H 的第一行和第一列删去后余下的子阵，即

$$H = \begin{pmatrix} 1 & 1 \cdots 1 \\ 1 & \\ \vdots & A_1 \\ 1 & \end{pmatrix}. \tag{16.1.8}$$

设 A 是把 A_1 中的一切 -1 换为 0 而保持其他元不变所得出的矩阵，即

$$A = \frac{1}{2}\left(A_1 + J\right), \tag{16.1.9}$$

这里 J 表全由 1 组成的 $4t - 1$ 阶方阵.

记 $e = (1, 1, \cdots, 1)$ 为分量全是 1 的 $4t - 1$ 维向量. 于是由 $(16.1.1)$ 得

$$\begin{pmatrix} 1 & e \\ e^{\mathrm{T}} & A_1 \end{pmatrix} \begin{pmatrix} 1 & e \\ e^{\mathrm{T}} & A_1^{\mathrm{T}} \end{pmatrix} = \begin{pmatrix} 4t & e + eA_1^{\mathrm{T}} \\ e^{\mathrm{T}} + A_1 e^{\mathrm{T}} & e^{\mathrm{T}}e + A_1 A_1^{\mathrm{T}} \end{pmatrix} = 4tI. \tag{16.1.10}$$

注意到 $e^{\mathrm{T}}e = J_{4t-1}$，便得

$$A_1 A_1^{\mathrm{T}} = 4tI - J,$$

$$A_1 J = -J ,\tag{16.1.11}$$

$$JA_1^{\mathrm{T}} = -J .$$

于是有

$$
\begin{aligned}
AA^{\mathrm{T}} &= \frac{1}{4}(A_1 + J)(A_1^J + J)\\
&= tI + (t-1)J
\end{aligned}
\tag{16.1.12}
$$

和

$$
\begin{aligned}
AJ &= \frac{1}{2}(A_1 + J)J\\
&= \frac{1}{2}(A_1 J + J^2) = (2t-1)J.
\end{aligned}
\tag{16.1.13}
$$

由(16.1.12)知，对非平凡的 t 值，$\det A \neq 0$. 因此，由(16.1.12)，(16.1.13)和定理 13.1.4 知，$(0，1)$矩阵 A 是一个$(4t-1，2t-1，\ t-1)$对称设计的关联矩阵. 因此，存在一个$(4t-1，2t-1，\ t-1)$Hadamard 设计.

下面来证明，如果存在一个$(4t-1，2t-1，t-1)$-Hadamard 设计，则能由此设计构造出一个 $4t$ 阶的 H矩阵.

假定存在一个$(4t-1，2t-1，t-1)$-Hadamard 设计，其关联矩阵为 A. 由定理 13.1.13，A 满足(16.1.12)和(16.1.13). 今按

$$A_1 = 2A - J\tag{16.1.14}$$

定义出的矩阵是一个$(1，-1)$矩阵，即把 A 中的一切 0 换成-1而保持其他元不变所得出的矩阵. 由(16.1.12)和(16.1.13)知，A_1 满足(16.1.11)中诸式：

$$
\begin{aligned}
A_1 J &= (2A - J)J\\
&= 2AJ - (4t-1)J\\
&= -J,
\end{aligned}
$$

$$JA_1^{\mathrm{T}} = (A_1 J)^{\mathrm{T}} = (-J)^{\mathrm{T}} = -J,$$

$$
\begin{aligned}
A_1 A_1^{\mathrm{T}} &= (2A - J)(2A^{\mathrm{T}} - J)\\
&= 4AA^{\mathrm{T}} - 2AJ - 2JA^{\mathrm{T}} + J^2\\
&= 4tI - J.
\end{aligned}
$$

由此和(16.1.10)知，由(16.1.14)式定义的$(1，-1)$矩阵 A 按(16.1.8)加边所得的矩阵是一个 $4t$ 阶的 H矩阵. **证毕**.

这个定理中陈述的结果正是 Hadamard 设计这一术语的由来. 根据这个定理，

Hadamard 设计的研究完全归结为 Hadamard 矩阵的研究. 下面的讨论就以 Hadamard 矩阵为主体来进行, 其所对应的有关 Hadamard 设计的结果可以直接得到, 常略去不论.

H 矩阵和区组设计的联系并不止于定理 16.1.2, 下面的定理表明了另一种重要联系. 为此, 需要正规 H 矩阵的概念和下面一个结果. 一个 H 矩阵叫做是正规的, 如果对某一整数 t, 有

$$HJ = tJ.$$

这就是说, 矩阵 H 的诸行和都是 t.

定理 16.1.3. 如果存在 $4m$ 阶正规 H 矩阵 H, 则 m 是一个完全平方数, 且 H 的诸行和、诸列和都是 $2\sqrt{m}$, 或都是 $-2\sqrt{m}$:

$$HJ = JH = 2\sqrt{m}J 或 -2\sqrt{m}J.$$

证明. 对 $4m$ 阶正规 H 矩阵 H, 有

$$\begin{aligned} HH^{\mathrm{T}} = H^{\mathrm{T}}H = 4mI, \\ HJ = tJ \end{aligned} \tag{16.1.15}$$

这里 t 是一个整数. 记

$$A := \frac{1}{2}(H + J),$$

则 A 是一个 $(0, -1)$ 矩阵, 且由 (16.1.15) 得

$$AA^{\mathrm{T}} = \frac{1}{4}(H + J)(H^{\mathrm{T}} + J) = mI + \left(m + \frac{t}{2}\right)J, \tag{16.1.16}$$

$$AJ = \left(2m + \frac{t}{2}\right)J. \tag{16.1.17}$$

由此知 $2 \mid t$. 因 $\det A \neq 0$, 故由定理 13.1.4 知, A 是一个

$$\left(4m, 2m + \frac{t}{2}, \ m + \frac{t}{2}\right)$$

对称设计的关联矩阵, 因而诸参数满足关系式

$$\left(m + \frac{t}{2}\right)(4m - 1) = \left(2m + \frac{t}{2}\right)\left(2m + \frac{t}{2} - 1\right),$$

化简即

$$m = \left(\frac{t}{2}\right)^2, \quad t = \pm 2\sqrt{m}, \tag{16.1.18}$$

故 m 是一个完全平方数.

另一方面, 由 $JH^{\mathrm{T}}H = 4mJ$ 和(16.1.15)得

$$JH = \frac{4m}{t}J = tJ.$$

证毕.

如果在正规 H 矩阵的定义中把条件"$HJ = tJ$"换为 $JH = tJ$, 可以考虑 H^{T} 而得到定理 16.1.3 中的全部结果. 因此, 在正规 H 矩阵的定义中, 条件"$HJ = tJ$" 可以用以下任一条件来代替: "$HJ = \pm 2\sqrt{m}J$", 或"$JH = tJ$", 或"$JH = \pm 2\sqrt{m}J$", 或"$JH = HJ = tJ$", 或"$JH = HJ = \pm 2\sqrt{m}J$".

定理 16.1.4. 存在$(4u^2, 2u^2 \pm u, u^2 \pm u)$对称设计的充要条件是存在 $4u^2$ 阶的 正规 Hadamard 矩阵.

证明. 如果存在 $4u^2$ 阶的正规 Hadamard 矩阵 H, 则由(16.1.18)知 $t = \pm 2u$. 再由(16.1.16), (16.1.17)和定理 13.1.4 知, 定理 16.1.3 中的 A 是一个$(4u^2, 2u^2 \pm u, u^2 \pm u)$对称设计的关联矩阵.

反过来, 如果存在$(4u^2, 2u^2 \pm u, u^2 \pm u)$对称设计, 设其关联矩阵为 A, 则 A 合

$$AA^{\mathrm{T}} = u^2 I + \left(u^2 \pm u\right)J,$$
$$AJ = JA = \left(2u^2 \pm u\right)J.$$

令

$$H = 2A - J,$$

则 H 是一个$(1, -1)$矩阵, 且

$$HH^{\mathrm{T}} = (2A - J)\left(2A^{\mathrm{T}} - J\right) = 4u^2 I,$$
$$HJ = JH = \pm 2uJ.$$

这就证明了 H 是一个 $4u^2$ 阶的正规 H 矩阵. **证毕**.

作为定理 16.1.2 的推论, 有

定理 16.1.5. 设 m 是下列任一类型的数：

$$m = p^e + 1 \equiv 0 \pmod 4, \tag{16.1.19}$$

$$m = p^e q^f + 1, \quad q^f = p^e + 2, \tag{16.1.20}$$

其中 p 和 q 是相异的素数，e 和 f 都是正整数. 则存在 m 阶 H 矩阵.

证明. 相应于(16.1.19)和(16.1.20)的结果可分别由定理 15.6.1 和定理 15.6.2 得出. **证毕.**

现在来看一个应用定理 16.1.4 的例子.

例 16.1.1. 由例 14.8.1 所构造的$(16，6，2)$对称设计的关联矩阵为

$$A = \begin{bmatrix}
0 & 1 & 1 & 1 & 1 & 1 & 0 & 0 & 0 & 0 & 1 & 0 & 0 & 0 & 0 & 0 \\
1 & 0 & 1 & 0 & 0 & 1 & 1 & 1 & 0 & 0 & 0 & 0 & 0 & 1 & 0 & 0 \\
1 & 1 & 0 & 0 & 0 & 1 & 0 & 0 & 1 & 1 & 0 & 0 & 0 & 0 & 1 & 0 \\
1 & 0 & 0 & 0 & 1 & 0 & 1 & 0 & 1 & 0 & 1 & 1 & 0 & 0 & 0 & 0 \\
1 & 0 & 0 & 1 & 0 & 0 & 0 & 1 & 0 & 1 & 1 & 0 & 1 & 0 & 0 & 0 \\
1 & 1 & 1 & 0 & 0 & 0 & 0 & 0 & 0 & 0 & 0 & 1 & 1 & 0 & 0 & 1 \\
0 & 1 & 0 & 1 & 0 & 0 & 0 & 1 & 1 & 0 & 0 & 1 & 0 & 1 & 0 & 0 \\
0 & 1 & 0 & 1 & 0 & 0 & 1 & 0 & 0 & 1 & 0 & 0 & 1 & 1 & 0 & 0 \\
0 & 0 & 1 & 1 & 0 & 0 & 1 & 0 & 0 & 1 & 0 & 1 & 0 & 0 & 1 & 0 \\
0 & 0 & 1 & 0 & 1 & 0 & 0 & 1 & 1 & 0 & 0 & 0 & 1 & 0 & 1 & 0 \\
1 & 0 & 0 & 1 & 1 & 0 & 0 & 0 & 0 & 0 & 0 & 0 & 0 & 1 & 1 & 1 \\
0 & 0 & 0 & 1 & 0 & 1 & 1 & 0 & 1 & 0 & 0 & 0 & 1 & 0 & 0 & 1 \\
0 & 0 & 0 & 0 & 1 & 1 & 0 & 1 & 0 & 1 & 0 & 1 & 0 & 0 & 0 & 1 \\
0 & 1 & 0 & 0 & 0 & 0 & 1 & 1 & 0 & 0 & 1 & 0 & 0 & 0 & 1 & 1 \\
0 & 0 & 1 & 0 & 0 & 0 & 0 & 0 & 1 & 1 & 1 & 0 & 0 & 1 & 0 & 1 \\
0 & 0 & 0 & 0 & 0 & 1 & 0 & 0 & 0 & 0 & 1 & 1 & 1 & 1 & 1 & 0
\end{bmatrix}$$

由定理 16.1.4 的构造方法可知，$(1, -1)$矩阵

$$H = 2A - J =$$

$$\begin{bmatrix}
-1 & 1 & 1 & 1 & 1 & 1 & -1 & -1 & -1 & -1 & 1 & -1 & -1 & -1 & -1 & -1 \\
1 & -1 & 1 & -1 & -1 & 1 & 1 & 1 & -1 & -1 & -1 & -1 & -1 & 1 & -1 & -1 \\
1 & 1 & -1 & -1 & -1 & 1 & -1 & -1 & 1 & 1 & -1 & -1 & -1 & -1 & 1 & -1 \\
1 & -1 & -1 & -1 & 1 & -1 & 1 & 1 & -1 & -1 & 1 & 1 & -1 & -1 & -1 & -1 \\
1 & -1 & -1 & 1 & -1 & -1 & -1 & 1 & -1 & 1 & -1 & 1 & -1 & -1 & -1 & -1 \\
1 & 1 & 1 & -1 & -1 & -1 & -1 & -1 & -1 & -1 & 1 & 1 & 1 & -1 & -1 & 1 \\
-1 & 1 & -1 & 1 & -1 & -1 & -1 & 1 & 1 & 1 & 1 & 1 & -1 & 1 & -1 & -1 \\
-1 & 1 & -1 & -1 & 1 & -1 & 1 & -1 & -1 & 1 & -1 & 1 & 1 & -1 & -1 & -1 \\
-1 & -1 & 1 & 1 & -1 & 1 & -1 & -1 & 1 & -1 & -1 & -1 & 1 & 1 & -1 & 1 \\
-1 & -1 & 1 & -1 & 1 & -1 & 1 & 1 & -1 & -1 & -1 & 1 & -1 & 1 & -1 & -1 \\
1 & -1 & -1 & 1 & 1 & -1 & 1 & 1 & -1 & -1 & -1 & -1 & 1 & 1 & 1 & 1 \\
-1 & -1 & -1 & 1 & -1 & 1 & 1 & 1 & -1 & 1 & -1 & -1 & -1 & 1 & -1 & -1 \\
-1 & -1 & -1 & -1 & 1 & 1 & -1 & 1 & 1 & -1 & 1 & -1 & -1 & 1 & -1 & 1 \\
-1 & 1 & -1 & -1 & -1 & 1 & -1 & -1 & 1 & -1 & 1 & -1 & -1 & 1 & 1 & 1 \\
-1 & -1 & 1 & -1 & -1 & -1 & -1 & 1 & 1 & 1 & -1 & -1 & 1 & -1 & 1 & 1 \\
-1 & -1 & -1 & -1 & 1 & -1 & -1 & -1 & 1 & 1 & 1 & 1 & 1 & 1 & 1 & -1
\end{bmatrix}$$

这就是一个 16 阶的 H 矩阵.

对于若干具体阶数的 H 矩阵和特殊类型的 H 矩阵的构造或不存在性方面的结果已有表供查. 例如, 可看 Hall[4], W.D.Wallis, A.P.Street 和 J.S.Wallis[1].

16.2 Hadamard 矩阵的一些特殊类型

一些特殊类型的 H 矩阵不仅在实际应用上起着重要的作用, 而且通过它们还可以构造出其他 H 矩阵. 本节的重点是介绍这些类型的矩阵的概念, 而把它们的构造方法放到以后诸节去论述.

第一类特殊类型是对称 H 矩阵, 即满足条件 $H^{\mathrm{T}} = H$ 的 H 矩阵 H.

因为在特征不为 2 的域上的反对称矩阵的主对角线都为 0, 故 H 矩阵不可能是反对称的, 但是, 如果把一个 H 矩阵的主对角线上诸元全换为零而得到的矩阵是反对称的, 则在某种程度上该矩阵与反对称矩阵确有类似之处. 这种类型的 H 矩阵很有用, 故以下的定义是有用的.

定义 16.2.1. 如果 m 阶矩阵 A 满足条件

$$A = S + D, \quad S^{\mathrm{T}} = -S, \tag{16.2.1}$$

其中 D 是一个对角形矩阵, 则称 A 是一个反对称型矩阵, 或简称为反型矩阵.

在有关 H 矩阵的讨论中, (16.2.1)式中的 D 常常是单位阵 I, 因而引进以下定义.

定义 16.2.2. 如果 m 阶 H 矩阵 H 满足条件

$$H = S + I, \quad S^T = -S , \tag{16.2.2}$$

则称 H 是一个反型 H 矩阵.

总可以把一个反型 H 矩阵的某些行和同样一些列乘以–1, 使得结果矩阵写成 (16.2.2)的形式时, 其中的 S 具有分块形式

$$\begin{pmatrix} 0 & e \\ -e^T & W \end{pmatrix}, \tag{16.2.3}$$

这里 $e = (1, 1, \cdots, 1)$ 是分量全为 1 的 $m-1$ 维向量.

定义 16.2.3. (16.2.3)式中的 W 称为反型 H 矩阵 H 的核.

设 $H = (h_{ij})$ 是一个 m 阶对称 H 矩阵. H 和 $-H$ 之一的 $(1, 1)$ 元为 $+1$, 记这个矩阵为 B. 自然 B 也是一个对称 H 矩阵. 把 B 的第一行上为–1 的那些列乘以–1, 第一列上为–1 的那些行也乘以–1, 且记这样得到的结果矩阵为 A. 那么, A 也是对称 H 矩阵, 且 A 有分块形式

$$A = \begin{pmatrix} 1 & e \\ e^T & C \end{pmatrix}, \tag{16.2.4}$$

这里 e 是分量全为 1 的 $m-1$ 维向量. 今后称 C 为对称 H 矩阵 H 的核.

对于(16.2.2)中的 S, 反型 H 矩阵的核, 以及对称 H 矩阵的核, 有一些简单而有用的性质.

引理 16.2.1. (16.2.2)式中的 S 满足

$$SS^T = (m-1)I, \tag{16.2.5}$$

其中 m 是矩阵 H 的阶.

证明. 因为

$$mI = HH^T = (S+I)(S^T+I) = SS^T + I,$$

故有(16.2.6). **证毕.**

引理 16.2.2. 若 W 是一个 m 阶反型 H 矩阵的核, 则

$$WW^{\mathrm{T}} =(m - 1)I_{m-1} - J_{m-1}, \tag{16.2.6}$$

$$WJ_{m-1} = 0, \quad W^{\mathrm{T}} = -W. \tag{16.2.7}$$

证明. 设 H 是一个 m 阶反型 H 矩阵, 其核为 W. 由核的定义, 不失一般性, 可设 $H = I + \begin{pmatrix} 0 & e \\ -e^{\mathrm{T}} & W \end{pmatrix}$. 因此

$$\begin{pmatrix} 0 & e \\ -e^{\mathrm{T}} & W \end{pmatrix}^{\mathrm{T}} = -\begin{pmatrix} 0 & e \\ -e^{\mathrm{T}} & W \end{pmatrix},$$

故 $W^{\mathrm{T}} = -W$. 又由引理 16.2.1,

$$(m-1)I = \begin{pmatrix} 0 & e \\ -e^{\mathrm{T}} & W \end{pmatrix}\begin{pmatrix} 0 & -e \\ e^{\mathrm{T}} & W^{\mathrm{T}} \end{pmatrix}$$

$$= \begin{pmatrix} ee^{\mathrm{T}} & eW^{\mathrm{T}} \\ We^{\mathrm{T}} & e^{\mathrm{T}}e + WW^{\mathrm{T}} \end{pmatrix},$$

从而

$$We^{\mathrm{T}} = 0, \quad J_{m-1} + WW^{\mathrm{T}} =(m - 1)I_{m-1},$$

由此立得(16.2.7). **证毕**.

引理 16.2.3. 设 C 是一个 m 阶对称 H 矩阵的核, 则

$$C^{\mathrm{T}} =C, \; CJ_{m-1} = J_{m-1}C = -J_{m-1}, \tag{16.2.8}$$

$$C^{2} = mI_{m-1} - J_{m-1}.$$

证明. 设 C 是对称 H 矩阵 A 的核, 且不失一般性, 可设(16.2.4)成立. 由 $A^{\mathrm{T}} =A$ 得 $C^{\mathrm{T}} =C$. 又由

$$mI_m = AA^{\mathrm{T}} = \begin{pmatrix} 1 & e \\ e^{\mathrm{T}} & C \end{pmatrix}\begin{pmatrix} 1 & e \\ e^{\mathrm{T}} & C \end{pmatrix}$$

$$= \begin{pmatrix} m & e + eC \\ e^{\mathrm{T}} + Ce^{\mathrm{T}} & e^{\mathrm{T}}e + C^2 \end{pmatrix},$$

知

$$eC = -e,$$

$$C^{2} = mI_{m-1} - e^{\mathrm{T}}e= mI_{m-1} - J_{m-1}.$$

因此, (16.2.8)成立. **证毕**.

下面引入一对特殊的 H 矩阵偶.

定义 16.2.4. 设 M 是一个反型 H 矩阵，N 是一个同阶的对称 H 矩阵. 如果它们满足条件

$$MN = NM^{\mathrm{T}}, \tag{16.2.9}$$

则称 M 和 N 是一对 Hadamard 矩阵睦偶，简称为一对 H 矩阵睦偶.

条件(16.2.9)即$(MN)^{\mathrm{T}} = MN$，亦即 MN 是对称矩阵.

引理 16.2.4. 如果 $M = S + I$ 和 N 是一对 H 矩阵睦偶，则

$$SN = NS^{\mathrm{T}}. \tag{16.2.10}$$

证明. 因

$$MN = (S + I)N = SN + N,$$

$$NM^{\mathrm{T}} = N(S^{\mathrm{T}} + I) = NS^{\mathrm{T}} + N,$$

故由(16.2.9)立得(16.2.10). **证毕**.

16.3　同 Hadamard 矩阵相关的一些矩阵

本节介绍对构造 H 矩阵起着重要作用的一些矩阵.

定义 16.3.1. 设 $A = (a_{ij})$ 是一个 m 阶矩阵. 如果

$$a_{ij} = a_{1, \langle\!\langle j-(i-1)g \rangle\!\rangle} \qquad (1 \leqslant i, \ j \leqslant m),$$

这里 $\langle\!\langle x \rangle\!\rangle : = \langle\!\langle x \rangle\!\rangle_m$ 表 x 的最小正剩余$(\bmod m)$，而 g 是一个整数，则称 A 是一个 g 循环矩阵. 如果 $g = 1$，则简称为循环矩阵；如果 $g = -1$，则简称为倒循环矩阵.

由此定义可知，当 $g \equiv h(\bmod m)$时，g 循环矩阵与 h 循环矩阵一样. 因此，不失一般性，可设 $0 \leqslant g \leqslant m-1$. 再者，一个 g 循环矩阵 A 可由它的第一行完全确定. 当 A 的第一行的元依次为 $a_1, \ a_2, \cdots, \ a_m$ 时，常将 A 记为

$$A = g - \mathrm{circ}(a_1, \ a_2, \cdots, \ a_m).$$

当 $g = 1$ 时，更简记为

$$A = \mathrm{circ}(a_1, \ a_2, \cdots, \ a_m).$$

此外，还记

$$U_g = g - \mathrm{circ}(1, 0, \cdots, 0),$$

$$U = \mathrm{circ}(0, 1, 0, \cdots, 0),$$

(16.3.1)

$$V = U_{m-1}.$$

于是，$U_1 = I$，且 U 是一个置换矩阵，对应于轮换

$$\alpha = \begin{pmatrix} 1 & 2 & \cdots & (m-1) & m \\ 2 & 3 & \cdots & m & 1 \end{pmatrix},$$

V 也是一个置换阵，对应于

$$\beta = \begin{pmatrix} 1 & 2 & 3 & \cdots & (m-1) & m \\ 1 & m & (m-1) & \cdots & 3 & 2 \end{pmatrix}.$$

当 $1 \leqslant i \leqslant m-1$ 时，

$$\alpha' = \begin{pmatrix} 1 & 2 & \cdots & (m-1) & m \\ i+1 & i+2 & \cdots & (i-1) & i \end{pmatrix},$$

$\alpha^m = (1)$，$\alpha^{-1} = a^{m-1}$，故

$$U^i = \begin{pmatrix} 0_{(m-i)\times i} & I_{m-i} \\ I_i & 0_{j\times(m-i)} \end{pmatrix}$$

$$\left(1 \leqslant i \leqslant m-1, \ 0_{j\times k} \text{表} j \times k \text{的零阵}\right)$$

$$U^m = I = U^0,$$

(16.3.2)

$$\sum_{j=1}^{m} U^j = J,$$

$$U^{\mathrm{T}} = U^{-1},$$

U^j 中除了标有 1 的平行于主对角线的两条线上的元为 1 以外，其余元都是零. V 还可以写为

$$V = \begin{pmatrix} 1 & 0 \\ 0 & W \end{pmatrix},$$

(16.3.3)

其中

$$W = \begin{pmatrix} & & 1 \\ 0 & & 1 \\ & \ddots & \\ 1 & & 0 \end{pmatrix}.$$

任一 g-循环矩阵可由 U_g 左乘 U 的一个多项式表出，具体地说，有

引理 16.3.1.

$$g - \text{circ}(a_1, a_2, \cdots, a_m)$$
$$= U_g \sum_{t=1}^{m} a_t U^{t-1}. \tag{16.3.4}$$

证明. 记 $A = g - \text{circ}(a_1, \ a_2, \cdots, \ a_m)$. 对 $1 \leqslant i \leqslant m$, 由 (16.3.2) 和 $U_1 = I$ 知, (16.3.4) 对 $g = 1$ 成立:

$$\text{circ}(a_1, \ a_2, \cdots, \ a_m) = \sum_{t=1}^{m} a_t U^{t-1},$$

对 $2 \leqslant g \leqslant m-1$, A 中 a_t 所占据的位置正好是 U_g 中 1 所占据的位置沿所在行向右循环移 $t-1$ 位后的位置, 也就是 $U_g U^{t-1}$ 中 1 所占据的位置. 因此,

$$g - \text{circ}(a_1, \ a_2, \cdots, \ a_m) = \sum_{t=1}^{m} a_t \left(U_g U^{t-1} \right),$$

即 (16.3.4). **证毕**.

应用引理 16.3.1 可以得到循环矩阵和倒循环矩阵的一些有用的性质.

引理 16.3.2. (1) 一个循环矩阵的转置仍是循环矩阵. 一个倒循环矩阵是对称的, 故其转置也是倒循环矩阵.

(2) 任二同阶循环矩阵之积是可换的.

证明. 设 $\text{circ}(a_1, \ a_2, \cdots, \ a_m) = f(U)$, 这里 f 是 U 的一个纯量系数多项式. 由引理 16.3.1,

$$(\text{circ}(a_1, \ a_2, \cdots, \ a_m))^{\text{T}} = f\left(U^{\text{T}} \right) = f\left(U^{m-1} \right),$$

这也是 U 的纯量系数多项式, 故是一个循环矩阵.

如果 $A = (a_{ij})$ 是倒循环矩阵, 则

$$a_{ij} = a_{1, \langle\langle j+i-1 \rangle\rangle} = a_{ji},$$

故 A 是对称的.

(2)因为二个同阶循环矩阵都是 U 的纯量系数多项式,故乘法是可易的. **证毕**.

系.   对任意整数 i, 有

$$U^{m-i} = VU^iV,$$

即

$$VU^{\mathrm{T}} = UV, \quad U^{\mathrm{T}}V = VU.$$

证明.   设 A 是任一 m 阶倒循环矩阵 $\sum\limits_{t=1}^{m} a_t VU^{t-1}$, 则

$$\sum_{t=1}^{m} a_t VU^{t-1} = A = A^{\mathrm{T}}$$

$$= \sum_{t=1}^{m} a_t U^{m-(t-1)}V,$$

由诸 a_t 的任意性便得该系的结论. **证毕**.

引理 16.3.3.   如果 A 和 B 分别是 m 阶循环矩阵和 m 阶倒循环矩阵, 则 AB 和 BA 都是倒循环矩阵, 从而是对称的:

$$AB = BA^{\mathrm{T}}, \quad BA = A^{\mathrm{T}}B.$$

证明.   设 $A = f(U)$, $B = Vg(U)$, $f(U)$ 和 $g(U)$ 是 U 的两个具纯量系数的多项式. 那么, 由引理 16.3.2 的系,

$$AB = f(U)Vg(U) = V(f(U^{m-1})g(U)),$$

$$BA = V(g(U)f(U)),$$

而 $f(U^{m-1})g(U)$ 和 $g(U)f(U)$ 都是 U 的纯量系数多项式, 故 AB 和 BA 都是倒循环矩阵. **证毕**.

设 $G = \{z_1,\ z_2,\cdots,\ z_m\}$ 是一个 m 阶 Abel 群, 其中的运算是加法, f 是 G 上的一个函数, 又设 X 是 G 的一个子集, $\varphi(z)$ 是定义在 G 上的双值函数:

$$\varphi(z) = \begin{cases} a, & \text{若 } z \in X, \\ b, & \text{其他;} \end{cases} \tag{16.3.5}$$

当 $a = 1$, $b = 0$ 时, 此即 X 的特征函数. 如果 G 的零元 $0 \notin X$, 又设 $\phi(z)$ 是定义在 G 上的三值函数:

$$\phi(z) = \begin{cases} a, & \text{若 } z \in X, \\ c, & \text{若 } z = 0, \\ b, & \text{其他}. \end{cases} \quad (16.3.6)$$

由这些函数可以构造出一些矩阵来.

定义 16.3.2. 设 $A = (a_{ij})$ 和 $B = (b_{ij})$ 是分别按

$$a_{ij} := f(z_j - I_i)(1 \leqslant i, \ j \leqslant m),$$
$$b_{ij} := f(z_j - I_i)(1 \leqslant i, \ j \leqslant m).$$

确定的两个 m 阶矩阵, 分别叫做 G 的 I 型和 II 型 f 关联矩阵. 当 $f = \varphi$ 时, A 称为 G 的 I 型双值关联矩阵, 也称为 I 型 φ 关联矩阵; B 称为 G 的 II 型双值关联矩阵, 也称为 II 型 φ 关联矩阵; 当 $f = \phi$ 时, A 称为 G 的 I 型三值关联矩阵, 也称为 I 型 ϕ 关联矩阵; B 称为 G 的 II 型三值关联矩阵, 也称为 II 型 ϕ 关联矩阵. 在不致引起混淆的地方, 这些关联矩阵都简称为关联矩阵. 再者, 当(16.3.5)中 $a = 1$, $b = 0$ 时所得的 I 型和 II 型 φ 关联矩阵有时又分别叫做 G 的 I 型和 II 型 $(0, 1)$ 关联矩阵.

下面讨论这些矩阵的性质.

引理 16.3.4. 设 B 是 G 的 II 型 f 关联矩阵, 则

$$B = B^{\mathrm{T}}, \quad (16.3.7)$$

设 A 和 B 分别是 G 的 I 型和 II 型 f 关联矩阵, 则

$$AA^{\mathrm{T}} = B^2. \quad (16.3.8)$$

证明. (16.3.7)是定义的直接推论. AA^{T} 的 $(i, \ j)$ 元为

$$\sum_{l=1}^{m} f(z_l - z_i) f(z_l - z_j) = \sum_{l=1}^{m} f(z_l - z_i) f((z_l - z_i) + (z_i - z_j))$$
$$= \sum_{z \in G} f(z) f(z + z_i - z_j); \quad (16.3.9)$$

BB^{T} 的 $(i, \ j)$ 元为

$$\sum_{l=1}^{m} f(z_l - z_i) f(z_l + z_j) = \sum_{l=1}^{m} f((z_l + z_j) + (z_i - z_j)) f(z_l + z_j)$$
$$= \sum_{z \in G} f(z + z_i - z_j) f(z). \quad (16.3.10)$$

比较(16.3.9)和(16.3.10), 便得(16.3.8). **证毕.**

引理 16.3.5. 设 A 和 B 分别是 G 的 I 型 f_1 和 f_2 关联矩阵, 则

$$AB = BA. \tag{16.3.11}$$

证明. AB 的 $(i,\ j)$ 元是

$$\sum_{l=1}^{m} f_1\left(z_l - z_i\right) f_2\left(z_j - z_l\right) = \sum_{l=1}^{m} f_1\left(z_j - \left(z_j - z_l + z_i\right)\right) f_2\left(\left(z_j - z_l + z_i\right) - z_i\right)$$

$$= \sum_{z \in G} f_1\left(z_j - z\right) f_2\left(z - z_i\right)$$

$$= \sum_{l=1}^{m} f_2\left(z_l - z_i\right) f_1\left(z_j - z_l\right). \tag{16.3.12}$$

此即 BA 的 $(i,\ j)$ 元. **证毕.**

引理 16.3.6. 如果 A 是 G 的 $i(i = \text{I}$ 或 II$)$ 型 ϕ (或 φ) 关联矩阵, 则 A^{T} 也是 G 的 i 型 ϕ_1 (或 φ_1) 关联矩阵, 这里 ϕ_1 (或 φ_1) 是满足 (16.3.6)(或 (16.3.5)) 的某个函数.

证明. 当 $i = \text{II}$ 时, $A^{\text{T}} = A$, 故取 $\phi_1 = \phi$ 时引理的结论当真. 当 $i = I$ 时, 设 $A = (a_{ij})$, $A^{\text{T}} = (a'_{ij})$. 取 $\phi_1(z) = \phi(-z)$, 则

$$a'_{ij} = a_{ji} = \phi\left(z_i - z_j\right)$$

$$= \phi_1\left(z_j - z_i\right).$$

故 A^{T} 是 I 型 ϕ_1 关联矩阵. 对 φ 关联矩阵的情形, 结论自然成立. **证毕.**

引理 16.3.7. 设 f_1 和 f_2 是 G 上的两个偶函数:

$$f_i(x) = f_i(-x), \quad i = 1,\ 2.$$

把 G 的 II 型 f_i 关联矩阵记为 A_i, 则

$$A_1 A_2 = A_2 A_1.$$

证明. $A_1 A_2$ 的 $(i,\ j)$ 元是

$$\sum_{l=1}^{m} f_1\left(-z_l - z_i\right) f_2\left(-z_j - z_l\right)$$

$$= \sum_{l=1}^{m} f_2\left(\left(-z_l - z_i - z_j\right) + z_i\right) f_1\left(z_j + \left(-z_l - z_i - z_j\right)\right)$$

$$= \sum_{z \in G} f_2\left(z + z_i\right) f_1\left(z_j + z\right),$$

这也是 A_2A_1 的$(i,\ j)$元. **证毕**.

引理 16.3.8. 设 $G = \{z_1,\ z_2,\cdots,\ z_m\}$ 是剩余类环 Z_m 的加群，且记 $z_i \equiv i(\mathrm{mod}\,m)\,(1 \leqslant i \leqslant m)$. 那么 G 的 I 型 f 关联矩阵是循环的. 而 II 型 f 关联矩阵是倒循环的.

证明. 记 I 型 f 关联矩阵为 $A =(a_{ij})$，则

$$\begin{aligned} a_{ij} &= f(j-i) = f\big((j-i+1)-1\big) \\ &= a_{1,\ll j-i+1\gg}\ (1 \leqslant i \leqslant j \leqslant m), \end{aligned}$$

故 A 是循环矩阵.

记 II 型 f 关联矩阵为 $B =(b_{ij})$，则

$$\begin{aligned} b_{ij} &= f(j+i) = f\big((i+j-1)+1\big) \\ &= b_{1,\ll i+j-1\gg}. \end{aligned}$$

故 B 是倒循环矩阵. **证毕**.

设 p 是个奇素数，e 是个正整数，$q = p^e$. 设 G 是 $\mathrm{GF}(q)$ 的加群，X 是 $\mathrm{GF}(q)$ 中所有非零平方元所组成的集，而 $\chi(z)$ 是 $\mathrm{GF}(q)$ 上的二次特征函数，即

$$\chi(z) = \begin{cases} 1, & \text{若}\,z \in X, \\ 0, & \text{若}\,z = 0, \\ -1, & \text{其他.} \end{cases}$$

记 G 的 I 型 χ 关联矩阵为 Q.

引理 16.3.9.　(1) 当 $q \equiv 1 \,(\mathrm{mod}\,4)$ 时，Q 是对称阵，

(2) 当 $q \equiv 3 \,(\mathrm{mod}\,4)$ 时，Q 是反对称阵，

(3) $QQ^{\mathrm{T}} = qI - J$ ，

(4) $QJ = JQ = 0$ ，

(5) Q 的主对角线上诸元全为零.

证明.　设 $Q = \big(q_{ij}\big)$，$\mathrm{GF}(q) = \{z_1,\ z_2,\cdots,\ z_q\}$，则

$$\begin{aligned} q_{ij} &= \chi(z_j - z_i) = \chi(-(z_i - z_j)) \\ &= \chi(-1)\chi(z_i - z_j) = \chi(-1)q_{ji}. \end{aligned} \tag{16.3.13}$$

当 $q \equiv 1 \,(\mathrm{mod}\,4)$ 时，$-1 \in X$，故 $\chi(-1) = -1$；而当 $q = 3\,(\mathrm{mod}\,4)$ 时，$-1 \notin X$，故 $\chi(-1) = -1$. 由此和 (16.3.13) 知定理的结论 (1) 和 (2) 为真.

QQ^{T} 的 $(i,\ j)$元为

$$\sum_{l=1}^{q} \chi(z_l - z_i)\chi(z_l - z_j) = \sum_{l=1}^{q} \chi(z_l - z_i)\chi((z_l - z_i) + (z_i - z_j))$$

$$= \sum_{z \in \mathrm{GF}(q)} \chi(z)\chi(z + z_i - z_j). \tag{16.3.14}$$

当 $i = j$ 时，(16.3.14)为

$$\sum_{\substack{z \in \mathrm{GF}(q)}} (\chi(z))^2 = \sum_{\substack{z \neq 0 \\ z \in \mathrm{GF}(q)}} 1 = q - 1. \tag{16.3.15}$$

当 $i \neq j$ 时，(16.3.14)为

$$\sum_{\substack{z \neq 0 \\ z \in \mathrm{GF}(q)}} (\chi(z))^2 \chi(1 + (z_i - z_j)z^{-1}) = \sum_{\substack{z \neq 0 \\ z \in \mathrm{GF}(q)}} \chi(1 + (z_i - z_j)z^{-1})$$

$$= \sum_{1 \neq z \in \mathrm{GF}(q)} \chi(z) .$$

$$= \sum_{z \in \mathrm{GF}(q)} \chi(z) - \chi(1)$$

$$= -1. \tag{16.3.16}$$

结合(16.3.14)—(16.3.16)，便得定理的结论(3).

因

$$\sum_{l=1}^{q} q_{il} = \sum_{l=1}^{q} \chi(z_l - z_i) = \sum_{z \in \mathrm{GF}(q)} \chi(z) = 0,$$

$$\sum_{l=1}^{q} q_{li} = \sum_{l=1}^{q} \chi(z_i - z_l) = \sum_{z \in \mathrm{GF}(q)} \chi(z) = 0,$$

故有定理的结论(4).

因 $q_{ii} = \chi(z_i - z_i) = \chi(0) = 0$，故有结论(5). **证毕.**

引理 16.3.10. 设 $(X_1, X_2, \cdots, X_t)$ 是 m 阶 Abel 加群 G 上的 $t - (v; k_1, \cdots, k_t; \lambda)$ 群差集，且 A_i 是 G 的 I 型 φ_i 或 II 型 φ_i 关联矩阵，这里

$$\varphi_i(z) = \begin{cases} 1, & z \in X_i, \\ 0, & \text{其他}, \end{cases} \quad (1 \leqslant i \leqslant t).$$

那么，

$$\sum_{l=1}^{t} A_l A_l^{\mathrm{T}} = (k_1 + \cdots + k_t - \lambda)I + \lambda J. \tag{16.3.17}$$

证明. 设 $G = \{z_1, z_2, \cdots, z_m\}$. 由(16.3.9)，当 A_l 是 G 的 I 型关联矩阵且 $i \neq$

j 时，$A_l A_l^{\mathrm{T}}$ 的 $(i,\ j)$ 元为

$$\sum_{z\in G}\varphi_i(z)\varphi_l(z+z_i-z_j)=\sum_{z\in X_l}\varphi_l(z+z_i-z_j)$$
$$=\sum_{\substack{z_i-z_j=z'-z\\z',z\in X}}1.$$

当 A_l 是 II 型关联矩阵且 $i\neq j$ 时，$A_l A_l^{\mathrm{T}}$ 的 $(i,\ j)$ 元为

$$\sum_{s=1}^m\varphi_l(z_s+z_i)\varphi_l(z_s+z_j)=\sum_{s=1}^m\varphi_l\big((z_s+z_j)+z_i-z_j\big)\varphi_l(z_s+z_j)$$
$$=\sum_{z\in G}\varphi_l(z+z_i-z_j)\varphi_l(z)$$
$$=\sum_{z\in X_l}\varphi_l(z+z_i-z_j)$$
$$=\sum_{\substack{z_i-z_j=z'-z\\z',z\in X_l}}1.$$

所以，当 $i\neq j$ 时，$\sum\limits_{l=1}^t A_l A_l^{\mathrm{T}}$ 的 $(i,\ j)$ 元为

$$\sum_{l=1}^t\sum_{\substack{z_i-z_j=z'-z\\z',\ z\in X_l}}1,$$

此即 z_i-z_j 表为 X_1 中二数之差的方法的个数，加上表为 X_2 中二数之差的方法的个数，$\cdots$，最后加上表为 X_t 中二数之差的方法的个数所得的和. 由 $t-(v;\ k_1,\cdots,\ k_t;\ \lambda)$ 群差集的定义，这个和是 λ. 这就是说，$\sum\limits_{l=1}^t A_l A_l^{\mathrm{T}}$ 的非主对角线元素为 λ.

另一方面，$A_l A_l^{\mathrm{T}}$ 的 $(i,\ i)$ 元为

$$\sum_{s=1}^m(\varphi_l(z_s\pm z_i))^2=\sum_{z\in G}(\varphi_l(z))^2=|\ X_l\ |=k_l(1\leqslant l\leqslant t).$$

所以，$\sum\limits_{l=1}^t A_l A_l^{\mathrm{T}}$ 的 $(i,\ i)$ 元为

$$k_1+k_2+\cdots+k_t.$$

综上所证即得 (16.3.17). 证毕.

引理 16.3.11. 在引理 16.3.10 的条件下，设 $\overline{A}_i$ 是在 A_i 中换 0 为 -1 而保持其他元素不变所得到的矩阵，则

$$\sum_{i=1}^{t} \overline{A}_l \overline{A}_l^{\mathrm{T}} = 4(k_1 + \cdots + k_t - \lambda)I + (tm - 4(k_1 + \cdots + k_t - \lambda))J. \quad (16.3.18)$$

证明. 因为

$$A_l J = J A_l^{\mathrm{T}},$$
$$\overline{A}_l = 2A_l - J(1 \leqslant l \leqslant t),$$

故有

$$\begin{aligned}
\sum_{l=1}^{t} \overline{A}_l \overline{A}_l^{\mathrm{T}} &= \sum_{l=1}^{t}\left(4A_l A_l^{\mathrm{T}} - 4A_l J + mJ\right) \\
&= 4\sum_{l=1}^{t} A_l A_l^{\mathrm{T}} - 4\left(k_1 + \cdots + k_t\right)J + tmJ,
\end{aligned}$$

(16.3.17)代入此式即得(16.3.18). **证毕**.

引理 16.3.12. 设 $q = p^e = 4m + 1$，这里 p 是一个素数. 记 $\mathrm{GF}(q)$ 的加群为 G，$\mathrm{GF}(q)$ 的全部非零平方元所组成的集为 X，又记 $X_1 = G \setminus (X \cup \{0\})$，$X$ 的特征函数为 $\chi(z)$，X_1 的特征函数为 $\chi_1(z)$. 那么 G 的 I 型 χ 关联矩阵 A_1 和 I 型 χ_1 关联矩阵 A_2 合

$$A_1 A_1^{\mathrm{T}} + A_2 A_2^{\mathrm{T}} = 4(2m+1)I - 2J. \quad (16.3.19)$$

证明. 由定理 14.8.3 知，(X, X_1) 组成一个 2-$(4m+1; 2m; 2m-1)$ 群差集，再由引理 16.3.11，在(16.3.18)中换 m 为 $4m+1$ 且代 $t = 2$，$k_1 = k_2 = 2m$，$\lambda = 2m - 1$，则得(16.3.19). **证毕**.

16.4　一般 Hadamard 矩阵的构造方法之一

本节利用矩阵的 Kronecker 积来构造 H 矩阵.

定理 16.4.1. 设 H_1 和 H_2 分别是 m_1 和 m_2 阶 H 矩阵，则 H_1 和 H_2 的 Kronecker 积 $H_1 \times H_2$ 是一个 $m_1 m_2$ 阶 H 矩阵.

证明. 因为 $H_1 \times H_2$ 是一个 $(1, -1)$ 矩阵，且

$$(H_1 \times H_2)(H_1 \times H_2)^{\mathrm{T}} = (H_1 \times H_2)\left(H_1^{\mathrm{T}} \times H_2^{\mathrm{T}}\right)$$

$$=(H_1 H_1^{\mathrm{T}}) \times (H_2 \times H_2^{\mathrm{T}})=(m_1 I_{m_1}) \times (m_2 I_{m_2})$$
$$= m_1 m_2 I_{m_1} I_{m_2} ,$$

故定理的结论成立. **证毕**.

重复应用该定理, 即得

系. 设 H_i 是 m_i 阶 H 矩阵, $(1 \leqslant i \leqslant t)$, 则 $H_1 \times H_2 \times \cdots \times H_t$ 是一个 $m_1 m_2 \cdots m_t$ 阶 H 矩阵.

此法虽然简单, 却是构造 H 矩阵的一个重要方法. 例如由它可以推得

定理 16.4.2. 设 $t \geqslant 0$, 则存在 2^t 阶 H 矩阵.

证明. 当 $t = 0$, 1 时的 H 矩阵由 (16.1.5) 给出. 由上面的系, 知

$$\underbrace{H_2 \times H_2 \times \cdots \times H_2}_{t\text{个}}$$

是一个 2^t 阶 H 矩阵. **证毕**.

例如, 用 $H_2 = \begin{pmatrix} 1 & 1 \\ 1 & -1 \end{pmatrix}$ 依上法构造出的 4 阶 H 矩阵是

$$\begin{pmatrix} 1 & 1 \\ 1 & -1 \end{pmatrix} \times \begin{pmatrix} 1 & 1 \\ 1 & -1 \end{pmatrix} = \begin{pmatrix} 1 & 1 & 1 & 1 \\ 1 & -1 & 1 & -1 \\ 1 & 1 & -1 & -1 \\ 1 & -1 & -1 & 1 \end{pmatrix}.$$

16.5 Hadamard 矩阵睦偶的构造法

本节介绍 H 矩阵睦偶的构造方法. 因为一对 H 矩阵睦偶中包含二个 H 矩阵, 故此法自然也就提供了 H 矩阵的构造方法.

定理 16.5.1. 设

$$m = 2^t \prod_{i=1}^{l} (p_i^{e_i} + 1) , \tag{16.5.1}$$

其中 $t \geqslant 0$, $l \geqslant 0$, $e_i \geqslant 1$, p_i 为素数且 $p_i^{e_i} \equiv 3 (\mathrm{mod}\, 4)$. 那么存在 m 阶的 H 矩阵睦偶, 其构造方法在定理的证明过程中给出.

证明. 当 $m = 1$ 即 $t = l = 0$ 时, $M = N =(1)$ 是一对一阶 H 矩阵睦偶. 当 $m = 2$ 即 $t = 1$, $l = 0$ 时,

$$M = \begin{pmatrix} 1 & 1 \\ -1 & 1 \end{pmatrix} \text{和} N = \begin{pmatrix} 1 & 1 \\ 1 & -1 \end{pmatrix}$$

是一对二阶 H 矩阵睦偶.

当 $m = p^e + 1$ 即 $t = 0$，$l = 1$，$p_1 = p$，$e_1 = e$ 时，记 $q = p^e$. 令

$$A = \begin{pmatrix} 0 & e \\ -e^{\mathrm{T}} & Q \end{pmatrix}, \tag{16.5.2}$$

这里 e 是一个 q 维向量，$Q = (q_{ij})$ 是在引理 16.3.9 中定义的一个 q 阶矩阵，而 $\mathrm{GF}(q)$ 的元为 $z_1 = 0$，z_2，$\cdots$，z_q，这里诸 z_i 合

$$z_{q+2-i} = -z_i (2 \leqslant i \leqslant q). \tag{16.5.3}$$

因为 $2 \nmid p$，这总是可以办得到的. 又因 $p^e \equiv 3 \pmod 4$，故 A 是一个反对称矩阵. 由引理 16.3.9 得

$$AA^{\mathrm{T}} = \begin{pmatrix} q & eQ^{\mathrm{T}} \\ QQ^{\mathrm{T}} & J_a + QQ^{\mathrm{T}} \end{pmatrix}$$

$$= \begin{pmatrix} q & 0 \\ 0 & qI_a \end{pmatrix} = qI_m.$$

令 $M := A + I$，则 M 是一个 $(1, -1)$ 矩阵，且

$$MM^{\mathrm{T}} = AA^{\mathrm{T}} + A + A^{\mathrm{T}} + I$$

$$= (q+1)I = mI.$$

于是，由此式和 A 的反对称性知，M 是一个 m 阶反型 H 矩阵.

对 (16.3.3) 中的 V，因 $W^{\mathrm{T}} = W$ 且 $W^2 = I_{q-1}$，故

$$V^{\mathrm{T}} = V, \quad V^2 = I_{q}. \tag{16.5.4}$$

再作一个 $q + 1$ 阶 $(0, 1)$ 矩阵 N：

$$N = \begin{pmatrix} 1 & 0 \\ 0 & -V \end{pmatrix} M.$$

因 $M = A + I$，故

$$N = \begin{pmatrix} 1 & 0 \\ 0 & -V \end{pmatrix} + \begin{pmatrix} 0 & e \\ e^{\mathrm{T}} & -VQ \end{pmatrix}.$$

矩阵 VQ 的 $(1,\ j)$ 元为

$$q_{1j} = \chi(z_j - z_1) = \chi(z_j + z_1)\ ;$$

当 $2 \leqslant i \leqslant q$ 时，VQ 的 $(i,\ j)$ 元为

$$
\begin{aligned}
q_{q+2-i,\ j} &= \chi(z_j - z_{q+2-i}) \\
&= \chi(z_j - (-z_i)) = \chi(z_i + z_j).
\end{aligned}
$$

因此，对任何 i，$1 \leqslant i \leqslant q$，$VQ$ 的 $(i,\ j)$ 元都为 $\chi(z_i + z_j)$，因而也为 VQ 的 $(j,\ i)$ 元，故 $(VQ)^{\mathrm{T}} = VQ$. 所以，

$$N = N^{\mathrm{T}}.$$

由 (16.5.4)，

$$
\begin{aligned}
NN^{\mathrm{T}} &= \begin{pmatrix} 1 & 0 \\ 0 & -V \end{pmatrix} MM^{\mathrm{T}} \begin{pmatrix} 1 & 0 \\ 0 & -V \end{pmatrix} \\
&= m \begin{pmatrix} 1 & 0 \\ 0 & V^2 \end{pmatrix} = mI_m,
\end{aligned}
$$

这就是说 N 是一个 m 阶 H 矩阵. 另一方面，又有

$$
\begin{aligned}
MN = MN^{\mathrm{T}} &= MM^{\mathrm{T}} \begin{pmatrix} 1 & 0 \\ 0 & -V \end{pmatrix} \\
&= m \begin{pmatrix} 1 & 0 \\ 0 & -V \end{pmatrix},
\end{aligned}
$$

$$
NM^{\mathrm{T}} = \begin{pmatrix} 1 & 0 \\ 0 & -V \end{pmatrix} MM^{\mathrm{T}} = m \begin{pmatrix} 1 & 0 \\ 0 & -V \end{pmatrix},
$$

故 $MN = NM^{\mathrm{T}}$. 这就证明了 M 和 N 是一对 $q + 1$ 阶 H 矩阵睦偶.

下面来证明：如果存在一对 h 阶 H 矩阵睦偶，也存在一对 m 阶 H 矩阵睦偶，则存在一对 hm 阶 H 矩阵睦偶.

设 $M_h = S_h + I_h$ 和 N_h 是一对 h 阶 H 矩阵睦偶，$M_m = S_m + I_m$ 和 N_m 是一对 m 阶 H 矩阵睦偶，这里 S_h 和 S_m 是反对称阵，N_h 和 N_m 是对称阵. 令

$$
\begin{aligned}
M_{hm}: &= I_h \times M_m + S_h \times N_m, \\
N_{hm}: &= N_h \times N_m,
\end{aligned}
$$

那么，M_{hm} 和 N_{hm} 都是 $(+1,\ -1)$ 矩阵，而且都是 H 矩阵，N_{hm} 是对称阵. 又因

$$M_{hm} - I_{hm} = I_h \times (S_m + I_m) + S_h \times N_m - I_{hm}$$
$$= I_h \times S_m + S_h \times N_m \ ,$$

故 $M_{hm} - I_{hm}$ 是反对称阵. 再者，由引理 16.2.4,

$$M_{hm}N_{hm} = (I_h \times M_m + S_h \times N_m)(N_h \times N_m)$$
$$= N_h \times M_m N_m + S_h N_h \times N_m^2$$
$$= N_h \times N_m \ M_m^T + N_h \ S_h^T \times N_m^2$$
$$= (N_h \times N_m)(I_h \times M_m^T + S_h^T \times N_m)$$
$$= N_{hm} M_{hm}^T \ .$$

综上所述即得 M_{hm} 和 N_{hm} 是一对 H 矩阵睦偶.

对 $2^t \prod_{i=1}^{l} (p_i^{e_i} + 1)$ 重复应用刚才证明的这一命题便得定理的结果. **证毕**.

构造 H 矩阵睦偶的另一种方法依赖于一类特殊的 2-$(2m + 1; m + 1, m; m - 1)$ 群差集的构造. 下面对 $4m + 3$ 形的素数冥构造出这样的差集.

定理 16.5.2. 设 $q = p^e = 4m + 3$，p 是一个素数，且 G 是 $2m + 1$ 阶循环群 $G = \{0, 1, 2, \cdots, 2m\} (\mathrm{mod}\, 2m + 1)$. 于是存在 2-$(2m + 1; m, m + 1; m)$ 循环差集 (X, Y)，合 $0 \notin X$ 且

$$若 a \in X, \quad 则 -a \notin X;$$
$$若 a \in Y, \quad 则 -a \in Y.$$

证明. 设 x 是有限域 $\mathrm{GF}(q)$ 的一个原根，且记

$$Q = \{x^{2a} | \ a \in G\},$$
$$X = \{a \in G | \ x^{2a} - 1 \in Q\},$$
$$Y = \{b \in G | \ x^{2b} + 1 \notin Q\},$$
$$Z = \{c \in G | \ x^{2c} + 1 \in Q\}.$$

因为在 $\mathrm{GF}(q)$ 中，

$$-1 = x^{2m+1} \notin Q \ ,$$

故 $x^{2a} - 1 \in Q$ 的充要条件是

$$x^{-2a} - 1 = -x^{-2a}(x^{2a} - 1) \notin Q \ ,$$

这就是说，$a \in X$ 的充要条件是 $-a \notin X$. 又因 $0 \notin X$，故

$$|X| = \frac{(2m+1)-1}{2} = m.$$

另一方面，Z 中元的个数即方程

$$1 = x^{2f} - x^{2c}, \ f, \ c \in G$$

的解 $(f, \ c)$ 的个数，亦即 1 表为 Q 中二元之差的表法的个数. 由定理 15.6.1 知，这个数是 m，即 $|Z| = m$，从而 $|Y| = |G \backslash Z| = (2m+1) - m = m+1$. 再者，由 $x^{2b} + 1 \notin Q$ 知，

$$x^{-2b} + 1 = x^{-2b}(x^{2b} + 1) \notin Q.$$

这就是说，若 $b \in Y$，则 $-b \in Y$.

设 $d \in G$，$d \neq 0$，那么 d 可表为

$$d = a_1 - a_2, \ a_1, \ a_2 \in X \tag{16.5.5}$$

的充要条件是存在 i'，$j' \in G$ 合

$$x^{2a_1} = 1 + x^{2j'}, \tag{16.5.6}$$

$$x^{2a_2} = 1 + x^{2(i'-d)}, \tag{16.5.7}$$

$$x^{2d} - 1 = x^{2j'} - x^{2i'}. \tag{16.5.8}$$

(16.5.6) 和 (16.5.7) 分别与 a_1，$a_2 \in X$ 等价，而当此二式成立时，$d = a_1 - a_2$ 就与 (16.5.8) 等价. 这是因为，一方面，由 (16.5.5)—(16.5.7)，有

$$\begin{aligned} 1 + x^{2j'} = x^{2a_1} &= x^{2(a_2+d)} \\ &= x^{2d} x^{2a_2} = x^{2d}(1 + x^{2(i'-d)}) \\ &= x^{2d} + x^{2i'}, \end{aligned}$$

另一方面，由 (16.5.6)—(16.5.8)，有

$$x^{2d} - 1 = x^{2a_1} - 1 - (x^{2a_2+2d} - x^{2d}),$$
$$x^{2a_2+2d} = x^{2a_1},$$
$$a_2 + d = a_1.$$

d 可表为

$$d = b_1 - b_2, \quad b_1, \quad b_2 \in Y$$

的充要条件是存在 i'', $j'' \in G$ 合

$$-x^{2b_1} = 1 + x^{2j''}, \tag{16.5.9}$$

$$-x^{2b_2} = 1 + x^{2(i''-d)}, \tag{16.5.10}$$

$$x^{2d} - 1 = x^{2j''} - x^{2i''}. \tag{16.5.11}$$

因为 $-1 \notin Q$，故 $Y = \{b \in G \,|\, -(x^{2b} + 1) \in Q\}$，因而 (16.5.9) 和 (16.5.10) 分别同 b_1，$b_2 \in Y$ 等价，而当此二式成立时，$d = b_1 - b_2$ 就与 (16.5.11) 等价. 理由与前一段类似. 注意，(16.5.8) 和 (16.5.11) 可写为同一个方程

$$x^{2d} - 1 = x^{2j} - x^{2i}, \quad i, \ j \in G. \tag{16.5.12}$$

但当 $x^{2j} + 1 \in Q$ 时，(16.5.12) 的解 (j, i) 同 d 表为 X 中二元之差的表法是一一对应的；当 $x^{2j} + 1 \notin Q$ 时，(16.5.12) 的解 (j, i) 同 d 表为 Y 中二元之差的表法是一一对应的，然而，$d \neq 0$ 时，$x^{2d} - 1 \neq 0$，故由定理 15.6.1 知，方程 (16.5.12) 的解的个数是常数 m. 至此已经证明，(X, Y) 确是 2-$(2m+1; m, m+1; m)$ 循环差集. **证毕**.

还需要两个引理.

引理 16.5.1.　假定存在四个 v 阶 $(1, -1)$ 矩阵 A，B，C 和 D，合于

$$C = I + U, \quad U^{\mathrm{T}} = -U, \tag{16.5.13}$$

$$A^{\mathrm{T}} = A, \quad B^{\mathrm{T}} = B, \quad D^{\mathrm{T}} = D, \tag{16.5.14}$$

$$AA^{\mathrm{T}} + BB^{\mathrm{T}} = CC^{\mathrm{T}} + DD^{\mathrm{T}} = 2(v+1)I - 2J, \tag{16.5.15}$$

$$eA^{\mathrm{T}} = eB^{\mathrm{T}} = eC^{\mathrm{T}} = eD^{\mathrm{T}} = e, \tag{16.5.16}$$

$$AB = BA, \quad CD = DC^{\mathrm{T}}. \tag{16.5.17}$$

其中 e 为分量全为 1 的 v 维向量. 记

$$N = \begin{pmatrix} 1 & 1 & e & e \\ 1 & -1 & -e & e \\ e^{\mathrm{T}} & -e^{\mathrm{T}} & A & -B \\ e^{\mathrm{T}} & e^{\mathrm{T}} & -B & -A \end{pmatrix}, \tag{16.5.18}$$

$$M = \begin{pmatrix} 1 & 1 & e & e \\ -1 & 1 & e & -e \\ -e^{\mathrm{T}} & -e^{\mathrm{T}} & C & D \\ -e^{\mathrm{T}} & e^{\mathrm{T}} & -D & C \end{pmatrix}, \tag{16.5.19}$$

那么，N 是一个 $2(v+1)$ 阶对称 H 矩阵，M 是一个 $2(v+1)$ 阶的反型 H 矩阵. 又若

$$AC^{\mathrm{T}} - BD \quad \text{和} \quad BC^{\mathrm{T}} + AD \tag{16.5.20}$$

是对称的，则 M 和 N 是一对 $2(v+1)$ 阶的 H 矩阵睦偶.

证明. 因为 M 和 N 已经给出，故定理的一切结论都可直接验证. **证毕.**

引理 16.5.2. 设 G 是一个 $2m+1$ 阶的 Abel 加群，且存在 G 上的 2-$(2m+1;$ $m,\ m+1;\ m)$ 群差集 $(X,\ Y)$ 合于 $0 \notin X$，且

$$a \in X \text{的充要条件是} -a \notin X,$$
$$a \in Y \text{的充要条件是} -a \in Y.$$

又设存在 G 的 2-$(2m+1;\ m;\ m-1)$ 群差集 $(P,\ S)$ 合于

$$a \in P \text{则} -a \in P;\quad a \in S \text{则} -a \in S.$$

那么，一定存在 $4(m+1)$ 阶的

(1) 对称 H 矩阵，
(2) 反型 H 矩阵，
(3) H 矩阵睦偶.

证明. 设 G 中元按任一固定的顺序依次为 $z_1,\ z_2,\cdots,\ z_{2m+1}$，$Z \subseteq G$ 且

$$\varphi_X(a) = \begin{cases} 1, & a \in X \text{或} a = 0, \\ -1, & \text{其他}, \end{cases} \qquad \varphi_Y(a) = \begin{cases} 1, & a \in Y, \\ -1, & a \notin Y, \end{cases}$$

$$\varphi_Z(a) = \begin{cases} -1, & a \in Z, \\ +1, & a \notin Z, \end{cases} \quad Z = P \text{或} S.$$

又设 C 是 G 的 I 型 φ_X 关联矩阵，D 是 II 型 φ_Y 关联矩阵，A 是 II 型 φ_P 关联矩阵，B 是 II 型 φ_S 关联矩阵.

由 φ_X 的定义知，C 的主对角线元素全为 1，且当 $i \neq j$ 时，由于 $z_i - z_j \in X$ 的充要条件是 $z_j - z_i \notin X$，故恒有

$$\varphi(z_i - z_j) = -\varphi(z_j - z_i).$$

因此，C 满足条件(16.5.13).

由引理 16.3.4 知，A，B，D 满足条件(16.5.14). 又由引理 16.3.7 知，(16.5.17) 的第一式成立. 再由引理 16.3.8，C 是循环阵，D, A 是倒循环阵；所以从引理 16.3.3 知，(16.5.17)的第二式和关于(15.5.20)的假设也成立.

对任意固定的 i 都有

$$\sum_{j=1}^{2m+1} \varphi_X(a_j - a_i) = \sum_{a \in G} \varphi_X(a)$$

$$= \sum_{a \in X \cup \{0\}} 1 - \sum_{a \notin X \cup \{0\}} 1$$

$$= m + 1 - m = 1,$$

$$\sum_{j=1}^{2m+1} \varphi_Y(a_i + a_j) = \sum_{a \in G} \varphi_Y(a) = \sum_{a \in Y} 1 - \sum_{a \notin Y} 1$$

$$= (m+1) - m = 1,$$

$$\sum_{j=1}^{2m+1} \varphi_Z(a_i + a_j) = \sum_{a \in G} \varphi_Z(a) = \sum_{a \notin Z} 1 - \sum_{a \in Z} 1$$

$$= (m+1) - m = 1, \quad Z = P, \ S.$$

故(16.5.16)成立. 由(16.5.14)和(16.5.13)，(16.5.16)又可写为

$$JA = JB = JC = JD = J.$$

再由(16.5.14)和(16.5.13)，这又推出

$$AJ = BJ = CJ = DJ = J.$$

因矩阵 $\overline{C} := C - 2I$ 和 D 是 2-$(2m+1; \ m, \ m+1; \ m)$群差集$(X, \ Y)$所对应的$(1，-1)$关联矩阵，故由引理 16.3.11 知

$$\overline{C}\overline{C}^{\mathrm{T}} + DD^{\mathrm{T}} = 4(m+1)I - 2J.$$

但因

$$\overline{C}\overline{C}^{\mathrm{T}} = CC^{\mathrm{T}} - 2C - 2C^{\mathrm{T}} + 4I$$

$$= CC^{\mathrm{T}} - 2(C - I) - 2(C^{\mathrm{T}} - I),$$

且由于 C 是反型矩阵，故 $C - I = -(C^{\mathrm{T}} - I)$，从而

$$\overline{C}\overline{C}^{\mathrm{T}} = CC^{\mathrm{T}} .$$

因此，

$$CC^{\mathrm{T}} + DD^{\mathrm{T}} = 4(m+1)I - 2J .$$

因矩阵 $\frac{1}{2}(J-A)$ 和 $\frac{1}{2}(J-B)$ 分别是 2-$(2m+1;\ m,\ m-1)$群差集$(P,\ S)$的 P 和 S 的$(0,\ 1)$关联矩阵，故由引理 16.3.10，有

$$\frac{1}{4}(J-A)\left(J-A^{\mathrm{T}}\right) + \frac{1}{4}(J-B)\left(J-B^{\mathrm{T}}\right)$$
$$= (m+1)I + (m-1)J.$$

因此

$$AA^{\mathrm{T}} + BB^{\mathrm{T}} = 4(m+1)I - 2J .$$

这样就证明了 A，B，C 和 D 满足 $v = 2m+1$ 时的(16.5.15).

于是，由定理 16.5.3，按(16.5.18)和(16.5.19)确定的矩阵就是一对 H 矩阵睦偶，且 N 是对称 H 矩阵，M 是反型 H 矩阵. 证毕.

现在来建立 H 矩阵睦偶的存在性及其构造方法的另一个定理.

定理 16.5.3. 设 $t = p^e \equiv 1 (\bmod\ 4)$；$q = g^f = 2t+1$，这里 p 和 g 都是素数，e 和 f 是正整数. 那么，存在 $2(t+1)$ 阶的 H 矩阵睦偶，其构造方法由下面的证明过程和定理 16.5.2 的证明过程结合而得.

证明. 令 $m = \dfrac{t-1}{2}$，则 $q = g^f = 4m+3$. 由定理 16.5.2，存在 2-$(2m+1;\ m,\ m+1;\ m)$循环差集$(X,\ Y)$合

$$0 \notin X, \text{ 且若 } a \in X, \text{ 则 } -a \notin X;$$
$$\text{若 } a \in Y, \text{ 则 } -a \notin Y.$$

另一方面，因 $t \equiv 1 (\bmod\ 4)$，故由定理 14.8.3，有限域 GF(t) 中全体非零平方元所组成的集 P 和全体非平方元所组成的集 S 正好是 2-$(2m+1;m;m-1)$群差集. 于是由引理 16.5.2 便得本定理的结论. **证毕.**

下面给出一些具体的例子.

例 16.5.1. 存在阶为 12，28，60 和 108 的 H 矩阵睦偶.

解. 因 5，13，29 和 53 都是素数且 $\equiv 1 (\bmod\ 4)$，而 $2 \cdot 5 + 1 = 11$，$2 \cdot 13 + 1 = 27 = 3^3, 2 \cdot 29 + 1 = 59$ 和 $2 \cdot 53 + 1 = 107$ 都是素数的方幂，故由定理 16.5.3 知，本例的结论成立. **解毕.**

16.6 反型 Hadamard 矩阵的构造法

上节介绍的构造 H 矩阵睦偶的方法自然也是构造反型 H 矩阵的方法. 本节介绍构造反型 H 矩阵的其他一些方法.

首先介绍由 H 矩阵睦偶和已知的反型 H 矩阵来构造另一些反型 H 矩阵的结果.

定理 16.6.1. 若存在 h 阶反型 H 矩阵, 也存在 m 阶 H 矩阵睦偶, 则存在 mh 阶反型 H 矩阵.

证明. 设 $S = I_h + \overline{S}$ 是一个 h 阶反型 H 矩阵, 则

$$. \quad \overline{S}^T = -\overline{S}, \ \overline{S} \ \overline{S}^T = (h-1)I_h. \tag{16.6.1}$$

又设 $M = I_m + \overline{M}$ 和 N 是一对 m 阶 H 矩阵睦偶, 则

$$MN = NM^{\mathrm{T}}. \tag{16.6.2}$$

令

$$K = I_h \times M + \overline{S} \times N \ ,$$

则 K 是一个 mh 阶 $(1, \, -1)$ 矩阵. 由 (16.6.1) 和 (16.6.2) 知,

$$
\begin{aligned}
KK^{\mathrm{T}} &= (I_h \times M + \overline{S} \times N)(I_h \times M^{\mathrm{T}} - \overline{S} \times N) \\
&= I_h \times (MM^{\mathrm{T}}) - \overline{S}^2 \times N^2 \\
&= I_h \times mI_m + (h-1)I_h \times mI_m \\
&= mhI_{mh},
\end{aligned}
$$

和

$$
\begin{aligned}
\left(K - I_{mh}\right)^{\mathrm{T}} &= (I_h \times \overline{M} + \overline{S} \times N)^{\mathrm{T}} \\
&= I_h \times \overline{M}^T + \overline{S}^{\mathrm{T}} \times N \\
&= -I_h \times \overline{M} - \overline{S} \times N \\
&= -(K - I_{mh}).
\end{aligned}
$$

因此 K 是一个 mh 阶反型 H 矩阵. **证毕.**

下面一个构造方法要用到 Szekeres 差集的概念和结果.

定义 16.6.1. 设 G 是一个 $2m + 1$ 阶的 Abel 加群, X 和 Y 是 G 的两个子集. 如果 $(X, \, Y)$ 是 G 的 $2\text{-}(2m + 1; \ m; \ m - 1)$ 群差集, 且 X 合条件:

$$\text{若} z \in X, \quad \text{则} -z \notin X,$$

则称(X, Y)是 G 的一个 Szekeres **差集**.

定理 16.6.2. 设 G 是一个 $2m + 1$ 阶 Abel 加群，(X, Y) 是 G 的 Szekeres 差集，那么存在 $4(m + 1)$ 阶反型 H 矩阵.

证明. 设 G 的 Ⅰ 型 φ_1 关联矩阵为 M，Y 的 Ⅱ 型 φ_2 关联矩阵为 N，这里

$$\varphi_1(z) = \begin{cases} -1, & z \in X, \\ 1, & Z \notin X; \end{cases}$$

$$\varphi_2(z) = \begin{cases} -1, & z \in Y, \\ 1, & z \notin Y. \end{cases}$$

那么，如引理 16.5.2 的证明过程一样，可得

$$N^{\mathrm{T}} = N, \quad (M - I)^{\mathrm{T}} = -(M - I),$$
$$JM^{\mathrm{T}} = JN = J,$$
$$MN = NM^{\mathrm{T}},$$
$$MM^{\mathrm{T}} + NN^{\mathrm{T}} = 4(m + 1)I - 2J.$$

利用这些结果可以直接验证，$4(m + 1)$ 阶矩阵

$$\begin{pmatrix} 1 & 1 & e & e \\ -1 & 1 & e & -e \\ -e^{\mathrm{T}} & -e^{\mathrm{T}} & M & N \\ -e^{\mathrm{T}} & e^{\mathrm{T}} & -N & M \end{pmatrix}$$

就是一个反型 H 矩阵. **证毕.**

由此可见，只要能构造出 $2m + 1$ 阶 Abel 加群中的 Szekeres 差集，就能构造出 $4(m + 1)$ 阶的反型 H 矩阵. 下面一个定理给出了构造 Szekeres 差集的一个方法.

定理 16.6.3. 设 $q = p^r = 2m + 1 \equiv 5 \pmod 8$，这里 p 是个素数. 又设 G 是有限域 $\mathrm{GF}(q)$ 的加群. 那么存在 G 的 Szekeres 差集，其构造方法在定理的证明中给出.

证明. 设 $\mathrm{GF}(q)$ 的一个原根是 x. 记

$$H_i := \left\{ x^{4j+i} \mid 0 \leqslant j \leqslant \frac{m}{2} - 1 \right\}, 0 \leqslant i \leqslant 3,$$
$$X := H_0 \bigcup H_1, \quad Y := H_0 \bigcup H_3.$$

因 $2 \mid m$，故 $|X| = |Y| = m$. 因 $-1 = x^m$ 和 $m \equiv 2 \pmod 4$ 而有

$$若 a \in X，则 -a \notin X.$$

对任一固定的 $d \in H_0$，考虑下列诸方程:

$$d = a - b, \quad a, \ b \in X, \tag{16.6.3}$$

$$d = f - g, \quad f, \ g \in Y, \tag{16.6.4}$$

$$xd = a - b, \quad a, \ b \in X, \tag{16.6.5}$$

$$xd = f - g, \quad f, \ g \in Y, \tag{16.6.6}$$

$$x^2 d = a - b, \quad a, \ b \in X, \tag{16.6.7}$$

$$x^2 d = f - g, \quad f, \ g \in Y, \tag{16.6.8}$$

$$x^3 d = a - b, \quad a, \ b \in X, \tag{16.6.9}$$

$$x^3 d = f - g, \quad f, \ g \in Y. \tag{16.6.10}$$

因为对任一固定的 i，$x^{4i} X = X$，$x^{4i} Y = Y$，故上述各方程的解的个数不因 $d(\in H_0)$ 的具体选择而异. 再者，由以下诸式

$$d = a - b, \quad a, \ b \in X,$$

$$xd = (-xb) - (-xa), \ -xb, \ -xa \in Y,$$

$$x^2 d = (-x^2 d) - (-x^2 a), \ -x^2 b, \ -x^2 a \in X,$$

$$x^3 d = x^3 a - x^3 b, \ x^3 a, \ x^3 b \in Y$$

之间的等价关系知，方程(16.6.3)，(16.6.6)，(16.6.7)，(16.6.10)各自的解的个数彼此相等. 类似地，方程(16.6.4)，(16.6.5)，(16.6.8)，(16.6.9)各自的解的个数彼此相等.

　　然而，方程(16.6.3)的解数同方程(16.6.4)的解数之和是 d 表为 X 中二数之差的表法数同 d 表为 Y 中二数之差的表法数之和;方程(16.6.5)的解数同方程(16.6.6)的解数之和是 $xd(\in H_1)$ 表为 X 中二数之差的表法数同 xd 表为 Y 中二数之差的表

法数之和；方程(16.6.7)的解数同方程(16.6.8)的解数之和是 $x^2 d (\in H_2)$ 表为 X 中二数之差的表法数同 $x^2 d$ 表为 Y 中二数之差的表法数之和；方程(16.6.9)的解数同方程(16.6.10)的解数之和是 $x^3 d (\in H_3)$ 表为 X 中二数之差的表法数同 $x^3 d$ 表为 Y 中二数之差的表法数之和. 因此, 由上面已证的结果可知, 对任一 $d \in \mathrm{GF}(q) \setminus \{0\}$, d 表为 X 中二数之差的表法数同表为 Y 中二数之差的表法数之和都是与 d 无关的一个常数. 记这个常数为 λ, 则

$$\lambda(q-1) = 2m(m-1).$$

从而

$$\lambda = m - 1.$$

这就是说, (X, Y) 是 2-$(2m+1; m; m-1)$ 群差集. **证毕**.

由上述两个定理立得

定理 16.6.4. 设 $p^r = 2m + 1 \equiv 5 \pmod 8$, 这里 p 是个素数, 则存在 $4(m+1)$ 阶的反型 H 矩阵.

16.7 对称 Hadamard 矩阵的构造法

本节介绍对称 H 矩阵的一些构造方法和结果.

首先注意到, 一对 H 矩阵睦偶中有一个是对称 H 矩阵, 因此, 构造 H 矩阵睦偶的方法也就是构造对称矩阵的方法. 于是, 由定理 16.5.1 可得

定理 16.7.1. 设

$$m = 2^t \prod_{i=1}^{l} (p_i^{e_i} + 1), \tag{16.7.1}$$

其中 $t \geqslant 0$, $l \geqslant 0$, $e_i \geqslant 1$, p_i 为素数且 $p_i^{e_i} \equiv 3 \pmod 4$. 那么存在 m 阶对称 H 矩阵, 其构造方法已在定理 16.5.1 的证明过程中给出.

定理 16.7.2. 设 $t = p^e \equiv 1 \pmod 4$, $q = g^f = 2t + 1$, 这里 p 和 g 都是素数, e 和 f 是正整数. 那么, 存在 $2(t+1)$ 阶对称 H 矩阵, 其构造方法由定理 16.5.2 和定理 16.5.3 的证明过程结合而得.

下面介绍另一构造方法.

定理 16.7.3. 设 $q = p^l \equiv 1 \pmod 4$, 这里 p 是素数, l 是正整数. 那么, 存在 $2(q+1)$ 阶对称 H 矩阵, 其构造方法在下面的证明过程中给出.

证明. 设 G 是有限域 $\mathrm{GF}(q)$ 的加法群, 且 G 中的元依次为 $z_1 = 0$, $z_2, \cdots, z_q$, 合(16.5.3). 设 Q 是引理 16.3.9 之前定义的 q 阶矩阵. 又记

$$P = \begin{pmatrix} 0 & e \\ e^{\mathrm{T}} & Q \end{pmatrix}, \quad N = P + I_{q+1}, \tag{16.7.2}$$

其中 e 是分量全为 1 的 q 维向量. 由引理 16.3.9 知, Q 的主对角线元素全为零, 且 $Q^{\mathrm{T}} = Q$, $QQ^{\mathrm{T}} = qI - J$, $QJ = JQ = 0$, 故 N 是对称的$(1, -1)$矩阵, 且

$$P = \begin{pmatrix} q & eQ \\ Qe^{\mathrm{T}} & J + Q^2 \end{pmatrix} = qI_{q+1}. \tag{16.7.3}$$

今作矩阵

$$H = \begin{pmatrix} -N & P-I \\ P-I & N \end{pmatrix}. \tag{16.7.4}$$

那么, H 是个对称的 $2(q+1)$ 阶$(1, -1)$矩阵, 且由(16.7.3)知

$$HH^{\mathrm{T}} = \begin{pmatrix} (P+I)^2+(P-I)^2 & 0 \\ 0 & (P+I)^2+(P-I)^2 \end{pmatrix}$$
$$= 2\begin{pmatrix} (P^2+I) & 0 \\ 0 & (P^2+I) \end{pmatrix}$$
$$= 2(q+1)I_{2(q+1)}.$$

这就是说, 矩阵(16.7.4)是个 $2(q+1)$ 阶的对称 H 矩阵. **证毕**.

由于 $\begin{pmatrix} 1 & 1 \\ 1 & -1 \end{pmatrix}$ 是个二阶对称 H 矩阵, 以及任一 m_1 阶对称 H 矩阵与任一 m_2 阶对称 H 矩阵之 Kronecker 积是一个 $m_1 m_2$ 阶对称 H 矩阵这一事实, 由定理 16.7.1 和定理 16.7.3 立刻可以推得

定理 16.7.4. 设 m 是一个形如(16.7.1)的数, 其中诸 p_i 都是奇素数, e_i 为正整数. 又设合 $p_i^{e_i} \equiv 1 \pmod 4$ 的 p_i 的个数不超过 t. 那么, 存在 m 阶的对称 H 矩阵, 其构造方法可以由若干形如(16.7.4)的 H 矩阵, 若干个由定理 16.5.1 构造出的 H 矩阵和若干 $\begin{pmatrix} 1 & 1 \\ 1 & -1 \end{pmatrix}$ 作 Kronecker 积给出.

定理 16.7.5. 设 $q = p^e \equiv 1 \pmod 4$, 这里 p 是个素数, e 是正整数. 那么, 存在 $2q(q+1)$ 阶的对称 H 矩阵, 其构造方法在下面的证明中给出.

证明. 设 P 和 N 为(16.7.2)式确定的两个 $q+1$ 阶矩阵, Q 为其中出现的矩阵. 又记

$$X = \begin{pmatrix} 1 & 1 \\ 1 & -1 \end{pmatrix} \times J_q \,,$$

$$Y = \begin{pmatrix} Q+I & Q-I \\ Q-I & -Q-I \end{pmatrix}$$

$$= \begin{pmatrix} 1 & 1 \\ 1 & -1 \end{pmatrix} \times Q + \begin{pmatrix} 1 & -1 \\ -1 & -1 \end{pmatrix} \times I_q.$$

那么，

$$X^{\mathrm{T}} = X, \quad Y^{\mathrm{T}} = Y,$$
$$X^2 = 2qI_2 \times J_q, \tag{16.7.5}$$

$$Y^2 = 2I_2 \times Q^2 + 2I_2 \times I_q$$
$$= 2I_2 \times ((q+1)I_q - J_q), \tag{16.7.6}$$

$$XY + YX = 2I_2 \times JQ + 2\begin{pmatrix} 0 & -1 \\ 1 & 0 \end{pmatrix} \times J_q$$

$$+ 2I_2 \times QJ + 2\begin{pmatrix} 0 & 1 \\ -1 & 0 \end{pmatrix} \times J_q$$

$$= 0. \tag{16.7.7}$$

令

$$H = I_{q+1} \times X + P \times Y \,.$$

那么，H 是 $(1, -1)$ 矩阵，$H^{\mathrm{T}} = H$，且由 (16.7.5)—(16.7.7) 得

$$HH^{\mathrm{T}} = I_{q+1} \times X^2 + P^2 \times Y^2$$
$$= 2q(q+1)I_{2q(q+1)}.$$

这就是说，H 是一个 $2q(q+1)$ 阶对称 H 矩阵. **证毕**.

类似于定理 16.7.4，由定理 16.7.5 立刻可以推得下面的

定理 16.7.6. 设

$$m = 2^t \prod_{i=1}^{l} (p_i^{e_i}(p_i^{e_i} + 1)) \,,$$

其中

$$p_i^{e_i} \equiv 1 (\bmod 4) \,, \quad p_i \text{ 是素数}, \ e_i \geqslant 1, \ t \geqslant l > 0 \,.$$

那么, 存在 m 阶对称 H 矩阵, 它为若干个 $\begin{pmatrix} 1 & 1 \\ 1 & -1 \end{pmatrix}$ 和若干个形如定理 16.7.5 所构造出的 H 矩阵的 Kronecker 积.

16.8 一般 Hadamard 矩阵的构造方法之二

本节介绍利用反型 H 矩阵和 H 矩阵睦偶来构造 H 矩阵的方法.

首先介绍一个一般性的引理.

引理 16.8.1. 假定存在

(1) h 阶反型 H 矩阵 $H = U + I$,

(2) m 阶 H 矩阵睦偶 $M = W + I$ 和 $N = N^{\mathrm{T}}$,

(3) 三个 l 阶 $(1, -1)$ 矩阵 X, Y 和 Z, 满足

$$(XY^{\mathrm{T}})^{\mathrm{T}} = XY^{\mathrm{T}}, \quad (YZ^{\mathrm{T}})^{\mathrm{T}} = YZ^{\mathrm{T}}, \quad (ZX^{\mathrm{T}})^{\mathrm{T}} = ZX^{\mathrm{T}},$$

$$XX^{\mathrm{T}} = aI + (l-a)J,$$

$$YY^{\mathrm{T}} = cI + (l-c)J,$$

$$ZZ^{\mathrm{T}} = (l+1)I - J,$$

这里, $(m-1)c = m(l-h+1) - a$. 那么, 矩阵

$$\bar{H} := U \times N \times Z + I_h \times W \times Y + I_h \times I_m \times X \tag{16.8.1}$$

是一个 mlh 阶的 H 矩阵.

证明. 由 $\bar{H}$ 的构造式 (16.8.1) 知, $\bar{H}$ 是一个 $(1, -1)$ 矩阵. 另一方面, 由条件 (1) 和 (2) 知

$$U^{\mathrm{T}} = -U, \quad UU^{\mathrm{T}} = (h-1)I_h,$$

$$W^{\mathrm{T}} = -W, \quad WW^{\mathrm{T}} = (m-1)I_m,$$

$$MN = NM^{\mathrm{T}}, \quad MM^{\mathrm{T}} = N^2 = mI_m,$$

$$WN = NW^{\mathrm{T}}.$$

因此, 利用这些关系式直接算出

$$\overline{H}\overline{H}^{\mathrm{T}} = UU^{\mathrm{T}} \times N^2 \times ZZ^{\mathrm{T}} + I_h \times WW^{\mathrm{T}} \times YY^{\mathrm{T}} + I_h \times I_m \times XX^{\mathrm{T}} + U^{\mathrm{T}} \times WN \times YZ^{\mathrm{T}}$$
$$+ U \times NW^{\mathrm{T}} \times ZY^{\mathrm{T}} + U^{\mathrm{T}} \times N \times XZ^{\mathrm{T}}$$
$$+ U \times N \times ZX^{\mathrm{T}} + I_h \times W^{\mathrm{T}} \times XY^{\mathrm{T}}$$
$$+ I_h \times W \times YX^{\mathrm{T}}$$
$$= UU^{\mathrm{T}} \times N^2 \times ZZ^{\mathrm{T}} + I_h \times WW^{\mathrm{T}} \times YY^{\mathrm{T}} + I_h \times I_m \times XX^{\mathrm{T}} + (U + U^{\mathrm{T}}) \times WN$$
$$\times YZ^{\mathrm{T}} + (U^{\mathrm{T}} + U) \times N \times ZX^{\mathrm{T}} + I_h$$
$$\times (W + W^{\mathrm{T}}) \times XY^{\mathrm{T}}$$
$$= (h-1)I_h \times mI_m \times ((l+1)I_l - J_l) + I_h \times I_m \times (c(m-1)I_l + (l-c)(m$$
$$-1)J_l) + I_h \times I_m \times (aI_l + (l-a)J_l)$$
$$= I_{mh} \times (m(h-1)(l+1) + c(m-1) + a)I_l$$
$$+ I_{mh} \times (-m(h-1) + (l-c)(m-1) + l - a)J_l = mlhI_{mlh}.$$

这就是说，$\overline{H}$ 是一个 mlh 阶 H 矩阵. **证毕**.

在引理中令 $X = Y$，$a = c$，$m = 1$，则得

系 1. 假设存在

(1) h 阶反型 H 矩阵，

(2) 两个 l 阶 $(1，-1)$ 矩阵 Y 和 Z，满足

$$(YZ^{\mathrm{T}})^{\mathrm{T}} = YZ^{\mathrm{T}}, \tag{16.8.2}$$

$$YY^{\mathrm{T}} = cI + (l - c)J, \tag{16.8.3}$$

$$ZZ^{\mathrm{T}} = (l + 1)I - J, \tag{16.8.4}$$

这里，$c = l - h + 1$. 那么，存在 lh 阶 H 矩阵，其构造方法可由引理 16.8.1 给出.

系 2. 如果存在 h 阶反型 H 矩阵，则存在 $h(h-1)$ 阶 H 矩阵.

证明. 设 H 是一个 h 阶反型 H 矩阵，且 $Z - I_{h-1}$ 是其核. 于是 Z 是一个 $(1，-1)$ 矩阵. 由引理 16.2.2，有

$$(Z - I_{h-1})(Z - I_{h-1})^{\mathrm{T}} = (h-1) I_{h-1} - J_{h-1}, \tag{16.8.5}$$

$$(Z - I_{h-1}) J_{h-1} = 0, \tag{16.8.6}$$

$$(Z - I_{h-1})^{\mathrm{T}} = -(Z - I_{h-1}). \tag{16.8.7}$$

由 (16.8.7)，

$$Z^{\mathrm{T}} = -Z + 2 I_{h-1}. \tag{16.8.8}$$

由 (16.8.6) 得

$$J_{h-1}Z^{\mathrm{T}} = J_{h-1} = Z\,J_{h-1}. \tag{16.8.9}$$

结合(16.8.8)和(16.8.5)，又有

$$ZZ^{\mathrm{T}} = h\,I_{h-1} - J_{h-1}. \tag{16.8.10}$$

再者，

$$J_{h-1}J_{h-1} = (h-1)J_{h-1}. \tag{16.8.11}$$

因此，若取 $Y = J$，$l = h-1$，$c = 0$，则(16.8.9)，(16.8.11)和(16.8.10)分别是系 1 中的(16.8.2)，(16.8.3)和(16.8.4)三式. 由系 1 即得系 2. **证毕**.

系 3. 如果存在 h 阶反型 H 矩阵和 $h+4$ 阶对称 H 矩阵，则存在 $h(h+3)$ 阶 H 矩阵.

证明. 设 A 是 一个 $h+4$ 阶对称 H 矩阵，其核为 C. 不失一般，可设 A 有分块形式(16.2.4). 由引理 16.2.3 知 $C^{\mathrm{T}} = C$，且

$$C^2 = (h+4)I_{h+3} - J_{h+3},$$
$$CJ_{h+3} = J_{h+3}C = -J_{h+3}. \tag{16.8.12}$$

设 $Y = J_{h+3} - 2I_{h+3}$. 那么，Y 是一个$(1, -1)$矩阵，$Y^{\mathrm{T}} = Y$，且

$$YC^{\mathrm{T}} = (J_{h+3} - 2I_{h+3})C = -J_{h+3} - 2C$$
$$= C(J_{h+3} - 2I_{h+3}) = CY^{\mathrm{T}}, \tag{16.8.13}$$
$$YY^{\mathrm{T}} = Y^2 = (h-1)J_{h+3} + 4I_{h+3}. \tag{16.8.14}$$

取 $Z = C$，$c = 4$，$l = h+3$，则(16.8.2)，(16.8.3)和(16.8.4)就分别化为(16.8.13)，(16.8.14)和(16.8.12). 于是，由系 1 便得本系的结论. **证毕**.

应用上述诸结果，可得一些具体的 H 矩阵的存在性定理.

定理 16.8.1. 设 m 是形如定理 16.5.1 中由(16.5.1)给出的数，或是定理 16.5.3 导出的数 $2(p^e+1)$，或是定理 16.6.4 导出的数 $2(p^r+1)$，则存在 $m(m-1)$阶 H 矩阵.

证明. 由定理 16.5.1，定理 16.5.3，定理 16.6.4 和上面的系 2 即得. **证毕**.

定理 16.8.2. 设 m 和 $m+4$ 都是形如定理 16.5.1 中由(16.5.1)给出的数，或是定理 16.5.3 导出的数 $2(p^e+1)$，或是定理 16.6.4 导出的数 $2(p^r+1)$，则存在 $m(m+3)$阶 H 矩阵.

证明. 由定理 16.5.1，定理 16.5.3，定理 16.5.4 和上面的系 3 即得. **证毕**.

16.9 Williamson 型 Hadamard 矩阵

Williamson[1, 2]发现了构造一类特殊的 H 矩阵的方法. 借助于它, 对一些久未构造出 H 矩阵的阶, 例如 92, 116, 172 等, 终于构造出了 H 矩阵. 这个方法基于下面一些引理.

引理 16.9.1. 假定存在四个 m 阶$(1, -1)$矩阵 A, B, C 和 D, 满足条件:

(1)它们是对称的,

(2)它们是两两可换的,

(3)$A^2 + B^2 + C^2 + D^2 = 4mI_m$. $\qquad\qquad$ (16.9.1)

那么, 矩阵

$$H = \begin{pmatrix} A & B & C & D \\ -B & A & -D & C \\ -C & D & A & -B \\ -D & -C & B & A \end{pmatrix} \qquad\qquad (16.9.2)$$

是一个 $4m$ 阶 H 矩阵.

证明. 由直接计算,

$$HH^{\mathrm{T}} = \begin{pmatrix} A^2 + B^2 + C^2 + D^2 & -AB + BA - CD + DC \\ -BA + AB - DC + CD & B^2 + A^2 + D^2 + C^2 \\ -CA + DB + AC - BD & CB + DA - AD - BC \\ -DA - CB + BC + AD & DB - CA - BD + AC \end{pmatrix}$$

$$\left. \begin{matrix} -AC + BD + CA - DB & -AD - BC + CB + DA \\ BC + AD - DA - CB & BD - AC - DB + CA \\ C^2 + D^2 + A^2 + B^2 & CD - DC + AB - BA \\ DC - CD + BA - AB & D^2 + C^2 + B^2 + A^2 \end{matrix} \right)$$

$$= I_4 \times 4mI_m = 4mI_{4m}.$$

证毕.

形如(16.9.2)的 H 矩阵叫做 Williamson 型 H 矩阵.

由引理 16.9.1, 构造 Williamson 型矩阵的问题就转化为构造满足引理 16.9.1 中的条件(1)—(3)的矩阵 A, B, C 和 D. 下面就来讨论这后一问题.

设 U 是(16.3.1)定义的 m 阶矩阵. 又设

$$A = a_0 I + a_1 U + \cdots + a_{m-1} U^{m-1}, \quad a_i = \pm 1 (0 \leqslant i \leqslant m-1), \tag{16.9.3}$$

$$B = b_0 I + b_1 U + \cdots + b_{m-1} U^{m-1}, \quad b_i = \pm 1 (0 \leqslant i \leqslant m-1), \tag{16.9.4}$$

$$C = c_0 I + c_1 U + \cdots + c_{m-1} U^{m-1}, \quad c_i = \pm 1 (0 \leqslant i \leqslant m-1), \tag{16.9.5}$$

$$D = d_0 I + d_1 U + \cdots + d_{m-1} U^{m-1}, \quad d_i = \pm 1 (0 \leqslant i \leqslant m-1). \tag{16.9.6}$$

如果诸 a_i, b_i, c_i, d_i 满足

$$a_{m-i} = a_i, \ b_{m-i} = b_i, \ c_{m-i} = c_i, \ d_{m-i} = d_i (1 \leqslant i \leqslant m-1), \tag{16.9.7}$$

则由(16.3.2)知, A, B, C, D 都是对称的. 因为所有的 a_i, b_i, c_i, d_i 都取值 ± 1, 故 A, B, C, D 都是$(1, -1)$矩阵. 因为 A, B, C, D 都是 U 的以纯量为系数的多项式, 故它们两两可易. 这样一来, 为了应用引理 16.9.1 于这样特殊形态的 A, B, C, D 来构造 Williamson 型 H 矩阵, 就只需考虑寻求满足条件(16.9.1)和(16.9.7)且形如(16.9.6)的矩阵 A, B, C, D.

下面只就

$$2 \nmid m \text{ 且 } a_0 = b_0 = c_0 = d_0 = 1 \tag{16.9.8}$$

的情形来讨论. (16.9.8)的后一条件并未对所得的结果的应用带来任何限制, 因为, 如果必要, 把 A 换为$-A$, B 换为$-B$, C 换为$-C$, D 换为$-D$, 总可使这个条件成立.

在 A, B, C 和 D 的表示式(16.9.3)—(16.9.6)中, 依系数的正负集项, 可得

$$A = P_1 - N_1, \ B = P_2 - N_2,$$

$$C = P_3 - N_3, \ D = P_4 - N_4, \tag{16.9.9}$$

这里

$$P_1 = \sum_{a_j = 1} U^j, \ N_1 = \sum_{a_j = -1} U^j,$$

$$P_2 = \sum_{b_j = 1} U^j, \ N_2 = \sum_{b_j = -1} U^j,$$

$$P_3 = \sum_{c_j = 1} U^j, \ N_3 = \sum_{c_j = -1} U^j, \tag{16.9.10}$$

$$P_4 = \sum_{d_j = 1} U^j, \ N_4 = \sum_{d_j = -1} U^j.$$

由(16.9.4),

$$P_i + N_i = J, 1 \leqslant i \leqslant 4. \tag{16.9.11}$$

这样一来，条件(16.9.1)就化为

$$\sum_{i=1}^{4}(2P_i - J)^2 = 4mI .$$ (16.9.12)

因为 U^p 也是一个置换矩阵，故 $U^p J = J U^p = J$，从而

$$P_i J = J P_i = p_i J \, (1 \leqslant i \leqslant 4) ,$$ (16.9.13)

这里 p_i 是(16.9.10)之 P_i 中所包含的项数. 利用(16.9.13)，(16.9.12)可化为

$$4\sum_{i=1}^{4}P_i^2 - 4\sum_{i=1}^{4}P_i J + \sum_{i=1}^{4}J^2 = 4mI ,$$

亦即

$$\sum_{i=1}^{4}P_i^2 = (\sum_{i=1}^{4}P_i - m)J + mI .$$ (16.9.14)

因 $a_0 = 1$，且当 $i \neq 0$ 时，若 $a_i = 1$，则 $a_{m-i} = 1$，故 $2 \nmid p_1$. 同理可得

$$2 \nmid p_1 p_2 p_3 p_4 .$$ (16.9.15)

因 $2 \nmid m$ 和(16.9.15)，故(16.9.14)给出

$$\sum_{a_j=1}U^{2j} + \sum_{b_j=1}U^{2j} + \sum_{c_j=1}U^{2j} + \sum_{d_j=1}U^{2j}$$
$$\equiv J + I \,(\mathrm{mod}\,2).$$ (16.9.16)

这里，两个整数矩阵对 $\mathrm{mod}\,b$ 同余的意思是它们中一切对应元素对 $\mathrm{mod}\,b$ 同余. 由 (16.9.16)可以看出，对任一 $j\,(1 \leqslant j \leqslant m-1)$，项 U^{2j} 在(16.9.16)左节的四个和式的恰好一个或者恰好三个中出现. 又由于 $2 \nmid m$，当 j 遍历 $[1, \, m-1]$ 时，$2j\,(\mathrm{mod}\,m)$ 也遍历 $[1, \, m-1]$，且反之亦然. 因此，不论哪种情形发生，对任一 $j\,(1 \leqslant j \leqslant m-1)$，$U^j$ 都在 P_1^2，P_2^2，P_3^2 和 P_4^2 的恰好一个或恰好三个中出现，因而 U^j 在 P_1，P_2，P_3 和 P_4 的恰好一个或恰好三个中出现. 这就是说，对任一 $j\,(1 \leqslant j \leqslant m-1)$，$a_j$，$b_j$，$c_j$，$d_j$ 四个数中都恰有三个同号.

上面的结果可以陈述为下面的引理.

引理 16.9.2. 假设(16.9.7)和(16.9.8)成立，且由(16.9.6)确定的矩阵 A，B，C 和 D 满足(16.9.1). 那么，对任一 $j\,(1 \leqslant j \leqslant m-1)$，在，$a_j$，$b_j$，$c_j$，$d_j$ 这四个数中都恰有三个同号.

今定义

$$W_1 = \frac{1}{2}(A + B + C - D),$$

$$W_2 = \frac{1}{2}(A + B - C + D),$$

$$W_3 = \frac{1}{2}(A - B + C + D),$$ (16.9.17)

$$W_4 = \frac{1}{2}(-A + B + C + D).$$

诸 W_i 都是 U 的纯量系数多项式, 还都是对称矩阵, 且 $U^0 = I$ 的系数为 $+1$. 由引理 16.9.2 知, 当 $1 \leqslant j \leqslant m-1$ 时, U^j 在 W_1 中的系数为

$$\begin{cases} \pm 2, & 若 U^j 在 A, B, C 中的系数为 \pm 1, 在 D 中的系数为 \mp 1, \\ 0, & 其他. \end{cases}$$

在 W_2 中的系数为

$$\begin{cases} \pm 2, & 若 U^j 在 A, B, D 中的系数为 \pm 1, 在 C 中的系数为 \mp 1, \\ 0, & 其他; \end{cases}$$

在 W_3 中的系数为

$$\begin{cases} \pm 2, & 若 U^j 在 A, C, D 中的系数为 \pm 1, 在 B 中的系数为 \mp 1, \\ 0, & 其他; \end{cases}$$

在 W_4 中的系数为

$$\begin{cases} \pm 2, & 若 U^j 在 B, C, D 中的系数为 \pm 1, 在 A 中的系数为 \mp 1, \\ 0, & 其他; \end{cases}$$

由此推知, 当 $1 \leqslant j \leqslant m-1$ 时, U^j 恰在一个 W_i 中出现, 且其系数为 ± 2.

反过来, 如果存在具有上述性质的 W_1, W_2, W_3, W_4, 则可由 (16.9.17) 定出

$$A = \frac{1}{2}(W_1 + W_2 + W_3 - W_4),$$

$$B = \frac{1}{2}(W_1 + W_2 - W_3 + W_4),$$

$$C = \frac{1}{2}(W_1 - W_2 + W_3 + W_4),$$ (16.9.18)

$$D = \frac{1}{2}(-W_1 + W_2 + W_3 + W_4);$$

而且，A，B，C 和 D 都是 $(1，-1)$ 矩阵.

另一方面，由关系式 (16.9.18) 和 (16.9.17) 可以得知，(16.9.1) 成立的充要条件是

$$W_1^2 + W_2^2 + W_3^2 + W_4^2 = 4mI_m. \tag{16.9.19}$$

于是，上面的结果可以叙述成下面的

引理 16.9.3. 设 $2 \nmid m$. 存在引理 16.9.2 中的矩阵 A，B，C 和 D 的充要条件是存在对称矩阵 W_1，W_2，W_3 和 W_4，满足 (16.9.19) 及

(1) $W_i = I \pm 2U^j \pm \cdots \pm 2U^l \ (1 \leqslant j < \cdots < l \leqslant m-1)$，

$$1 \leqslant i \leqslant 4 ; \tag{16.9.20}$$

(2) 对任一 $j (1 \leqslant j \leqslant m-1)$，$U^j$ 恰在 W_1，W_2，W_3 和 W_4 的一个中出现.

如果能够求得满足引理 16.9.3 中条件的 $W_i (1 \leqslant i \leqslant 4)$，那么就可用它们按 (16.9.18) 确定出 A，B，C 和 D，从而按 (16.9.2) 确定出 H.

U 的特征方程为 $\lambda^m - 1 = 0$，它有 m 个相异的特征根. 由矩阵论中的结果知，存在非异复矩阵 S，合

$$U = SVS^{-1}, \tag{16.9.21}$$

这里 V 是一个对角形矩阵，其主对角线上的 m 个元素为 m 个不同的 m 次单位根. 把 (16.9.21) 代入 (16.9.20) 得

$$W_i = S(I \pm 2V^j \pm \cdots \pm 2V^l)S^{-1}.$$

记

$$\overline{W}_i = I + 2V^j \pm \cdots \pm 2V^l ,$$

那么 (16.9.19) 就化为

$$\overline{W}_1^2 + \overline{W}_2^2 + \overline{W}_3^2 + \overline{W}_4^2 = 4mI_m. \tag{16.9.22}$$

因 1 是 m 次单位根，故不失一般，可设 V 的第 j 个对角线元素为 1. 比较 (16.9.22) 两节的 $(j，j)$ 元素，得

$$(1 \pm 2 \pm \cdots \pm 2)^2 + (1 \pm 2 \pm \cdots \pm 2)^2$$

$$+ (1 \pm 2 \pm \cdots \pm 2)^2 + (1 \pm 2 \pm \cdots \pm 2)^2 = 4m, \tag{16.9.23}$$

其左节第 i 项 $(1 \leqslant i \leqslant 4)$ 的括号内的结构与 $\overline{W}_i$ 的结构相对应.

由 Lagrange 四平方和定理(参看 13.3), 每一个正整数都可以表为四个整数的平方和. 而且, 当 $m>0$ 且 $2\nmid m$ 时, $4m$ 总可以表为四个奇数的平方和(参看 Hardy 和 Wright[1]). 据此和前面的几个引理, 可得构造 Williamson 型 H 矩阵的方法的步骤如下:

(1)把 $4m$ 表为四个奇数的平方和

$$4m = a^2 + b^2 + c^2 + d^2, 2\nmid abcd. \qquad (16.9.24)$$

(2)把(16.9.24)与(16.9.23)对照,求出满足(16.9.19)和引理 16.9.3 中的条件(1), (2)的诸 W_i 的可能的表达式(16.9.20).

(3)由(16.9.17)定出 A, B, C, D.

(4)由 A, B, C 和 D, 按(16.9.2)构造出 H 矩阵.

下面看一些具体的例子.

例 16.9.1. 考察 92 阶的 Williamson 型 H 矩阵的存在性和构造方法.

解. 此时 $m = 23$. 可有两种方法把 92 表为四个奇数的平方和:

$$92 = 9^2 + 3^2 + 1^2 + 1^2 = 7^2 + 5^2 + 3^2 + 3^2. \qquad (16.9.25)$$

记 $U^i + U^{23-i} = Z_i\,(1 \leqslant i \leqslant 11)$. 由(16.9.25)的第一式表示式, 得

$$92I = (I + 2Z_a + 2Z_b + \cdots)^2 + (I - 2Z_c + \cdots)^2 + (I + \cdots)^2 + (I + \cdots)^2, \qquad 16.9.26$$

其中省略号之处是 $2Z_d - 2Z_e$, $2Z_f - 2Z_g$, $2Z_h - 2Z_i$, $2Z_j - 2Z_k$ 中若干个之和, 且 $\{a, b, c, d, e, f, g, h, i, j, k\} = [1, 11]$. Baumert, Golomb 和 Hall[1] 利用电子计算机求得了(16.9.26)符合要求的完整表达式:

$$92I = (I + 2Z_2 + 2Z_6)^2 + (I - 2Z_3 + 2Z_1 - 2Z_{10})^2$$
$$+ (I + 2Z_5 - 2Z_7)^2 + (I + 2Z_{11} - 2Z_8 + 2Z_9 - 2Z_4)^2.$$

因此, 存在 92 阶 Williamsond 型 H 矩阵, 且可依前面所述的方法构造出来. **解毕**.

例 16.9.2. 考察 172 阶 Williamson 型 H 矩阵的存在性和构造方法.

解. 此时 $m = 43$. Williamson[1] 从

$$172 = 13^2 + 1^2 + 1^2 + 1^2$$

出发求得了符合要求的表达式:

$$172I = (I + 2Y_0 - 2Y_2)^2 + (I + 2Y_3 - 2Y_1)^2 + (I + 2Y_4 - 2Y_6)^2 + (I + 2Y_5)^2,$$

这里

$$Y_i = Z_{3^i} + Z_{3^{7+i}} Z_{3^{14+i}} \,,$$

$$Z_j = U^j + U^{43-j}.$$

因此, 存在 172 阶 Williamson 型 H 矩阵, 且可依前面所述的方法构造出来. **解毕**.

例 16.9.3. 考察 116 阶 Williamson 型 H 矩阵的存在性和构造方法.

解. 此时 $m = 29$. Baumert 从

$$116 = 9^2 + 5^2 + 3^2 + 1^2$$

出发求得了符合要求的表达式:

$$116I = (I + 2Z_2 - 2Z_4 + 2Z_6 - 2Z_9 - 2Z_{11} + 2Z_{12})^2$$

$$+ (I - 2Z_3 - 2Z_5 + 2Z_7 - 2Z_8 + 2Z_{10})^2$$

$$+ (1 + 2Z_1)^2 + (1 + 2Z_{13} + 2Z_{14})^2,$$

这里

$$Z_j = U^j + U^{29-j}.$$

因此, 存在 116 阶 Williamson 型 H 矩阵, 且可依前面所述的方法构造出来. **解毕**.

例 16.9.4. Baumert 和 Hall[1]曾经注意到了, 如果满足引理 16.9.1 的条件的 m 阶矩阵 A, B, C 和 D 都是循环的, 则由它们可以构造出 $12m$ 阶 H 矩阵 H_{12m}:

$$\begin{pmatrix}
A & A & A & B & -B & C & -C & -D & B & C & -D & -D \\
A & -A & B & -A & -B & -D & D & -C & -B & -D & -C & -C \\
A & -B & -A & A & -D & D & -B & B & -C & -D & C & -C \\
B & A & -A & -A & D & D & D & C & C & -B & -B & -C \\
B & -D & D & D & A & A & A & C & -C & B & -C & B \\
B & C & -D & D & A & -A & C & -A & -D & C & B & -B \\
D & -C & B & -B & A & -C & -A & A & B & C & D & -D \\
-C & -D & -C & -D & C & A & -A & -A & -D & B & -B & -B \\
D & -C & -B & -B & -B & C & C & -D & A & A & A & D \\
-D & -B & C & C & C & B & -D & -D & A & -A & D & -A \\
C & -B & -C & C & D & -B & -D & -B & A & -D & -A & A \\
-C & -D & -D & C & -C & -B & B & B & D & A & -A & -A
\end{pmatrix}.$$

这是可以直接验证的. $m = 13$ 时就是这种情形, 从而 156 阶 H 矩阵是存在的. **解毕**.

上述四例的结果可以归纳为

定理 16.9.1. 存在阶为 92，116 和 172 的 Williamson 型 H 矩阵，以及阶为 156 的 H 矩阵.

在 Hall[4]，以及 W.D.Wallis,A.P.Street 和 J.S.Wallis[1]中都载有 Williamson 型 H 矩阵的表，自然不是列出这些矩阵本身，而是列出与(16.9.25)类似的分解式.

Williamson 型矩阵的构造方法不仅使一些长久悬而不决的阶数(如 92，116，172 等)的 H 矩阵的存在性和构造问题得到解决，而且还为解一般 $4n$ 阶 Hadamard 矩阵的存在性问题提供了线索. 因为，任一正奇数 m 都有分解式(16.9.24)，所以，如果能从理论上证明由此即可定出符号要求的 A, B, C, D，则得 $4m(2 \nmid m)$阶 H 矩阵的存在性，从而存在 $4n(n$ 为任意正整数)阶 H 矩阵. 自然，这一步还很艰巨，尽管在对一些具体的 n 值的寻求工作中，借助于电子计算机的帮助获得了成功.

16.10　小阶数的 Hadamard 矩阵

研究 H 矩阵的存在性和构造方法的一种途径是从小阶数着手，希望由此得出较一般性的结果. 例如，研究 92 阶,116 阶 H 矩阵的构造方法可以导致 Williamson 方法的产生.

近数年来，这方面的成果有：七十年代末，Turyn(参看 Hedayat 和 Wallis[1])构造出了长期未决的 188 阶 H 矩阵；前不久，Sawade[1]给出了 268 阶 H 矩阵的构造方法，而 268 是到 1985 年为止尚不知是否存在的 H 矩阵的阶数中的最小者.

下面应用前面诸节的结果对于合 $4m \leqslant 200$ 和 $4m \neq 188$ 的 m，给出构造 $4m$ 阶 H 矩阵的方法.

(1)可由定理 16.4.2 构造出的 H 矩阵的阶数有

$$4 = 2^2,\ 8 = 2^3,\ 16 = 2^4,\ 32 = 2^5,$$

$$64 = 2^6,\ 128 = 2^7.$$

(2)可由定理 16.5.1 构造出的 H 矩阵的阶数(除开(1)中已列出者)有

$$
\begin{aligned}
&12 = 11 + 1,\ 20 = 19 + 1,\ 24 = 2(11+1),\\
&28 = 3^3 + 1,\ 40 = 2(19+1),\ 44 = 43 + 1,\\
&48 = 2^2(11 + 1),\ 56 = 2(3^3 + 1),\ 60 = 59 + 1,\\
&68 = 67 + 1,\ 72 = 71 + 1,\ 80 = 2^2(19 + 1),\\
&84 = 83 + 1,\ 88 = 2(43 + 1),\ 96 = 2^3(11 + 1),
\end{aligned}
$$

$$104 = 103 + 1, \quad 108 = 107 + 1, \quad 112 = 2^2(3^3 + 1),$$
$$120 = 2(59 + 1), \quad 132 = 131 + 1, \quad 136 = 2(67 + 1),$$
$$140 = 139 + 1, \quad 144 = 2(71 + 1), \quad 152 = 151 + 1,$$
$$160 = 2^3(19 + 1), \quad 164 = 163 + 1, \quad 168 = 2(83 + 1),$$
$$176 = 2^2(43 + 1), \quad 180 = 179 + 1, \quad 192 = 2^4(11 + 1),$$
$$200 = 199 + 1.$$

(3)可由定理 16.7.3 构造出的 H 矩阵的阶数(除开(1)和(2)中已列出者)有

$$36 = 2(17 + 1), \quad 52 = 2(5^2 + 1), \quad 76 = 2(37 + 1),$$
$$100 = 2(7^2 + 1), \quad 124 = 2(61 + 1), \quad 148 = 2(73 + 1),$$
$$196 = 2(97 + 1).$$

(4)可由定理 16.9.1 和定理 16.4.1 构造出的 H 矩阵的阶数(除开(1)，(2)和(3)中已列出者)有

$$92, \ 116, \ 156, \ 172, \ 184 = 2 \cdot 92.$$

16.11　关于定理 13.4.4 的讨论

定理 13.4.4 断言，如果 $\lambda = 1$，$k = n + 1$，$v = n^2 + n + 1$，且 A 是一个 v 阶整矩阵，合

$$AA^{\mathrm{T}} = nI + J, \tag{16.11.1}$$

那么，适当地用 -1 乘 A 的某些列使结果矩阵的全部列和非负，则该结果矩阵是下列两种类型之一：

1.一个 (v, k, λ) 设计的关联矩阵；

2.它的某一列只有一个零，其余 $n^2 + n$ 个元都为 1；它有 $n + 1$ 个列，其中每一列都有 $n + 1$ 个 1 和 n^2 个零且与第一列的那个零同行的元都为 1；它的其余列的列和都为零.

但是，那里并未肯定第二型矩阵的存在性. 本节将利用 H 矩阵的结果来给上述存在性问题以肯定的回答.

事实上，是 H 是一个列规范的 n 阶 H 矩阵，A 是一个 v 阶矩阵，有如下的分块形式：

$$A := \begin{pmatrix} 0 & e & e & \cdots & e \\ w^{\mathrm{T}} & H & 0 & \cdots & 0 \\ w^{\mathrm{T}} & 0 & H & \cdots & 0 \\ \vdots & \vdots & \vdots & & \vdots \\ w^{\mathrm{T}} & \underbrace{0 & 0 & \cdots & H}_{n+1列} \end{pmatrix} \left. \vphantom{\begin{pmatrix} 0 \\ 0 \\ 0 \\ \vdots \\ 0 \end{pmatrix}} \right\} n+1行 \ ,$$

其中

$$e := (1 \ \underbrace{0 \ 0 \ \cdots \ 0}_{(n-1)个0}),$$

$$w := (\underbrace{1 \ 1 \ 1 \ \cdots \ 1}_{n个1})$$

是两个 $1 \times n$ 矩阵. 那么, 由 $HH^{\mathrm{T}} = nI$, 可以直接计算得

$$AA^{\mathrm{T}} = nI + J,$$

即 A 合 (16.11.1). 由于 H 是列规范的, 故 A 的每一块列的第一列都有 $(n+1)$ 个 1, 该列的其余元都为零. 除这些列及 A 的第一列以外的其他列的列和都为零. 因此, A 确是一个第二型矩阵. 因为可为 H 矩阵的阶的整数有无限多, 故上述第二型矩阵也有无限多.

因这里的 n 是 H 矩阵 H 的阶, 故自然有 $4 \mid n$. 事实上, 还可证明, 存在无限多个阶数 $n \equiv 2 \pmod 4$ 的第二型矩阵. 这里不拟继续讨论.

第十七章 几 何 设 计

有限几何是研究平衡不完全区组设计的一个重要方法. 17.2 研究二维的情形，即用有限射影平面和有限仿射平面构作平面设计的有关问题. 为此，首先在 17.1 中对有限射影平面和有限仿射平面的结构等有关问题进行一些讨论，以作准备. 由于平面设计与正交拉丁方完备组有着密切的联系，故紧跟在 17.2 之后介绍这方面的结果比较适宜，于是有 17.3. 此后即研究高于二维的情形，把高维有限射影空间和有限向量空间对于几何设计的结果分述于 17.4 和 17.5.

17.1 有 限 平 面

下面先讨论有限射影平面，然后讨论有限仿射平面，这二者都同区组设计有着密切的联系.

为了研究有限射影平面的组合结构，采用公理方法是方便的.

定义 17.1.1. 一个射影平面 π 是一个系统，它由一些叫做"点"的东西和另一些叫做"直线"(有时也简称"线")的东西所组成，这些点和线由一个确定的关系(叫做关联关系)结合在一块；这个关系是"某点 P 在某直线 L 上"，或者说成："某直线 L 通过(或包含)某点 P". 该关系满足下面的射影平面公理：

PP1.通过 π 上任二不同点的直线有且仅有一条；

PP2. π 上任二直线通过一个且仅通过一个公共点；

PP3. π 上存在四点，其中没有三点在一条直线上.

两条直线的公共点又称为该二直线的交点，由上述三条公理可以推出：

引理 17.1.1. 射影平面 π 具有性质：

PP4. π 上存在四条直线，其中没有三条通过同一点.

证明. 设 A_1，A_2，A_3 和 A_4 是满足性质 PP3 的四个点. 于是可以作出六条直线如下：

$$
\begin{aligned}
&l_1: A_1A_2, \\
&l_2: A_1A_3, \\
&l_3: A_1A_4, \\
&l_4: A_2A_3, \\
&l_5: A_2A_4, \\
&l_6: A_3A_4.
\end{aligned}
\tag{17.1.1}
$$

这里把过 A_i 和 A_j 的直线记为 A_iA_j. 上述六条直线中没有两条相同，否则两条相同的直线上至少由 A_1，A_2，A_3 和 A_4 中的三个相异点，它们都在同一条直线上，这同对于诸 A_i 的假设相矛盾. 又因 l_1 和 l_6 的交点不可能是 A_1，A_2，A_3 和 A_4 中之任一，故可设为 B_1. 类似地可设 l_2 和 l_5 的的交点为 B_2，l_3 和 l_4 的交点为 B_3. 于是(17.1.1)可改写为

$$
\begin{aligned}
l_1&: A_1A_2B_1,\\
l_2&: A_1A_3B_2,\\
l_3&: A_1A_4B_3,\\
l_4&: A_2A_3B_3,\\
l_5&: A_2A_4B_2,\\
l_6&: A_3A_4B_1.
\end{aligned}
\qquad (17.1.2)
$$

值得指出的是：诸 $A_i\,(1\leqslant i\leqslant 4)$ 和诸 $B_i\,(1\leqslant j\leqslant 3)$ 这七个点除了在它们已经标明所在的直线上外，不在(17.1.2)的其他直线上. 譬如，如果 A_1 在 l_4 上，则 l_1 和 l_4 同过 A_1 和 A_2 两点，故由公理 PP1，l_1 和 l_4 重合，而这不可能. 又如，如果 B_1 也在 l_2 上，则 l_1 和 l_2 同过 A_1 和 B_1 两点，故 l_1 和 l_2 重合，而这也是不可能的. 于是在 l_1，l_2，l_5 和 l_6 这四条直线中，没有三条通过同一点. 这是因为，如果 l_1，l_2 和 l_5 过同一点 X，则 l_1 和 l_2 同过 A_1 和 X 两点；如果 l_1，l_2 和 l_6 过同一点 Y，则 l_1 和 l_6 同过 B_1 和 Y 两点；如果 l_1，l_5 和 l_6 过同一点 Z，则 l_5 和 l_6 同过 A_4 和 Z 两点；如果 l_2，l_5 和 l_6 过同一点 W，则 l_2 和 l_6 同过 A_3 和 W 两点；这些都是不可能的. **证毕**.

此外，还可以证明

引理 17.1.2. 射影平面 π 中的每一条直线都至少包含三个不同的点.

证明. 设 A_1，A_2，A_3，A_4 是平面 π 上满足公理 PP3 的四个点. 于是，π 上的直线可分为三类. 第一类是(17.1.1)中的六条直线；第二类是恰过 $A_i\,(1\leqslant i\leqslant 4)$ 中一点的直线；第三类是不过 $A_i\,(1\leqslant i\leqslant 4)$ 中任一点的直线. 由引理 17.1.1 的证明可知，第一类直线的每一条上都有三个不同的点. 设 L 是一条第二类直线. 不失一般，可设 L 仅过 $A_i\,(1\leqslant i\leqslant 4)$ 中的点 A_1，又设 L 和 l_5，l_6 的交点分别是 P，Q. 因 l_5，l_6 二线的交点是 A_4，它不在 L 上，故 P 和 Q 不同，且与 A_1 不同. 因此，L 包含三个不同的点 A_1，P，Q. 设 L 是一条第三类直线，并设它同 l_1，l_2，l_3 三条线的交点分别是 P，Q，R. 因 l_1，l_2，l_3 三条线的交点是 A_1，而它又不在 L 上，故 P，Q，R 彼此不同. 综上所证即得引理. **证毕**.

自然，也可以由公理 PP1，PP2，和性质 PP4 推出公理 PP3. 这就是说，在公理 PP1 和 PP2 之下 PP3 和 PP4 是等价的. 因此，在射影平面的公理系统中，完全可以用 PP4 去代替 PP3.

公理 PP1, PP2, PP3, 和命题 PP4 显示了射影平面中点和直线的对偶性. 如果在关于射影平面的点和直线的一个命题中, 把"点"与"直线"二词互换, 且把相应的关联关系也互换, 那么就能得到关于射影平面的点和线的另一命题. 这新旧两个命题之任一都叫做另一个的对偶命题. 由 PP1—PP4 知, 一个关于点和线的命题成立的充要条件是其对偶命题也成立. 这就是所谓的 "对偶(性)原理".

由引理 17.1.2 和对偶性原理, 立刻得

引理 17.1.3. 射影平面 π 的每一点都至少在三条直线上.

公理 PP3 是用来排除一些退化情形的. 例如如果一切点都在同一条直线上, 这当然满足公理 PP1 和 PP2, 此时的情形就退化为"直线"而不再是"平面"了. 又如, 如果该系统 π 中只有三个点 P_1, P_2 和 P_3, 也只有三条直线 L_1, L_2 和 L_3, 且关联关系如下:

通过 P_1 和 P_2 的直线是 L_3,

通过 P_2 和 P_3 的直线是 L_1,

通过 P_3 和 P_1 的直线是 L_2,

那么, π 满足公理 PP1 和 PP2. π 虽然并未退化成一条直线, 然而却是一种平凡的例外情形. 如果不把它排开, 有时会影响对问题的统一处理. 这两种情形可以直观地分别表为下面的图 17.1.1 中的(1)和(2), 其中小圈表示 π 中的点, 线表示 π 中的 "直线", 其上的点仅为画在其上的小圈:

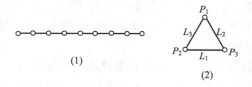

(1)

(2)

图 17.1.1

现在, 很容易给出有限射影平面的定义.

定义 17.1.2. 如果一个射影平面 π 只含有限个点, 则称之为一个有限射影平面.

下面一个定理对今后的讨论起着基本重要的作用.

定理 17.1.1. 设 $n \geqslant 2$, 对一个射影平面 π, 下面六条性质之任一可导出其他五条, 因而它们彼此等价:

1. 存在一条线恰含 $n+1$ 个点,

2. 存在一个点恰在 $n+1$ 条线上,

3. 每一条线恰含 $n+1$ 个点,

4. 每一点恰在 $n+1$ 条线上,

5. π 中恰有 $n^2 + n + 1$ 个点,

6. π 中恰有 $n^2 + n + 1$ 条线.

为了能更清楚地叙述定理 17.1.1 的证明, 首先证明两个引理.

引理 17.1.4. 设 $n \geqslant 2$. 如果射影平面 π 的一条直线 l 恰含 $n + 1$ 个点, 则通过不在 l 上的任一点都恰有 $n + 1$ 条直线.

证明. 把 l 上的 $n + 1$ 个点记为 Q_1, Q_2, $\cdots$, Q_{n+1}. 设 P 是不在 l 上的一个点. 由公理 PP1, 过 P 有 $n + 1$ 条直线:

$$PQ_1, \ PQ_2, \ \cdots, \ PQ_{n+1}. \tag{17.1.3}$$

现在用反证法证明, (17.1.3)中诸直线彼此不同. 如果直线 PQ_i 和 PQ_j 同为一条直线 l_1, 则 l_1 过 P, Q_i 和 Q_j, 因而同 l 重合, 故 P 在 l 上, 这与 P 不在 l 上的假设相矛盾. 下面证明, 过 P 的直线除(17.1.9)中的 $n + 1$ 条外再无其他. 因为 P 不在 l 上, 故过 P 的每一直线必与 l 有一个交点. 但 l 上只有 $n + 1$ 个点, 故过 P 的全部直线同 l 的交点最多为 $n + 1$ 个. 综上所述, 即得引理. **证毕.**

引理 17.1.5. 设 $n \geqslant 2$. 如果射影平面 π 的一条直线恰含 $n + 1$ 个点, 则 π 的每一条直线都恰含 $n + 1$ 个点.

证明. 设 π 的直线 l 上的全部点有 $n + 1$ 个: Q_1, Q_2, $\cdots$, Q_{n+1}. 对于引理 17.1.1 的证明中的 A_1, A_2, A_3, A_4 这四个点, 至少有两个不在 l 上, 记这样二点为 A_1, A_2. 由引理 17.1.4, 过 A_1 恰有 $n + 1$ 条直线, 记为 k_1, k_2, $\cdots$, k_{n+1}; 过 A_2 也恰有 $n + 1$ 条直线, 记为 m_1, m_2, $\cdots$, m_{n+1}. 设 h 是 π 的任一直线. 如果 h 不过 A_1, A_2 之一, 例如为叙述确定起见, 设 h 不过 A_1, 则 h 与 k_1, k_2, $\cdots$, k_{n+1} 各交于一点. 由引理 17.1.4 的证明可知, h 上的点的全部就是这 $n + 1$ 个交点. 因此 h 恰含 $n + 1$ 个点. 如果 h 通过 A_1 和 A_2, 即 h 就是 k_1, 而 A_3(或 A_4)不在 l 上, 那么过 A_3(或 A_4)恰有 $n + 1$ 条直线, 且 A_3 不在 k_1 上, 故 k_1 同过 A_3(或 A_4)的 $n + 1$ 条直线的交点就是 k_1 上的全部点. 如果 h 就是 k_1, 但 A_3 和 A_4 都在 l 上, 即 l 就是 k_6, 那么由引理 17.1.4 的证明可知 B_3 不在 k_6 上, 故过 B_3 恰有 $n + 1$ 条直线. 由于 B_3 不在 k_1 上, 故 k_1 与过 B_3 的 $n + 1$ 条直线的 $n + 1$ 个交点就是 k_1 上的全部点. 综上所述, 无论 h 是 π 的何种直线, 其上都恰含 $n + 1$ 个点. **证毕.**

定理 17.1.1 的证明. 假设定理的性质 1 成立. 性质 2 是性质 1 的对偶命题, 从而成立. 由引理 17.1.5 和性质 1 可以推出性质 3. 性质 4 是性质 3 的对偶命题, 从而成立. 设 P_0 是 π 的任一确定的点. 由性质 4, 过 P_0 恰有 $n + 1$ 条直线, 因而 π 的全部点都在这 $n + 1$ 条直线上. 再由性质 4 的对偶命题性质 3, 这 $n + 1$ 条直线的每一条上都恰有 $n + 1$ 个点. 除开 P_0 以外就都有 n 个点. 因此, π 上除 P_0 以外的全部点数就是 $n(n + 1)$, 故 π 的点数为 $n^2 + n + 1$. 这就证明了性质 5. 性质 6 是性质 5 的对偶命题, 从而也成立. 至此业已证明, 由性质 1 可推出其他五条性质.

现在假设性质 2 成立. 性质 1 是性质 2 的对偶命题, 故也成立, 因而其余诸性质都成立.

现在假设性质 3 成立. 因为性质 1 是性质 3 的特款, 故性质 1 成立, 从而其余诸性质都成立. 由性质 4 是性质 3 的对偶命题知, 由性质 4 成立可以推出其余诸性质都成立.

现在假设性质 5 成立. 因为 π 的点数有限, 故 π 的任一直线上的点数也有限. 设 l 是 π 的任一固定直线, 其上的点数为 $m+1$. 那么, 由前面所证, 知 π 的点数为 m^2+m+1. 由

$$m^2+m+1=n^2+n+1$$

得 $n=m$. 这就是说 l 上的点数为 $n+1$, 故性质 1 成立, 从而其余诸性质都成立. 性质 6 是性质 5 的对偶命题, 故由性质 6 可以推出其余诸性质. **证毕**.

根据这一定理, n 这一参数对射影平面具有基本的意义. 因而有

定义 17.1.3. 定理 17.1.1 中的 n 叫做射影平面 π 的阶, π 又叫做一个 n 阶射影平面.

由射影平面可以导出仿射平面, 这就是

定义 17.1.4. 在一个射影平面中去掉一条任意固定直线所余下的那些点和直线保持原来的关联关系的一个数学系统, 叫做由该射影平面导出的仿射平面.

定义 17.1.5. 由一个有限射影平面 π 导出的仿射平面 π' 叫做有限仿射平面. 如果 π 的阶是 n, 则 n 也叫做 π' 的阶.

今后凡谈及有限射影平面或有限仿射平面的阶 n 时, 均暗含 $n \geqslant 2$.

17.2 平 面 设 计

有限射影平面与一种类型的区组设计密切相关, 这将为定理 17.2.1 所表明.

设 π 是一个 n 阶射影平面, 由 n 阶射影平面的定义和定理 17.1.1 立刻得到: 以 π 的全部点所组成的集 $\{P_i \mid 1 \leqslant i \leqslant n^2+n+1\}$ 作为基集 S, 以 π 的全部直线 $l_1, l_2, \cdots, l_{n^2+n+1}$ 作为区组, 那么, $\mathscr{B}:=\{l_1, l_2, \cdots, l_{n^2+n+1}\}$ 就是一个对称设计, 其参数值为

$$v=n^2+n+1, \ k=n+1, \ \lambda=1. \tag{17.2.1}$$

反过来, 设 $\mathscr{B}$ 是集 S 上的一个 (v, k, λ) 对称设计, 其参数值由 (17.2.1) 给出且 $n \geqslant 2$. 那么, 把 S 中的诸元作为点, 把 $\mathscr{B}$ 中的诸集作为直线, 这样形成的

系统 π 就是一个 n 阶射影平面. 这可逐条验证射影平面的三条公理如下:

PP1: 设 s_1 和 s_2 是 S 中任二不同元. 由于 $\lambda=1$, s_1 和 s_2 恰在一个区组中出现. 这就是说, 过点 s_1 和 s_2 的直线恰有一条.

PP2: 设 B_1 和 B_2 是 $\mathscr{B}$ 的任二不同区组. 由于 $\lambda=1$, B_1 和 B_2 的公共元只有一个. 这就是说, 直线 B_1 和 B_2 恰有一个公共点.

PP3: 因 $k=n+1\geqslant 3$, 故对 S 中任一固定元 s_1, 至少有三个区组包含它, 记其中之一为 B_1. 又因 $k\geqslant 3$, B_1 中除 s_1 外, 至少还有二个元. 任选其中一个, 记为 s_2. 类似地, 包含 s_2 的区组除了 B_1 外至少还有两个, 任选其中一个, 记为 B_2; B_2 中的元绝不会有 s_1, 且除了 s_2 以外还有两个元. 记其中之任一为 s_3. 又记包含 s_1 和 s_3 的区组为 B, 包含 s_3 的区组除了 B_2 和 B 之外至少还有一个, 记为 B_3. 又记 B_3 和 B_1 的公共元为 s. B_3 中的元绝不可能有 s_1 和 s_2, 且除了 s 和 s_3 外还有一个, 记为 s_4. 于是 s_1, s_2, s_3 和 s_4 四个元素中没有三个在同一区组里. 这就是说, s_1, s_2, s_3 和 s_4 四点中没有三点在同一直线上.

综合上述两个方面, 即得

定理 17.2.1. n 阶射影平面和 $(n^2+n+1, n+1, 1)$ 对称设计是等价的: 它们的数学结构完全一样, 只是使用的术语不同而已.

因为这个原因, 参数为 (17.2.1) 的对称设计又叫做平面设计.

这样一来, 由 Singer 定理立得

系. 设 $n=p^r$, 这里 p 是个素数, r 是个正整数. 那么存在 n 阶射影平面.

另一方面, 由定理 13.3.1 可得

定理 17.2.2. 设 $n\equiv 1$ 或 $2(\mathrm{mod}\,4)$. 如果存在素数 p 合

$$p\equiv 3(\mathrm{mod}\,4), \quad p^a\|n, 2\nmid \alpha, \tag{17.2.2}$$

则不存在 n 阶射影平面.

证明. 当 $n\equiv 1$ 或 $2(\mathrm{mod}\,4)$ 时,

$$v=n^2+n+1\equiv 3(\mathrm{mod}\,4),$$

故由定理 13.3.1 知, 存在 n 阶射影平面的必要条件是不定方程

$$z^2=nx^2-y^2. \tag{17.2.3}$$

有不全为零的整数解 x, y, z. 记 $n=p^a n_1$, 则 $p\nmid n_1$. 由 Hilbert 模方剩余符号的性质, 知

$$(n, -1)_p = (p^a, -1)_p (n_1, -1)_p$$
$$= (p, -1)_p$$
$$= \left(\frac{-1}{p}\right) = -1. \tag{17.2.4}$$

由此和有关方程(13.2.23)的结果知，不定方程(17.2.3)无不全为零的整数解 x, y, z. 这与前面的论断矛盾. 因此，对定理中的 n，不存在 n 阶射影平面. **证毕**.

顺便提一下，当 $n \equiv 0$ 或 $3 \pmod 4$时，

$$v \equiv n^2 + n + 1 \equiv 1 \pmod 4.$$

此时存在 n 阶射影平面的一个必要条件是，方程

$$z^2 = nx^2 + y^2 \tag{17.2.5}$$

有不全为零的整数解. (17.2.5)恒有这样的解: $(x, y, z) = (0, 1, 1)$. 因此，由定理 13.3.1，此时得不出有关 n 阶射影平面存在性的任何结果.

定理 17.2.2 是一个不存在性类型的定理. 应用它可以得出一系列的 n，以其为阶的 n 阶射影平面不存在. 例如，下面一些 n 值就是:

$$6 = 2 \cdot 3^1, \quad 14 = 2 \cdot 7^1,$$
$$21 = 3^1 \cdot 7^1, \quad 22 = 2 \cdot 11^1, \quad \cdots.$$

注意，当 $n = p \equiv 3 \pmod 4$时，这里 p 是个素数，由定理 17.2.1 的系，存在 n 阶射影平面. 这并不与定理 17.2.2 发生矛盾，因为此 n 不满足定理 17.2.3 的先决条件 $n \equiv 1$ 或 $2 \pmod 4$.

对于那些既非定理 17.2.2 又非定理 17.2.1 的系中的 n，n 阶射影平面的存在性问题尚未解决. 这些 n 中的最小者是 10.

比较剩余设计的定义(定义 13.2.3)和有限仿射几何的定义(定义 17.1.5)，立得
定理 17.2.3. 设 π 是一个 n 阶射影平面. 如果把由 π 导出的 n 阶仿射平面的点作为元素，直线作为区组，则形成一个(b, v, r, k, λ)设计，这里

$$b = n^2 + n, \quad v = n^2, \quad r = n + 1,$$
$$k = n, \quad \lambda = 1 \quad (n \geqslant 2). \tag{17.2.6}$$

该设计就是把 π 视作一个$(n^2 + n + 1, n + 1, 1)$对称设计时的剩余设计.

证明. 由该定理之前的说明，只需证明(17.2.6)即可. 而这确为定理 13.2.2 的

直接推论. **证毕**.

顺便提一下, 如果允许 $n = 1$, 则定理 17.2.3 不再成立.

由此定理立得

定理 17.2.4. 设 π' 是一个 n 阶仿射平面. 那么,

(1) π' 恰有 n^2 个点,

(2) π' 恰有 $n^2 + n$ 条直线,

(3) π' 的每条直线上恰有 n 个点,

(4) π' 的每一点恰在 $n + 1$ 条直线上,

(5) π' 的每一对不同的点恰在一条直线上.

更重要的事实是定理 17.2.4 的逆成立.

定理 17.2.5. 如果由若干点和线组成的一个系统 π' 满足定理 17.2.4 中的五个条件, 则 π' 是一个 n 阶仿射平面.

证明. 设 l' 是 π' 的任一条直线. 由性质 (3), l' 恰有 n 个点, 记为

$$l': \ Q_1, \ Q_2, \ \cdots, \ Q_n. \tag{17.2.7}$$

设 Q 是 π' 中除 (17.2.7) 中诸点以外的任一点. 由性质 (5), 包含 Q 和 Q_i 恰有一条直线, 记为

$$l_i': \ Q, \ Q_i, \ \cdots \ (1 \leqslant i \leqslant n). \tag{17.2.8}$$

这里诸 l_i' 与 l' 都不同, 因为 l_i' 含有 Q 而 l' 不含 Q. 再者, 诸 l_i' 彼此不同, 否则, 若 l_i' 与 l_j' 相同 $(i \neq j)$, 则包含 Q_i 和 Q_j 的直线至少有 l' 和 l_i' 两条, 这与性质 (5) 矛盾.

由性质 (4), 含有点 Q 的直线共 $n + 1$ 条, 故除开 (17.2.8) 中的 n 条外, 尚恰有一条, 记为

$$l_{n+1}': \ Q, \ \cdots, \tag{17.2.9}$$

它与 l' 没有一个公共点, 叫做 l' 与 l_{n+1}' 平行, 记为 $l_{n+1}' \parallel l'$. 这就证明了, π' 满足下述 "平行公理": 过一已知直线 (l') 外一点 (Q), 存在唯一一条直线 (l_{n+1}') 与该已知直线 (l') 平行.

现在来证明: π' 具有 "彼此平行性质": 与同一直线 l' 平行的两条直线 l'' 和 l''' 也彼此平行. 若不然, 设 l'' 与 l''' 有公共点 P, 那么, 过 P 平行于 l' 的直线就有 l'' 和 l''' 两条, 这与 π' 满足平行公理相矛盾.

除开 (17.2.7) 中的 n 个点外, π' 还有 $n^2 - n$ 个点, 故由 π' 具有 "彼此平行性质" 知 l' 的平行线共有 $\dfrac{n^2 - n}{n} = n - 1$ 条. 这些平行线连同 l' 一道组成具有 n 条平

行线的一个平行线簇. 因此, 共有 $\dfrac{n^2+n}{n}=n+1$ 个平行线簇.

总括起来, 至此已经明白了: π' 的 n^2+n 条直线可以分成 $n+1$ 个平行线簇, 每一簇由 n 条平行线组成. 记这 $n+1$ 个簇为

$$\mathscr{F}_1,\ \mathscr{F}_2,\cdots,\ \mathscr{F}_{n+1}. \tag{17.2.10}$$

设 $n+1$ 个元素 P_1, P_2, $\cdots$, P_{n+1}, 都不是 π' 的点, 它们所组成的集记为 l_∞. 为方便记, 仍把诸 P_i 叫做点, 把 l_∞ 叫做直线. 须注意, 它们不再是 π' 的点和直线. 今把 P_1 添到簇 $\mathscr{F}_1$ 的每一条线上, 把 P_2 添到簇 $\mathscr{F}_2$ 的每一条线上, $\cdots\cdots$, 把 P_{n+1} 添到簇 $\mathscr{F}_{n+1}$ 的每一条线上, 若原来的线是 l', 则对应的新线记为 l. 这样就得到一个新的数学系统 π, 它的点为 π' 的点和 P_1, P_2, $\cdots$, P_{n+1}; 它的直线为 l_∞ 和诸 l.

现在来证明, π 是一个 n 阶射影平面. 包含 π' 中二点有一条且只有一条 π' 中的直线 l', 故有一条且只有一条 π 中的直线 l. 包含 P_1, P_2, $\cdots$, P_{n+1} 中二点的 π 中的直线只有一条, 即 l_∞. 包含某一 P_i 和 π' 中一点 Q 的直线也只有一条, 即平行簇 $\mathscr{F}_i$ 中包含 Q 的那条唯一直线所对应的新线. 这就是说, π 满足公理 PP1. 对 π 的两条直线, 如果其一为 l_∞, 另一为 $\mathscr{F}_i$ 中一直线所对应者, 则该二直线的唯一公共点是 P_i; 如果二者都为 $\mathscr{F}_i$ 中二直线所对应者, 则该二直线的唯一公共点是 P_i; 如果其一为 $\mathscr{F}_i$ 中一直线 l_i' 所对应的 l_i. 另一为 $\mathscr{F}_j$ 中一直线 l_j' 所对应的 $l_j(i\neq j)$, 则 l_i 和 l_j 的唯一公共点即 l_i' 和 l_j' 的唯一公共点. 这就是说, π 满足公理 PP2. 因 $n\geqslant 2$, 故 (12.2.10) 中的平行簇至少有三个. 在 l_∞ 上任取二点, 譬如说 P_1 和 P_2, 在 $\mathscr{F}_3$ 的任一条直线上任取二点, 譬如说 A 和 B, 因 P_1 和 P_2 不能在 $\mathscr{F}_1$ 和 $\mathscr{F}_2$ 的任一条直线上同时出现, 故这四点就满足公理 PP3.

由于 π 是 n 阶射影平面, 由定义 17.1.5 知, π' 是一个 n 阶仿射平面. **证毕**.

由于把一个 $(n^2+n,\ n^2,\ n+1,\ n,\ 1)$ 设计的诸区组解释为线, 把诸区组中的元素解释为点, 这样的数学系统就满足定理 17.2.4 中的五条性质, 所以由这个定理立得:

系. n 阶仿射平面和 $(n^2+n,\ n^2,\ n+1,\ n,\ 1)$ 设计这两个数学系统是等价的.

在定理 17.2.5 的证明中, 已经包含了下述结果.

定理 17.2.6. n 阶仿射平面的 n^2+n 条直线可以分成 $n+1$ 个平行簇, 每一簇由 n 条彼此平行的直线组成.

反过来, 有

定理 17.2.7. 假设集 S 是其 n^2+n 个子集的并, 且这 n^2+n 个子集所组成的子集簇 $\mathscr{B}$ 可以分解成满足下列条件的 $n+1$ 个子簇: $\mathscr{F}_1,\mathscr{F}_2,\cdots,\mathscr{F}_{n+1}$:

(1) 每一子集中元数的个数都是 n,

(2)每一子集簇中子集的个数都是 n,

(3)每一子集簇 $\mathscr{F}_i$ 中任二子集无公共元 $(1 \leqslant i \leqslant n+1)$,

(4)当 $i \neq j$ 时, $\mathscr{F}_i$ 中任一子集与 $\mathscr{F}_j$ 中任一子集都恰有一个公共元.

那么, 子集簇 $\mathscr{B}$ 是一个 $(n^2+n, n^2, n+1, n, 1)$ 设计.

证明. 今把集 S 中的元叫做点, 把子集叫做直线, 把簇 $\mathscr{F}_i$ 叫做直线簇, 点 P 在直线簇 $\mathscr{F}$ 的某条直线上又说成点 P 在 $\mathscr{F}$ 内. 下面证明 $\mathscr{B}$ 满足定理 17.2.4 中的五个条件, 从而由定理 17.2.5, $\mathscr{B}$ 是一个 n 阶仿射平面, 也就是一个 $(n^2+n,$ $n^2, n+1, n, 1)$ 设计.

由本定理的条件, 定理 17.2.4 的 (2) 和 (3) 成立. 因簇 $\mathscr{F}_i$ 中的 n 条直线互无公共点, 而每条直线上有 n 个点, 故 $\mathscr{F}_i$ 中共有 n^2 个点 $(1 \leqslant i \leqslant n+1)$. 下面证明, 当 $i \neq j$ 时, 直线簇 $\mathscr{F}_i$ 和 $\mathscr{F}_j$ 包含同样的 n^2 个点. 设 s 在 $\mathscr{F}_i$ 的某一直线 l 上. 由条件 (3), l 和 $\mathscr{F}_j$ 的 n 条直线的每一条的公共点彼此不同, 故 s 必在 $\mathscr{F}_j$ 的某一直线上, 也就在 $\mathscr{F}_j$ 中. 因 $\mathscr{F}_i$ 和 $\mathscr{F}_j$ 的对称性, 故 $\mathscr{F}_j$ 中的每一点也在 $\mathscr{F}_i$ 中. 这就是说, S 有 n^2 个元素, 且 $\mathscr{B}$ 满足定理 17.2.4 的 (1). 设 s 是 S 的任一元, 因 s 在 $\mathscr{F}_i (1 \leqslant i \leqslant n+1)$ 中各出现一次, 故 s 在这 n^2+n 个集中共出现 $n+1$ 次, 故 $\mathscr{B}$ 满足定理 17.2.4 的 (4).

由条件 (3) 和 (4), S 的一对相异元最多在一条直线上. S 的二元子集的个数为 $\binom{n^2}{2} = \dfrac{n^2(n^2-1)}{2}$, 而每一条直线上所含的二元子集的个数为 $\binom{n}{2} = \dfrac{n(n-1)}{2}$. 因此,

$$\frac{n^2(n^2-1)}{2} \geqslant (n^2+n)\frac{n(n-1)}{2}.$$

但上式对等号成立, 因而 S 的任一个二元子集恰在一条直线上. 这就说明了 $\mathscr{B}$ 满足 17.2.4 的 (5). 至此定理已全部**证毕**.

由定义 17.1.5 知, 一个 n 阶仿射平面可以嵌入一个 n 阶射影平面之中. 再由定理 17.2.3 和定理 17.2.4 立刻得到相应的区组设计的嵌入定理.

定理 17.2.8. 设 $\mathscr{B}'$ 是一个 (b, v, r, k, λ) 设计, 其参数满足 (17.2.6). 那么, $\mathscr{B}'$ 可以嵌入一个 $(b+1, r, \lambda)$ 对称设计之中.

这个定理部分地回答了 13.2 节之末提出的嵌入条件问题.

定理 17.2.6 中的结果还是可分解设计 (参看 11.1 节) 的来源和典型例子.

定理 17.2.6 中的结果还使有限仿射平面设计与另一组合对象, 即所谓正交拉丁方, 发生了很密切的联系, 关于正交拉丁方的概念以及有限仿射平面设计与它的联系, 将在下一节讨论.

下面以一个具体的例子来结束本节.

例 17.2.1. 构造一个 5 阶仿射平面 π'，由此构造一个 5 阶射影平面 π，并构造出同 π' 和 π 相应的二个区组设计.

解. 由定理 17.2.2，π' 和 π 是存在的. 把 π' 中的 5^2 个点记为

$$P := P(x, y), 0 \leqslant x, y \leqslant 4.$$

又记

$$S(a, b, c) = \{(x, y) \mid ax + by \equiv c(\mathrm{mod}\, 5)\}, \tag{17.2.11}$$

$$0 \leqslant a, b, c \leqslant 4；a, b \text{ 不同时为 } 0.$$

那么，对于固定的 a, b, c，当 a, b 不同为 0 时都有 $\left|S(a, b, c)\right| = 5$. 若 $a \neq 0$，则同余方程

$$ax + by \equiv c(\mathrm{mod}\, 5) \tag{17.2.12}$$

与同余方程 $x + b'y \equiv c'(\mathrm{mod}\, 5)$ 等价，这里 $b' \equiv a^{-1}b$，$c' \equiv a^{-1}c(\mathrm{mod}\, 5)$，而 $a^{-1}(\mathrm{mod}\, 5)$ 是 a 的逆 $(\mathrm{mod}\, 5)$. 若 $b \neq 0$，则 $(17.2.12)$ 与同余方程 $a'x + y \equiv c'(\mathrm{mod}\, 5)$ 等价，这里 $a' \equiv b^{-1}a$，$c' \equiv b^{-1}c(\mathrm{mod}\, 5)$，而 $b^{-1}(\mathrm{mod}\, 5)$ 是 b 的逆 $(\mathrm{mod}\, 5)$. 因此，$(17.2.12)$ 之互不等价者仅有以下六种类型：

$$
\begin{aligned}
x &\equiv c(\mathrm{mod}\, 5), \\
x + y &\equiv c(\mathrm{mod}\, 5), \\
x + 2y &\equiv c(\mathrm{mod}\, 5), \\
x + 3y &\equiv c(\mathrm{mod}\, 5), \\
x + 4y &\equiv c(\mathrm{mod}\, 5), \\
y &\equiv c(\mathrm{mod}\, 5).
\end{aligned}
$$

所以，对任一固定的 c，互不相同的 $S(a, b, c)$ 仅有六个：

$$S(1, 0, c), S(1, 1, c), S(1, 2, c),$$

$$S(1, 3, c), S(1, 4, c), S(0, 1, c), 0 \leqslant c \leqslant 4. \tag{17.2.13}$$

当 a, b 不同时为 0 且 $0 \leqslant c_1 \neq c_2 \leqslant 4$ 时，由于同余方程组

$$
\begin{cases}
ax + by \equiv c_1(\mathrm{mod}\, 5), \\
ax + by \equiv c_2(\mathrm{mod}\, 5)
\end{cases}
$$

无解，故

$$\left|S(a, b, c_1) \bigcap S(a, b, c_2)\right| = 0. \tag{17.2.14}$$

当 $a_1 \not\equiv a_2 \,(\mathrm{mod}\,5)$ 时，同余方程组

$$\begin{cases} x + a_1 y \equiv c_1 \,(\mathrm{mod}\,5), \\ x + a_2 y \equiv c_2 \,(\mathrm{mod}\,5) \end{cases}$$

对任意的 c_1 和 c_2 都有唯一解 $(x,\ y)(\mathrm{mod}\,5)$，故

$$\left| S(1,\ a_1,\ c_1) \bigcap S(1,\ a_2,\ c_2) \right| = 1, \quad a_1 \not\equiv a_2 \,(\mathrm{mod}\,5). \tag{17.2.15}$$

同余方程组

$$\begin{cases} x + a y \equiv c_1 \,(\mathrm{mod}\,5), \\ \quad\quad\; y \equiv c_2 \,(\mathrm{mod}\,5) \end{cases}$$

对任意的 $a,\ c_1,\ c_2$ 都有唯一的解 $(x,\ y)(\mathrm{mod}\,5)$，故

$$\left| S(1,\ a,\ c_1) \bigcap S(0,1,\ c_2) \right| = 1. \tag{17.2.16}$$

记

$$\mathscr{F}_1 = \left\{ S(1,\ 0,\ c) \big| 0 \leqslant c \leqslant 4 \right\},$$
$$\mathscr{F}_2 = \left\{ S(1,\ 1,\ c) \big| 0 \leqslant c \leqslant 4 \right\},$$

那么，

$$\begin{aligned} \mathscr{F}_3 &= \left\{ S(1,\ 2,\ c) \big| 0 \leqslant c \leqslant 4 \right\}, \\ \mathscr{F}_4 &= \left\{ S(1,\ 3,\ c) \big| 0 \leqslant c \leqslant 4 \right\}, \\ \mathscr{F}_5 &= \left\{ S(1,\ 4,\ c) \big| 0 \leqslant c \leqslant 4 \right\}, \\ \mathscr{F}_6 &= \left\{ S(0,\ 1,\ c) \big| 0 \leqslant c \leqslant 4 \right\}. \end{aligned} \tag{17.2.17}$$

如果把 (17.2.13) 中的三十个集作为直线，那么，由 (17.2.14)—(17.2.16) 知，(17.2.17) 的每一簇中的诸直线彼此平行，不同簇中的任二直线仅有一个公共点. 这就证明了，π' 可以这样构成: 它的 25 个点是 (x,y)，$0 \leqslant x,\ y \leqslant 4$；它的 30 条直线是 (17.2.13) 中的 30 个集. 这样一来，π' 满足定理 17.2.7 中 $n = 5$ 时的条件 (1)—(4)，所以，π' 是一个 5 阶仿射平面.

下面按 (17.2.11) 的定义，依各平行簇具体列出 π' 的各直线上的全部点，从而得到 π' 和 π' 所对应的 $(30,25,6,5,2)$ 设计. 然后在 π' 上添加一条包含六个点 $\infty_1,\ \infty_2,\ \infty_3,\ \infty_4,\ \infty_5$ 和 ∞_6 的直线，并在平行簇 $\mathscr{F}_i$ 中的每一直线上添加上点 ∞_i，这样就得到了 5 阶射影平面 π 及其对应的 $(31,6,1)$ 对称设计:

$$\mathscr{F}_1: \begin{cases} S(1,0,0): (0,0),(0,1),(0,2),(0,3),(0,4) \\ S(1,0,1): (1,0),(1,1),(1,2),(1,3),(1,4) \\ S(1,0,2): (2,0),(2,1),(2,2),(2,3),(2,4) \\ S(1,0,3): (3,0),(3,1),(3,2),(3,3),(3,4) \\ S(1,0,4): (4,0),(4,1),(4,2),(4,3),(4,4) \end{cases} \infty_1,$$

$$\mathscr{F}_2: \begin{cases} S(1,1,0): (0,0),(1,4),(2,3),(3,2),(4,1) \\ S(1,1,1): (0,1),(1,0),(2,4),(3,3),(4,2) \\ S(1,1,2): (0,2),(1,1),(2,0),(3,4),(4,3) \\ S(1,1,3): (0,3),(1,2),(2,1),(3,0),(4,4) \\ S(1,1,4): (0,4),(1,3),(2,2),(3,1),(4,0) \end{cases} \infty_2,$$

$$\mathscr{F}_3: \begin{cases} S(1,2,0): (0,0),(1,2),(2,4),(3,1),(4,3) \\ S(1,2,1): (0,3),(1,0),(2,2),(3,4),(4,1) \\ S(1,2,2): (0,1),(1,3),(2,0),(3,2),(4,4) \\ S(1,2,3): (0,4),(1,1),(2,3),(3,0),(4,2) \\ S(1,2,4): (0,2),(1,4),(2,1),(3,3),(4,0) \end{cases} \infty_3,$$

$$\mathscr{F}_4: \begin{cases} S(1,3,0): (0,0),(1,3),(2,1),(3,4),(4,2) \\ S(1,3,1): (0,2),(1,0),(2,3),(3,1),(4,4) \\ S(1,3,2): (0,4),(1,2),(2,0),(3,3),(4,1) \\ S(1,3,3): (0,1),(1,4),(2,2),(3,0),(4,3) \\ S(1,3,4): (0,3),(1,1),(2,4),(3,2),(4,0) \end{cases} \infty_4,$$

$$\mathscr{F}_5: \begin{cases} S(1,4,0): (0,0),(1,1),(2,2),(3,3),(4,4) \\ S(1,4,1): (0,4),(1,0),(2,1),(3,2),(4,3) \\ S(1,4,2): (0,3),(1,4),(2,0),(3,1),(4,2) \\ S(1,4,3): (0,2),(1,3),(2,4),(3,0),(4,1) \\ S(1,4,4): (0,1),(1,2),(2,3),(3,4),(4,0) \end{cases} \infty_5,$$

$$\mathscr{F}_6:\begin{cases}S(0,1,0):(0,0),(1,0),(2,0),(3,0),(4,0)\\S(0,1,1):(0,1),(1,1),(2,1),(3,1),(4,1)\\S(0,1,2):(0,2),(1,2),(2,2),(3,2),(4,2)\\S(0,1,3):(0,3),(1,3),(2,3),(3,3),(4,3)\\S(0,1,4):(0,4),(1,4),(2,4),(3,4),(4,4)\end{cases}\infty_6$$

$$l_\infty:\infty_1,\ \infty_2,\ \infty_3,\ \infty_4,\ \infty_5,\ \infty_6.$$

17.3　平面设计与正交拉丁方

设 S 是一个 n 元集. 如果 A_1, A_2, $\cdots$, A_m 是 S 上的 $m(m\geqslant 2)$ 个两两正交的 n 阶拉丁方, 则说它们是一个正交拉丁方组, 或一组正交拉丁方.

因为 $S\times S$ 中共有 n^2 个元, 而 n 阶矩阵中元的位置也是 n^2 个, 所以在正交拉丁方的定义(见 11.1 节)中, 可以把 "$S\times S$ 中的全部 n^2 个元在矩阵 $((a_{ij},\ b_{ij}))$ 中没有不出现的" 中 "没有不出现的" 一语换为 "至多出现一次", 或换为 "恰出现一次".

因为不存在两个 2 阶正交拉丁方, 故今后谈到 n 阶正交拉丁方组时, 均暗含 $n\geqslant 3$ 这一条件.

对任一给定的 $n(n\geqslant 3)$, 如何寻求包含最多数目的 n 阶正交拉丁方组的问题, 是一重要的问题. 遗憾的是, 这一问题还远未解决. 下章将要用较长的篇幅来讨论这个问题. 这里先给出一个简单的结果. 为此需要一个引理.

引理 17.3.1. 设 A 和 B 是 n 元集 S 上的两个 n 阶正交拉丁方. 那么, 对 A 和 B 施行下列变换并不影响 A 和 B 的拉丁方性和正交性:

(1)对 A 中元施行 S 的任一置换;

(2)对 B 中元施行 S 的任一置换;

(3)对 A 和 B 施行同步的行换序和同步的列换序.

证明. 很明显, 结论(3)成立, 且变换(1)和(2)不影响 A 和 B 的拉丁方性.

设 α 是 S 的一个置换, S 中元 s 在 α 下的象记为 α_s. 设 $A=(a_{ij})$ 和 $B=(b_{ij})$ 是一对 n 阶正交拉丁方. 如果 $(i_1,\ j_1)\neq(i,\ j)$, 但

$$(\alpha a_{i_1 j_1},\ b_{i_1 j_1})=(\alpha a_{ij},\ b_{ij}),\tag{17.3.1}$$

则由 $\alpha a_{i_1 j_1}=\alpha a_{ij}$ 得出 $a_{i_1 j_1}=a_{ij}$, 从而

$$(a_{i_1 j_1},\ b_{i_1 j_1})=(a_{ij},\ b_{ij}).$$

这与 A 和 B 的正交性矛盾. 因此, (17.3.1)不能成立. 这就对(1)证明了结论. 由于 A 和 B 在问题中的对称性, 故结论(2)也真. **证毕.**

容易看出, 引理 17.3.1 对正交拉丁方组也是成立的, 即有

系. 设 A_1, A_2, $\cdots$, A_m 是 n 阶正交拉丁方组. 那么. 对任一 A_i 中元施行 S 的任一置换 α_i 并不影响该组的拉丁方性和正交性.

定理 17.3.1. 设 A_1, A_2, $\cdots$, A_m 是一组 n 阶正交拉丁方, 则

$$m \leqslant n-1. \tag{17.3.2}$$

证明. 用系中的变换(1), 可把 A_1, A_2, $\cdots$, A_m 的第一行都变为 a_1, a_2, $\cdots$, a_n. 设此时 A_1, A_2, $\cdots$, A_m 分别变为 A_1', A_2', $\cdots$, A_m'. 设 A_1' 的(2, 1)位置上的元是 $a_l (l \neq 1)$. 因 A_1' 和 $A_i'(i \geqslant 2)$ 叠置起来所得到的矩阵的第一行的元素是 (a_1, a_1), $\cdots$, (a_l, a_l), $\cdots$, (a_n, a_n), 故 $m-1$ 个矩阵 A_2', A_3', $\cdots$, A_m' 的(2, 1)元素只可能是 a_2, $\cdots$, a_{l-1}, a_{l+1}, $\cdots$, a_n 这 $n-2$ 个中的 $m-1$ 个不同者. 因此, $m-1 \leqslant n-2$, 这就是(17.3.3). **证毕.**

(17.3.2)中 m 达到 $n-1$ 的情形很重要, 故有

定义 17.3.1. 设 A_1, A_2, $\cdots$, A_{n-1} 是一组 n 阶正交拉丁方, 则称之为一个 n 阶正交拉丁方完备组, 或者简称为正交完备组.

例如, 第 6 页上的两个拉丁方是 3 阶正交拉丁方完备组.

对于正交拉丁方完备组, 不可能增加一个拉丁方而仍保持新组的正交性. 下面来证明

定理 17.3.2. 存在 n 阶正交拉丁方完备组的充要条件是存在 n 阶仿射平面, 或者等价地, 是存在 n 阶射影平面.

证明. 首先证明, 如果存在 n 阶仿射平面, 则能构造出 n 阶正交拉丁方完备组.

设 π 是一个 n 阶仿射平面, 它的 $n+1$ 个平行直线簇记为 $\mathscr{F}_r$, $\mathscr{F}_c$, $\mathscr{F}_1$, $\mathscr{F}_2$, $\cdots$, $\mathscr{F}_{n-1}$. 今把每一簇中的 n 条直线任意地用 $[1, n]$ 来编以不同的号. 对任一 $f(1 \leqslant f \leqslant n-1)$, 如果 $\mathscr{F}_r$ 的第 i 条直线同 $\mathscr{F}_c$ 的第 j 条直线的公共点在 $\mathscr{F}_f$ 的第 t 条直线上, 则令

$$a_{ij}' = t, 1 \leqslant i, \; j \leqslant n. \tag{17.3.3}$$

这样就可以构造出集 $[1, n]$ 上的 $n-1$ 个矩阵 $A_1 = \left(a_{ij}^1\right)$, $A_2 = \left(a_{ij}^2\right)$, $\cdots$, $A_{n-1} = \left(a_{ij}^{n-1}\right)$. 由于 $\mathscr{F}_r$ 的第 i 条直线同 $\mathscr{F}_c$ 的 n 条直线的交点彼此不同, 故 A_f 的第 i 行的 n 个元素彼此不同. 类似地, A_f 的第 j 列的 n 个元素彼此不同. 这就证明

了，A_1，A_2，$\cdots$，A_{n-1} 都是 n 阶拉丁方.

设 f，g，i，j，i_1，j_1 是任意固定的整数，合

$$1 \leqslant f \neq g \leqslant n-1, (i_1, j_1) \neq (i, j), \\ 1 \leqslant i, i_1, j, j_1 \leqslant n. \tag{17.3.4}$$

如果

$$\left(a_{ij}^f, a_{ij}^g \right) = \left(a_{i_1 j_1}^f, a_{i_1 j_1}^g \right), \tag{17.3.5}$$

则由 $a_{ij}^f = a_{i_1 j_1}^f$ 知，$\mathscr{F}_r$ 的第 i 条直线与 $\mathscr{F}_c$ 的第 j 条直线的公共点(记为 P)同 $\mathscr{F}_r$ 的第 i_1 条直线与 $\mathscr{F}_c$ 的第 j_1 条直线的公共点(记为 Q)在 $\mathscr{F}_f$ 的同一直线上，记此直线为 l；类似地，由 $a_{ij}^g = a_{i_1 j_1}^g$ 知，$\mathscr{F}_r$ 的第 i 条直线与 $\mathscr{F}_c$ 的第 j 条直线的公共点 P 同 $\mathscr{F}_r$ 的第 i_1 条直线与 $\mathscr{F}_c$ 的第 j_1 条直线的公共点 Q 在 $\mathscr{F}_g$ 的同一直线上，记此直线为 l'. 由于 $\mathscr{F}_r$ 和 $\mathscr{F}_c$ 是平行簇且有 $(i_1, j_1) \neq (i, j)$，故 P 和 Q 相异. 这就得出一个矛盾：相异二点 P 和 Q 同在 π 的两条不同的直线上. 这个矛盾说明了，在条件 (17.3.4)之下，不可能有(17.3.5). 这就证明了 A_l 和 A_g 的正交性，即 A_1，A_2，$\cdots$，A_{n-1} 是 n 阶正交拉丁方完备组.

下面证明，如果存在 n 阶正交拉丁方完备组，则能构造出 n 阶仿射平面. 自然，下面的构造过程只是上面由仿射平面构造正交拉丁方完备组的过程的逆过程. 在上面的构造过程中，平行簇 $\mathscr{F}_r$ 和 $\mathscr{F}_c$ 起着把 π 中的点"坐标化"的作用，即，把 $\mathscr{F}_r$ 的第 i 条直线同 $\mathscr{F}_c$ 的第 j 条直线的交点坐标化为 (i, j). 据此，设有 n^2 个点 $(x, y)(1 \leqslant x, y \leqslant n)$. 它们可以组成两个平行簇：

$$\mathscr{F}_r : \begin{cases} l_1^r : (1,1),(1,2),\cdots,(1, n), \\ l_2^r : (2,1),(2,2),\cdots,(2, n), \\ \qquad \cdots\cdots \\ l_n^r : (n,1),(n,2),\cdots,(n, n); \end{cases} \tag{17.3.6}$$

$$\mathscr{F}_c : \begin{cases} l_1^c : (1,1),(2,1),\cdots,(n,1), \\ l_2^c : (1,2),(2,2),\cdots,(n,2), \\ \qquad \cdots\cdots \\ l_n^c : (1, n),(2, n),\cdots,(n, n). \end{cases} \tag{17.3.7}$$

设 $A_f = \left(a_{ij}^f \right)(1 \leqslant f \leqslant n-1)$ 是 n 阶正交拉丁方完备组. 于是，由 A_f 可以作一个直

线簇 $\mathscr{F}_f = \{l_1^f, \ l_2^f, \cdots, \ l_n^f\}$：

$$\mathscr{F}_f : \begin{cases} l_1^f = \{(i, \ j) \big| a_{ij}^f = 1, 1 \leqslant i, \ j \leqslant n\}, \\ l_2^f = \{(i, \ j) \big| a_{ij}^f = 2, 1 \leqslant i, \ j \leqslant n\}, \\ \qquad \cdots\cdots \\ l_1^f = \{(i, \ j) \big| a_{ij}^f = n, 1 \leqslant i, \ j \leqslant n\}, \\ \qquad 1 \leqslant f \leqslant n-1. \end{cases} \tag{17.3.8}$$

因为 A_f 是 $[1, \ n]$ 上的一个拉丁方，故 $1, 2, \cdots, n$ 在 A_f 中各出现 n 次，所以

$$\left| l_i^f \right| = n \, (1 \leqslant i \leqslant n; 1 \leqslant f \leqslant n-1). \tag{17.3.9}$$

因为对固定的 i, j, f, a_{ij}^f 恰有一个确定的值，故 $(i, \ j)$ 恰在 (17.3.8) 的一条直线上. 由此得知

$$\left| l_h^f \bigcap l_e^f \right| = 0 \, (h \neq e), \tag{17.3.10}$$

且 $\mathscr{F}_r$ 的任一直线与 $\mathscr{F}_f$ 的任一直线恰有一个公共点，$\mathscr{F}_c$ 的任一直线与 $\mathscr{F}_f$ 的任一直线恰有一个公共点，$\mathscr{F}_f$ 中包含了全部 n^2 个点 $(x, \ y) \, (1 \leqslant x, \ y \leqslant n)$.

设 $1 \leqslant f \neq g \leqslant n-1; 1 \leqslant h, \ e \leqslant n$. 由于 A_f 与 A_g 正交，故满足

$$\left(a_{ij}^f, \ a_{ij}^g \right) = (h, \ e)$$

的 $(i, \ j)$ 恰有一个，所以 $\mathscr{F}_f$ 的第 h 条直线和 $\mathscr{F}_g$ 的第 e 条直线恰有一个公共点. 又，$\mathscr{F}_r$ 的第 i 条直线和 $\mathscr{F}_c$ 的第 j 条直线恰有一个公共点 $(i, \ j)$.

综上所证即得，$\mathscr{F}_r, \mathscr{F}_c, \mathscr{F}_1, \cdots, \mathscr{F}_{n-1}$ 这 $n+1$ 个直线簇满足定理 17.2.7 的全部条件，因此，π 是一个 n 阶仿射平面. 证毕.

作为这个定理和定理 17.2.2 的直接推论，可得到有关 n 阶正交拉丁方完备组的一个存在性结果.

系 1. 设 $n = p^e$，这里 p 是一个素数，e 是一个正整数. 那么，存在 n 阶正交拉丁方完备组.

此外，由定理的证明过程还可得到正交拉丁方完备组的一个有用的性质.

系 2. 设 $A_1, A_2, \cdots, A_{n-1}$ 是集 $[1, \ n]$ 上的一组完备的正交拉丁方. 设 i, i'，j, j' 是满足下述条件的任意四个正整数：$1 \leqslant i \neq i' \leqslant n, 1 \leqslant j \neq j' \leqslant n$. 那么，在诸 A_h 中恰好存在一个具有性质：它在 $(i, \ j)$ 和 $(i', \ j')$ 位置上的元相同.

证明. 设 (17.3.6) 中的 $\mathscr{F}_r$，(17.3.7) 中的 $\mathscr{F}_c$，以及 (17.3.8) 中的诸 $\mathscr{F}_f \, (1 \leqslant f \leqslant$

$n-1$)是 A_1，A_2，$\cdots$，A_{n-1} 所对应的 n 阶仿射平面的 $n+1$ 个平行直线簇. 于是，$\mathscr{F}_r$ 的 l_i^r 和 $\mathscr{F}_c$ 的 l_i^c 的交点是 $(i,\ j)=:P$，$\mathscr{F}_r$ 的 $l_{i'}^r$ 和 $\mathscr{F}_c$ 的 $l_{i'}^c$ 的交点是 $(i',\ j')=:Q$，记 P 和 Q 所决定的那条唯一直线为 l. 那么，l 不能在 $\mathscr{F}_r$ 中，也不能在 $\mathscr{F}_c$ 中，因而恰好是某一 l_u^t $(1\leqslant t\leqslant n-1,1\leqslant u\leqslant n)$. 这就是说，在 A_1，A_2，$\cdots$，A_{n-1} 中只有 A_t 在 $(i,\ j)$ 和 (i',j') 位置上的元相同. **证毕**.

下面来看一个具体的例子.

例 17.3.1. 利用例 17.2.1 中的结果构造一个 5 阶正交拉丁方完备组.

解. 按定理 17.3.2 的证明中的构造方法，把(17.2.18)中的平行簇 $\mathscr{F}_1$ 和 $\mathscr{F}_6$ 分别当作 $\mathscr{F}_r$ 和 $\mathscr{F}_c$，其他 $\mathscr{F}_2$，$\mathscr{F}_3$，$\mathscr{F}_4$，$\mathscr{F}_5$ 对应的拉丁方分别是

$$A_2=\begin{pmatrix}0&1&2&3&4\\1&2&3&4&0\\2&3&4&0&1\\3&4&0&1&2\\4&0&1&2&3\end{pmatrix},$$

$$A_3=\begin{pmatrix}0&2&4&1&3\\1&3&0&2&4\\2&4&1&3&0\\3&0&2&4&1\\4&1&3&0&2\end{pmatrix},$$

$$A_4=\begin{pmatrix}0&3&1&4&2\\1&4&2&0&3\\2&0&3&1&4\\3&1&4&2&0\\4&2&0&3&1\end{pmatrix},$$

$$A_5=\begin{pmatrix}0&4&3&2&1\\1&0&4&3&2\\2&1&0&4&3\\3&2&1&0&4\\4&3&2&1&0\end{pmatrix}.$$

这四个五阶拉丁方就是一个完备正交组. **解毕**.

17.4　有限射影空间与区组设计

设 $m \geqslant 3$．本节讨论用 m 维射影空间构造区组设计的问题．

众所周知，当 $m \geqslant 3$ 时，在 m 维射影空间 S_m 中一定可以引入坐标．一般说来，作为坐标的元素取自一个除环 R(参看 Hall[7]，Dembowski[1]等)．对于这里的讨论，常把 R 取作一个有限域 $F_q := GF(q)$，$q = p^e$，p 为一个素数．于是下面沿用 15.2 节中的定义和符号．

在 15.2 节中已经看到了利用 m 维射影空间 $\mathrm{PG}_m(F_q)$(又记为 $\mathrm{PG}(m, q)$)的超平面，即 $m - 1$ 维子空间，可以构造循环差集，因而构造循环设计．于是，自然会想到利用 $\mathrm{PG}_m(F_q)$ 的 l 维子空间($1 \leqslant m - 2$)来构造一些其他设计这一问题．下面即将看到，确能这么作．

假设 l 是任一固定的整数，合 $1 \leqslant l \leqslant m - 1$，且 S_l 是 $\mathrm{PG}_m(F_q)$ 的 l 维子空间．为了利用诸 S_l 来作区组设计，需要计算 S_l 的个数，每一个 S_l 所包含的点的个数，以及每一对点在诸 S_l 中出现的次数等，并验证以诸 S_l 为区组，以 $\mathrm{PG}_m(F_q)$ 中的全部点为元素的系统是一个区组设计．

首先考虑从 $\mathrm{PG}_m(F_q)$ 中选取 $l + 1$ 个线性无关的向量的选法的个数．第一个线性无关的向量可以选成 $\mathrm{PG}_m(F_q)$ 中的任一(非零)向量，故有 $q^{m+1} - 1$ 种选取方法．第二个向量与已选的第一个向量线性无关，故有 $q^{m+1} - q$ 种选取方法．一般地，如果已经选出了 t 个线性无关的向量，则在选取第 $t + 1$ 个向量时为了使得所选的 $t + 1$ 个向量线性无关，除了已选的 t 个向量的线性组合外，其他向量都能选取，故有 $q^{m+1} - q^t$ 种选取方法．因此，从 $\mathrm{PG}_m(F_q)$ 中选取 $l + 1$ 个线性无关的向量的方法的个数是

$$
\prod_{i=0}^{l} \left(q^{m+1} - q^i\right) = q^{\frac{l(l+1)}{2}} \prod_{i=0}^{l} \left(q^{m+1-i} - 1\right)
$$

$$
= q^{\frac{l(l+1)}{2}} \prod_{i=m+1-l}^{m+1} \left(q^i - 1\right). \tag{17.4.1}
$$

另一方面，对于每一个固定的 l 维子空间 S_l，有

$$
q^{\frac{l(l+1)}{2}} \prod_{i=1}^{l+1} \left(q^i - 1\right) \tag{17.4.2}
$$

种选取 $l + 1$ 个线性无关的向量的方法来得到它．(17.4.2)是在(17.4.1)中用 l 代替

m 而得. 因此若记 $\mathrm{PG}_m(F_q)$ 的不同 l 维子空间的个数为 b, 则

$$b = \frac{\prod\limits_{i=m+1-l}^{m+1}\left(q^i - 1\right)}{\prod\limits_{i=1}^{l+1}\left(q^i - 1\right)}. \tag{17.4.3}$$

下面考虑这样一个问题: 设 $0 \leqslant l' \leqslant l \leqslant m$, $\mathrm{PG}_m(F_q)$ 中包含某一固定的 l' 维子空间 $S_{l'}$ 的 l 维子空间的个数是多少? 这样的 l 维子空间的 $l + 1$ 个线性无关向量中的 $l' + 1$ 个可以由 $S_{l'}$ 的 $l' + 1$ 个线性无关向量充任, 其余 $l - l'$ 个向量则在 $S_{l'}$ 以外选取, 有

$$\prod_{j=l'+1}^{l}\left(q^{m+1} - q^j\right) = q^{\frac{(l+l'+1)(l-l')}{2}}\prod_{i=m+1-l}^{m-l'}\left(q^i - 1\right) \tag{17.4.4}$$

种选取方法来得到这 $l - l'$ 个符合要求的向量. 对每一个这样的 l 维子空间, 有

$$q^{\frac{(l+l'+1)(l-l')}{2}}\prod_{i=1}^{l-l'}\left(q^i - 1\right) \tag{17.4.5}$$

种选取 $S_{l'}$ 以外的 $l - l'$ 个符合要求的向量的方法来得到它. (17.4.5)是在(17.4.4)中用 l 代替 m 而得. 因此, $\mathrm{PG}_m(F_q)$ 中包含某一固定的 l' 维子空间 $S_{l'}$ 的 l 维子空间的个数是

$$\frac{\prod\limits_{i=m+1-l}^{m-l'}\left(q^i - 1\right)}{\prod\limits_{i=1}^{l-l'}\left(q^i - 1\right)}. \tag{17.4.6}$$

须注意, (17.4.6)中的值依赖于 l 和 l', 而不依赖于 l' 维子空间的具体选择. 当 $l' = 0$ 时, 把(17.4.6)所表示的数记为 r, 那么, $\mathrm{PG}_m(F_q)$ 中任一点 x_0 就属于

$$r = \frac{\prod\limits_{i=m+1-l}^{m}\left(q^i - 1\right)}{\prod\limits_{i=1}^{l}\left(q^i - 1\right)} \tag{17.4.7}$$

个 l 维子空间.

再者, 当 $l' = 1$ 时, 把(17.4.6)所表示的数记为 λ, 那么, 由于 $\mathrm{PG}_m(F_q)$ 中任

意一对点张成一个一维子空间，且这对点包含在 S_l 中的充要条件是这个一维子空间包含在 S_l 中. 因而，$\mathrm{PG}_m(F_q)$ 中任意一对点相异点属于

$$\lambda = \frac{\prod\limits_{i=m+1-l}^{m-1}\left(q^i-1\right)}{\prod\limits_{i=1}^{l-1}\left(q^i-1\right)} \tag{17.4.8}$$

个 l 维子空间.

记 $\mathrm{PG}_m(F_q)$ 中点的总数为 v, 任一 l 维子空间 S_l 中点的总数为 k. 那么，由 15.2 的结果知

$$v = \frac{q^{m+1}-1}{q-1}, \tag{17.4.9}$$

$$k = \frac{q^{l+1}-1}{q-1}. \tag{17.4.10}$$

由于 (17.4.3) 的值只依赖于 m 和 l, (17.4.9) 的值只依赖于 m, (17.4.7) 的值只依赖于 m 和 l, (17.4.10) 的值只依赖于 l, 以及 (17.4.8) 的值只依赖于 m 和 l, 故若以 $\mathrm{PG}_m(F_q)$ 的全部点作为元素, $\mathrm{PG}_m(F_q)$ 的全部 l 维子空间作为区组，那么，这样的系统就是一个平衡不完全区组设计. 于是有下面的定理.

定理 17.4.1. 设 $m \geqslant 3$, $1 \leqslant l \leqslant m-2$, 且 $\mathrm{GF}(q)$ 是元素个数为 q 的一个有限域，这里 $q = p^e$, p 是一个素数, e 是个正整数. 设 $\mathrm{PG}_m(F_q)$ 是以 $\mathrm{GF}(q)$ 中的元为其坐标值的 m 维射影空间. 那么，以 $\mathrm{PG}_m(F_q)$ 中的全部点为元素，以 $\mathrm{PG}_m(F_q)$ 的全部 l 维子空间为区组所形成的系统是一个 (b, v, r, k, λ) 设计，这里的诸参数分别由 (17.4.3), (17.4.9), (17.4.7), (17.4.10) 和 (17.4.8) 给出.

由于明显的原因，定理 17.4.1 给出的设计叫做几何设计，其参数具有特殊的形状. 但须指出的是，具有定理 17.4.1 中的设计的参数的设计并不一定是定理 17.4.1 的几何设计. 下面是一个这样的例子. 设 $q = 2$, $m = 4$, $l = 3$. 于是由定理 17.4.1 给出的几何设计的参数是

$$b = v = 31, \ r = k = 15, \ \lambda = 7.$$

由 mod31 的全体二次剩余组成的集

$$B_0 \equiv \{1, 2, 4, 5, 7, 8, 9, 10, 14, 16, 18, 19, 20, 25, 28\}(\mathrm{mod}31),$$

由定理 15.4.3, 是一个(31, 15, 7)循环设计. 如果 $\mathscr{B} = \{B_i \,|\, 0 \leqslant i \leqslant 30\}$ 是一个形如定理 17.4.1 中的几何设计, 则 B_i 都是 $\mathrm{PG}_4(2)$ 的三维子空间, 因而三个彼此不同的三维子空间 B_0, B_1, B_4 的公共部分是一条射影直线, 应含

$$\frac{q^{1+1} - 1}{q - 1} = \frac{2^2 - 1}{2 - 1} = 3$$

个点. 然而, B_0, B_1, B_4 的公共点有四个:

$$5, \ 8, \ 9, \ 20 .$$

因此, $\mathscr{B}$ 不是由 $\mathrm{PG}_4(2)$ 的三维子空间组成的设计.

既然由 m 维射影空间可以构造一些类型的区组设计, 那么自然会联想到由 m 维向量空间构造某些类型的区组设计的问题. 这就是下节要讨论的课题.

17.5　有限向量空间与区组设计

顾及到这里和第二十章的需要, 首先介绍一些有关有限域上的向量空间的较一般性的结果.

设 $F_q := \mathrm{GF}(q)$ 如 17.4 所界定. 设 $V_n(F_q)$ 为有限域 F_q 上的 n 维向量空间, 那么 $V_n(F_q)$ 中向量的个数为 q^n. 设 $1 \leqslant m \leqslant n$, U 是 F_q 上的一个 $m \times n$ 矩阵

$$U = \begin{pmatrix} u_{11} & u_{12} & \cdots & u_{1n} \\ u_{21} & u_{22} & \cdots & u_{2n} \\ \vdots & \vdots & & \vdots \\ u_{m1} & u_{m2} & \cdots & u_{mn} \end{pmatrix}.$$

如果 U 的秩 $r_U = m$, 即矩阵 U 的诸行线性无关, 则由这些行向量张成 $V_n(F_q)$ 的一个 m 维子空间, 这个子空间也常用同一字母 U 来表示, 反过来, 如果给定 $V_n(F_q)$ 的一个 m 维子空间, 由它的任一基底中的 m 个向量作为行向量的矩阵是一个秩为 m 的 $m \times n$ 矩阵. 两个秩为 m 的 $m \times n$ 矩阵 U_1 和 U_2 表示同一 m 维子空间的充要条件是存在 F_q 上的一个满秩 m 阶矩阵 T, 合

$$U_1 = T U_2.$$

任一域 F 上的全体满秩 n 阶矩阵组成的集合对于矩阵的乘法成群, 这就是 F 上的 n 级一般线性群, 记为 $\mathrm{GL}_n(F)$(参看华罗庚, 万哲先[1]). 当 $F = F_q$ 时, 得 F_q 上的 n 级一般线性群 $\mathrm{GL}_n(F_q)$. 设 U_1 是 $V_n(F_q)$ 的一个 m 维子空间的矩阵表示, $T \in \mathrm{GL}_n(F_q)$. 因矩阵 $U_1 T$ 的秩也是 m, 故它也是一个 m 维子空间. 这就是说, T 把

一个 m 维子空间变为另一个 m 维子空间. 当 $m = 1$ 时, 即 T 把一个非零向量变为另一个非零向量. 下面来证明, 对任二 m 维子空间 U_1 和 U_2, 都存在 $T \in \mathrm{GL}_n(F_q)$, 使得

$$U_1 = U_2 T; \tag{17.5.1}$$

如以 $\mathscr{U}(m, n)$ 表 $V_n(F_q)$ 的全体 m 维子空间组成的集, 即证

定理 17.5.1. $\mathrm{GL}_n(F_q)$ 可迁地作用在集 $\mathscr{U}(m, n)$ 上.

证明. 任选二个 $(n-m) \times n$ 矩阵 X_1, X_2 合

$$r_{\binom{U_1}{X_1}} = r_{\binom{U_2}{X_2}} = n,$$

且令

$$T := \binom{U_2}{X_2}^{-1} \binom{U_1}{X_1},$$

则 $r_T = n$, 且 (17.5.1) 成立. **证毕**.

可以推广该定理而得下面的系.

系. 设 $U_i \in \mathscr{U}(m, n)$, $W_i \in \mathscr{U}(l, n)$ 且 $W_i \subseteq U_i (1 \leqslant i \leqslant 2)$, 那么, 存在 $T \in \mathrm{GL}_n(F_q)$ 使得

$$U_1 = U_2 T, \quad W_1 = W_2 T$$

同时成立.

证明. 不失一般性, 可设

$$U_i = \binom{W_i}{X_i}, \quad i = 1, 2,$$

对 U_1 和 U_2 应用定理 17.5.1, 知存在 $T \in \mathrm{GL}_n(F_q)$ 合

$$\binom{W_1}{X_2} = \binom{W_2}{X_2} T,$$

由此得系的结论. **证毕**.

设 $\mathscr{V}(m, n)$ 是 F_q 上秩为 m 的 $m \times n$ 矩阵所组成的集合. 于是有

定理 17.5.2.

$$\left| \mathscr{V}(m, n) \right| = \prod_{i=0}^{m-1} \left(q^n - q^i \right) = q^{\binom{m}{2}} \prod_{i=0}^{m-1} \left(q^{n-i} - 1 \right). \tag{17.5.2}$$

证明. 因为 F_q 上一个秩为 m 的 $m \times n$ 矩阵同 $V_n(F_q)$ 中的 m 个线性无关向量之间是 $(1-1)$ 对应的，故在 (17.4.1) 中把 $m+1$, l 分别换成 n, $m-1$，就得 (17.5.2). **证毕.**

当 $m = n$ 时，有

系 1.

$$\left| GL_n\left(F_q\right) \right| = \prod_{i=0}^{n-1} \left(q^n - q^i \right) = q^{\binom{n}{2}} \prod_{i=1}^{n} \left(q^i - 1 \right). \tag{17.5.3}$$

对 $\mathscr{U}(m, n)$ 有

系 2.

$$\left| \mathscr{U}(m, n) \right| = \frac{\displaystyle\prod_{i=n-m+1}^{n} \left(q^i - 1 \right)}{\displaystyle\prod_{r=1}^{m} \left(q^i - 1 \right)} = \prod_{i=0}^{m-1} \frac{q^{n-i} - 1}{q^{m-i} - 1}. \tag{17.5.4}$$

证明. 因为向量空间 $V_n(F_q)$ 中的诸 m 维子空间与 $n-1$ 维射影空间 $PG_{n-1}(F_q)$ 中的诸 $m-1$ 维射影空间是 $(1-1)$ 对应的. 故在 (17.4.3) 中分别换 $m+1$, $l+1$ 为 n, m 所得到的就是 $\left| \mathscr{U}(m, n) \right|$. **证毕.**

设 $1 \leqslant l \leqslant m \leqslant n$, $U \in \mathscr{U}(m, n)$ 且用 $\mathscr{U}_U(l, m, n)$ 记 $V_n(F_q)$ 中包含在 U 中的 l 维子空间全体所组成的集. 那么，对 U 应用 (17.5.4)，便得

系 3.

$$\left| \mathscr{U}_U(l, m, n) \right| = \prod_{i=0}^{l-1} \frac{q^{m-i} - 1}{q^{l-i} - 1}. \tag{17.5.5}$$

由 (17.5.5) 可知，数 $\left| \mathscr{U}_U(l, m, n) \right|$ 依赖于 U 的维数而不依赖于 U 的具体选择，因而常把 U 略去，而简记为 $\left| \mathscr{U}(l, m, n) \right|$.

设 $0 \leqslant l \leqslant m \leqslant n$, $U \in \mathscr{U}(l, n)$，且用 $\left| \mathscr{U}'_U(l, m, n) \right|$ 记 $V_n(F_q)$ 中包含 U 的 m 维子空间全体所组成的集，则有

系 4.

$$\left| \mathscr{U}'_U(l, m, n) \right| = \prod_{i=1}^{m-1} \frac{q^{n-i} - 1}{q^{m-i} - 1}. \tag{17.5.6}$$

证明. 类似与系 2 的证明，在 (17.4.6) 中分别换 $m+1$, $l+1$, $l'+1$, 为 n, m, l 所得到的就是 $\left| \mathscr{U}'_U(l, m, n) \right|$:

$$\left|\mathscr{U}'_U(l,\ m,\ n)\right| = \frac{\prod\limits_{i=n-m+1}^{n-l}\left(q^i-1\right)}{\prod\limits_{i=1}^{m-l}\left(q^i-1\right)} = \prod\limits_{i=l}^{m-1}\frac{q^{n-i}-1}{q^{m-i}-1}.$$

证毕.

与前面的理由类似，常把 $\left|\mathscr{U}'_U(l,\ m,\ n)\right|$ 简记为 $\left|\mathscr{U}'(l,\ m,\ n)\right|$.

设 $U \in \mathscr{U}(m,\ n)$，今讨论 $V_n(F_q)$ 对 U 的商空间

$$\mathscr{Z}_U := \left\{ \text{彼此不同的 } U+x \middle| x \in V_n\left(F_q\right) \right\},$$

这里

$$U+x := \left\{ u+x \middle| u \in U \right\}$$

是 U 在 $V_n(F_q)$ 中的陪集，简称为 U 的陪集. 当 $u \in U$ 时，有

$$U+u = U. \tag{17.5.7}$$

如果

$$z \in (U+x) \bigcap (U+y),$$

则

$$z-x,\ z-y \in U, \tag{17.5.8}$$

从而

$$y-x = (z-x)-(z-y) \in U,$$

即 $y \in U+x$. 由此和(17.5.7)得

$$U+y = U+x. \tag{17.5.9}$$

(17.5.9)说明了，$U+x$ 与 $U+y$ 要么全同，要么没有公共元. 又，对任一向量 $z \in V_n\left(F_q\right)$ 都有 $z \in U+z$. 因此，$\mathscr{Z}_U$ 中的诸集构成 $V_n(F_q)$ 的一个分解；因零向量在 U 中. 故不在 U 的其他陪集中. 于是，由 $|U+x| = |U| = q^m$，可得

$$\left|\mathscr{Z}_U\right| = \frac{\left|V_n\left(F_q\right)\right|}{|U|} = q^{n-m}.$$

这与 U 的维数 m 有关，而与 U 的具体选择无关.

如果 $U,\ U' \in \mathscr{U}(m,\ n)$，且 $U+x = U'+x'$，则

$$U = U' + (x'-x). \tag{17.5.10}$$

这就是说, U 是 U' 的陪集. 因 U 和 U' 都是 m 维子空间, 故 $U' = U$. 因此, 当 $U' \neq U$ 时, $\mathscr{Z}_U$ 与 $\mathscr{Z}_{U'}$ 中无公共的陪集. 这样一来, 全部 m 维子空间的商空间的并

$$\mathscr{B} := \bigcup_{U \in \mathscr{U}(m, \, n)} \mathscr{D}_U \tag{17.5.11}$$

的表达式就是 $\mathscr{B}$ 的一个分解式.

对于 $|\mathscr{B}|$, 有

引理 17.5.1.

$$|\mathscr{B}| = q^{n-m} \prod_{i=0}^{m-1} \frac{q^{n-i} - 1}{q^{m-i} - 1}. \tag{17.5.12}$$

证明. 因为 (17.5.11) 是 $\mathscr{B}$ 的一个分解, 故

$$|\mathscr{B}| = \left| \mathscr{U}(m, \, n) \right| \cdot \left| \mathscr{D}_U \right|.$$

再由 (17.5.4) 和 (17.5.9) 便得 (17.5.11). **证毕.**

设 $1 \leqslant l \leqslant m \leqslant n$, $W \in \mathscr{U}(l, \, n)$, $U \in \mathscr{U}(m, \, n)$, $x, \, y \in V_n\left(F_q\right)$. 若

$$W + y \subseteq U + x, \tag{17.5.13}$$

则

$$W \subseteq U + (x - y).$$

因 $0 \in W$, 故 $x - y \in U$, 从而

$$W \subseteq U. \tag{17.5.14}$$

反之, 如果 $x - y \in U$ 且 (17.5.14) 成立, 则 (17.5.13) 也成立. 这就是说, 要使 W 的一个陪集包含在 U 的一个陪集中, 其充要条件是, W 为 U 的子空间. 因此, 由定理 17.5.2 的系 4, 得出

引理 17.5.2. 设 $0 \leqslant l \leqslant m \leqslant n$, $W \in \mathscr{U}(l, \, n)$, $y \in V_n\left(F_q\right)$. $\mathscr{B}$ 中包含 $W + y$ 的那些陪集的个数是

$$\prod_{i=l}^{m-1} \frac{q^{n-i} - 1}{q^{m-i} - 1}.$$

当 $l = 0$ 时, W 是仅由零向量组成的空间, 故由此引理得

系. $\mathscr{B}$ 中包含 $V_n(F_q)$ 的一个固定向量的那些陪集的个数是

$$r := \prod_{i=0}^{m-1} \frac{q^{n-i}-1}{q^{m-i}-1}. \tag{17.5.15}$$

引理 17.5.3. 设 $x_1 \neq x_2$，x_1，$x_2 \in V_n(F_q)$．$\mathscr{B}$ 中包含 $\{x_1, x_2\}$ 的那些陪集的个数是

$$\lambda := \prod_{i=1}^{m-1} \frac{q^{n-i}-1}{q^{m-i}-1}. \tag{17.5.16}$$

证明. 设 x_1，$x_2 \in U + z$．于是存在 $u_i \in U$ 合 $x_i = u_i + z(1 \leqslant i \leqslant 2)$，故

$$x_1 - x_2 \in U. \tag{17.5.17}$$

反之，如果 (17.5.17) 成立，则 x_2，$x_1 \in U + x_2$，x_2，$x_1 \in U + x_1$．由于不同的陪集中无公共向量，故 x_1，x_2 同属 U 的一个陪集的充要条件是 (17.5.17) 成立，且当 (17.5.17) 成立时，x_1，x_2 不属与 $U + x_1$ 不同的 U 的其他陪集．这样一来，$\mathscr{B}$ 中包含 $\{x_1, x_2\}$ 的那些陪集的个数就是 $\mathscr{U}(m, n)$ 中包含 $x_1 - x_2$ 的那些子空间的个数．因 $x_1 - x_2 \neq 0$，这个个数就是 $\mathscr{U}(m, n)$ 包含由 $x_1 - x_2$ 张成的一维子空间的 m 维子空间的个数，即 $|\mathscr{U}(1, m, n)|$．这也就是 (17.5.16)．**证毕.**

引理 17.5.1，引理 17.5.2 的系和引理 17.5.3 已经给出了构造一种类型的区组设计的方法和这类设计的参数．这可总结为下面的定理．

定理 17.5.3. 设 $1 \leqslant m \leqslant n$．以向量空间 $V_n(F_q)$ 的诸向量为元素，以 $\mathscr{B}$ 中的诸陪集为区组可以构成一个 (b, v, r, k, λ) 设计，其中

$$v = q^n, \quad k = q^m,$$

而 b，r，λ 分别由 (17.5.12)，(17.5.15) 和 (17.5.16) 给出.

定理 17.5.13 中的设计也叫做几何设计．

下面的定理 17.5.4 是定理 17.5.2 的推广．在第二十章中将用到它．这里和第二十章中常用到分块矩阵的下述记法：

$$A = \begin{pmatrix} A_{11} \cdots A_{1j} \cdots A_{1d} \\ \vdots \quad\; \vdots \quad\; \vdots \\ A_{i1} \cdots A_{ij} \cdots A_{id} \\ \vdots \quad\; \vdots \quad\; \vdots \\ A_{e1} \cdots A_{ej} \cdots A_{ed} \end{pmatrix} \begin{matrix} r_1 \\ \vdots \\ r_i \\ \vdots \\ r_e \end{matrix}, \tag{17.5.18}$$
$$ c_1 \;\cdots\; c_j \;\cdots\; c_d$$

该矩阵外右边的一列数 r_1, $\cdots$, r_i, $\cdots$, r_e 和下边的一行数 c_1, $\cdots$, c_j, $\cdots$, c_d 表明了子块 A_{ij} 的行数 r_i, 列数 c_i ($1 \leqslant i \leqslant e; 1 \leqslant j \leqslant d$).

定理 17.5.4. 设

$$U(r,\ m \times n) = \{A \mid A \text{ 是 } F_q \text{ 上的 } m \times n \text{ 矩阵, } r_A = r\}.$$

那么,

$$\left| U(r,\ m \times n) \right| = \prod_{i=0}^{r-1} \frac{\left(q^m - q^i\right)\left(q^n - q^i\right)}{q^r - q^i}. \tag{17.5.19}$$

证明. 设 $\mathrm{GL}_m(F_q) \times \mathrm{GL}_n(F_q)$ 是群 $\mathrm{GL}_m(F_q)$ 和 $\mathrm{GL}_n(F_q)$ 的直积. 如果 $(T_1,\ T_2) \in \mathrm{GL}_m(F_q) \times \mathrm{GL}_n(F_q)$, 则映射

$$X \to T_1 X T_2$$

是集 $U(r,\ m \times n)$ 的一个置换. 当 $X \in U(r,\ m \times n)$ 时, $r_X = r$, 故存在 $(T_1,\ T_2) \in GL_m(F_q) \times GL_n(F_q)$, 合

$$T_1 X T_2 = \begin{pmatrix} I & 0 \\ 0 & 0 \end{pmatrix}\begin{matrix} r \\ m-r \end{matrix}$$
$$\begin{matrix} r & n-r \end{matrix}$$

由此得知, 群 $\mathrm{GL}_m(F_q) \times \mathrm{GL}_n(F_q)$ 可迁地作用在集 $U(r,\ m \times n)$ 上, 且 $\mid U(r,\ m \times n) \mid$ 等于 $\mathrm{GL}_m(F_q) \times \mathrm{GL}_n(F_q)$ 中使矩阵

$$\begin{pmatrix} I & 0 \\ 0 & 0 \end{pmatrix}\begin{matrix} r \\ m-r \end{matrix}$$
$$\begin{matrix} r & n-r \end{matrix}$$

保持不变的那些元素所组成的子群在 $\mathrm{GL}_m(F_q) \times \mathrm{GL}_n(F_q)$ 中的指数. 记这个子群为 G. 那么, 当 $(T_1,\ T_2) \in \mathrm{GL}_m(F_q) \times \mathrm{GL}_n(F_q)$ 且把 T_1, T_2 写成形如

$$T_1 = \begin{pmatrix} T_{11} & T_{12} \\ T_{21} & T_{22} \end{pmatrix}\begin{matrix} r \\ m-r \end{matrix}$$
$$\begin{matrix} r & m-r \end{matrix}$$

$$T_2 = \begin{pmatrix} T_{31} & T_{32} \\ T_{41} & T_{42} \end{pmatrix}\begin{matrix} r \\ n-r \end{matrix}$$
$$\begin{matrix} r & n-r \end{matrix}$$

的分块阵时，$(T_1,\ T_2)\in G$ 的充要条件是

$$T_{11}T_{31}=1^{(r)},\quad T_{21}=T_{32}=0\,, \tag{17.5.20}$$
$$(\det T_{22})(\det T_{42})\neq 0\,.$$

这是因为

$$\begin{pmatrix} T_{11} & T_{12} \\ T_{21} & T_{22} \end{pmatrix}\begin{pmatrix} I & 0 \\ 0 & 0 \end{pmatrix}\begin{pmatrix} T_{31} & T_{32} \\ T_{41} & T_{42} \end{pmatrix}=\begin{pmatrix} T_{11}T_{31} & T_{11}T_{32} \\ T_{21}T_{31} & T_{21}T_{32} \end{pmatrix}.$$

由(17.5.20)知，T_{31} 由 T_{11} 完全决定，而 T_{11} 的个数为 $|\,\mathrm{GL}_r(F_q)\,|$；T_{22} 的个数为 $|\,\mathrm{GL}_{m-r}(F_q)\,|$；$T_{42}$ 的个数为 $|\,\mathrm{GL}_{n-r}(F_q)\,|$；$T_{12}$ 的个数为 $q^{r(m-r)}$；T_{41} 的个数为 $q^{r(m-r)}$；故

$$|\,G\,|=|\,\mathrm{GL}_r(F_q)\,|\cdot|\,\mathrm{GL}_{m-r}(F_q)\,|\cdot|\,\mathrm{GL}_{n-r}(F_q)\,|\cdot q^{r(m+n-2r)}.$$

因此，

$$\begin{aligned}
\left|\mathscr{U}(r_1,\ m\times n)\right|&=\mathrm{GL}_m(F_q)\times\mathrm{GL}_n(F_q):G=\frac{\left|\mathrm{GL}_m(F_q)\times\mathrm{GL}_n(F_q)\right|}{|G|}\\
&=\frac{\left|\mathrm{GL}_m(F_q)\right|\cdot\left|\mathrm{GL}_n(F_q)\right|}{|G|}\\
&=\frac{\displaystyle\prod_{i=0}^{m-1}\left(q^m-q^i\right)}{q^{(m-r)r}\displaystyle\prod_{i=0}^{m-r-1}\left(q^{m-r}-q^i\right)}\cdot\frac{\displaystyle\prod_{i=0}^{n-1}\left(q^n-q^i\right)}{q^{(n-r)r}\displaystyle\prod_{i=0}^{n-r-1}\left(q^{n-r}-q^i\right)}\cdot\frac{1}{\displaystyle\prod_{i=0}^{r-2}\left(q^r-q^i\right)}.
\end{aligned}$$

易知，

$$\begin{aligned}
\frac{\displaystyle\prod_{i=0}^{m-1}\left(q^m-q^i\right)}{q^{(m-r)r}\displaystyle\prod_{i=0}^{m-r-1}\left(q^{m-r}-q^i\right)}&=\frac{\displaystyle\prod_{i=0}^{m-1}\left(q^m-q^i\right)}{\displaystyle\prod_{i=0}^{m-r-1}\left(q^m-q^{r+i}\right)}\\
&=\frac{\displaystyle\prod_{i=0}^{m-1}\left(q^m-q^i\right)}{\displaystyle\prod_{i=r}^{m-1}\left(q^m-q^i\right)}=\prod_{i=0}^{r-1}\left(q^m-q^i\right),
\end{aligned}$$

从而

$$\frac{\displaystyle\prod_{i=0}^{n-1}\left(q^n - q^i\right)}{q^{(n-r)r}\displaystyle\prod_{i=0}^{n-r-1}\left(q^{n-r} - q^i\right)} = \prod_{i=0}^{r-1}\left(q^n - q^i\right).$$

因此,

$$\left|\mathscr{U}\left(r,\; m\times n\right)\right| = \frac{\displaystyle\prod_{i=0}^{r-1}(q^m - q^i)\prod_{i=0}^{r-2}(q^n - q^i)}{\displaystyle\prod_{i=0}^{r-2}(q^r - q^i)}$$

$$= \prod_{i=0}^{r-1}\frac{(q^m - q^i)(q^n - q^i)}{q^r - q^i}.$$

证毕.

特别地, 当 $m = n$ 时, 有

系.

$$\left|\mathscr{U}\left(r,\; n\times n\right)\right| = \prod_{i=0}^{r-1}\frac{\left(q^n - q^i\right)^2}{q^r - q^i}.$$

第十八章　完全设计和正交设计

从 11.1 可以看出，完全设计和正交设计有很大的实用价值. 本章将对它们作进一步的介绍. 18.1 从拟群的乘法表的观点来研究拉丁方，18.2 讨论了行完备、列完备和完备拉丁方. 关于正交拉丁方，18.3 研究了正交侣的存在性和不存在性，18.4 则介绍了正交拉丁方的常用构造方法. 在正交拉丁方的理论中，一组两两正交的 m 阶拉丁方所含的拉丁方的最大个数 $N(m)$ 具有重要的意义和作用，例如，著名的 Euler 猜想就可表述为 $N(4t + 2)= 1$. 因此，有必要用整个一节的篇幅来介绍与 $N(m)$ 有关的结果(18.5)，并利用这些结果给出否定 Euler 猜想阶大于 6 的情形的完整证明(18.6)，而把阶为 6 的情形的处理安排在下一章.

18.1　拉　丁　方

5.6 已经介绍了拉丁方与$(0，1)$矩阵的关系以及拉丁方的计数等问题. 本节和下节将介绍拉丁方的构造方面的一些问题和结果.

下面将常常使用 11.2 中的拉丁方的定义，它比 5.6 中的定义在形式上稍广一些.

首先建立拉丁方和拟群的乘法表之间的联系. 拟群的概念已于 12.4 中介绍过了，这里不再重复. 下面只讨论有限阶拟群. 把一个拟群的乘法表的表头的行和表头的列去掉后余下的方阵叫做该乘法表导出的矩阵. 反过来，如果一个矩阵添上作为表头的一行和作为表头的一列就成为某一拟群的乘法表，则把它叫做由该矩阵导出的乘法表.

定理 18.1.1.　一个拟群的乘法表导出的方阵是一个拉丁方. 反之，一个拉丁方可导出一个拟群的乘法表.

证明.　设$(Q,\cdot)$是一个拟群，$Q = \{a_1，a_2,\cdots，a_m\}$，且其乘法表为

$$
\begin{array}{c|ccccccc}
 & a_1 & a_2 & \cdots & a_j & \cdots & a_m \\
\hline
a_1 & & & & & & \\
a_2 & & & & & & \\
\vdots & & & & & & \\
a_i & & & & a_i a_j & & \\
\vdots & & & & & & \\
a_m & & & & & & \\
\end{array}
$$

$$(18.1.1)$$

假设 Q 中某一元 a 在第 l 行中出现两处，即有 $1 \leqslant j_1 \neq j_2 \leqslant m$ 合

$$a_l a_{j_1} = a_l a_{j_2} = a . \tag{18.1.2}$$

但方程 $a_l x = a$ 只有唯一解，故 (18.1.2) 不可能. 这就证明了 (18.1.1) 导出的矩阵每一行都是 Q 的 m 个元素的一个全排列. 同理, (18.1.1) 导出的矩阵的每一列都是 Q 的 m 个元素的一个全排列. 所以, (18.1.1) 导出的方阵是 Q 上的一个 m 阶拉丁方.

反过来, 如果 $A = \left(a_{ij} \right)$ 是 $Q = \{a_1, \ a_2, \cdots, \ a_m\}$ 上的一个 m 阶拉丁方. 定义 Q 上的乘法如下:

$$a_i a_j = a_{ij} ,$$

那么, 由于 A 是个拉丁方, 故 $(Q, \cdot)$ 是一个 m 阶拟群. 因此, 对矩阵 A 如下加边

$$
\begin{array}{c|cccc}
 & a_1 & a_2 & \cdots & a_m \\
\hline
a_1 & a_{11} & a_{12} & \cdots & a_{1m} \\
a_2 & a_{21} & a_{22} & \cdots & a_{2m} \\
\vdots & \vdots & \vdots & & \vdots \\
a_m & a_{m1} & a_{m2} & \cdots & a_{mm,}
\end{array}
\tag{18.1.3}
$$

则 (18.1.3) 就是 $(Q, \cdot)$ 的乘法表. **证毕**.

由定理 18.1.1 知, 一个 m 阶拟群的乘法表的导出矩阵是一个 m 阶拉丁方; 那么, 很自然地希望由群的乘法表导出的拉丁方具有特殊的性质. 下面要证明, 确如此, 且这个特殊的性质是: 在 m 阶拉丁方 $A = \left(a_{ij} \right)$ 中, 对任意的 $1 \leqslant i, \ j, \ k, \ l \leqslant m$, 如果已知

$$a_{ik}, \ \ a_{il}, \ \ a_{jk}, \ \ a_{jl} \tag{18.1.4}$$

中的任意三个, 则另一个便由已知的三个唯一决定了. 也就是说, 对任意的 $1 \leqslant i, \ j, \ k, \ l, \ i_1, \ j_1, \ k_1, \ l_1 \leqslant m$, 如果已知

$$a_{ik} = a_{i_1 k_1}, \ \ a_{il} = a_{i_1 l_1}, \ \ a_{jk} = a_{j_1 k_1}, \ \ a_{jl} = a_{j_1 l_1}$$

中的任意三个成立, 则另一个也必然成立. 这一性质形象地叫做"四点形准则".

定理 18.1.2. 对于一个 m 阶群的乘法表导出的 m 阶拉丁方, 四点形准则成立. 反过来, 如果对一个 m 阶拉丁方, 四点形准则成立, 则由该拉丁方可导出一个 m 阶群的乘法表.

证明. 设 $A = \left(a_{ij} \right)$ 是 m 阶群 G 的乘法表导出的 m 阶拉丁方. 因为对一个拉丁方进行行换序和列换序, 并不影响四点形准则对它成立与否, 故可设群 G 的乘

法表为

$$
\begin{array}{c|cccc}
 & a_1 & a_2 & \cdots & a_m \\
\hline
a_1 & a_{11} & a_{12} & \cdots & a_{1m} \\
a_2 & a_{21} & a_{22} & \cdots & a_{2m} \\
\vdots & \vdots & \vdots & & \vdots \\
a_m & a_{m1} & a_{m2} & \cdots & a_{mm}.
\end{array}
\tag{18.1.5}
$$

不失一般性，又可设 $1 \leqslant i \neq j \leqslant m, 1 \leqslant k \neq l \leqslant m$ ，且只要证明(18.1.4)的最后一个元可由前三个元唯一决定即可. 因为

$$
a_{ik} = a_i a_k, \quad a_{il} = a_i a_l, \quad a_{jk} = a_j a_k,
$$

故(18.1.4)的第四个元为

$$
\begin{aligned}
a_{jl} = a_j a_l &= \left(a_{jk} a_k^{-1}\right)\left(a_i^{-1} a_{il}\right) \\
&= a_{jk} \left(a_i a_k\right)^{-1} a_{il} \\
&= a_{jk} \left(a_{ik}\right)^{-1} a_{il},
\end{aligned}
$$

这完全由(18.1.4)的前三元决定.

现在假设 $A = \left(a_{ij}\right)$ 是一个 m 阶拉丁方，且四点形准则对它成立. 因为经行换序可把 A 的第一列中诸元依次变为第一行中诸元，且如前述，这样得到的矩阵也成立四点形准则. 所以，不失一般性，可设

$$
a_{1i} = a_{i1} =: a_i \left(1 \leqslant i \leqslant m\right).
$$

于是 a_1 是拟群 $(\{a_1, \ a_2, \cdots, \ a_m\}, \cdot)$ 的单位元 e. 现在来证明，在这个拟群中结合律成立. 设 a, b, c 是 $(\{a_1, \ a_2, \cdots, \ a_m\}, \cdot)$ 中任意三元. 由(18.1.5)可以得到两个子表：

$$
\begin{array}{c|cc}
 & e & c \\
\hline
b & b & bc \\
ab & ab & (ab)c
\end{array}
\tag{18.1.6}
$$

和

$$
\begin{array}{c|cc}
 & b & bc \\
\hline
e & b & bc \\
a & ab & a(bc).
\end{array}
\tag{18.1.7}
$$

由于(18.1.6)和(18.1.7)中的四个元里的三个元 b，bc，ab，对应相等，故从四点形准则知

$$(ab)c = a(bc).$$

这就证明了在拟群($\{a_1, a_2, \cdots, a_m\}, \cdot$)中，结合律成立. 因此，这个拟群是一个群. **证毕**.

如果在 m 阶群的乘法表中作为表头的行和列有特殊的顺序，就可以导出具有更多性质的拉丁方. 例如，当表头的列为任意顺序 a_1，a_2, $\cdots$，a_m，但表头的行中诸元依次为 a_1^{-1}，$a_2^{-1}, \cdots$，a_m^{-1} 时，那么这样的乘法表导出的拉丁方具有性质：

$$a_{ij} a_{jk} = a_{ik} , \tag{18.1.8}$$

$$a_{ji}^{-1} = a_{ij} , \tag{18.1.9}$$

$$a_{ii} = e . \tag{18.1.10}$$

这是因为，

$$a_{ij} a_{jk} = a_i a_j^{-1} a_j a_k^{-1} = a_i a_k^{-1} = a_{ik} ,$$

$$a_{ji}^{-1} = \left(a_j a_i^{-1} \right)^{-1} = a_i a_j^{-1} = a_{ij} ,$$

$$a_{ii} = a_i a_i^{-1} = e .$$

这样的乘法表叫做该群的规范乘法表. 于是，由规范乘法表导出的拉丁方具有特殊性质(18.1.8)—(18.1.10).

一个集 $\{a_1, a_2, \cdots, a_m\}$ 上的 m 阶拉丁方的一个子方阵的大小要多大，才能保证该子方阵中包含全部元 a_1，$a_2, \cdots$，a_m 至少一次呢？

为了给这个问题一个解答，需要下面的引理.

引理 18.1.1. 设($Q, \cdot$)是一个拟群，A 和 B 是 Q 的两个子集，满足条件：并非 Q 中的每一元都能写成

$$c = ab, \ a \in A, \ b \in B . \tag{18.1.11}$$

那么，

$$|Q| \geqslant |A| + |B| . \tag{18.1.12}$$

证明. (当 Q 的阶是无限时, (18.1.12) 自然成立, 故该引理对无限拟群也成立.)

设 $(Q, \cdot)$ 的乘法表表头的行的前 $|B|$ 个元为 $B = \{b_1, \cdots, b_{|B|}\}$ 中诸元, 表头的列的前 $|A|$ 个元为 $A = \{a_1, \cdots, a_{|A|}\}$ 中诸元. 于是 $(Q, \cdot)$ 的乘法表可以分块如下:

$$
\begin{array}{c|cc}
 & b_1 \cdots b_{|B|} & \cdots \\
\hline
\begin{array}{c} a_1 \\ \vdots \\ a_{|A|} \end{array} & C & Y \\
\hline
\vdots & W & Z
\end{array}
$$

设 x 是 Q 中任一不合 (18.1.11) 的元. x 落入子阵 (CY) 中的次数为 $|A|$, 落入 $\begin{pmatrix} C \\ W \end{pmatrix}$ 中的次数为 $|B|$. 设 x 落入 C 中的次数为 $N_x(C)$, 落入 Z 中的次数为 $N_x(Z)$. 于是由容斥原理,

$$N_x(Z) = |Q| - |A| - |B| + N_x(C). \tag{18.1.13}$$

因 $N_x(Z) \geqslant 0$, 且 $N_x(C) = 0$, 故由 (18.1.13) 得 (18.1.12). **证毕.**

定理 18.1.3. 设 $l \geqslant \left[1 + \dfrac{m}{2}\right]$. 一个 m 阶拟群 $(Q, \cdot)$ 的乘法表的导出矩阵的任一 $l \times l$ 子阵 C 中一定包含该拟群的每个元素至少一次.

证明. 由引理 18.1.1, 如果

$$|Q| < |A| + |B|, \tag{18.1.14}$$

则 Q 中每一元都可表为 A 中一元和 B 中一元之积. 由本定理的条件, 如果让 A 表 C 的各行所对应的表头之元素所组成的集, 让 B 表 C 的各列所对应的表头元素所组成的集, 则

$$|Q| = m < \left[1 + \frac{m}{2}\right] + \left[1 + \frac{m}{2}\right] \leqslant |A| + |B|.$$

于是有 (18.1.14). 因此, 定理的结论成立. **证毕.**

由此定理立得:

系. 设 $l \geqslant \left[1 + \dfrac{m}{2}\right]$. 集 $S = \{a_1, a_2, \cdots, a_m\}$ 上的一个 m 阶拉丁方的任一 $l \times l$ 子阵中一定包含了 S 的全部元素至少各一次.

18.2 完备拉丁方

在拉丁方试验设计中，有时根据试验的要求，需要所用的拉丁方具有一些特殊的性质. 例如，在把一块农田分成若干纵横小块作试验且根据一个拉丁方来安排试验时，相邻二小块的安排之间彼此是有影响的，因而希望每一对可能的安排在所用的拉丁方的相邻位置上出现一次. 又如，养鸡场关于饲料对鸡的长势的试验且采用一个拉丁方来安排试验时，接连使用的二种饲料彼此是有影响的，因而也希望每两种不同饲料在所用的拉丁方中都能以不同的次序接连出现一次. 这就引出了一类特殊的拉丁方. 下面给出正式的定义.

定义 18.2.1. 设 $A = \left(a_{ij}\right)$ 是集 $S = \{a_1,\ a_2,\cdots,\ a_m\}$ 上的一个 m 阶拉丁方. 如果 S 的每一个有序相异元素偶都在 A 的行中至少一次出现为相邻(依有序对中的顺序)的一对，则称 A 是一个行完备拉丁方，又称为水平完备拉丁方. 如果在上面的定义中把"行"换为"列"，则称 A 是一个列完备拉丁方，又称为竖直完备拉丁方. 如果 A 既是行完备拉丁方，又是列完备拉丁方，则称为一个完备拉丁方.

一个元的相邻元根据其位置可以叫做右邻元、左邻元、上邻元、下邻元.

由此定义，有

引理 18.2.1. 在定义 18.2.1 中作下述更动，并不影响 A 的行完备性：

把"S 的每一个有序相异元素偶都在 A 的行中至少一次出现为相邻的一对"改为"S 的每一个有序相异元素偶都在 A 的行中至多一次出现为相邻的一对"，或改为"S 的每一个有序相异元素偶都在 A 的行中恰好一次出现为相邻的一对".

证明. S 的有序相异元素偶的个数为

$$m(m-1), \tag{18.2.1}$$

A 的每一行的有序相邻元素偶的个数是 $m-1$，A 的诸行的相邻元素偶的个数是 $m(m-1)$，这与(18.2.1)相同. 因此，S 的每一相异元素偶在 A 的诸行中至少出现一次为相邻元素的充要条件是，S 的每一相异元素偶在 A 的诸行中恰好出现一次为相邻元素,也是 S 的每一相异元素偶在 A 的诸行中至多出现一次为相邻元素. **证毕.**

对于列完备拉丁方有类似的结果.

系. 在引理 18.2.1 中把"行"换为"列"，引理的结论仍成立.

引理 18.2.2. 对一个拉丁方施行行换序并不改变它是否为行完备拉丁方. 对一个拉丁方施行列换序并不改变它是否为列完备拉丁方.

证明. 这是定义 18.2.1 的直接推论. **证毕.**

值得一提的是，对一个拉丁方施行列换序却可能改变该拉丁方是否为行完备的这一性质. 例如，由下面的定理 18.2.1 知，

$$\begin{pmatrix} 0 & 1 & 3 & 2 \\ 1 & 2 & 0 & 3 \\ 3 & 0 & 2 & 1 \\ 2 & 3 & 1 & 0 \end{pmatrix}$$

是一个完备拉丁方. 若把它的头二列交换，得

$$\begin{pmatrix} 1 & 0 & 3 & 2 \\ 2 & 1 & 0 & 3 \\ 0 & 3 & 2 & 1 \\ 3 & 2 & 1 & 0 \end{pmatrix},$$

这虽然仍是一个列完备拉丁方(由引理 18.2.2)，但却不再是一个行完备拉丁方，因为有序元素偶$(1, 0)$在第一和第四行中都出现为相邻的元素偶.

设 A 是集$[1, 3]$上的一个三阶拉丁方. 如果 A 的第一列上元 1 的右邻元是 2，则该列上元 2 的右邻元必是 3，元 3 的右邻元必是 1；因而第二列上元 2 的右邻元必是 3，元 3 的右邻元必是 1，元 1 的右邻元必是 2. 这样一来，有序元素偶$(1, 2)$在 A 的诸行中出现了两次. 如果 A 的第一列上元 1 的右邻元是 3，则该列上元 2 的右邻元必是 1，元 3 的右邻元必是 2；因而第二列上元 3 的右邻元必是 2，元 1 的右邻元必是 3，元 2 的右邻元必是 1. 这样一来，有序元素偶$(1, 3)$在 A 的诸行中出现了两次. 所以 A 不是行完备的. 类似的推理可知 A 不是列完备的. 这就是说，既不存在行完备也不存在列完备的三阶拉丁方.

另一方面，下面的定理指出了构造偶数阶完备拉丁方的一个一般性方法.

定理 18.2.1 (Williams[1]). 设 $m = 2l$ 是个正偶数. 设 A 是一个 $m \times m$ 矩阵，其第一行为

$$0, \ 1, \ 2l-1, \ 2, \ 2l-2, \ 3, \ 2l-3, \ \cdots, \ l-1, \ l+1, \ l, \qquad (18.2.2)$$

其他每一行是上一行诸元分别加 1 后取最小非负剩余$(\bmod m)$而得. 那么 A 是一个行完备拉丁方. 如果经行换序把 A 的第一列诸元变成(18.2.2)的顺序，那么此时的结果拉丁方是完备的.

证明. 数列(18.2.2)中的数同其相邻的后一数的差$(\bmod m)$所组成的序列为

$$-1, \ -2(l-1), \ 2l-3, \ \cdots, \ -2(l-i),$$

$$2(l-i)-1, \ \cdots, \ 1(\bmod m). \qquad (18.2.3)$$

这些差分为三种类型:

$$-1, \ -2(l-i), \ 2(l-i)-1 \pmod{m}. \tag{18.2.4}$$

因 $2 \mid m$,故第一种和第三种类型的差的最小非负剩余是奇数,第二种类型的差的最小非负剩余是偶数,从而第一、三类型的任一差与第二类型的任一差都不相同 $\pmod{m}$. 因 $1 \leqslant i \leqslant l-1$,故第一类型的差同第三类型的任一差也不相同 $\pmod{m}$. 第二类型的两个差 $-2(l-i)$ 与 $-2(l-j)$ 相同 $\pmod{m}$ 的充要条件是 $i \equiv j \pmod{l}$. 这也是第三类型的两个差 $-2(m-i)-1$ 与 $-2(m-j)-1$ 相同 $\pmod{m}$ 的充要条件. 因此 (18.2.3) 中的 $m-1$ 个差两两不同 $\pmod{m}$.

由 A 的构造方法知,A 的每一列是 $\bmod m$ 的一个完全剩余系,A 的每一行也是 $\bmod m$ 的一个完全剩余系,且都取最小非负剩余,所以 A 是一个拉丁方. 设 $0 \leqslant h \leqslant 2m-1$. 如果在 A 的第 i 行和第 j 行 $(i \neq j)$ 中,与 h 相邻的后一数都是 x,那么,这两对相邻数的差都是 $h-x \pmod{m}$,它们与其相应的 A 中头一行两对相邻数之差分别相同. 由于第 i 行和第 j 行的两个 h 不可能在同一列,不失一般,可设它们分别在第一行元素为 t 和 s 的列 $(s \neq t)$. 于是,由 A 的构造法知,在 A 的第一行中,t 和它相邻的后一元之差及 s 和它相邻的后一元之差都为 $h-x \pmod{m}$,但前段已证,这是不可能的. 这就证明了 A 是行完备拉丁方.

由引理 18.2.2,对 A 的诸行进行行换序并不影响其行完备性. 假定对 A 施行定理中所述的行换序而得到的拉丁方为 B,则 B 有形状

$$B = \begin{pmatrix} a_1 & a_1+i_1 & \cdots & a_1+i_{m-1} \\ a_2 & a_2+i_1 & \cdots & a_2+i_{m-1} \\ \vdots & \vdots & & \vdots \\ a_m & a_m+i_1 & \cdots & a_m+i_{m-1} \end{pmatrix} \pmod{m},$$

其中 a_1, $a_2, \cdots$, a_m 就是序列 (18.2.17),且 i_1, $i_2, \cdots$, i_{m-1} 是 1, 2, $\cdots$, $(m-1)$ 的一个排列. 由此可知,B 的每一列中一数与相邻的后一数的差与第一列中相应的二数之差相同 $\pmod{m}$. 由前一段的证明可知,B 是一个列完备拉丁方. 因 B 也是一个行完备拉丁方,从而是一个完备拉丁方. **证毕**.

今对 $m = 4$ 的情形用定理中的构造方法来制作相应的 A 和 B:

$$A = \begin{pmatrix} 0 & 1 & 3 & 2 \\ 1 & 2 & 0 & 3 \\ 2 & 3 & 1 & 0 \\ 3 & 0 & 2 & 1 \end{pmatrix}$$

和

$$B = \begin{pmatrix} 0 & 1 & 3 & 2 \\ 1 & 2 & 0 & 3 \\ 3 & 0 & 2 & 1 \\ 2 & 3 & 1 & 0 \end{pmatrix}.$$

由定义 18.2.1 还可推得完备拉丁方的下述性质:

定理 18.2.2. 设 A 是 m 元集 S 上的一个 m 阶完备拉丁方. 那么, 对 S 中的任一元 s, 它在 A 中的右邻元所组成的集就是 $S \setminus \{s\}$, 这也是 s 的左邻元所组成的集, s 的上邻元所组成的集, s 的下邻元所组成的集.

18.3 正 交 侣

广为使用的正交设计是由正交表来体现的. 集 $[1, m]$ 上的一个 s 行的 m 阶正交表, 也称为 s 行 m^2 列的正交表, 记为 $\mathrm{OA}(m, s)$, 是 $[1, m]$ 上的一个 $s \times m^2$ 阵列(矩阵), 满足条件: 对于 $\mathrm{OA}(m, s)$ 中的任二固定行所组成的子阵, 每一个二维向量 $\begin{pmatrix} x \\ y \end{pmatrix}(x, y \in [1, m])$ 都恰好在其一列中出现. 同正交拉丁方的情形类似, 这里 "恰好" 一词可用 "至少" 来代替, 还可用 "最多" 来代替. 再者, 集 $[1, m]$ 可换为任一 m 元集.

由正交表的上述定义, 可立刻推得: (1)对集 $[1, m]$ 上的一个 $s \times m^2$ 阵列施行行换序、列换序, 并不影响其是否为一个正交表这一性质. (2)从正交表 $\mathrm{OA}(m, s)$ 中删去 $t(t < s)$ 行所余下的表是一个 $\mathrm{OA}(m, s - t)$. (3)对 $\mathrm{OA}(m, s)$ 的任一行施行集 $[1, m]$ 的一个置换 α, 即把该行中的元 s 换为 $\alpha(s)(s \in [1, m])$, 这样得到的结果阵列仍是一个 $\mathrm{OA}(m, s)$.

下面的定理表明, 正交表同正交拉丁方组有本质上相同的数学结构. 在今后的讨论中, 这两种结构和说法都会用到, 因为不同的场合用不同的结构和说法更方便一些.

定理 18.3.1. 设 $s > 2$, 且 $\mathrm{OA}(m, s)$ 是集 $[1, m]$ 上的一个 s 行的 m 阶正交表. 那么由此可以构造出 $s - 2$ 个两两正交的拉丁方. 反过来, 如果 $A_1, A_2, \cdots, A_{s-2}$ 是一组 m 阶正交拉丁方, 那么由它们可以构造出一个 s 行的 m 阶正交表.

证明. 不失一般性, 可设 $\mathrm{OA}(m, s)$ 的头两行分别为

$$\underbrace{1 \cdots 1}_{m \uparrow} \quad \underbrace{2 \cdots 2}_{m \uparrow} \quad \cdots \quad \underbrace{m \cdots m}_{m \uparrow}, \tag{18.3.1}$$

$$\underbrace{\underbrace{12\cdots m}\quad\underbrace{12\cdots m}\quad\cdots\quad\underbrace{12\cdots m}}_{m\text{组}}. \tag{18.3.2}$$

设 $\text{OA}(m,\ s)$ 的其余行中的任二行分别为

$$a_{11}a_{12}\cdots a_{1m}a_{21}a_{22}\cdots a_{2m}\cdots a_{m1}a_{m2}\cdots a_{mm}, \tag{18.3.3}$$

$$b_{11}b_{12}\cdots b_{1m}b_{21}b_{22}\cdots b_{2m}\cdots b_{m1}b_{m2}\cdots b_{mm}. \tag{18.3.4}$$

今作二个 m 阶矩阵如下:

$$A = \begin{pmatrix} a_{11} & a_{12} & \cdots & a_{1m} \\ a_{21} & a_{22} & \cdots & a_{2m} \\ \vdots & \vdots & & \vdots \\ a_{m1} & a_{m2} & \cdots & a_{mm} \end{pmatrix}, \quad B = \begin{pmatrix} b_{11} & b_{12} & \cdots & b_{1m} \\ b_{21} & b_{22} & \cdots & b_{2m} \\ \vdots & \vdots & & \vdots \\ b_{m1} & b_{m2} & \cdots & b_{mm} \end{pmatrix}.$$

现在来证明 A 和 B 是一对正交拉丁方.

对任一 $i(1\leqslant i\leqslant m)$, 由 (18.3.1) 和 (18.3.3) 是 $\text{OA}(m,\ s)$ 中的二行, 知

$$\binom{i}{a_{i1}}, \binom{i}{a_{i2}}, \cdots, \binom{i}{a_{im}}$$

两两不同, 故 $a_{i1},\ a_{i2}, \cdots,\ a_{im}$ 两两不同. 又由 (18.3.2) 和 (18.3.3) 是 $\text{OA}(m,\ s)$ 中二行, 知

$$\binom{i}{a_{1i}}, \binom{i}{a_{2i}}, \cdots, \binom{i}{a_{mi}}$$

两两不同, 故 $a_{1i},\ a_{2i}, \cdots,\ a_{mi}$ 两两不同. 因此, A 是一个 m 阶拉丁方. 同理 B 也是一个 m 阶拉丁方. 由于 (18.3.3) 和 (18.3.4) 是 $\text{OA}(m,\ s)$ 中的二列, 故

$$\binom{a_{11}}{b_{11}}, \binom{a_{12}}{b_{12}}, \cdots, \binom{a_{1m}}{b_{1m}}, \binom{a_{21}}{b_{21}}, \binom{a_{22}}{b_{22}}, \cdots,$$

$$\binom{a_{2m}}{b_{2m}}, \cdots, \binom{a_{m1}}{b_{m1}}, \binom{a_{m2}}{b_{m2}}, \cdots, \binom{a_{mm}}{b_{mm}}$$

两两不同, 从而 A 和 B 正交. 因此, $\text{OA}(m,\ s)$ 的第 $3,\ 4,\ \cdots,\ s$ 行能产生 $s-2$ 个两两正交的拉丁方.

把上面的证明过程逆过来就得到了定理的第二部分. **证毕.**

如果 m 阶拉丁方 A 同 m 阶拉丁方 B 正交，则称 A 是 B 的正交侣，或称 B 是 A 的正交侣.

对一个给定的 m 阶拉丁方 A，是否存在 A 的正交侣的问题，可以用另一种方式来刻划.为此需要引入

定义 18.3.1. 如果在 m 阶拉丁方 $A = \left(a_{ij}\right)$ 中，有 m 个位置，其中无二同行且无二同列，且其上的 m 个元彼此不同，则称这 m 个位置是该拉丁方的一个截态. 如果 A 有 m 个截态，其中无二截态有公共的位置，则称 A 可以分解为 m 个互外的截态，或简单地说成 A 可以分解为 m 个截态.

例如，在拉丁方

$$A = \begin{pmatrix} ① & △ & 3 \\ 2 & ③ & △ \\ △ & 1 & ② \end{pmatrix}$$

中，标以方形的三个位置是 A 的一个截态，标以圆形的三个位置是 A 的另一个截态，标以三角形的三个位置也是 A 的一个截态. 这三个截态互无公共位置，故 A 可以分解为三个互外的截态.

但是，并非所有的拉丁方都有截态. 例如，四阶拉丁方

$$B = \begin{pmatrix} 1 & 2 & 3 & 4 \\ 2 & 4 & 1 & 3 \\ 3 & 1 & 4 & 2 \\ 4 & 3 & 2 & 1 \end{pmatrix}$$

就没有一个截态. 这是因为，如果 A 有一个截态，那么这个截态中的四个位置一定有最后一行的一个位置. 如果这个位置是 $(4，1)$，则其他三个位置当组成

$$\begin{pmatrix} 2 & 3 & \cancel{4} \\ \cancel{4} & 1 & 3 \\ 1 & \cancel{4} & 2 \end{pmatrix} \tag{18.3.5}$$

的一个截态，但因 $a_{41} = 4$，故 4 在的位置不能取. 显然，其余的位置的任三个不组成 (18.3.5) 的截态. 类似地，$(4，2)$，$(4，3)$，$(4，4)$ 也不能出现在 B 的任一截态之中.

引理 18.3.1. 对一个拉丁方施行行换序和列换序并不影响它是否具体截态.

证明. 假定 A 是一个 m 阶拉丁方. 因为 A 中的 m 个两两不同行且两两不同列的位置经行换序和列换序后，仍两两不同行且两两不同列，故有引理的结论. 证

毕.

关于 m 阶拉丁方可以分解为 m 个截态的问题,有下面的定理.

定理 18.3.2. 设四点形准则对 m 阶拉丁方 A 成立,且 A 有一个截态. 那么,A 可以分解为 m 个截态.

证明. 由定理 18.1.2,A 是由某一 m 阶群 G 的乘法表导出的. 设 $G = \{g_1,\ g_2, \cdots,\ g_m\}$. 不失一般性,可设

$$A = \begin{pmatrix} g_1 g_1 & g_1 g_2 & \cdots & g_1 g_m \\ g_2 g_1 & g_2 g_2 & \cdots & g_2 g_m \\ \vdots & \vdots & & \vdots \\ g_m g_1 & g_m g_2 & \cdots & g_m g_m \end{pmatrix},$$

且 $(1,\ j_1)$,$(2,\ j_2)$,$\cdots$,$(m,\ j_m)$ 这 m 个位置组成 A 的一个截态,即

$$g_1 g_{j_1},\ g_2 g_{j_2}, \cdots,\ g_m g_{j_m} \tag{18.3.6}$$

两两不同,这里 j_1,j_2,$\cdots$,j_m 是 $[1,\ m]$ 的一个全排列.

由 (18.3.6) 可以产生序列

$$g_1 g_{j_1} g,\ g_2 g_{j_2} g,, \cdots,\ g_m g_{j_m} g, \tag{18.3.7}$$

这里 $g \in G$. 当 $h \in G$,$h \ne g$ 时,序列

$$g_1 g_{j_1} h,\ g_2 g_{j_2} h, \cdots,\ g_m g_{j_m} h \tag{18.3.8}$$

与 (18.3.7) 没有两个对应项相同:

$$g_i g_{j_i} g \neq g_i g_{j_i} h (1 \leqslant i \leqslant m). \tag{18.3.9}$$

否则,必有 $g = h$. 由于 $g_{j_1} g$,$g_{j_2} g$,$\cdots$,$g_{j_m} g$ 是 g_1,g_2,$\cdots$,g_m 的一个排列,故

$$g_{j_1} g = g_{\alpha_1},\ g_{j_2} g = g_{\alpha_2}, \cdots,\ g_{j_m} g = g_{\alpha_m},$$

这里,α_1,α_2,$\cdots$,α_m 是 $[1,\ m]$ 的一个全排列. 同理,

$$g_{j_1} h = g_{\beta_1},\ g_{j_2} h = g_{\beta_2}, \cdots,\ g_{j_m} h = g_{\beta_m},$$

这里 β_1,β_2,$\cdots$,β_m 是 $[1,\ m]$ 的一个全排列. 因此,(18.3.7) 和 (18.3.8) 分别是

$$g_1 g_{\alpha_1},\ g_2 g_{\alpha_2}, \cdots,\ g_m g_{\alpha_m}, \tag{18.3.10}$$

和

$$g_1 g_{\beta_1}, \quad g_2 g_{\beta_2}, \cdots, \quad g_m g_{\beta_m}. \tag{18.3.11}$$

由于(18.3.6)中诸元两两不同，故(18.3.10)中诸元两两不同，且(18.3.11)中诸元两两不同. 因此，m 个位置 $(1, \alpha_1),(2, \alpha_2),\cdots,(m, \alpha_m)$ 是拉丁方 A 的一个截态，$(1, \beta_1),(2, \beta_2),\cdots,(m, \beta_m)$ 也是 A 的一个截态. 由(18.3.9)知，这两个截态中没有二个位置是公共的. 因此，当 g 遍历 G 中元时，(18.3.7)产生拉丁方 A 的 m 个截态. 证毕.

当定理 18.3.2 的证明中的群 G 的阶是奇数时，可以得出更多的结果. 为此，需要一个引理.

引理 18.3.2. 设 G 是一个奇数阶的群. 那么，G 中任一元在 G 中都有唯一的平方根.

证明. 设 g 是 G 的任一元. 由于 g 的阶是个奇数，可设为 $2m-1$. 令 $h = g^m$. 于是

$$h^2 = g^{2m} = g.$$

这就是说，h 是 g 的平方根. 今设 l 是 g 的任一个平方根，那么，$l^2 = g$，从而 $l^{4m-2} = g^{2m-1} = e$，这里，e 是群 G 的单位元. 由于 l 的阶是奇数，故 $l^{2m-1} = e$. 因此

$$l = l^{2m} = g^m = h.$$

这就证明了，g 的平方根是唯一的. **证毕**.

定理 18.3.3. 如果 G 是一个奇数阶群，则 G 的乘法表导出的拉丁方可以分解为两两互外的截态.

证明. 设 G 的阶为 $2m-1$. 不失一般，可设 G 的乘法表的表头行和表头列上的元依次为 $g_1, g_2, \cdots, g_{2m-1}$. 这样一来，$G$ 的乘法表的主对角上诸元依次为

$$g_1^2, \quad g_2^2, \cdots, \quad g_{2m-1}^2.$$

由于这 $2m-1$ 个元的平方根两两互异，故由引理 18.3.2 知这 $m-1$ 个数也两两互异. 因此，该乘法表所产生的拉丁方有一个截态：$(1, 1), (2, 2), \cdots, (2m-1, 2m-1)$. 再由定理 18.3.2 立得本定理的结论. **证毕**.

现在用截态来刻划拉丁方具有正交侣这一性质.

定理 18.3.4. 一个 m 阶拉丁方 A 具有正交侣的充要条件是 A 可以分解为 m 个两两互外的截态.

证明. 设 A 和 B 是集 $[1, m]$ 上的一对 m 阶正交拉丁方. 设 i, l 是 $[1, m]$ 中的任二相异数，且 i 在 B 中出现的 m 个位置是 $(1, j_1), (2, j_2), \cdots, (m, j_m)$，$l$

在 B 中出现的 m 个位置是 $(1, h_1)$, $(2, h_2)$, $\cdots$, (m, h_m). 因 B 是拉丁方, 故 j_1, j_2, $\cdots$, j_m 是 $[1, m]$ 的一个全排列, h_1, h_2, $\cdots$, h_m 也是 $[1, m]$ 的一个全排列, 且

$$j_1 \neq h_1,\ j_2 \neq h_2, \cdots,\ j_m \neq h_m. \tag{18.3.12}$$

由 A 和 B 正交可知

$$a_{1j_1},\quad a_{2j_2}, \cdots,\quad a_{mj_m}$$

两两不同, 且

$$a_{1h_1},\quad a_{2h_2}, \cdots,\quad a_{mh_m}$$

也两两不同. 这就是说, m 个位置 $(1, j_1)$, $(2, j_2)$, $\cdots$, (m, j_m) 是 A 的一个截态, $(1, h_1)$, $(2, h_2)$, $\cdots$, (m, h_m) 是 A 的一个截态, 且此二截态互外. 由 $i \neq l$ 的任意性便得条件的必要性.

反过来, 设 A 可以分解为 m 个互外的截态. 分别记这 m 个截态为 T_1, $T_2, \cdots$, T_m, 则如下构造的 m 阶矩阵 $B = (b_{ij})$ 是一个与 A 正交的拉丁方: $b_{ij} = l$ 当且仅当 (i, j) 是 A 的第 l 个截态 T_l 的一个位置. 这就证明了条件的充分性. **证毕**.

由此定理和定理 18.3.3 立得

定理 18.3.5. 任一奇阶非单位群的乘法表导出的拉丁方至少有一个正交侣; 因而, 对任一正奇数 $m > 1$, 一定存在一对 m 阶正交拉丁方.

证明. 定理的前一结论是直接的. 因为剩余类环 Z_m 的加群是一个 m 阶(循环)群, 故有定理的后一结论. **证毕**.

上面证明了对于一个拉丁方存在正交侣的一些结果, 下面讨论对某些拉丁方不存在正交侣的情形.

引理 18.3.3. 设

$$A \cup B = [1, m],\ A \cap B = \varnothing, \\ |A| = k, 2 \nmid k. \tag{18.3.13}$$

又设

x_1	x_2	x_3	x_4	x_5	x_6	x_7	x_8
A	A	A	A	B	B	B	B
A	A	B	B	A	A	B	B
A	B	A	B	A	B	A	B

$$\tag{18.3.14}$$

表示一个三行 m 阶正交表 $\mathrm{OA}(m, 3)$ 的诸列的类型: (18.3.14) 的第一列表示, 该

$OA(m, 3)$ 中二个元都在 A 中的列的数目是 x_1；第二列表示，该 $OA(m, 3)$ 中头两个元在 A 中而第三个元在 B 中的列的数目是 x_2，如此等等. 再设

$$4x_1 + 3mk - 6k^2 < m. \tag{18.3.15}$$

那么，该 $OA(m, 3)$ 不能增加一行而得出一个正交表 $OA(m, 4)$.

证明. 因为 (18.3.14) 表示一个 $OA(m, 3)$，比较其横线下的头两行知，全部形如 $\begin{pmatrix} a \\ a_1 \\ c \end{pmatrix}$ ($a,\ a_1 \in A$) 的列都属于 (18.3.14) 的头两列所代表的类型，故有

$$x_1 + x_2 = k^2. \tag{18.3.16}$$

类似地，比较横线下的第一，三两行，以及第二，三两行，又分别得

$$x_1 + x_3 = k^2, \ x_1 + x_5 = k^2. \tag{18.3.17}$$

比较 (18.3.14) 的横线下的第一、三两行知，全部形如 $\begin{pmatrix} a \\ b \\ c \end{pmatrix}$ ($a \in A,\ b \in B$) 的列都属于 (18.3.14) 的第三和四列所代表的类型，故有

$$x_3 + x_4 = k(m - k). \tag{18.3.18}$$

类似地，又有

$$x_5 + x_6 = k(m - k), \ x_5 + x_7 = k(m - k). \tag{18.3.19}$$

比较 (18.3.14) 的横线下的第一、二两行知，全部形如 $\begin{pmatrix} a \\ b_1 \\ c \end{pmatrix}$ ($b,\ b_1 \in B$) 的列都属于 (18.3.14) 最后二列所代表的类型，故有

$$x_7 + x_8 = (m - k)^2. \tag{18.3.20}$$

由 (18.3.16)—(18.3.20)，可以得到 $x_2, \cdots, x_8$ 表为 x_1 的关系式：

$$x_2 = x_3 = x_5 = k^2 - x_1,$$

$$x_4 = x_6 = x_7 = mk - 2k^2 + x_1, \tag{18.3.21}$$

$$x_8 = m^2 - 3mk + 3k^2 - x_1.$$

因(18.3.14)的第一、四、六、七诸类型的一列中含奇数个 A 中元，为方便计，今后把它们称为奇列，其余列称为偶列. 由(18.3.21)知，奇列的总个数为

$$x_1 + x_4 + x_6 + x_7 = 4x_1 + 3mk - 6k^2.$$

今假定在形如(18.3.14)的 OA$(m, 3)$中能添加一行而产生一个 OA$(m, 4)$. 那么，由(18.3.15)知，奇列的总数少于 m，故奇列中可添的元的总数少于 m，因此必有 $u \in [1, m]$，使得此 u 在新添的行中处于下表中的位置：

$$
\begin{array}{cccc}
y_2 & y_3 & y_5 & y_8 \\
\hline
A & A & B & B \\
A & B & A & B \\
B & A & A & B \\
u & u & u & u
\end{array}
\tag{18.3.22}
$$

即此 u 只能添加在某一偶列之下. 如前，表(18.3.22)的表头行中诸数表属于以其为表头的类型的列的数目. 由于 u 应出现 m 次，故

$$y_2 + y_3 + y_5 + y_8 = m. \tag{18.3.23}$$

考虑此 OA$(m, 4)$的第一行和第四行，因 $\begin{pmatrix} a \\ u \end{pmatrix}(a \in A)$ 型的列的个数是 k，故

$$y_2 + y_3 = k. \tag{18.3.24}$$

类似地，有

$$y_2 + y_5 = k, \quad y_3 + y_5 = k. \tag{18.3.25}$$

(18.3.24)和(18.3.25)中二式这三式相加，得

$$2(y_2 + y_3 + y_5) = 3k. \tag{18.3.26}$$

因 $2 \nmid k$，故(18.3.26)是不可能的. 这就证明了，不可能把该正交表 OA$(m, 3)$增添一行而扩为一个正交表 OA$(m, 4)$. **证毕**.

以下是一些重要的特例.

系 1. 在引理 18.3.3 中，如果 $m = 4t + 2$, $k = 2t + 1$, $x_1 \le t$，则引理的结论成立.

系 2. 在引理 18.3.3 中，如果 $m = 4t + 1$, $k = 2t + 1$ 且

$$x_1 < \frac{5}{2}t + 1, \tag{18.3.27}$$

则引理的结论成立.

系 3. 在引理 18.3.3 中，如果 $m = 4t + 1$，$k = 2t + 1$ 且

$$x_7 < \frac{t}{2},\qquad(18.3.28)$$

则引理的结论成立.

证明. 由(18.3.21)知，(18.3.28)成立的充要条件是(18.3.27)成立. 因此由系 2 即得系 3，**证毕**.

把系 1 和系 3 的结果用拉丁方的正交侣的语言转述出来，就可得到某些拉丁方的正交侣不存在性的定理.

定理 18.3.6.

(1)设 M 是一个 $4t + 2$ 阶拉丁方，它有一个 $2t + 1$ 阶子方，其中除了最多 t 个位置以外，其余位置上的相异元素的个数为 $2t + 1$. 那么，M 没有正交侣.

(2)设 N 是一个 $4t + 1$ 阶拉丁方，它有一个 $2t$ 阶子方，其中除了最多 $\left[\dfrac{t-1}{2}\right]$ 个位置以外，其余位置上的相异元素的个数为 $2t$. 那么，N 没有正交侣.

证明. (1)由引理 17.3.1 可设

$$M = \begin{pmatrix} M_1 & * \\ * & * \end{pmatrix},\qquad(18.3.29)$$

其中，M_1 是一个 $2t + 1$ 阶子阵，它最多 t 个位置上的元属于$[1, 2t + 1]$. 令 $A = [1, 2t + 1]$，$B = [2t + 2, 4t + 2]$. 由(18.3.29)所产生的 3 行 $4t + 2$ 阶正交表 OA($4t + 2$, 3)当表成(18.3.14)的形状时，由 $x_1 \leqslant t$. 因此，由系 1 即得(1).

(2)由引理 17.3.1 可设

$$N = \begin{pmatrix} * & * \\ * & N_1 \end{pmatrix},\qquad(18.3.30)$$

其中，N_1 是一个 $2t$ 阶子阵，它最多 $\left[\dfrac{t-1}{2}\right]$ 个位置上的元属于$[1, 2t + 1]$. 令 $A = [1, 2t + 1]$，$B = [2t + 2, 4t + 1]$. 由(18.3.30)所产生的 3 行 $4t + 1$ 阶正交表 OA($4t + 1$, 3)当表成(18.3.14)的形状时，有 $x_\eta < \dfrac{t}{2}$. 因此，由系 3 即得(2). **证毕**.

当 $4t + 2 = 10$，即 $t = 2$ 时，Ostrowski 和 van Duren 借助于计算机找到了一对 10 阶正交拉丁方

$$
\begin{pmatrix}
0 & 1 & 2 & 3 & 4 & 5 & 6 & 7 & 8 & 9 \\
3 & 4 & 0 & 1 & 2 & 7 & 9 & 8 & 6 & 5 \\
4 & 3 & 1 & 2 & 0 & 9 & 7 & 6 & 5 & 8 \\
1 & 2 & 4 & 0 & \mathbf{7} & 8 & 5 & \mathbf{3} & 9 & 6 \\
2 & 0 & 3 & \mathbf{7} & 5 & 6 & 8 & 9 & \mathbf{4} & \mathbf{1} \\
5 & 7 & 6 & 9 & 8 & 3 & 4 & 1 & 2 & 0 \\
8 & 9 & 7 & 5 & 6 & 1 & 2 & 0 & 3 & 4 \\
6 & 5 & 9 & 8 & \mathbf{1} & 4 & 3 & 2 & 0 & \mathbf{7} \\
9 & 8 & 5 & 6 & \mathbf{3} & 0 & 1 & 4 & \mathbf{7} & 2 \\
7 & 6 & 8 & \mathbf{4} & 9 & 2 & 0 & \mathbf{5} & 1 & 3
\end{pmatrix}
\tag{18.3.31}
$$

和

$$
\begin{pmatrix}
0 & 1 & 9 & 2 & 3 & 8 & 4 & 6 & 5 & 7 \\
6 & 7 & 8 & 9 & 5 & 2 & 3 & 1 & 0 & 4 \\
9 & 3 & 7 & 4 & 6 & 5 & 8 & 2 & 1 & 0 \\
3 & 8 & 2 & 5 & 4 & 7 & 9 & 0 & 6 & 1 \\
1 & 4 & 5 & 0 & 7 & 3 & 6 & 9 & 8 & 2 \\
2 & 5 & 6 & 1 & 9 & 4 & 0 & 8 & 7 & 3 \\
4 & 0 & 1 & 3 & 8 & 6 & 2 & 7 & 9 & 5 \\
5 & 6 & 4 & 8 & 0 & 1 & 7 & 3 & 2 & 9 \\
8 & 2 & 0 & 7 & 1 & 9 & 5 & 4 & 3 & 6 \\
7 & 9 & 3 & 6 & 2 & 0 & 1 & 5 & 4 & 8
\end{pmatrix}
\tag{18.3.32}
$$

拉丁方(18.3.31)按其写出的方式分块，每一块中除三个位置上的数(粗体者)以外，其他位置上的数组成一个5元集. 注意到此时 $t=2$，故这对 10 阶正交拉丁方说明了，哪怕把定理 18.3.6(1)的条件"除了最多 t 个位置以外"中的 t 增加 1，那里的结论就不再保证成立. 在这一意义下，定理 18.3.6(1)是最好的.

18.4 正交拉丁方的构造

先介绍构造正交拉丁方的一个递归方法.

定理 18.4.1. 如果 A_1，$A_2,\cdots$，A_s 是 s 个 l 阶的正交拉丁方组，且 B_1，$B_2,\cdots$，B_s 是 s 个 m 阶的正交拉丁方组，则

$$
A_1 * B_1,\ A_2 * B_2,\cdots,\ A_s * B_s
\tag{18.4.1}
$$

是 s 个 lm 阶的正交拉丁方组，这里

$$A*B = \begin{pmatrix} (a_{11}, & b_{11})\cdots(a_{11}, & b_{1m})\cdots(a_{1l}, & b_{11})\cdots(a_{1l}, & b_{1m}) \\ \vdots & \vdots & \vdots & \vdots \\ (a_{11}, & b_{m1})\cdots(a_{11}, & b_{mm})\cdots(a_{1l}, & b_{m1})\cdots(a_{1l}, & b_{mm}) \\ \vdots & \vdots & \vdots & \vdots \\ (a_{l1}, & b_{11})\cdots(a_{l1}, & b_{1m})\cdots(a_{ll}, & b_{11})\cdots(a_{ll}, & b_{1m}) \\ \vdots & \vdots & \vdots & \vdots \\ (a_{l1}, & b_{m1})\cdots(a_{l1}, & b_{mm})\cdots(a_{ll}, & b_{m1})\cdots(a_{ll}, & b_{mm}) \end{pmatrix},$$

如果

$$A = \begin{pmatrix} a_{11}\cdots a_{1l} \\ \vdots \quad \vdots \\ a_{l1}\cdots a_{ll} \end{pmatrix}, \quad B = \begin{pmatrix} b_{11}\cdots b_{1m} \\ \vdots \quad \vdots \\ b_{m1}\cdots b_{mm} \end{pmatrix}.$$

证明. 设 $\{A_i(1\leqslant i\leqslant s)\}$ 是集 $[1, l]$ 上的正交拉丁方组, $\{B_i(1\leqslant i\leqslant s)\}$ 是集 $[1, m]$ 上的正交拉丁方组. 因为 A_i*B_i 的任一行(列)上的诸二维向量, 要么第一分量不同, 要么第二分量不同, 所以, $\{A_i*B_i(1\leqslant i\leqslant s)\}$ 是集 $\{(x, y)|1\leqslant x\leqslant l;1\leqslant y\leqslant m\}$ 上的拉丁方组.

设 $A_i = \left(a_{fg}^{(i)}\right)$, $B_i = \left(b_{fg}^{(i)}\right)$, $1\leqslant i\leqslant s$. 下面来证明, 当 $i\neq j$ 时, A_i*B_i 和 A_j*B_j 正交. 若不然, 则有 $f,g,u,v,f_1,g_1,u_1,v_1(1\leqslant f, g, f_1, g_1\leqslant l;1\leqslant u, v, u_1, v_1\leqslant m)$, 合

$$\left(\left(a_{fg}^{(i)}, b_{uv}^{(i)}\right),\left(a_{fg}^{(j)}, b_{uv}^{(j)}\right)\right) = \left(\left(a_{f_1g_1}^{(i)}, b_{u_1v_1}^{(i)}\right),\left(a_{f_1g_1}^{(j)}, b_{fu_1v_1}^{(j)}\right)\right). \tag{18.4.2}$$

从而

$$a_{fg}^{(i)} = a_{f_1g_1}^{(i)}, \tag{18.4.3}$$

$$b_{uv}^{(i)} = b_{u_1v_1}^{(i)}, \tag{18.4.4}$$

$$a_{fg}^{(j)} = a_{f_1g_1}^{(j)}, \tag{18.4.5}$$

$$b_{uv}^{(j)} = b_{u_1v_1}^{(j)}. \tag{18.4.6}$$

由 A_i 同 A_j 正交以及(18.4.3)和(18.4.5)得 $(f,g)=(f_1,g_1)$; 由 B_i 同 B_j 正交以及(18.4.4)

和(18.4.6)得$(u, v)=(u_1, v_1)$，这就是说，$\left(a_{fg}^{(i)}, b_{uv}^{(j)}\right)$与$\left(a_{f_1g_1}^{(i)}, b_{u_1v_1}^{(i)}\right)$是拉丁方 $A_i * B_i$ 中同一位置上的元. 因此，$A_i * B_i$ 与 $A_j * B_j$ 正交. **证毕**.

下面一个定理给出了阶为一个素数冪的正交拉丁方完备组的构造方法. 在 17.3 中已经指出，利用 Singer 定理可以构造出阶为一个素数幂的有限射影平面，从而可以构造出阶为一个素数幂的正交拉丁方的完备组. 但是，这里的方法更为直接一些.

定理 18.4.2. 设 $m = p^e \geqslant 3$，这里 p 是一个素数，e 是个正整数. 那么，存在 m 阶正交拉丁方完备组，其构造方法在下面的证明中给出.

证明. 设 $\mathrm{GF}(p^e)$ 是阶为 p^e 的一个有限域，其元素为

$$a_0 = 0, \ a_1 = 1, \ a_2, \ \cdots, \ a_{m-1}.$$

今构造 $m-1$ 个 m 阶矩阵 $A_l\,(1 \leqslant l \leqslant m-1)$ 如下：

$$A_l = \left(a_{ij}^{(l)}\right)(0 \leqslant i, \ j \leqslant m-1), \tag{18.4.7}$$

其中，

$$a_{ij}^{(l)} = a_l a_i + a_j. \tag{18.4.8}$$

如果 $a_{ij}^{(l)} = a_{hj}^{(l)}$，即 $a_l a_i + a_j = a_l a_h + a_j$，从而 $a_i = a_h$，故 $i = h$. 这就是说，A_l 的同一列中无二元相同. 类似地，A_l 的同一行中也无二元相同. 这就证明了 $A_l\,(1 \leqslant l \leqslant m-1)$ 都是拉丁方.

今考察任二 A_l 和 $A_h(l \neq h)$ 的正交性. 如果存在 i, j, u, v 合 $0 \leqslant i, \ j, \ u, \ v \leqslant m-1$，使得

$$\left(a_{ij}^{(l)}, \ a_{ij}^{(h)}\right) = \left(a_{uv}^{(l)}, \ a_{uv}^{(h)}\right),$$

即

$$a_l a_i + a_j = a_l a_u + a_v,$$

$$a_h a_i + a_j = a_h a_u + a_v,$$

则

$$i = u, \ j = v,$$

这就证明了 A_l 和 A_h 正交,从而 $\{A_l \,|\, 1 \leqslant l \leqslant m-1\}$ 是 m 阶正交拉丁方完备组. **证毕**.

由(18.4.8)可知，A_l 实际上是有限域 $\mathrm{GF}(p^e)$ 的去边加法表，该表的加边行为 a_0, a_1, a_2, $\cdots$, a_{m-1}，这就是 A_l 的第一行；该表的加边列为 a_0, $a_l a_1$, $a_l a_2$,

$a_l a_{m-1}$, 这就是 A_l 的第一列.

下面看一个具体的例子.

例 18.4.1. 应用定理 18.4.2 中的方法构造 5 阶正交拉丁方完备组.

解. 设 $m = 5$, 此时可取 GF(5)=Z_5. 又设

$$a_0 = 0, \quad a_1 = 1, \quad a_2 = 3, \quad a_3 = 4, \quad a_4 = 2.$$

于是 $A_i (1 \leqslant i \leqslant 4)$ 的第一行为 0, 1, 3, 4, 2; A_1 的第一列也为 0, 1, 3, 4, 2; A_2 的第一列为 0, 3, 4, 2, 1; A_3 的第一列为 0, 4, 2, 1, 3; A_4 的第一列为 0, 2, 1, 3, 4. 利用 GF(5) 中的加法表立得

$$A_1 = \begin{pmatrix} 0 & 1 & 3 & 4 & 2 \\ 1 & 2 & 4 & 0 & 3 \\ 3 & 4 & 1 & 2 & 0 \\ 4 & 0 & 2 & 3 & 1 \\ 2 & 3 & 0 & 1 & 4 \end{pmatrix} = \begin{pmatrix} a_0 & a_1 & a_2 & a_3 & a_4 \\ a_1 & a_4 & a_3 & a_0 & a_2 \\ a_2 & a_3 & a_1 & a_4 & a_0 \\ a_3 & a_0 & a_4 & a_2 & a_1 \\ a_4 & a_2 & a_0 & a_1 & a_3 \end{pmatrix},$$

$$A_2 = \begin{pmatrix} 0 & 1 & 3 & 4 & 2 \\ 3 & 4 & 1 & 2 & 0 \\ 4 & 0 & 2 & 3 & 1 \\ 2 & 3 & 0 & 1 & 4 \\ 1 & 2 & 4 & 0 & 3 \end{pmatrix} = \begin{pmatrix} a_0 & a_1 & a_2 & a_3 & a_4 \\ a_2 & a_3 & a_1 & a_4 & a_0 \\ a_3 & a_0 & a_4 & a_2 & a_1 \\ a_4 & a_2 & a_0 & a_1 & a_3 \\ a_1 & a_4 & a_3 & a_0 & a_2 \end{pmatrix}, \tag{18.4.9}$$

$$A_3 = \begin{pmatrix} 0 & 1 & 3 & 4 & 2 \\ 4 & 0 & 2 & 3 & 1 \\ 2 & 3 & 0 & 1 & 4 \\ 1 & 2 & 4 & 0 & 3 \\ 3 & 4 & 1 & 2 & 0 \end{pmatrix} = \begin{pmatrix} a_0 & a_1 & a_2 & a_3 & a_4 \\ a_3 & a_0 & a_4 & a_2 & a_1 \\ a_4 & a_2 & a_0 & a_1 & a_3 \\ a_1 & a_4 & a_3 & a_0 & a_2 \\ a_2 & a_3 & a_1 & a_4 & a_0 \end{pmatrix},$$

$$A_4 = \begin{pmatrix} 0 & 1 & 3 & 4 & 2 \\ 2 & 3 & 0 & 1 & 4 \\ 1 & 2 & 4 & 0 & 3 \\ 3 & 4 & 1 & 2 & 0 \\ 4 & 0 & 2 & 3 & 1 \end{pmatrix} = \begin{pmatrix} a_0 & a_1 & a_2 & a_3 & a_4 \\ a_4 & a_2 & a_0 & a_1 & a_3 \\ a_1 & a_4 & a_3 & a_0 & a_2 \\ a_2 & a_3 & a_1 & a_4 & a_0 \\ a_3 & a_0 & a_4 & a_2 & a_1 \end{pmatrix}.$$

它们构成集$[0, 4]$上的一个 5 阶正交拉丁方完备组. **解毕**.

例 18.4.2. 应用定理 18.4.2 中的方法构造一个 4 阶正交拉丁方完备组.

解. 设 $m = 2^2$. 因 $x^2 + x + 1$ 是 GF(2)上的一个不可约多项式, 故可取

$$\mathrm{GF}(2^2) = \{ a_0 = 0, \ a_1 = 1, \ a_2 = \alpha, \ a_3 = 1 + \alpha \},$$

其中 α 是 $\mathrm{GF}(2^2)$ 的一个原根, 且 $\alpha^2 = \alpha + 1$. 由此可得 $\mathrm{GF}(2^2)$ 的加法表和乘法表分别为

$$
\begin{array}{c|cccc}
+ & a_0 & a_1 & a_2 & a_3 \\
\hline
a_0 & a_0 & a_1 & a_2 & a_3 \\
a_1 & a_1 & a_0 & a_3 & a_2 \\
a_2 & a_2 & a_3 & a_0 & a_1 \\
a_3 & a_3 & a_2 & a_1 & a_0
\end{array}
\tag{18.4.10}
$$

和

$$
\begin{array}{c|cccc}
\cdot & a_0 & a_1 & a_2 & a_3 \\
\hline
a_0 & a_0 & a_0 & a_0 & a_0 \\
a_1 & a_0 & a_1 & a_2 & a_3 \\
a_2 & a_0 & a_2 & a_3 & a_1 \\
a_3 & a_0 & a_3 & a_1 & a_2
\end{array}
\tag{18.4.11}
$$

这样一来, 按定理 18.4.2 中的方法由 (18.4.11) 和 (18.4.10) 可以构造出

$$
A_1 = \begin{pmatrix} a_0 & a_1 & a_2 & a_3 \\ a_1 & a_0 & a_3 & a_2 \\ a_2 & a_3 & a_0 & a_1 \\ a_3 & a_2 & a_1 & a_0 \end{pmatrix},
$$

$$
A_2 = \begin{pmatrix} a_0 & a_1 & a_2 & a_3 \\ a_2 & a_3 & a_0 & a_1 \\ a_3 & a_2 & a_1 & a_0 \\ a_1 & a_0 & a_3 & a_2 \end{pmatrix},
\tag{18.4.12}
$$

$$
A_3 = \begin{pmatrix} a_0 & a_1 & a_2 & a_3 \\ a_3 & a_2 & a_1 & a_0 \\ a_1 & a_0 & a_3 & a_2 \\ a_2 & a_3 & a_0 & a_1 \end{pmatrix}.
$$

A_1, A_2, A_3 构成集 $\mathrm{GF}(2^2)$ 上的一个 4 阶正交拉丁方完备组. **解毕**.

值得提出的是, 对于定理 18.4.2 的证明中所构造的诸 $A_l (1 \leqslant l \leqslant m-1)$, 若 A_l 中的一行和 A_h 中的一行的首元相同, 则这二行全同. 因此, 对每一 l, A_l 的诸行仅只是 A_1 的诸行的一个换序. 这一点在 (18.4.9) 和 (18.4.12) 中已清楚地体现出来. 了解它会在具体构造过程中节省重复运算, 带来方便.

例 18.4.3. 构造一对 12 阶正交拉丁方.

解. 易知

$$A_1 = \begin{pmatrix} 1 & 2 & 3 \\ 2 & 3 & 1 \\ 3 & 1 & 2 \end{pmatrix}, \quad A_2 = \begin{pmatrix} 1 & 2 & 3 \\ 3 & 1 & 2 \\ 2 & 3 & 1 \end{pmatrix}$$

是一对 3 阶正交拉丁方. 又由 (18.4.12) 知

$$B_1 = \begin{pmatrix} 0 & 1 & 2 & 3 \\ 1 & 0 & 3 & 2 \\ 2 & 3 & 0 & 1 \\ 3 & 2 & 1 & 0 \end{pmatrix}, \quad B_2 = \begin{pmatrix} 0 & 1 & 2 & 3 \\ 2 & 3 & 0 & 1 \\ 3 & 2 & 1 & 0 \\ 1 & 0 & 3 & 2 \end{pmatrix}$$

是一对 4 阶正交拉丁方. 应用定理 18.4.1 的构造方法，立得一对 12 阶的正交拉丁方 $A_1 * B_1$ 和 $A_2 * B_2$：

$$A_1 * B_1 = \left\{ \begin{matrix} (1,0)(1,1)(1,2)(1,3)(2,0)(2,1)(2,2)(2,3)(3,0)(3,1)(3,2)(3,3) \\ (1,1)(1,0)(1,3)(1,2)(2,1)(2,0)(2,3)(2,2)(3,1)(3,0)(3,3)(3,2) \\ (1,2)(1,3)(1,0)(1,1)(2,2)(2,3)(2,0)(2,1)(3,2)(3,3)(3,0)(3,1) \\ (1,3)(1,2)(1,1)(1,0)(2,3)(2,2)(2,1)(2,0)(3,3)(3,2)(3,1)(3,0) \\ (2,0)(2,1)(2,2)(2,3)(3,0)(3,1)(3,2)(3,3)(1,0)(1,1)(1,2)(1,3) \\ (2,1)(2,0)(2,3)(2,2)(3,1)(3,0)(3,3)(3,2)(1,1)(1,0)(1,3)(1,2) \\ (2,2)(2,3)(2,0)(2,1)(3,2)(3,3)(3,0)(3,1)(1,2)(1,3)(1,0)(1,1) \\ (2,3)(2,2)(2,1)(2,0)(3,3)(3,2)(3,1)(3,0)(1,3)(1,2)(1,1)(1,0) \\ (3,0)(3,1)(3,2)(3,3)(1,0)(1,1)(1,2)(1,3)(2,0)(2,1)(2,2)(2,3) \\ (3,1)(3,0)(3,3)(3,2)(1,1)(1,0)(1,3)(1,2)(2,1)(2,0)(2,3)(2,2) \\ (3,2)(3,3)(3,0)(3,1)(1,2)(1,3)(1,0)(1,1)(2,2)(2,3)(2,0)(2,1) \\ (3,3)(3,2)(3,1)(3,0)(1,3)(1,2)(1,1)(1,0)(2,3)(2,2)(2,1)(2,0) \end{matrix} \right\},$$

$$A_2 * B_2 = \left\{ \begin{array}{llllllllllll} (1,0) & (1,1) & (1,2) & (1,3) & (2,0) & (2,1) & (2,2) & (2,3) & (3,0) & (3,1) & (3,2) & (3,3) \\ (1,2) & (1,3) & (1,0) & (1,1) & (2,2) & (2,3) & (2,0) & (2,1) & (3,2) & (3,3) & (3,0) & (3,1) \\ (1,3) & (1,2) & (1,1) & (1,0) & (2,3) & (2,2) & (2,1) & (2,0) & (3,3) & (3,2) & (3,1) & (3,0) \\ (1,1) & (1,0) & (1,3) & (1,2) & (2,1) & (2,0) & (2,3) & (2,2) & (3,1) & (3,0) & (3,3) & (3,2) \\ (3,0) & (3,1) & (3,2) & (3,3) & (1,0) & (1,1) & (1,2) & (1,3) & (2,0) & (2,1) & (2,2) & (2,3) \\ (3,2) & (3,3) & (3,0) & (3,1) & (1,2) & (1,3) & (1,0) & (1,1) & (2,2) & (2,3) & (2,0) & (2,1) \\ (3,3) & (3,2) & (3,1) & (3,0) & (1,3) & (1,2) & (1,1) & (1,0) & (2,3) & (2,2) & (2,1) & (2,0) \\ (3,1) & (3,0) & (3,3) & (3,2) & (1,1) & (1,0) & (1,3) & (1,2) & (2,1) & (2,0) & (2,3) & (2,2) \\ (2,0) & (2,1) & (2,2) & (2,3) & (3,0) & (3,1) & (3,2) & (3,3) & (1,0) & (1,1) & (1,2) & (1,3) \\ (2,2) & (2,3) & (2,0) & (2,1) & (3,2) & (3,3) & (3,0) & (3,1) & (1,2) & (1,3) & (1,0) & (1,1) \\ (2,3) & (2,2) & (2,1) & (2,0) & (3,3) & (3,2) & (3,1) & (3,0) & (1,3) & (1,2) & (1,1) & (1,0) \\ (2,1) & (2,0) & (2,3) & (2,2) & (3,1) & (3,0) & (3,3) & (3,2) & (1,1) & (1,0) & (1,3) & (1,2) \end{array} \right\}.$$

解毕.

结合定理 18.4.1 和定理 18.4.2，有

定理 18.4.3. 设

$$m = p_1^{e_1} p_2^{e_2} \cdots p_t^{e_t}, \quad p_1 < p_2 < \cdots < p_t$$

是正整数 m 的标准分解式，且 $N(m)$ 表两两正交的 m 阶拉丁方的最多可能的个数. 那么，

$$N(m) \geqslant \min_{1 \leqslant i \leqslant t} \left(p_i^{e_i} - 1 \right) =: N_0(m). \tag{18.4.13}$$

而且，结合定理 18.4.1 和 18.4.2 的方法可得构造这 $N_0(m)$ 个正交拉丁方的方法.

证明. 按定理 18.4.2 的方法可构造出（至少）$N_0(m)$ 个两两正交的 $p_i^{e_i}$ 阶拉丁方. 按定理 18.4.1 的方法可构造出（至少）$N_0(m)$ 个两两正交的 m 阶拉丁方. **证毕**.

因为

$$\min_{1 \leqslant i \leqslant t} \left(p_i^{e_i} - 1 \right) \begin{cases} = 1, & \text{若} p_1 = 2 \text{且} e_1 = 1, \\ \geqslant 2, & \text{其他,} \end{cases} \tag{18.4.14}$$

故有

系. 若 $m \not\equiv 2 \pmod 4$，则至少存在一对 m 阶正交拉丁方.

这里自然产生一个问题：当 $m \equiv 2 \pmod 4$ 时，是否也存在一对 m 阶正交拉丁方？

17.3 中曾经说过，不存在一对 2 阶正交拉丁方. Euler[1]曾经猜想，上述问题

的答案是否定的，即不存在一对 m 阶正交拉丁方，如果 $m \equiv 2 \pmod 4$. 1922 年 MacNeish[1]提出一个猜想：(18.4.13)中等式恒成立，这比 Euler 猜想强得多. 1900 年 Tarry[1]证明了 Euler 猜想对 $m = 6$ 为真. 但是，直到 1960 年才最后弄清了这一问题，得到了一个大大出乎 Euler 意料的结果：若 $m > 6$，则存在一对 m 阶正交拉丁方. 有关这一结果的证明将在 18.6 中进行.

下面来构造 $12t + 10$ 阶的一对正交拉丁方，从而证明

$$N(12t + 10) \geqslant 2. \tag{18.4.15}$$

先证明一个较一般的结果.

定理 18.4.4.   如果 $N(m) \geqslant 2$，则

$$N(3m + 1) \geqslant 2. \tag{18.4.16}$$

而且，由一对 m 阶正交拉丁方出发来构造一对 $3m + 1$ 阶拉丁方的方法将在定理的证明中给出.

证明.   今约定，在该证明中所出现的向量的分量均是按其最小非负剩余(mod $2m + 1$)计算的. 作向量

$$
\begin{aligned}
a_i &\equiv \underbrace{(i, \ i, \cdots, \ i)}_{m个}(\bmod(2m+1)), \\
b_i &\equiv (i+1, \ i+2, \cdots, \ i+m)(\bmod(2m+1)), \\
c_i &\equiv (i-1, \ i-2, \cdots, \ i-m)(\bmod(2m+1)), \\
&\qquad (0 \leqslant i \leqslant 2m).
\end{aligned}
\tag{18.4.17}
$$

再作这些向量之间的差，

$$
\begin{aligned}
d_1 &= a_i - b_i \equiv (2m, 2m-1, \cdots, \ m+1)(\bmod 2m+1), \\
d_1' &= b_i - a_i \equiv (1, 2, \cdots, \ m)(\bmod 2m+1), \\
d_2 &= a_i - c_i \equiv (1, 2, \cdots, \ m)(\bmod 2m+1), \\
d_2' &= c_i - a_i \equiv (2m, 2m-1, \cdots, \ m+1)(\bmod 2m+1), \\
d_3 &= b_i - c_i \equiv (2, 4, \cdots, \ 2m)(\bmod 2m+1), \\
d_3' &= c_i - b_i \equiv (2m-1, 2m-3, \cdots, 1)(\bmod 2m+1).
\end{aligned}
$$

对每一 $j(1 \leqslant j \leqslant 3)$，$d_j$ 和 d_j' 的分量及零组成模 $2m + 1$ 的一个完全剩余系. 由 (18.4.17)可以构造出三个 $m(2m + 1)$ 维向量：

$$
\begin{aligned}
A &= (a_0, \ a_1, \cdots, \ a_{2m}), \\
B &= (b_0, \ b_1, \cdots, \ b_{2m}), \\
C &= (c_0, \ c_1, \cdots, \ c_{2m}),
\end{aligned}
\tag{18.4.18}
$$

这里按分块矩阵的写法来理解诸 a_i, b_i, c_i 在 A, B, C 中的作用. 又作一个 $m(2m+1)$ 维向量

$$X = (\underbrace{\underbrace{x_1,\cdots,\ x_m}, \underbrace{x_1,\cdots,\ x_m}, \cdots, \underbrace{x_1,\cdots,\ x_m}}_{2m+1组})$$ (18.4.19)

借助(18.4.18)和(18.4.19)可以构造出一个 $4 \times 4m(2m+1)$ 的矩阵

$$D = \begin{pmatrix} A & B & C & X \\ B & A & X & C \\ C & X & A & B \\ X & C & B & A \end{pmatrix}.$$

容易看出, D 的任二行都恰含下列三个子阵之一:

$$\begin{pmatrix} A & B \\ B & A \end{pmatrix}, \begin{pmatrix} A & C \\ C & A \end{pmatrix}, \begin{pmatrix} B & C \\ C & B \end{pmatrix}.$$

对任意给定的二整数 u, $v\big(0 \leqslant u,\ v \leqslant 2m,\ u \not\equiv v(\bmod 2m+1)\big)$, 今考虑 $\begin{pmatrix} u \\ v \end{pmatrix}$ 在 D 的任二列中出现的次数. 记

$$e \equiv u - v(\bmod 2m+1), 0 \leqslant e \leqslant 2m,$$

则 $e \not\equiv 0(\bmod 2m+1)$, 从而对任一固定的 $j(1 \leqslant j \leqslant 3)$, e 恰是向量 d_j 和 d_j' 之一的一个分量. 今考虑 $j = 3$ 的情形, 如果 e 是 d_3 的一个分量, 则

$$e \equiv (i+g)-(i+h) \equiv g - h \,(\bmod 2m+1),$$

这里 $i + g$ 是 b_i 的一个分量, $i + h$ 是 c_i 的相应分量. (这里 h 即 $-g(\bmod 2m+1)$. 没有直接写成 $-g$ 的原因是为了一般性, 便于理解以下几处"类似"情形.)而且, g 和 h 由 e, 故由 u 和 v 唯一确定. 由

$$i + h \equiv v \,(\bmod 2m+1)$$

唯一地确定 $i(\bmod 2m+1)$. 这就是说, $\begin{pmatrix} u \\ v \end{pmatrix}$ 在 $\begin{pmatrix} B \\ C \end{pmatrix}$ 中恰好出现一次, 在 $\begin{pmatrix} C \\ B \end{pmatrix}$ 中不出现, 故在 $\begin{pmatrix} B & C \\ C & B \end{pmatrix}$ 中恰好出现一次. 类似地, 如果 e 是 d_3' 的一个分量, 则, $\begin{pmatrix} u \\ v \end{pmatrix}$

在 $\begin{pmatrix} C \\ B \end{pmatrix}$ 中恰好出现一次，在 $\begin{pmatrix} B \\ C \end{pmatrix}$ 中不出现，故在 $\begin{pmatrix} B & C \\ C & B \end{pmatrix}$ 中恰好出现一次. 对 $j =$

1 的情形，类似地讨论可得，$\begin{pmatrix} u \\ v \end{pmatrix}$ 恰在 $\begin{pmatrix} A & B \\ B & A \end{pmatrix}$ 中出现一次. 对 $j = 2$ 的情形，$\begin{pmatrix} u \\ v \end{pmatrix}$

恰在 $\begin{pmatrix} A & C \\ C & A \end{pmatrix}$ 中出现一次. 综上所述得，当 $u \not\equiv v(\bmod 2m + 1)$ 时，$\begin{pmatrix} u \\ v \end{pmatrix}$ 在 D 的任

二行中恰好出现一次.

对任意 $j(1 \leqslant j \leqslant m)$，向量 A 的第 j，第 $j + m$，第 $j + 2m$，$\cdots$，第 $j + (2m)m$ 个位置上的分量依次是

$$0, \ 1, \ 2, \ \cdots, \ 2m,$$

组成 $\bmod(2m + 1)$ 的一个完全剩余系；向量 B 的第 j，第 $j + m$，第 $j + 2m$，$\cdots$，第 $j + (2m)m$ 个位置上的分量依次是

$$j, \ j + 1, \ j + 2, \ \cdots, \ j + 2m,$$

也组成 $\bmod(2m + 1)$ 的一个完全剩余系；向量 C 的第 j，第 $j + m$，第 $j + 2m$，$\cdots$，第 $j + (2m)m$ 个位置上的分量依次是

$$-j, \ -(j-1), \ -(j-2), \ \cdots, \ -(j - 2m),$$

仍组成 $\bmod(2m + 1)$ 的一个完全剩余系. 因此，对任意给定的 u 和 $j(0 \leqslant u \leqslant 2m; 1 \leqslant j \leqslant m)$，$\begin{pmatrix} u \\ x_j \end{pmatrix}$ 和 $\begin{pmatrix} x_j \\ u \end{pmatrix}$ 在

$$\begin{pmatrix} A & X \\ X & A \end{pmatrix}, \begin{pmatrix} B & X \\ X & B \end{pmatrix}, \begin{pmatrix} C & X \\ X & C \end{pmatrix} \tag{18.4.20}$$

的任一中恰好出现一次. 因为 D 的任二行恰含(18.4.20)列出的三个子阵之一，故 $\begin{pmatrix} u \\ x_j \end{pmatrix}$ 和 $\begin{pmatrix} x_j \\ u \end{pmatrix}$ 在 D 中任二行恰出现一次.

因为存在一对 m 阶正交拉丁方，故在集 $\{x_1, \ x_2, \cdots, \ x_m\}$ 上有 4 行 m 阶正交表 OA$(m, 4)$. 记该表的矩阵为 E. 那么，对任意 i，$j(1 \leqslant i, j \leqslant m)$ $\begin{pmatrix} x_i \\ x_j \end{pmatrix}$ 在 E 的任二行中恰好出现一次.

记

$$F = \begin{pmatrix} 0 & 1 & 2 & \cdots & 2m \\ 0 & 1 & 2 & \cdots & 2m \\ 0 & 1 & 2 & \cdots & 2m \\ 0 & 1 & 2 & \cdots & 2m \end{pmatrix}.$$

那么，对任意固定的 $i(0 \leqslant i \leqslant 2m)$，$\begin{pmatrix} i \\ i \end{pmatrix}$ 在 F 的任二行中恰好出现一次.

结合上面所证，在写成分块形式

$$G := (FDE)(\mathrm{mod}(2m+1))$$

的矩阵 G 中，对于 $(3m+1)$ 元集 $\{0, 1, 2, \cdots, 2m, x_1, x_2, \cdots, x_m\}$ 的任二相异元 u, v，$\begin{pmatrix} u \\ v \end{pmatrix}$ 都在 G 的任二行中恰好出现一次. 这就是说，G 是一个四行的 $(3m+1)$ 阶正交表. 由此正交表就能构造出一对 $3m+1$ 阶正交拉丁方. **证毕**.

无论由定理 18.3.5 或由定理 18.4.2，都知 $N(4t+3) \geqslant 2$. 由此和定理 18.4.4 立得一个重要的推论.

系. 存在一对 $12t+10$ 阶的正交拉丁方，即

$$N(12t+10) \geqslant 2.$$

18.5 $N(m)$

对任意的 m，求 $N(m)$ 的计值公式的问题迄今远未解决. 本节讨论有关 $N(m)$ 的一些重要不等式，它们的用途在下节即可窥见一斑. 建立这些不等式的方法是构造性的，即，如果下面证明了不等式 $N(m) \geqslant c$，那么，按照那里的方法实际上就能构造出 c 个两两正交的拉丁方.

这里需要 11.6 中引入的按对平衡设计的概念. 设 $\mathscr{B}$ 是一个按对平衡设计

$$\mathrm{PBD}(\{k_1, k_2, \cdots, k_t\}; \lambda; v). \tag{18.5.1}$$

假定该设计包含 k_i 个元素的区组的个数为 b_i，则有

$$\sum_{i=1}^{l} b_i = b,$$

$$\lambda v(v-1) = \sum_{i=1}^{t} b_i k_i (k_i - 1).$$

包含 k_i 个元素的这 b_i 个区组所组成的集系叫做第 i 个等势联组. 如果有若干个等势联组, 它们所包含的任二区组都没有公共的元素, 就称这些等势联组所组成的簇是一个净簇. 如果头 e 个等势联组组成一个净簇, 则把(18.5.1)记为

$$\text{PBD}(\{(k_1, \cdots, k_e), \cdots, k_t\}; \lambda; v).$$

在 $N(m)$ 的下界的研究中, $\text{BIB}(v; (k_1, \cdots, k_e)\cdots, k_t; 1)$ 起着重要的作用.

下面的定理对后面的研究有着基本的重要意义.

定理 18.5.1. 如果存在一个按对平衡设计

$$\text{PBD}(\{(k_1, \cdots, k_e), \cdots, k_t\}; 1; v), \tag{18.5.2}$$

则

$$N(v) \geqslant \min(N(k_1), \cdots, N(k_e), N(k_{e+1}) - 1, \cdots, N(k_t) - 1). \tag{18.5.3}$$

证明. 记(18.5.3)右节的那个最小值为 $c-2$. 那么, 对每一 $(1 \leqslant i \leqslant e)$, 都存在 c 行 k_i 阶正交表 $\text{OA}(k_i, c)$. 记

$$A_i = \text{OA}(k_i, c) (1 \leqslant i \leqslant e).$$

对每一 $j(e+1 \leqslant j \leqslant t)$, 都存在 $c+1$ 行 k_i 阶正交表 $\text{OA}(k_j, c+1)$.记

$$D_j = \text{OA}(k_j, c+1) (e+1 \leqslant j \leqslant t).$$

对每一 D_j, 把 D_j 的第一行的 k_j 个 1 通过列换序变到头 k_j 个位置. 然后对第 h 行 $(2 \leqslant h \leqslant c+1)$ 中的 1, 2, $\cdots$, k_j 诸数作一置换(这等价于引理 17.3.1 中的变换(1)或(2)), 使得该行的头 k_j 个元依次是 1, 2, $\cdots$, k_j. 经这些变换后所得的正交表形成的矩阵可以写成下面的分块形状:

$$c\text{行}\left\{\left(\begin{array}{cccc|c} 1 & 1 & \cdots & 1 & H_j \\ \hline 1 & 2 & \cdots & k_j & \\ 1 & 2 & \cdots & k_j & \\ \vdots & \vdots & & \vdots & A_j \\ 1 & 2 & \cdots & k_j & \end{array}\right)\right., \tag{18.5.4}$$

$$\underbrace{\qquad\qquad\qquad}_{k_j\text{列}}$$

其中 A_j 是一个 $c \times (k_j^2 - k_j)$ 矩阵. 由正交表的性质可以得出矩阵 $A_j(e+1 \leqslant j \leqslant t)$

的一个重要性质:对任给二数 $u \neq w\left(1 \leqslant u, w \leqslant k_j\right)$，$A_j$的任二行都恰含一个 $\begin{pmatrix} u \\ w \end{pmatrix}$. 这样一来，对任一 $i(1 \leqslant i \leqslant t)$，都确定了一个 A_i.

设 v 元集 S 上的按对平衡设计(18.5.2)的 b 个区组是 B_1，B_2，$\cdots$，B_b. 如果 B_i 有 k_h 个元素，那么把 A_h 中的 1，2，$\cdots$，k_h 分别换为 B_i 中的 k_h 个元素，从而得出一个相应的正交表或矩阵 F_i. 设 s 是基集 S 的元，但不在净簇的任一区组中. 由 s 可以组成一个 c 维列向量，它的每一个分量都是 s. 记所有可能的这样的列向量所组成的 c 行矩阵为 E. 于是，可以构造出一个阵列(或矩阵):

$$C = (F_1 F_2 \cdots F_b E). \tag{18.5.5}$$

今考察 S 的元素对 $\begin{pmatrix} u \\ v \end{pmatrix}$ 在 C 的任二不同行(例如第 y 行和第 z 行)中出现的情况. 首先讨论 $u \neq v$ 的情形. 由于元素对(u, v)恰在(18.5.2)的一个区组(记为 B_i，且设 $|B_i| = k_h$)中出现，故 $\begin{pmatrix} u \\ v \end{pmatrix}$ 在 F_i 的第 y 行和第 z 行中恰出现一次，而不在其他 F 的第 y 行和第 z 行中出现，自然也不在 E 的第 y 行和第 z 行中出现. 所以，$\begin{pmatrix} u \\ v \end{pmatrix}$ 在 C 的第 y 行和第 z 行中恰出现一次. 其次讨论 $u = v$ 的情形. 如果 u 在(18.5.2) 的净簇的某一区组(记为 B_i，且设 $|B_i| = k_h$)中，则 $\begin{pmatrix} u \\ u \end{pmatrix}$ 在 F_i 的第 y 行和第 z 行恰出现一次，而不在净簇的其他区组所对应的 F 的第 y 行和第 z 行中出现，自然也不在 E 的第 y 行和第 z 行中出现. 如果 u 不在(18.5.2)的净簇的任一区组中，则 $\begin{pmatrix} u \\ u \end{pmatrix}$ 不出现在任一 F_i 的第 y 行和第 z 行，而恰在 E 的第 y 行和第 z 行中出现一次. 这就证明了，至少存在 $c-2$ 个两两正交的 v 阶拉丁方，即

$$N(v) \geqslant c-2,$$

这就是(18.5.3). **证毕**.

特别地，在(18.5.2)中令 $t = 1$，得

系. 如果存在按对平衡设计 PBD$(k; 1; v)$，则

$$N(v) \geqslant N(k)-1. \tag{18.5.6}$$

例如，由 4 阶射影平面的存在性可得按对平衡设计 PBD(5；1；21)的存在性，因而

$$N(21) \geqslant N(5) - 1 = 3 .$$

这是证明 MacNeish 猜想不成立的第一个例子.

由按对平衡设计 PBD(k; 1; v) 的存在性还可推出其他一些重要结果.

为方便计, 对没有实际意义的 $N(0)$ 和 $N(1)$, 赋予值

$$N(0) = N(1) = \infty .$$

定理 18.5.2. 如果存在按对平衡设计 PBD(k; 1; v), 则

$$N(v-1) \geqslant \min\bigl(N(k-1),\ N(k)-1\bigr). \tag{18.5.7}$$

当 $2 \leqslant x \leqslant k$ 时, 有

$$\begin{aligned} N(v-x) \geqslant \min(&N(k-x),\ N(k-1)-1,\\ &N(k)-1). \end{aligned} \tag{18.5.8}$$

证明. 设 $\mathscr{B}$ 是一个 PBD(k; 1; v), 而 B 是 $\mathscr{B}$ 的一个区组. 从 $\mathscr{B}$ 的所有区组中删去 B 的一个元素 s 就得到一个 PBD($\{(k-1),\ k\}$; 1; v), 而 $B \backslash \{s\}$ 以及同其无公共元素的其他新区组组成该 PBD($\{(k-1),\ k\}$; 1; $v-1$) 的一个净簇. 于是, 由定理 18.5.1, 立得 (18.5.7).

从 $\mathscr{B}$ 的所有区组中删去 B 的 x 个元素 ($2 \leqslant x \leqslant k$) s_1, $s_2, \cdots,\ s_x$ 就得到一个设计

$$\mathrm{PBD}(\{\ (k-x)\ ,\ k-1,\ k\ \};\ 1;\ v-x),$$

而 $\{B \backslash \{s_1,\ \cdots,\ s_x\}\}$ 是它的一个净簇, 其他的区组要么有 $k-1$ 个元, 要么有 k 个元. 于是, 由定理 18.5.1 便得 (18.5.8). 证毕.

定理 18.5.3. 如果存在按对平衡设计 PBD(k; 1; v), 则

$$N(v-3) \geqslant \min\bigl(N(k-2),\ N(k-1)-1,\ N(k)-1\bigr). \tag{18.5.9}$$

证明. 设 $\mathscr{B}$ 是 v 元集 S 上的一个 PBD(k; 1; v), B_1 和 B_2 是 $\mathscr{B}$ 的两个区组. 今从 S 和 $\mathscr{B}$ 的所有区组中删去 B_1 的两个元素 s_1 和 s_2, 以及在 B_2 中而不在 B_1 中的另一元素 s_3, 那么就得到一个设计

$$\mathrm{PBD}(\{(k-2),\ k-1,\ k\};\ 1;\ v-3), \tag{18.5.10}$$

而且由 $\mathscr{B}$ 中分别包含 $\{s_1,\ s_2\}$, $\{\ s_1,\ s_3\}$, $\{\ s_2,\ s_3\}$ 的三个区组所产生的新区组组成 (18.5.10) 的一个净簇, 这三个新区组各含 $k-2$ 个元. 因此, 由定理 18.5.1 便

得(18.5.9). **证毕**.

例如, 由定理 18.5.1 的系之后提到的 PBD(5; 1; 21)的存在性和定理 18.5.3, 得

$$N(18) \geqslant \min(N(3), \ N(4)-1, \ N(5)-1)$$
$$= \min(2, 2, 3) = 2.$$

这就是说, 存在一对 18 阶正交拉丁方, 而 $18 \equiv 2 \pmod 4$.

如果 PBD(k; 1; v)存在且具有可分解性或可分组性(参加 11.1 和 11.5)等其他性质, 那么还可以由定理 18.5.1 得出更多的有关 $N(v)$ 的不等式.

定理 18.5.4. 如果存在一个可分解的 PBD(k; 1; v), 其联组(即平行区组簇)的个数为 r, 则

$$N(v+x) \geqslant \min(N(x), \ N(k)-1, \ N(k+1)-1) \tag{18.5.11}$$
$$(1 \leqslant x \leqslant r-2),$$

$$N(v+r-1) \geqslant \min(N(r-1), \ N(k), N(k+1)-1), \tag{18.5.12}$$

$$N(v+r) \geqslant \min(N(r), \ N(k+1)-1). \tag{18.5.13}$$

证明. 设 $1 \leqslant y \leqslant r$, 且 $\mathscr{B}$ 是一个可分解的 PBD(k; 1; v). 对 $\mathscr{B}$ 的第 i 个联组中的每一个区组, 添加一个新元素 $z_i (1 \leqslant i \leqslant y)$, 且对 $\mathscr{B}$ 添加一个新区组 $\{z_1, z_2, \cdots, z_y\}$. 这样得到一个集系, 记为 $\mathscr{B}'$. 以下分几种情形考虑.

如果 $y = r$, 则 $\mathscr{B}'$ 是一个 PBD($\{(r), \ k+1\}$; 1; v), 其净簇由新区组 $\{z_1, z_2, \cdots, z_r\}$ 组成. 于是, 由定理 18.5.1 得(18.5.13).

如果 $y = r-1$, 则 $\mathscr{B}'$ 是一个 PBD($\{(r-1, \ k), \ k+1\}$; 1; $v+r-1$), 其净簇由新区组 $\{z_1, z_2, \cdots, z_{r-1}\}$ 和第 r 个联组中的诸区组组成. 于是, 由定理 18.5.1 得(18.5.12).

如果 $1 \leqslant y \leqslant r-2$, 则 $\mathscr{B}'$ 是一个 PBD($\{(y), \ k, \ k+1\}$; 1; $v+y$), 其净簇由新区组 $\{z_1, z_2, \cdots, z_y\}$ 组成. 于是, 由定理 18.5.1 得(18.5.11). **证毕**.

下面的定理揭示了 $N(m)$ 的值和可分解的可分组设计 GD(v; k, m; 0, 1)的联系. v 元集 S 上的一个可分组设计 $\mathscr{B}$ 叫做是一个 GD(v; k, m; λ_1, λ_2), 如果(1)S 的 v 个元可以分成若干组, 每组 m 个元, (2)$\mathscr{B}$ 中的每一区组都含 k 个元, (3)同一组中的二个相异元在 $\mathscr{B}$ 的诸区组中一道共出现 λ_1 次, 不同组的二个元在 $\mathscr{B}$ 的诸区组中一道共出现 λ_2 次.

定理 18.5.5. 如果 $k \leqslant N(m)+1$, 则存在一个可分解的可分组设计 GD(km;

k, m; 0, $1)$.

证明. 因 $k \leqslant N(m)+1$，故存在 $k+1$ 行的 m 阶正交表 OA$(m, k+1)$. 设 A 是集 $[1, m]$ 上的这样一个正交表. 不失一般，可设 A 的最后一行为

$$\underbrace{1\cdots1}_{m\uparrow} \quad \underbrace{2\cdots2}_{m\uparrow} \quad \cdots \quad \underbrace{m\cdots m}_{m\uparrow},$$

从而 A 可以写成如下的分块形式

$$\begin{matrix} A_1 & A_2 & \cdots & A_m \\ 1\cdots1 & 2\cdots2 & \cdots & m\cdots m \end{matrix}. \tag{18.5.14}$$

在 (18.5.14) 中，删去最后一行，且把第 i 行 $(1 \leqslant i \leqslant k)$ 的元 j 换为 (i, j)，这样得到一个新阵列，记为

$$A_1' A_2' \cdots A_m'. \tag{18.5.15}$$

这样一来，阵列 (18.5.15) 中的元素为

$$(i, j)(1 \leqslant i \leqslant k; 1 \leqslant j \leqslant m), \tag{18.5.16}$$

共 km 个. 记 (18.5.15) 的第 h 列的诸元所组成的集为 B_h，且由 B_1, B_2,$\cdots$, B_{m^2} 所组成的簇为 $\mathcal{B}$. (18.5.16) 中全部元素可以分成 k 组，每组 m 个元：

$$S_i = \{(i, j) | 1 \leqslant j \leqslant m\}, \ 1 \leqslant i \leqslant k. \tag{18.5.17}$$

于是，每一组中的任二元不能同时出现在任一 B_h 之中，且每一 B_h 中的元的个数为 k. 再由 (18.5.14) 是正交表这一事实得知，对于不属于同一个 S_i 的二个相异元 (i, j) 和 (i', j')，它们恰好在一个 B_h 中. 因此 $\mathcal{B}$ 是一个 GD$(km; k, m; 0, 1)$.

另一方面，由于 (18.5.14) 是一个正交表及其最后一行的特点知，对于每一 h，A_h' 包含了 (18.5.16) 中全部 km 个元. 这就是说，$\mathcal{B}$ 是一个可分解的设计，因而是一个可分解的可分组设计. **证毕.**

结合定理 18.5.4 和 18.5.5 可以得到正交表的构造和可分解的可分组设计的构造之间的密切关系：从其一可以构造出另一.

当存在可分解的可分组设计 GD$(v; k, m; 0, 1)$ 时，可以给出有关 $N(m)$ 的另一些不等式.

定理 18.5.6. 如果存在一个可分解的可分组设计 GD$(v; k, m; 0, 1)$ 有 r 个联组，则

$$N(v+x) \geqslant \min(N(m), N(x), N(k)-1, N(k+1)-1)$$
$$(1 \leqslant x \leqslant r-1), \tag{18.5.18}$$

$$N(v+r) \geqslant \min(N(m),\ N(r),\ N(k+1)-1), \tag{18.5.19}$$

$$N(v+r) \geqslant \min(N(k),\ N(r),\ N(k+1)-1,\ N(m+1)-1), \tag{18.5.20}$$

$$N(v+r+1) \geqslant \min(N(r+1),\ N(k+1)-1,\ N(m+1)-1). \tag{18.5.21}$$

证明. 设 $\mathscr{B}=\{B_1,\ B_2,\cdots,\ B_b\}$ 是 v 元集 S 上的一个可分解的可分组设计 $\mathrm{GD}(v;\ k,\ m;\ 0,\ 1)$，且设它有 r 个联组. 由可分组设计的定义知，$m\mid v$，且 S 的元素分成 $\dfrac{v}{m}$ 个互无公共元的组，每组 m 个元. 把这 $\dfrac{v}{m}$ 个组的每一个视为一个新区组 $D_i\left(1\leqslant i\leqslant\dfrac{v}{m}\right)$ 添入 $\mathscr{B}$，且把这样得到的集系记为 $\mathscr{B}'$. 于是，$\mathscr{B}'$ 是一个 $\mathrm{PBD}(\{m,\ k\};\ 1;\ v)$.

因为 $\mathscr{B}$ 是一个可分解的设计，有 r 个联组，这些联组又都出现在 $\mathscr{B}'$ 中，故可对 $\mathscr{B}'$ 作如下的改变：把属于 $\mathscr{B}$ 的第 i 个联组中的每一个区组添加一个新元素 $z_i(1\leqslant i\leqslant x)$，并且对 $\mathscr{B}'$ 添加一个新区组 $\{z_1,\ z_2,\cdots,\ z_x\}$. 记这样得到的集系为 $\mathscr{B}''$. 于是，当 $1\leqslant x\leqslant r-1$ 时，$\mathscr{B}''$ 是一个 $\mathrm{PBD}(\{(x,\ m),\ k,\ k+1\};\ 1;\ v+x)$. 因此，由定理 18.5.1 得 (18.5.18). 当 $x=r$ 时，$\mathscr{B}''$ 是一个 $\mathrm{PBD}(\{(r,\ m),\ k+1\};\ 1;\ v+r)$. 所以，由定理 18.5.1 得 (18.5.19).

现在设 $x=r-1$. 今把 $\mathscr{B}'$ 中属于 $\mathscr{B}$ 的第 i 个联组的每一区组添加一个新元素 $z_i(1\leqslant i\leqslant r-1)$，对每一个新区组 $D_i\left(1\leqslant i\leqslant\dfrac{v}{m}\right)$ 添加一个新元素 z_0，最后再在 $\mathscr{B}'$ 中添加一个新区组 $\{z_0,\ z_1,\cdots,\ z_{r-1}\}$. 记这样得到的集系为 $\mathscr{B}_1$. 于是 $\mathscr{B}_1$ 是一个

$$\mathrm{PBD}(\{(k,\ r),\ k+1,\ m+1\};\ 1;\ v+r), \tag{18.5.22}$$

且 $\mathscr{B}$ 的第 r 个联组中的诸区组和新区组 $\{z_0,\ z_1,\cdots,\ z_{r-1}\}$ 组成 $\mathscr{B}_1$ 的一个净簇. 因此，定理 18.5.1 和 (18.5.22) 给出 (18.5.20).

现在又设 $x=r$，且对 $\mathscr{B}'$ 作如下的改变：把属于 $\mathscr{B}$ 的第 i 个联组中的每一个区组都添加一个新元素 $z_i(1\leqslant i\leqslant r)$，对 $\mathscr{B}'$ 的 $\dfrac{v}{m}$ 个新区组 $D_i\left(1\leqslant i\leqslant\dfrac{v}{m}\right)$ 都添加一个新元素 z_0，最后再添加一个新区组 $\{z_0,\ z_1,\cdots,\ z_r\}$. 记这样得到的集系为 $\mathscr{B}_2$. 于是 $\mathscr{B}_2$ 是一个

$$\mathrm{PBD}(\{(r+1),\ k+1,\ m+1\};\ 1;\ v+r+1), \tag{18.5.23}$$

新区组 $\{z_0,\ z_1,\cdots,\ z_r\}$ 形成 (18.5.23) 的一个净簇. 因此, 由定理 18.5.1 和 (18.5.23) 即得 (18.5.21). **证毕.**

定理 18.5.5 断言, 当 $k \leqslant N(m)+1$ 时, 一定存在一个可分解的可分组设计 GD $(km;\ k,\ m;\ 0,\ 1)$; 而定理 18.5.6 断言, 一当存在可分解的可分组设计 GD $(v;\ k,\ m;\ 0,\ 1)$, 则能导出有关 $N(v)$ 的一些重要不等式. 把二者结合起来, 代 $v = km$, 便得到当 $k \leqslant N(m)+1$ 时, 关于 $N(v)$ 的一个重要的递归不等式, 即有

定理 18.5.7. 如果 $k \leqslant N(m)+1$ 且 $1 \leqslant x < m$, 则

$$N(km+x) \geqslant \min(N(m),\ N(x),\ N(k)-1,\ N(k+1)-1). \quad (18.5.24)$$

证明. 设 $\mathscr{B}$ 是基集 S 上的一个可分解的可分组设计 GD $(km;\ k,\ m;\ 0,\ 1)$. 由定理之前的说明可知, 只需证明 $\mathscr{B}$ 的联组的个数 $r = m$ 即可. 因为 $\mathscr{B}$ 的区组的个数 $b = r\dfrac{km}{k} = rm$, 故全部区组包含的二元子集的个数为

$$rm\binom{k}{2}. \quad (18.5.25)$$

另一方面, 因 S 分解为两两无公共元的 k 个子集之并, 且同一子集的二相异元不出现在任一区组中, 不同子集中二元在诸区组中出现的次数为 1, 故 $\mathscr{B}$ 的全部区组包含的二元子集的个数又为

$$\binom{mk}{2} - k\binom{m}{2}.$$

(18.5.25) 和上式应该相等:

$$rm\binom{k}{2} = \binom{mk}{2} - k\binom{m}{2},$$

化简即 $r = m$. **证毕.**

在上面这些定理的基础上, 可以证明

$$N(m) \geqslant 2 \quad (m > 6),$$

从而否定 Euler 猜想对 $m > 6$ 的正确性. 下面将用整个一节的篇幅来做这一工作. 当然, 对于许多 m 的值, $N(m)$ 大于 2. 因为对一般情形的 $N(m)$ 的确值是很难求得的, 因此人们常常退而求 $N(m)$ 的更好的下界, 或者当 m 充分大时 $N(m)$ 的下界, 即所谓渐近下界.

首先介绍一些有关 $N(m)$ 的结果. 记

$$m_r = \min\big\{m\,\big|\,N(m)\geqslant r\big\}-1.$$

关于 m_r 的值，有

$m_2 = 6$ （Bose，Parker 和 Shrikhande[1]），

$m_3 \leqslant 14$ （Wang 和 Wilson[1]），

$m_4 \leqslant 52$ （Guerin[2]），

$m_5 \leqslant 62$ （Hanani[3]），

$m_6 \leqslant 76$ （Wojtas[1]），

$m_7 \leqslant 780$，$m_8 \leqslant 4738$，$m_9 \leqslant 5842$，

$m_{10} \leqslant 7222$，$m_{11} \leqslant 7478$，$m_{12} \leqslant 9286$，

$m_{13} \leqslant 9476$，$m_{14} \leqslant m_{15} \leqslant 10632$

                （Brouwer 和 van Rees[1]），

$m_{30} \leqslant 65278$（Brouwer），

此外，还有

$N(12) \geqslant 5$（Dulmage，Johson 和 Mendelson[1]），

$N(36) \geqslant 4$，$N(46) \geqslant 4$（朱烈[1]，Wilson[5]），

Dulmage，Johson 和 Mendelson 关于 $N(12) \geqslant 5$ 的证明是构造性的，简介如下.

设 A_1 是一个 6 阶循环群，其生成元为 a；A_2 是一个 2 阶循环群，其生成元为 b. 又设 Abel 群 A 是群 A_1 和 A_2 的直积. 记

$$a_i = \big(a^i,\ e\big),\quad b_i = \big(a^i,\ b\big)\,(0 \leqslant i \leqslant 5).$$

作以下五行

a_0	a_1	a_2	a_3	a_4	a_5	b_0	b_1	b_2	b_3	b_4	b_5,
a_0	b_0	b_2	a_2	b_1	a_1	b_3	b_5	a_4	b_4	a_5	a_3,
a_0	a_3	b_0	a_1	b_3	b_5	a_2	b_2	a_5	a_4	b_1	b_4,
a_0	b_2	a_1	b_5	a_5	b_3	a_3	b_4	a_2	b_1	b_0	a_4,
a_0	a_4	b_5	b_4	a_2	b_1	b_2	b_0	b_3	a_1	a_3	a_5.

由上表的第 $i(1 \leqslant i \leqslant 5)$ 行可以构造一个 12 阶矩阵 C_i，此即以 a_0，a_1，a_2，a_3，a_4，a_5，b_0，b_1，b_2，b_3，b_4，b_5，分别乘该表的第 i 行所得的 12 行依次组成的 12 阶矩阵. 不难验证，C_1，C_2，C_3，C_4 和 C_5 都是 12 阶拉丁方，且它们组成的一个正交组.

现在介绍一些有关 $N(m)$ 的渐近下界的结果.

S.Chowla，P.Erdòs 和 E.G.Strauss[1]证明了，当 v 充分大时，有

$$N(v) > \frac{1}{3}v^{\frac{1}{91}}. \tag{18.5.26}$$

后来，K.Rogers[1]把(18.5.26)改进为

$$N(v) > v^{\frac{1}{42} - \varepsilon}. \tag{18.5.27}$$

这里 ε 是任一正数. 王元[1,2]把(18.5.27)改进为

$$N(v) > v^{\frac{1}{25}}. \tag{18.5.28}$$

R.M.Wilson[4]又将(18.5.28)改进为

$$N(v) \geqslant v^{\frac{1}{17}} - 2.$$

在上述两方面的研究中，Wilson[1, 2]方法起着重要的作用. 所谓 Wilson 方法，就是对于下章将引入的横截设计得到一个较强的结果，而作为这个结果的推论，可以得到关于 $N(m)$ 的三个很有用的不等式. 即有

定理 18.5.8. 若 $0 \leqslant x \leqslant m$，则

$$N(km + x) \geqslant \min\{N(k),\ N(k+1),\ N(m)-1,\ N(x)\}. \tag{18.5.29}$$

定理 18.5.9. 若 $0 \leqslant x,\ y \leqslant m$，则

$$\begin{aligned} N(km + x + y) \geqslant \min\{&N(k),\ N(k+1),\ N(k+2),\\ &N(m)-2,\ N(x),\ N(y)\}. \end{aligned} \tag{18.5.30}$$

定理 18.5.10. 若 $\binom{x-1}{2} < m$，则

$$N(km + x) \geqslant \min\{N(k),\ N(k+1),\ N(k+2),\ N(m)-x\}. \tag{18.5.31}$$

把上述三个定理同定理 18.5.7 比较很容易看出，不等式(18.5.24)之成立需以条件 $k \leqslant N(m)+1$ 为前提，而不等式(18.5.29)—(18.5.31)则不需类似于此的条件.

此外，Wilson 方法在研究具有某些特殊性质的正交拉丁方组的课题中也起着重要的作用. 关于这一课题，已有丰富的成果，对此有兴趣的读者，可以参看，例如，朱烈[7—13]，Wallis 和朱烈[1—4]，Heinrich 和朱烈[1, 2]，Crampin 和

Hilton[2]，Brayton，D.Coppersmith 和 A.J.Hoffman[1, 2]，K.J.Phelps[1]，Heinrich
和 Hilton[1]，Hilton[1]，Dinitz 和 D.R.Stinson[1]，以及 Mullin 和 Stinson[2]等.

18.6　Euler 猜想(一)：阶大于 6 的情形

18.4 节中已经介绍过，Euler 猜想可述为

$$N(4t+2)=1, \quad t \geqslant 0 , \tag{18.6.1}$$

当 $t=0$ 时，(18.6.1)显然成立；当 $t=1$ 时(即著名的 Euler 36 军官问题)，Tarry[1]
证明了(18.6.1)也成立，前不久，Stinson[2]对此给出了一个简化的证明. 这一证明
要用到横截设计和 PBD，故放到下章. 下面证明本章的主要结果之一：

$$N(4t+2) \geqslant 2, \quad t \geqslant 2 . \tag{18.6.2}$$

这就是说，当 $t \geqslant 2$ 时，Euler 猜想的反面是成立的. 这一重要成果属于 Bose，Parker
和 Shrikhande[1].

为了证明(18.6.2)，需要一些引理.
引理 18.6.1.

$$N(14) \geqslant 2 . \tag{18.6.3}$$

证明.　定义一个 4 阶矩阵如下：

$$P_0 = \begin{pmatrix} 0 & x_1 & x_2 & x_3 \\ 1 & 0 & 0 & 0 \\ 4 & 4 & 6 & 9 \\ 6 & 1 & 2 & 8 \end{pmatrix} (\mathrm{mod}\ 11) ,$$

其中 x_1，x_2，x_3 是不定元. 设 P_1，P_2 和 P_3 经由 P_0 的诸行循环换序而得，即

$$P_1 = \begin{pmatrix} 1 & 0 & 0 & 0 \\ 4 & 4 & 6 & 9 \\ 6 & 1 & 2 & 8 \\ 0 & x_1 & x_2 & x_3 \end{pmatrix} (\mathrm{mod}\ 11) ,$$

$$P_2 = \begin{pmatrix} 4 & 4 & 6 & 9 \\ 6 & 1 & 2 & 8 \\ 0 & x_1 & x_2 & x_3 \\ 1 & 0 & 0 & 0 \end{pmatrix} (\mathrm{mod}\ 11),$$

$$P_3 = \begin{pmatrix} 6 & 1 & 2 & 8 \\ 0 & x_1 & x_2 & x_3 \\ 1 & 0 & 0 & 0 \\ 4 & 4 & 6 & 9 \end{pmatrix} (\mathrm{mod}\ 11).$$

以 $P_i\,(0 \leqslant i \leqslant 3)$ 为子块可以构造一个分块矩阵

$$A_0 = (P_0\ P_1\ P_2\ P_3).$$

把 A_0 中的数 a 都换为 $a + i(\mathrm{mod}\ 11)$ 的最小非负剩余而保持不定元不变. 记这样得到的矩阵为 $A_i\,(1 \leqslant i \leqslant 10)$, 且记分块阵 $(A_0\ A_1\ A_2 \cdots A_{10})$ 为 A. 设 A^* 是集 $\{x_1, x_2, x_3\}$ 上的一个 4 行的 3 阶正交表 $\mathrm{OA}(3, 4)$, E 是一个 4×11 的矩阵, 其第 i 列的四个数全为 $i - 1(1 \leqslant i \leqslant 11)$. 于是, 分块矩阵

$$D = (E\,A\,A^*)$$

是一个 4×196 的矩阵, 而且可以验证, 它是集 $\{0, 1, \cdots, 10, x_1, x_2, x_3\}$ 上的一个 4 行 14 阶正交表. 因此, (18.6.3)成立. **证毕.**

引理 18.6.2.

$$N(26) \geqslant 2. \tag{18.6.4}$$

证明. 定义一个 4×7 矩阵如下:

$$P_0 = \begin{pmatrix} 0 & 0 & 0 & 0 & x_1 & x_2 & x_3 \\ 3 & 6 & 2 & 1 & 0 & 0 & 0 \\ 8 & 20 & 12 & 16 & 20 & 17 & 8 \\ 12 & 16 & 7 & 2 & 19 & 6 & 21 \end{pmatrix}.$$

同引理 18.6.1 类似地, 由 P_0 出发可以构造出一个 4 行的 26 阶正交表 $\mathrm{OA}(26, 4)$. 因此, (18.6.4)成立. **证毕.**

引理 18.6.3.

$$N(38) \geqslant 2. \tag{18.6.5}$$

证明. 在定理 12.3.9 中取 $t = 2$，得 $v = 41$，这是一个素数. 6 是 41 的一个原根，故在定理 12.3.9 中可取 $x = 6$. 由于

$$6^8 + 1 \equiv 6^3 \pmod{41},$$

故定理 12.3.9 中要求的奇数 q 可取为 3. 这样一来，定理 12.3.9 的条件全满足，故存在一个(82，41，10，5，1)平衡不完全区组设计，这是一个 PBD({5}；1；41). 由定理 18.5.3，有

$$N(38) = N(41 - 3)$$
$$\geqslant \min\big(N(3),\ N(4) - 1,\ N(5) - 1\big) = 2.$$

证毕.

引理 18.6.4. 如果(18.6.2)对

$$2 \leqslant t \leqslant 181 \tag{18.6.6}$$

成立，则(18.6.2)对一切 $t \geqslant 2$ 成立.

证明. 记 $v = 4t + 2$，且设 $t \geqslant 182$，即 $v \geqslant 730$. 因

$$v - 10 = 4(t - 2),\quad t - 2 \geqslant 180,$$

故 $t - 2 = 36y + z$ $(0 \leqslant z \leqslant 35,\ y \geqslant 5)$，从而

$$v = 4 \cdot 36y + (4z + 10), 0 \leqslant z \leqslant 35,\quad y \geqslant 5.$$

令 $m = 36y$，则 $N(m) \geqslant N(4) = 3$. 取 $k = 4$，则

$$k \leqslant N(m) + 1.$$

另一方面，取 $x = 4z + 10$. 因为 $0 \leqslant z \leqslant 35$，故 $10 \leqslant x \leqslant 150$. 但因 $m = 36y \geqslant 180$，所以

$$1 \leqslant x \leqslant m.$$

这样一来，$k,\ m,\ x$ 满足定理 18.5.7 的全部条件，故由(18.5.24)得

$$N(v) \geqslant \min(N(m),\ N(x),\ N(4) - 1,\ N(5) - 1)$$
$$= \min(N(x), 2).$$

所以，当 $N(x) \geqslant 2$ 时，$N(v) \geqslant 2$. **证毕.**

引理 18.6.1—引理 18.6.3 解决了几个重要的特例，而引理 18.6.4 却把对无限

多个值的检验化为有限个值的检验. 把这些结果和 18.5 节中的一些定理结合起来便可得到下面的重要定理.

定理 18.6.1. 设 $v > 6$，则

$$N(v) \geqslant 2 . \tag{18.6.7}$$

证明. 由定理 18.4.3，为证 (18.6.7)，只要证明对一切 $t \geqslant 2$，(18.6.2) 成立即可；而由引理 18.6.4 又只要证明对于 (18.6.6) 中的 t，(18.6.2) 成立即可. 下面就来证明这一点.

设 $v = 4t + 2$. 首先对 $t \in [2, 24]$ 的情形的证明依据列表如下：

t	v	证明依据
2	10	定理 18.4.3 的系
3	14	引理 18.6.1
4	18	定理 18.5.3 和 PBD({5}；1；21) 的存在性
5	22	定理 18.4.3 的系
6	26	引理 18.6.2
7	30	$30 = 3 \cdot 10$，定理 18.4.1 和 $N(10) \geqslant 2$，$N(3) = 2$
8	34	定理 18.4.3 的系
9	38	引理 18.6.3
10	42	$42 = 3 \cdot 14$，定理 18.4.1 和 $N(14) \geqslant 2$，$N(3) = 2$
11	46	定理 18.4.3 的系
12	50	$50 = 5 \cdot 10$，定理 18.4.1 和 $N(10) \geqslant 2$，$N(5) > 1$
13	54	$54 = 3 \cdot 18$，定理 18.4.1 和 $N(18) \geqslant 2$，$N(3) = 2$
14	58	定理 18.4.3 的系
15	62	$62 = 4 \cdot 13 + 10$，定理 18.5.7 和 $N(13) > 2$，$N(10) \geqslant 2$
16	66	$66 = 3 \cdot 22$，定理 18.4.1 和 $N(22) \geqslant 2$，$N(3) = 2$
17	70	定理 18.4.3 的系
18	74	$74 = 4 \cdot 16 + 10$，定理 18.5.7 和 $N(16) > 2$
19	78	$78 = 3 \cdot 26$，定理 8.4.1 和 $N(26) \geqslant 2$，$N(3) = 2$
20	82	定理 18.4.3 的系
21	86	$86 = 4 \cdot 19 + 10$，定理 18.5.7 和 $N(19) > 2$
22	90	$90 = 4 \cdot 19 + 14$，定理 18.5.7 和 $N(19) > 2$
23	94	$94 = 4 \cdot 19 + 18$，定理 18.5.7 和 $N(19) > 2$
24	98	$98 = 7 \cdot 14$，定理 18.4.1 和 $N(7) > 1$，$N(14) \geqslant 2$

利用上表中的结果，在定理 18.5.7 中取 $k = 4$，并依下表所示取 m 的值及其相应的 x 值 ($1 \leqslant x < m$；实际上取 $10 \leqslant x < m$，因为需 $N(x) \geqslant 2$)，且说明 $N(m) > 2$ 的依据. 从而对于相应的 v 值得到 $N(v) \geqslant 2$ 的结论.

m 的值	x 的值	所得 v 的值	$N(m) > 2$ 的依据
23	10—22	102—114	23 是素数
27	10—26	118—134	$27 = 3^3$ 是素数的方幂
31	10—30	138—154	31 是素数
37	10—34	158—182	37 是素数
44	10—42	186—218	$44 = 4 \cdot 11$，4 是素数的方幂，11 是素数
53	10—50	222—262	53 是素数
64	10—62	266—318	$64 = 2^6$ 是素数的方幂
77	14—74	322—382	$77 = 7 \cdot 11$，7 和 11 都是素数
92	18—90	386—458	$92 = 4 \cdot 23$，4 是素数的方幂，23 是素数
113	10—110	462—562	113 是素数
139	10—138	566—694	139 是素数
172	10—38	698—726	$172 = 4 \cdot 43$，4 是素数的方幂，43 是素数

证毕.

朱烈[1,6]曾对这一结果给出了一个简化证明.

第十九章 横截设计、按对平衡设计及其应用

本章的内容围绕两个著名问题来展开. 第一个问题是, 寻求存在$(b, v, r, 3, \lambda)$设计的简单易核的充要条件; 另一个问题是, 寻求存在可分解的$(b, v, r, k, 1)$设计的简单易核的渐近充要条件. 这两个问题分别由定理 19.3.1 和定理 19.5.2 解决. 为了证明这两个定理, 需要横截设计和按对平衡设计的一些结果, 这分别在 19.1 和 19.2 中作了介绍. 为了证明定理 19.5.2, 还需要完备可分解的(k, t)设计、Wilson 关于有限域的一个定理、Wilson 关于纤维的一个定理等方面的一些知识, 这在 19.4 中作了介绍. 在 19.3 和 19.5 中还分别介绍了这两个问题的简单历史. 此外, 在 19.5 末还介绍了陆家羲对第二个问题推进的情况和他得到的结果(定理 19.5.3). 最后, 在 19.6 中利用横截设计和按对平衡设计, 解决了 18.6 遗留下的问题, 即证明了 Euler 猜想阶为 6 的情形的正确性, 从而使这一著名猜想得到完整的处理.

19.1 横 截 设 计

本章将较多地用到正交表, 特别是正交表的下述变形.

设 $\mathrm{OA}(t, m)$ 是集$[1, t]$上的一下 m 行的 t 阶正交表. 把它的第 i 行的元素 a 都换为数偶(i, a), $1 \leqslant i \leqslant m$, 这样得到一个新表格, 记为 $\overline{\mathrm{OA}}(t, m)$. 把 $\overline{\mathrm{OA}}(t, m)$ 的第 j 列诸元所组成的集合记为 $Y_j (1 \leqslant j \leqslant t^2)$, 且记

$$W_i = \{(i, g) | g \in [1, t]\} \quad (1 \leqslant i \leqslant m). \tag{19.1.1}$$

于是, 有

$$|Y_j \cap W_i| = 1 \quad (1 \leqslant i \leqslant m; 1 \leqslant j \leqslant t^2), \tag{19.1.2}$$

$$|Y_j \cap Y_l| \leqslant 1 \quad (1 \leqslant j \neq l \leqslant t^2). \tag{19.1.3}$$

(19.1.2)之成立是显然的, 现用反证法证明(19.1.3)成立. 若有 $j, l, 1 \leqslant j \neq l \leqslant t^2$, 合

$$|Y_j \cap Y_l| \geqslant 2,$$

则有 i, f, g, h, $1 \leqslant i < f \leqslant m$, $1 \leqslant g$, $h \leqslant t$, 合

$$(i, g) \in Y_j \bigcap Y_l, \quad (f, h) \in Y_j \bigcap Y_l,$$

故由 g 和 h 组成的列 $\binom{g}{h}$ 在原来的正交表 OA(t, m) 的第 i 和第 f 二行组成的子阵列中出现两次, 这与 OA(t, m) 的正交性矛盾. 这就证明了(19.1.3).

反过来, 假设已给 m 个集 W_i $(1 \leqslant i \leqslant m)$; 和 t^2 个集

$$Y_j \left(1 \leqslant j \leqslant t^2\right),$$

合(19.1.2), (19.1.3)和

$$|W_i| = t \quad (1 \leqslant i \leqslant m), \tag{19.1.4}$$

$$W_i \bigcap W_f = \varnothing \quad (1 \leqslant i \neq f \leqslant m), \tag{19.1.5}$$

$$|Y_j| = m \quad \left(1 \leqslant j \leqslant t^2\right). \tag{19.1.6}$$

今后把这样的集系 $\{Y_j\}_{1 \leqslant j \leqslant t^2}$ 记为 $T_0(m, t)$. 由(19.1.4)和(19.1.5), 不失一般性, 可设诸 W_i 由(19.1.1)给出. 于是得到一个 $m \times t^2$ 的表格, 其(i, j)位置的元为 $Y_j \bigcap W_i$ 中的那个元 $\left(1 \leqslant i \leqslant m; 1 \leqslant j \leqslant t^2\right)$. 今后把这个表格记为 $T_0'(m, t)$. 把 $T_0'(m, t)$ 中诸数偶(i, g)都换为其第二分量 g, 这样得到一个新表格, 记为 $\overline{T}_0(m, t)$. 由 (19.1.3) 知, $\overline{T}_0(m, t)$ 的任二固定行所含任一个二维列向量 $\binom{g}{h}(g, h \in [1, t])$ 不超过一次, 因而恰好一次. 因此, $\overline{T}_0(m, t)$ 是一个正交表 OA(t, m). 今后常用到 $T_0(m, t)$. 现给它一个名字.

定义 19.1.1. 上面所确定的集系 $T_0(m, t)$ 称为在基系 W_1, W_2, $\cdots$, W_m 上的横截设计或横截系, 简称为横截设计或横截系.

由上面的证明可得

定理 19.1.1. 横截系 $T_0(m, t)$ 和正交表 OA(t, m) 可以相互转化.

这就是说, 横截系和正交表二者在本质上有同一组合结构, 只是表达形式不同而已.

下面的概念在横截系的研究中有着重要作用.

定义 19.1.2. 如果横截系 $T_0(m, t)$ 中的 t 个集 Y_{j_1}, $Y_{j_2}, \cdots, Y_{j_t}$ 两两无公共元, 则称$\{Y_{j_1}, Y_{j_2}, \cdots, Y_{j_t}\}$ 是该 $T_0(m, t)$ 的一组平行集或一个平行簇. 如果 $T_0(m, t)$ 中至少有 e 组平行集, 则又把这样的 $T_0(m, t)$ 记为 $T_e(m, t)$, 此外还记

$$T_0(m)=\{t \mid T_0(m,\ t)\text{存在}\},$$

$$T_e(m)=\{t \mid T_e(m,\ t)\text{存在}\}.$$

平行集的概念类似于射影平面中的平行线簇的概念.

下面讨论横截系的性质、存在性和构造等问题.

定理 19.1.2.　如果 $s\in T_d(m)$，$t\in T_e(m)$，则 $st\in T_{de}(m)$.

证明.　设

$$W_i=\{(i,\ 1),\ (i,\ 2),\ \cdots,\ (i,\ s)\},\ 1\leqslant i\leqslant m, \tag{19.1.7}$$

$$V_i=\{\langle i,\ 1\rangle,\ \langle i,\ 2\rangle,\ \cdots,\ \langle i,\ t\rangle\},\ 1\leqslant i\leqslant m, \tag{19.1.8}$$

$$U_i=\{(i,\ g,\ h)|1\leqslant g\leqslant s;\ 1\leqslant h\leqslant t\},\ 1\leqslant i\leqslant m. \tag{19.1.9}$$

设 $\{Y_j\}_{1\leqslant j\leqslant s^2}$ 是诸集 W_i 上的一个 $T_d(m,\ s)$，其中有 d 组平行集；$\{Z_l\}_{1\leqslant l\leqslant t^2}$ 是诸集 V_i 上的一个 $T_e(m,\ t)$，其中有 e 组平行集. 今定义

$$X_{jl}=\{(i,\ g,\ h)\big|(i,\ g)\in Y_j,\langle i,\ h\rangle\in Z_l,1\leqslant i\leqslant m\},$$
$$1\leqslant j\leqslant s^2;\ \ 1\leqslant l\leqslant t^2. \tag{19.1.10}$$

于是，共有 $(st)^2$ 个 X_{jl}. 因 $|Y_j\cap W_i|=|Z_l\cap V_i|=1$，故

$$|X_{jl}\cap U_i|=1\ \ (1\leqslant j\leqslant s^2;\ \ 1\leqslant l\leqslant t^2;\ \ 1\leqslant i\leqslant m),$$

$$|X_{jl}|=m\ \ (1\leqslant j\leqslant s^2;\ \ 1\leqslant l\leqslant t^2).$$

如果 $(j_1,\ l_1)\neq(j_2,\ l_2)$，但有 $i_1\neq i_2$，g_1，g_2，h_1，h_2 合

$$(i_p,\ g_p,\ h_p)\in X_{j_1l_1}\cap X_{j_2l_2}\ \ (p=1,2), \tag{19.1.11}$$

则当 $j_1\neq j_2$ 时，必有

$$(i_p,\ g_p)\in Y_{j_1}\cap Y_{j_2}\ \ (p=1,2), \tag{19.1.12}$$

而这是不可能的；而当 $j_1=j_2$ 时，必有 $l_1\neq l_2$，从而

$$\langle i_p,\ h_p\rangle\in Z_{l_1}\cap Z_{l_2}\ \ (p=1,2), \tag{19.1.13}$$

这也是不可能的. 由此得知, 当 $(j_1,\ l_1) \neq (j_2,\ l_2)$ 时,

$$\left| X_{j_1 l_1} \bigcap X_{j_2 l_2} \right| \leqslant 1 \quad (1 \leqslant j_1,\ j_2 \leqslant s;\ 1 \leqslant l_1,\ l_2 \leqslant t).$$

总上所述即已证明, $\left\{ X_{jl} \right\}_{1 \leqslant j \leqslant s^2;\ 1 \leqslant l \leqslant t^2}$ 确是一个 $T_0(m,\ st)$.

假设 (19.1.11) 对 $p = 1$ 成立, 则 (19.1.12) 或 (19.1.13) 对 $p = 1$ 也成立. 由此可知, 若 $\left\{ Y_{j_q} \middle| 1 \leqslant q \leqslant s \right\}$ 和 $\left\{ Z_{i'_{q'}} \middle| 1 \leqslant q' \leqslant t \right\}$ 分别是 $T_d(m,\ t)$ 和 $T_e(m,\ t)$ 的任意平行集, 则

$$\left\{ X_{j_q j'_{q'}} \middle| 1 \leqslant q \leqslant s;\ 1 \leqslant q' \leqslant t \right\}$$

就是上面得到的 $T_0(m,\ st)$ 的一组平行集. 因 $T_d(m,\ s)$ 和 $T_e(m,\ t)$ 分别至少有 d 和 e 组平行集, 故该 $T_0(m,\ st)$ 至少有 de 组平行集. **证毕.**

上面的定理还给出递归地构造横截系的方法.

定理 19.1.3. $t \in T_t(m-1)$ 的充要条件是 $t \in T_0(m)$.

证明. 设 $\left\{ Y_j \middle| 1 \leqslant j \leqslant t^2 \right\}$ 是一个在集系 $W_1,\ W_2,\ \cdots,\ W_{m-1},\ W_m$ 上的横截系 $T_0(m,\ t)$ 且 $W_m = \{ a_1,\ a_2,\ \cdots,\ a_t \}$. 记

$$Y'_j = Y_j \setminus W_m \left(1 \leqslant j \leqslant t^2 \right),$$

则

$$\left| Y'_j \right| = m - 1, \left| Y'_j \bigcap Y'_l \right| \leqslant 1 \quad \left(1 \leqslant j \neq l \leqslant t^2 \right),$$

$$\left| Y'_j \bigcap W_i \right| = 1 \quad \left(1 \leqslant i \leqslant m-1;\ 1 \leqslant j \leqslant t^2 \right).$$

因此, 集系 $\left\{ Y'_j \middle| 1 \leqslant j \leqslant t^2 \right\}$ 是一个在集 $W_1,\ W_2,\ \cdots,\ W_{m-1}$ 上的横截系. 对任一 $a \in W_m$, 由定理 19.1.1 和正交表的性质知, 包含 a 的集 Y_j 的个数为 t. 于是这些 Y_j 相应的 Y'_j 成为一组平行集. 当 a 遍历 W_m 中的元时, 就得到 t 组平行集. 因此, $\left\{ Y'_j \middle| 1 \leqslant j \leqslant t^2 \right\}$ 是一个 $T_t(m-1,\ t)$. 把上面的推导反过来, 即对集系 $W_1,\ W_2,\ \cdots,$ W_{m-1} 上的一个 $T_t(m-1,\ t)$ 中同在一组平行集里的 t 个子集的每一个添加 W_m 中的一个元, 不同的平行集添加不同的元, 这样就得到一个 $T_0(m,\ t)$. **证毕.**

定理 19.1.4. 设大于 1 的正整数 t 的标准分解式为

$$t = p_1^{e_1} p_2^{e_2} \cdots p_s^{e_s},$$

且 $m = \min \left(p_1^{e_1},\ p_2^{e_2},\ \cdots,\ p_s^{e_s} \right)$. 那么 $t \in T_0(m+1)$, 因而 $t \in T_t(m)$.

证明. 由正交拉丁方与正交表的关系, 以及正交表与

$$T_0(m+1,\ t)$$

的关系即知 $T_0(m+1,\ t)$ 的存在性. 由此和定理 19.1.3 知 $T_t(m,\ t)$ 的存在性. 证毕.

定理 19.1.5. 如果 $t \in T_s(m)$ 且 $s \in T_0(m)$ ，则

$$st \in T_{s^2}(m).$$

证明. 设

$$W_i = \{(i,\ 1),\ (i,\ 2),\ \cdots,\ (i,\ t)\},$$

$$V_i = \{\langle i,\ 1 \rangle,\ \langle i,\ 2 \rangle,\ \cdots,\ \langle i,\ s \rangle\},$$

$$U_i = \{(i,\ g,\ h) | 1 \leqslant g \leqslant t;\ 1 \leqslant h \leqslant s\} \quad (1 \leqslant i \leqslant m).$$

设诸集

$$\begin{array}{cccc} Y_{11}, & Y_{12}, & \cdots, & Y_{1t}; \\ & \cdots\cdots & & \\ Y_{a1}, & Y_{a2}, & \cdots, & Y_{at}; \\ & \cdots\cdots & & \\ Y_{s1}, & Y_{s2}, & \cdots, & Y_{st}; \\ Y_{st+1}, & Y_{st+2}, & \cdots, & Y_{t^2} \end{array}$$

是 $W_1, W_2, \cdots, W_m$ 上的一个 $T_s(m, t)$，其 s 组平行集是 $Y_{a1}, Y_{a2}, \cdots, Y_{at}(1 \leqslant a \leqslant s)$. 设诸集

$$Z_1,\ Z_2, \cdots,\ Z_{s^2}$$

是 $V_1,\ V_2,\ \cdots,\ V_m$ 上的一个 $T_0(m,\ s)$. 今在 $U_1,\ U_2,\ \cdots,\ U_m$ 上定义 $s^3 t$ 个集

$$X_{abc}, \quad 1 \leqslant a \leqslant s;\quad 1 \leqslant b \leqslant t;\quad 1 \leqslant c \leqslant s^2 \tag{19.1.14}$$

和 $s^2 t^2 - s^3 t$ 个集

$$X_{de}, \quad st+1 \leqslant d \leqslant t^2;\quad 1 \leqslant e \leqslant s^2 \tag{19.1.15}$$

如下：

$$X_{abc} = \{(i,\ g,\ h) | (i,\ g) \in Y_{ab},$$
$$\langle i, \langle\langle h-a \rangle\rangle \rangle \in Z_c, 1 \leqslant i \leqslant m\},$$
$$X_{de} = \{(i,\ g,\ h) | (i,\ g) \in Y_d,$$
$$\langle i,\ h \rangle \in Z_c, 1 \leqslant i \leqslant m\},$$

其中 $\langle\langle h-a \rangle\rangle$ 表 $h-a$ 的最小正剩余 $(\bmod s)$.

由于 $|W_i \bigcap Y_{ab}| = |W_i \bigcap Y_d| = |V_i \bigcap Z_c| = 1$，故

$$|X_{abc} \bigcap U_i| = |X_{de} \bigcap U_i| = 1 \quad (1 \leqslant i \leqslant m),$$

从而

$$|X_{abc}| = |X_{de}| = m .$$

假设 $(a_1,\ b_1,\ c_1) \neq (a_2,\ b_2,\ c_2)$，$i_1 \neq i_2$，且存在 $(i_1,\ g_1,\ h_1)$，$(i_2,\ g_2,\ h_2)$ 合

$$\left(i_p,\ g_p,\ h_p\right) \in X_{a_1 b_1 c_1} \bigcap X_{a_2 b_2 c_2},\ \ p=1,2 . \tag{19.1.16}$$

那么

$$\left(i_p,\ g_p\right) \in Y_{a_1 b_1} \bigcap Y_{a_1 b_2},\ \ p=1,2 .$$

由此得 $(a_1,\ b_1) = (a_2,\ b_2)$，从而 $c_1 \neq c_2$. 由 $a_1 = a_2$，(19.1.16) 又给出

$$\left\langle i_1, \langle\langle h_1 - a_1 \rangle\rangle \right\rangle \in Z_{c_1} \bigcap Z_{c_2}, \tag{19.1.17}$$

$$\left\langle i_2, \langle\langle h_2 - a_1 \rangle\rangle \right\rangle \in Z_{c_1} \bigcap Z_{c_2}. \tag{19.1.18}$$

由于 $c_1 \neq c_2$，$i_1 \neq i_2$，故 (19.1.17) 和 (19.1.18) 说明了

$$\left| Z_{c_1} \bigcap Z_{c_2} \right| \geqslant 2 ,$$

这是不可能的，因而 (19.1.16) 不成立，故有

$$\left| X_{a_1 b_1 c_1} \bigcap X_{a_2 b_2 c_2} \right| \leqslant 1, \quad (a_1,\ b_1,\ c_1) \neq (a_2,\ b_2,\ c_2) .$$

类似但更简单一些的推理指出

$$\left| X_{abc} \bigcap X_{de} \right| \leqslant 1, \quad \left| X_{d_1 e_1} \bigcap X_{d_2 e_2} \right| \leqslant 1, \quad (d_1,\ e_1) \neq (d_2,\ e_2) ,$$

至此即已证明，(19.1.14) 和 (19.1.15) 中的 $s^2 t^2$ 个集确是一个 $T_0(m,\ st)$. 现在来证明，这个 $T_0(m,\ st)$ 至少有 s^2 组平行集. 这只需证明，对每一固定的 $c \in \left[1,\ s^2\right]$，$\{X_{abc} | 1 \leqslant a \leqslant s;\ \ 1 \leqslant b \leqslant t\}$ 形成该 $T_0(m,\ st)$ 的一组平行集.

设 $(a_1,\ b_1) \neq (a_2,\ b_2)$，且设存在 $(i,\ g,\ h)$ 合

$$(i,\ g,\ h) \in X_{a_1 b_1 c} \bigcap X_{a_2 b_2 c} . \tag{19.1.19}$$

于是

$$(i,\ g) \in Y_{a_1 b_1} \bigcap Y_{a_2 b_2}, \tag{19.1.20}$$

$$\langle i, \langle\langle h - a_1 \rangle\rangle \rangle \in Z_c, \quad \langle i, \langle\langle h - a_2 \rangle\rangle \rangle \in Z_c. \tag{19.1.21}$$

(19.1.21)给出 $a_1 = a_2$. 但因 $\{Y_{a_1 b} | 1 \leqslant b \leqslant t\}$ 是前给 $T_s(m,\ t)$ 的一组平行集，故当 $a_1 = a_2$ 时，(19.1.20)不可能成立．因此(19.1.19)不能成立，即对任意固定的 c，$\{X_{abc} | 1 \leqslant a \leqslant s;\ \ 1 \leqslant b \leqslant t\}$ 都是一组平行集. **证毕**.

19.2 按对平衡设计(一)

在 18.6 中已经看到按对平衡区组设计在否定 Euler 猜想的证明中起着十分重要的作用．从下面几节还将看到，这种设计在平衡不完全区组设计的研究中也有着十分重要的意义.

设 $k = \{k_1,\ k_2, \cdots,\ k_n\}$，这里诸 k_i 是整数且 $k_i \geqslant 3$．又记

$$\mathrm{PB}(K,\ \lambda) = \{v \mid 存在\ \mathrm{PBD}(K;\ \lambda;\ v)\}.$$

现在来讨论有关按对平衡区组设计的性质、存在性和构造等方面的一些问题.

定理 19.2.1. 如果 $v \in \mathrm{PB}(K',\ \lambda')$，且对每一 $k' \in K'$ 都有 $k' \in \mathrm{PB}(K,\ \lambda'')$，则 $v \in \mathrm{PB}(K',\ \lambda'\lambda'')$.

证明. 设 $\mathscr{R}$ 是基集 S 上的一个 $\mathrm{PBD}(K';\ \lambda';\ v)$，这里 $|S| = v$．设 B 是 $\mathscr{R}$ 的任一区组，且 $\mathscr{B}_B$ 是以 B 为基集的一个 $\mathrm{PBD}(K;\ \lambda'';|B|)$．以 $\mathscr{B}$ 记当 B 遍历 $\mathscr{R}$ 中全体区组时，一切 $\mathscr{B}_B$ 中的全体区组的总体．须注意，如果区组 B 在 $\mathscr{R}$ 中出现 a 次，则 $\mathscr{B}_B$ 在 $\mathscr{B}$ 中作为一个集体也要出现 a 次．因为 $\mathscr{B}_B$ 中每一区组的大小都是 K 中的数，故 $\mathscr{B}$ 中每一区组的大小都是 K 中的数．对 S 中任一对相异元 $\{s,\ s'\}$，它们恰在 $\mathscr{R}$ 的 λ' 个区组中同时出现；一当它们在 $\mathscr{R}$ 的区组 B 中出现时，它们就在 $\mathscr{B}_B$ 的 λ'' 个区组中同时出现；因此，它们恰在 $\mathscr{B}$ 的 $\lambda'\lambda''$ 个区组中同时出现．这就是说，$\mathscr{B}$ 是集 S 上的一个 $\mathrm{PBD}(K;\ \lambda'\lambda'';\ v)$. **证毕**.

定理 19.2.2. 如果 $v \in \mathrm{PB}(K,\ \lambda_1)$ 且 $v \in \mathrm{PB}(K,\ \lambda_2)$，则 $v \in \mathrm{PB}(K,\ \lambda_1 + \lambda_2)$.

证明. 设 $\mathscr{R}_i$ 是基集 S 上的一个 $\mathrm{PBD}(K;\ \lambda_i;\ v)$，这里

$$|S| = v,\ i = 1,\ 2.$$

那么，$\mathscr{R}_1$ 和 $\mathscr{R}_2$ 中全体区组的总体就是 S 上的一个 $\mathrm{PBD}(K;\ \lambda_1 + \lambda_2;\ v)$. **证毕**.

重复 n 次应用该定理，即得

系 1．如果 $v \in \mathrm{PB}(K, \lambda_i)(1 \le i \le n)$，则 $v \in \mathrm{PB}(K, \lambda_1 + \lambda_2 + \cdots + \lambda_n)$．

在系 1 中若 $\lambda_1 = \lambda_2 = \cdots = \lambda_n = \lambda$，则得

系 2．如果 $v \in \mathrm{PB}(K, \lambda)$，则 $v \in \mathrm{PB}(K, n\lambda)$，这里 n 是任一正整数．

上面这两个定理虽然简单，却很有用．下面一个存在定理稍微复杂一些．

定理 19.2.3.　如果

$$q \in \{0, \quad 1\} \bigcup \mathrm{PB}(K, \lambda), \tag{19.2.1}$$

$$s, \ s+1 \in \mathrm{PB}(K, \lambda), \tag{19.2.2}$$

$$t \in \mathrm{PB}(K, \lambda) \bigcap T_q(s), \tag{19.2.3}$$

则

$$st + q \in \mathrm{PB}(K, \lambda).$$

证明．　由(19.2.3)，存在 s 个集

$$W_i = \{(x, \ i) | 1 \le x \le t\}, \quad 1 \le i \le s \tag{19.2.4}$$

上的一个 $T_q(s, t)$，由以下的集组成：

$$Y_{11}, \ \cdots, \ Y_{1t}; \ \cdots; \ Y_{z1}, \ \cdots, \ Y_{zt}; \ \cdots;$$

$$Y_{q1}, \ \cdots, \ Y_{qt}; \ Y_{qt+1}, \ \cdots, \ Y_{t^2},$$

其中 $Y_{z1}, \ \cdots, \ Y_{zt}$ 是该 $T_q(s, t)$ 的第 z 组平行集 $(1 \le z \le q)$．记

$$Q = \{(z, \ s+1) | 1 \le z \le q\}.$$

对 $Y_{z1}, \cdots, Y_{zt}$ 的每一个都添上 Q 中一元 $(z, s+1)$ 所得的集分别记为 $Y'_{z1}, \cdots, \ Y'_{zt}$．那么，

$$|Y_{zx}| = s, |Y'_{zx}| = s+1 \quad (1 \le z \le q; 1 \le x \le t).$$

令

$$S = \left(\bigcup_{i=1}^{s} W_i\right) \bigcup Q. \tag{19.2.5}$$

首先证明，以诸 $W_i(1 \leqslant i \leqslant s)$ ，诸 $Y'_{zx}(1 \leqslant z \leqslant q; 1 \leqslant x \leqslant t)$ ，诸 $Y_q(qt+1 \leqslant p \leqslant t^2)$ 和 Q 作为区组的全体组成以集 S 为基集的一个 PBD$(\{t, s, s+1, q\}; 1; st+q)$. 因诸 W_i 之间，诸 W_i 和 Q 都无公共元，故$|S| = st+q$. 今考察 S 中的任一对元素

$$\{(x_1, i_1), (x_2, i_2)\}, (x_1, i_1) \neq (x_2, i_2). \tag{19.2.6}$$

由(19.2.5)知，$(x, i) \in S$ 的充要条件是

$$当 1 \leqslant i \leqslant s 时, 1 \leqslant x \leqslant t;$$
$$当 i = s+1 时, 1 \leqslant x \leqslant q.$$

如果 $i_1 = i_2 = s+1$，则(19.2.6)恰在 Q 中出现一次，在 W_i, Y'_{zx}, Y_p 中都不出现. 如果 i_1 和 i_2 中只有一个是 $s+1$，例如 $i_1 = s+1$，$1 \leqslant i_2 \leqslant s$，则(19.2.6)恰在 $Y'_{x_1 x}(1 \leqslant x \leqslant t)$ 之一中出现，在其他 Y'_{zx} 和 W_i, Y_p 中都不出现. 如果 $1 \leqslant i_1 = i_2 \leqslant s$，则 (19.2.6) 恰在 W_{i_1} 中出现一次，在其他 W_i 和 Y'_{zx}，Y_p 中都不出现. 当 $1 \leqslant i_1 \neq i_2 \leqslant s$，且 $1 \leqslant x_1$，$x_2 \leqslant t$ 时，形如(19.2.6)的二元子集的个数是

$$\frac{s(s-1)}{2} t^2. \tag{19.2.7}$$

在全部 Y_{zx} 和 Y_p 中所包含的二元子集都是这样的，且其个数也是(19.2.7). 但是，没有一个二元子集包含在多于一个的 Y_{zx} 和 Y_p 中. 所以，此时形如(19.2.6)的任意一个二元子集恰在一个 Y'_{zx} 或 Y_p 中出现一次，在其他 Y'_{zx}，Y_p，W_i 和 Q 中不出现. 这就证明了关于 PBD$(\{t, s, s+1, q\}; 1; st+q)$ 的结论.

当 $q > 1$ 时，因为 $st+q \in \mathrm{PB}(\{t, s, s+1, q\}, 1)$，且由(19.2.1)—(19.2.3)知 $t, s, s+1, q \in \mathrm{PB}(K, \lambda)$，所以由定理 19.2.1 得 $st+q \in \mathrm{PB}(K, \lambda)$. 当 $q = 0$ 或 1 时，显然 $st+q \in \mathrm{PB}(K, \lambda)$. **证毕**.

在按对平衡区组设计中，一种叫中心可分解的特殊类型的设计在下面的理论发展中是不可缺少的.

定义 19.2.1. 假定在基集 S 上存在一个 PBD$(K; \lambda; v)$，这里$|S| = v$. 又设 $m \in K$，$\sigma \in S$，且

$$m-1 | v-1, \quad u = \frac{v-1}{m-1},$$
$$S \setminus \{\sigma\} = S_1 \cup S_2 \cup \cdots \cup S_u, \quad S_i \cap S_j = \varnothing (i \neq j),$$
$$|S_i| = m-1 (1 \leqslant i \leqslant u).$$

如果 $S_i \bigcup \{\sigma\}(1 \leqslant i \leqslant u)$ 作为区组在该设计中恰出现 λ 次, 则称它是一个中心可分解设计. 记这样的中心可分解设计为

$$\mathrm{PBD}_m(K; \ \lambda; \ v),$$

σ 叫做它的中心, $S_i \bigcup \{\sigma\}(1 \leqslant i \leqslant u)$ 叫做它的特出区组.

记

$$\mathrm{PB}_m(K; \ \lambda) = \{v \mid \mathrm{PBD}_m(K; \ \lambda; \ v) \text{存在}\}.$$

由此定义立即推得

引理 19.2.1. 设 $1 \notin K$. 一个中心可分解设计的中心不能在非特出区组中出现.

定理 19.2.4. 如果

$$m-1 \mid v-1, \quad u = \frac{v-1}{m-1} \in \mathrm{PB}(K', \ \lambda'), \tag{19.2.8}$$

$$(m-1)k'+1 \in \mathrm{PB}_m(K, \ \lambda'')(\text{一切} k' \in K'), \tag{19.2.9}$$

则 $v \in \mathrm{PB}_m(K, \ \lambda'\lambda'')$.

证明. 由 (19.2.8), 可设 $\mathscr{B}'$ 是基集 $[1, \ u]$ 上的一个

$$\mathrm{PBD}(K'; \ \lambda'; \ u).$$

对 $B' \in \mathscr{B}'$, 有 $|B'| \in K'$. 记

$$S_{B'} = \{\sigma\} \bigcup \{(a, \ y) \mid a \in B', \quad 1 \leqslant y \leqslant m-1\}, \ B' \in \mathscr{B}',$$

则 $|S_{B'}| = (m-1)|B'| + 1$. 由 (19.2.9), 可设 $\mathscr{B}_{B'}$ 是集 $S_{B'}$ 上的一个 $\mathrm{PBD}_m(K; \ \lambda''; \ (m-1)|B'| + 1)$, 其中心为 σ, 特出区组为

$$A_{B'a} = \{\sigma\} \bigcup \{(a, \ y) \mid 1 \leqslant y \leqslant m-1\}, \ a \in B'.$$

把从 $\mathscr{B}_{B'}$ 中删去其一切特出区组后余下的区组的整体记为 $\overline{\mathscr{B}}_{B'}$. 当 B' 遍历 $\mathscr{B}'$ 的区组而得到的所有 $\overline{\mathscr{B}}_{B'}$ 中的全部区组以及 $A_x := \{\sigma\} \bigcup \{(x, \ y) \mid 1 \leqslant y \leqslant m-1\}$ $(x \in [1, \ u])$ 的每一个重复 $\lambda'\lambda''$ 次所形成的整体记为 $\mathscr{B}$. 下面证明 $\mathscr{B}$ 是以

$$S = \{\sigma\} \bigcup \{(x, \ y) \mid 1 \leqslant x \leqslant u; \ 1 \leqslant y \leqslant m-1\}$$

为基集的一个 $\text{PBD}_m(K;\ \lambda'\lambda'';\ v)$.

因 $\mathscr{B}_{B'}$ 是一个 $\text{PBD}_m(K;\ \lambda'';\ (m-1)|B'|\ +1)$，故 $m \in K$. 再由 $\mathscr{B}_{B'}$ 的定义知，它的每一区组的大小都是 K 的一个数. 今考察 S 的任一元素对

$$\{\sigma,(x,\ y)\}\quad 1 \leqslant x \leqslant u;\quad 1 \leqslant y \leqslant m-1\ , \tag{19.2.10}$$

$$\{(x_1,\ y_1),(x_2,\ y_2)\}, 1 \leqslant x_1 \neq x_2 \leqslant u;\quad 1 \leqslant y_1,\ y_2 \leqslant m-1, \tag{19.2.11}$$

$$\{(x,\ y_1),(x,\ y_2)\}, 1 \leqslant y_1 \neq y_2 \leqslant m-1. \tag{19.2.12}$$

由引理 19.2.1 知，元素对 (19.2.10) 只在 $\mathscr{B}$ 的 $\lambda'\lambda''$ 个区组 A_x 中出现，不在 $\mathscr{B}$ 的其他区组中出现. 对于元素对 (19.2.12)，设 $x \in B'$，则它只在 $\mathscr{B}_{B'}$ 的特出区组 $A_{B'x}$ 中出现，不在其他区组中出现，因此它只在 $\mathscr{B}$ 的 $\lambda'\lambda''$ 个区组 A_x 中出现，不在 $\mathscr{B}$ 的其他区组中出现. 对于元素对 (19.2.11)，元素对 $\{x_1,\ x_2\}$ 在 B' 中的 λ' 个区组中出现，不失一般性，记这些区组为 $B_1',\ B_2',\cdots,\ B_\lambda'$. 于是，(19.2.11) 在 $\mathscr{B}_{B'i}$ 中的恰好 λ'' 个区组中出现 $(1 \leqslant i \leqslant \lambda')$，在 $\mathscr{B}_{B'i}$ 的特出区组中不出现 $(1 \leqslant i \leqslant \lambda')$. 因此，元素对 (19.2.12) 恰好出现在 $\mathscr{B}$ 的 $\lambda'\lambda''$ 个区组中. 综上所述即已证明，$\mathscr{B}$ 是集 S 上的一个 $\text{PBD}_m(K;\ \lambda'\lambda'';\ (m-1)u+1)$，而且元 σ 是中心，诸区组 $A_x (1 \leqslant x \leqslant u)$ 是特出区组. **证毕**.

下面用一个具体的例子来说明定理 19.2.4 的证明过程，以及应用该定理的证明方法来构造一个 $\text{PBD}_m(K;\ \lambda;\ v)$. 设 $K' = \{3,\ 4\}$. 可以验证，下列诸区组

$$
\begin{aligned}
&B_0' = \{0,1,2,3\}, \quad &&B_1' = \{0,4,5,6\}, \\
&B_2' = \{0,7,8,9\}, \quad &&B_3' = \{1,4,7\}, \\
&B_4' = \{1,5,8\}, \quad &&B_5' = \{1,6,9\}, \\
&B_6' = \{2,4,8\}, \quad &&B_7' = \{2,5,9\}, \\
&B_8' = \{2,6,7\}, \quad &&B_9' = \{3,4,9\}, \\
&B_{10}' = \{3,5,7\}, \quad &&B_{11}' = \{3,6,8\}
\end{aligned}
\tag{19.2.13}
$$

组成 [0, 9] 上的一个 $\text{PBD}(K';\ 1;\ 10)$. 为了下面的方便，这里用 [0, 9] 来代替 [1, 10]. 取 $m = 3$，可以验证，下列诸区组

$$
\begin{aligned}
&C_1 = \{\sigma,1,2\}, \quad &&C_2 = \{\sigma,3,4\}, \\
&C_3 = \{\sigma,5,6\}, \quad &&C_4 = \{1,3,5\}, \\
&C_5 = \{1,4,6\}, \quad &&C_6 = \{2,3,6\}, \\
&C_7 = \{2,4,5\}
\end{aligned}
\tag{19.2.14}
$$

组成集 $\{\sigma\}\cup[1,6]$ 上的一个 $\text{PBD}_3(\{3\};\ 1;\ 7)$,且 σ 是其中心,C_1,C_2,C_3 是其特出区组. 也可以验证,下列区组

$$
\begin{aligned}
&D_1=\{\sigma,1,2\}, &&D_2=\{\sigma,3,4\},\\
&D_3=\{\sigma,5,6\}, &&D_4=\{\sigma,7,8\},\\
&D_5=\{1,3,5\}, &&D_6=\{1,4,7\},\\
&D_7=\{1,6,8\}, &&D_8=\{2,3,8\},\\
&D_9=\{2,4,6\}, &&D_{10}=\{2,5,7\},\\
&D_{11}=\{3,6,7\}, &&D_{12}=\{4,5,8\}
\end{aligned}
\tag{19.2.15}
$$

组成集 $\{\sigma\}\cup[1,8]$ 上的一个 $\text{PBD}_3(\{3\};\ 1;\ 9)$. 因为

$$1+(3-1)\cdot 3=7, \qquad 1+(3-1)\cdot 4=9,$$
$$(3-1)\cdot 10+1=21,$$

故由上述事实,定理 19.2.4 断定存在一个 $\text{PBD}_3(\{3\};\ 1;\ 21)$. 由 11.6 和 12.1 知,它是一个 $(70,\ 21,\ 10,\ 3,\ 1)$设计. 这个设计的基集是

$$\{\sigma\}\cup\{(x,\ y)\,|\,0\leqslant x\leqslant 9;\quad 1\leqslant y\leqslant 2\}.\tag{19.2.16}$$

为方便计,用下面的方法以数字代向量 $(x,\ y)$:

$$x:=(x,1);\quad \overline{1x}:=(x,2),0\leqslant x\leqslant 9,$$

这里 $\overline{1x}$ 表示一个十位数,其个位数码为 x,十位数码是 1. 于是,(19.2.16)成为 $\{\sigma\}\cup[0,19]$,且这个 $\text{PBD}_3(\{3\};\ 1;\ 21)$ 的诸特出区组是

$$
\begin{aligned}
&\{\sigma,\ 0,\ 10\},\ \{\sigma,\ 1,\ 11\},\ \{\sigma,\ 2,\ 12\},\\
&\{\sigma,\ 3,\ 13\},\ \{\sigma,\ 4,\ 14\},\ \{\sigma,\ 5,\ 15\},\\
&\{\sigma,\ 6,\ 16\},\ \{\sigma,\ 7,\ 17\},\ \{\sigma,\ 8,\ 18\},\\
&\{\sigma,\ 9,\ 19\}.
\end{aligned}
\tag{19.2.17}
$$

再者,$\mathscr{B}_{B_i'}$ 中的诸区组,由(19.2.15),是

$$
\begin{aligned}
&\{0,\ 4,\ 5\}, &&\{0,\ 14,\ 6\}, &&\{0,\ 15,\ 16\},\\
&\{10,\ 4,\ 16\}, &&\{10,\ 14,\ 15\}, &&\{10,\ 5,\ 6\},\\
&\{4,\ 15,\ 6\}, &&\{14,\ 5,\ 16\};
\end{aligned}
\tag{19.2.18}
$$

$\mathscr{B}_{B_{11}'}$ 中的诸区组,由(19.2.14),是

$$\{3,\ 6,\ 8\}, \qquad \{3,\ 16,\ 18\},$$

$$\{13,6,18\},\quad \{13,16,8\}. \tag{19.2.19}$$

类似于得到(19.2.18)，$\bar{\mathscr{B}}_{B_0'}$，$\bar{\mathscr{B}}_{B_2'}$ 都有 8 个区组，而类似于得到(19.2.19)，每一 $\bar{\mathscr{B}}_{B_i}(3\leqslant i\leqslant 11)$ 都有 4 个区组. 这些区组连同特出区组(19.2.17)共有 $3\times 8 + 9\times 4 + 10 = 70$ 个，它们是这个 $(70,21,10,3,1)$ 设计的全部区组.

　　灵活而巧妙地利用这些定理就可以得到 $(b,v,r,3,\lambda)$ 设计存在的一个简单明朗的充要条件，这就是下节要讨论的内容.

19.3　三连系存在的充要条件

　　在 12.4 中已经证明了，存在 $(b,v,r,3,\lambda)$ 设计的必要条件是

$$v\geqslant 3,\ \lambda(v-1)\equiv 0(\mathrm{mod}\,2),$$
$$\lambda v(v-1)\equiv 0(\mathrm{mod}\,6); \tag{12.4.2}$$

并且指出，(12.4.2)实际上也是存在 $(b,v,r,3,\lambda)$ 设计的充分条件. 那里还许诺将在本章给出这一充要条件的详细证明. 现在就来履行这一诺言. 为了证明条件的充分性，还需要几个引理.

　　引理 19.3.1. 设 $K_1=\{3,4,6\}$. 如果

$$u\geqslant 3,\ u\equiv 0\ \text{或}\ 1(\mathrm{mod}\,3), \tag{19.3.1}$$

则 $u\in\mathrm{PB}(K_1,1)$.

　　证明. 由定理 19.1.4 知.

$$t\in T_t(3),\ \text{若}\,t\geqslant 3,\ t\not\equiv 2(\mathrm{mod}\,4), \tag{19.3.2}$$

因而

$$n\in T_2(3),\ \text{若}\,2\nmid n,\ n\geqslant 3. \tag{19.3.3}$$

又因存在 2 阶拉丁方，故

$$2\in T_0(3). \tag{19.3.4}$$

由(19.3.3)，(19.3.4)，应用定理 19.1.5，有

$$2n\in T_4(3),\ \text{若}\,2\nmid n,\ n\geqslant 3. \tag{19.3.5}$$

(19.3.2)和(19.3.5)给出

$$t \in T_4(3), \quad 若 t \geqslant 4 . \tag{19.3.6}$$

由(19.3.2)知

$$3 \in T_3(3) , \tag{19.3.7}$$

因 $K_1 = \{3, 4, 6\}$，故

$$3, 4, 6 \in \mathrm{PB}(K_1, 1) . \tag{19.3.8}$$

再由例 12.4.2 和例 12.4.3 知

$$7, 9 \in \mathrm{PB}(K_1, 1) . \tag{19.3.9}$$

由(19.3.8)和(19.3.9)，只需对(19.3.1)中合 $u \geqslant 10$ 的 u 来证明这个引理. 下面假设 $u \geqslant 10$，且引理对 $u'(3 \leqslant u' < u, \ u' \equiv 0 或 1(\bmod 3))$ 成立. 对 $u(\bmod 9)$ 的各种可能性选择适当的 q 和 t 如下:

$$u \equiv 0(\bmod 9), \quad q = 0, \quad t = \frac{u}{3}; \tag{19.3.10}$$

$$u \equiv 1(\bmod 9), \quad q = 1, \quad t = \frac{u-1}{3}; \tag{19.3.11}$$

$$u \equiv 3(\bmod 9), \quad q = 0, \quad t = \frac{u}{3}; \tag{19.3.12}$$

$$u \equiv 4(\bmod 9), \quad q = 1, \quad t = \frac{u-1}{3}; \tag{19.3.13}$$

$$u \equiv 6(\bmod 9), \quad q = 3, \quad t = \frac{u-3}{3}; \tag{19.3.14}$$

$$u \equiv 7(\bmod 9), \quad q = 4, \quad t = \frac{u-4}{3}, \tag{19.3.15}$$

则 $t < u$ 且 $t \equiv 0$ 或 $1(\bmod 3)$. 今取 $s = 3$ 来应用定理 19.2.3: 对(19.3.10)和(19.3.12)，由于(19.3.8)和 $t \in T_0(3)(t \geqslant 2)$，故 $u = 3t \in \mathrm{PB}(K, 1)$；对(19.3.11)，(19.3.13)，(19.3.14)和(19.3.15)，分别有

$$\frac{u-1}{3} \geqslant 3, \frac{u-1}{3} \geqslant 4, \frac{u-3}{3} \geqslant 4, \frac{u-4}{3} \geqslant 4 ,$$

从而由(19.3.3)和(19.3.6)分别得

$$\frac{u-1}{3} \in T_3(3), \frac{u-1}{3} \in T_4(3),$$

$$\frac{u-3}{3} \in T_4(3), \frac{u-4}{3} \in T_4(3),$$

因此分别有

$$
\left.\begin{array}{ll}
u = 3 \cdot \dfrac{u-1}{3} + 1, & u = 3 \cdot \dfrac{u-1}{3} + 1 \\[2mm]
u = 3 \cdot \dfrac{u-3}{3} + 3, & u = 3 \cdot \dfrac{u-4}{3} + 4
\end{array}\right\} \in \mathrm{PB}(K_1,\ 1).
$$

由归纳法原理，引理证毕.

引理 19.3.2. 设 $K_2 = \{3,\ 4,\ 5,\ 6,\ 8,\ 11,\ 14\}$，$u \geqslant 3$，则 $u \in \mathrm{PB}(K_2,\ 1)$.

证明. 因 $K_1 \subset K_2$，故由引理 19.3.1 知，对 $u \equiv 0$ 或 $1 \pmod 3$，本引理成立. 由此和 K_2 知，本引理对合

$$3 \leqslant u \leqslant 16 \tag{19.3.16}$$

的 u 值成立. 对 $u \geqslant 17$ 可以不再用引理 19.3.1 而得另一处理. 今对不同的 u 值如下地选择 q, s, t 诸数的值:

当 $u = 17$ 时，选 $q = 1$, $s = 4$, $t = 4$;

当 $18 \leqslant u \leqslant 20$ 时，选 $q = u - 15$, $s = 3$, $t = 5$;

当 $u = 21$, 22 时，选 $q = u - 21$, $s = 3$, $t = 7$;

当 $u = 23$ 时，选 $q = 3$, $s = 4$, $t = 5$;

当 $24 \leqslant u \leqslant 28$ 时，选 $q = u - 21$, $s = 3$, $t = 7$;

当 $u = 29$ 时，选 $q = 1$, $s = 4$, $t = 7$;

当 $30 \leqslant u \leqslant 36$ 时，选 $q = u - 27$, $s = 3$, $t = 9$;

当 $37 \leqslant u \leqslant 44$ 时，选 $q = u - 33$, $s = 3$, $t = 11$;

当 $45 \leqslant u \leqslant 50$ 时，选 $q = u - 39$, $s = 3$, $t = 13$;

当 $u \geqslant 51$ 时，选 q 合 $q \equiv u \pmod{12}$,

$$3 \leqslant q \leqslant 14, \quad t = \frac{u-q}{3}, \quad s = 3. \tag{19.3.17}$$

对上述每一情形都有

$$u = st + q,$$

$$s,\ s + 1 \in \mathrm{PB}(K_2,\ 1). \tag{19.3.18}$$

当 $t = 4$，5，7，9，11，13 时，t 是一个素数幂，故 $t \in T_t(3)$，从而 $t \in T_3(3)$，$t \in T_4(3)$. 当 $u = 51$，52，53，54，55，56 时，由(19.3.17)，分别有 $q = 3$，4，5，6，7，8，故

$$t = \frac{u-q}{3} > q ; \tag{19.3.19}$$

当 $u \geqslant 57$ 时，因 $q \leqslant 14$，故(19.3.19)仍成立. 由于 $u - q \equiv 0 \pmod{12}$，故 $t = \frac{u-q}{3} \equiv 0 \pmod 4$，从而定理 19.1.4 给出 $t \in T_t(3)$. 这就证明了，对上面的一切 t，

$$t \in T_q(3), \tag{19.3.20}$$

现在对 u 用归纳法来完成本引理的证明. (19.3.16)是归纳法的基础，因而 $t \in \mathrm{PB}(K_2, 1)\,(3 \leqslant t \leqslant 16)$. 由此和(19.3.17)，(19.3.18)，(19.3.20)知 $3 \leqslant u \leqslant 50$ 时，本引理成立，因而 $t \in \mathrm{PB}(K_2, 1)\,(3 \leqslant t \leqslant 50)$. 由此和(19.3.17)，(19.3.18)，(19.3.20) 知，当 $3 \leqslant u \leqslant 3 \cdot 50 + 3 = 153$ 时，本引理成立，因而 $t \in \mathrm{PB}(K_2, 1)\,(3 \leqslant t \leqslant 153)$. 类似地，逐次推出使 $t \in \mathrm{PB}(K_2, 1)$ 的 t 值以及相应的 u 值的区间为

$$3 \leqslant t \leqslant 3 \cdot 153 + 3 = 462, \quad 3 \leqslant t \leqslant 3 \cdot 1389 + 3 = 4170, \cdots,$$

$$3 \leqslant u \leqslant 3 \cdot 462 + 3 = 1389, \quad 3 \leqslant u \leqslant 3 \cdot 4170 + 3 = 12513, \cdots,$$

后一行区间覆盖了 $3 \leqslant u < \infty$. **证毕.**

引理 19.3.3. 若 $v \geqslant 3$ 且 $v \equiv 1$ 或 $3 \pmod 6$，则 $v \in \mathrm{PB}(\{3\}, 1)$.

证明. $v = 3$ 的情形是平凡的，以下设 $v > 3$. 令

$$u = \begin{cases} 3t, & \text{若 } v = 6t+1, \\ 3t+1, & \text{若 } v = 6t+3. \end{cases}$$

于是 $v = 2u + 1$. 因 $u \equiv 0$，$1 \pmod 3$，故由引理 19.3.1 知

$$u \in \mathrm{PB}(K_1, 1). \tag{19.3.21}$$

由(12.4.4)，(12.4.8)和(12.4.16)知

$$7, 9, 13 \in \mathrm{PB}_3(\{3\}, 1), \tag{19.3.22}$$

这是因为在这些三连系中，可选定任一固定元为中心，而包含该固定元的诸区组就是一组平行集. 因为

$$2 \cdot 3 + 1 = 7, \ 2 \cdot 4 + 1 = 9, \ 2 \cdot 6 + 1 = 13,$$

故若在定理 19.2.4 中取 $m = 3$，$K' = K_1$，$\lambda' = \lambda'' = 1$，$K = \{3\}$，则得

$$v = 2u + 1 \in \mathrm{PB}(\{3\}, 1).$$

证毕.

引理 19.3.4. 若 $v \geqslant 3$ 且 $v \equiv 0$ 或 $1 (\mathrm{mod}\, 3)$，则

$$v \in \mathrm{PB}(\{3\}, 2).$$

证明. 容易构造出一个 $(4, 3, 2)$ 对称设计：

$$\{1, 2, 3\}, \{1, 2, 4\}, \{1, 3, 4\}, \{2, 3, 4\}.$$

这就是说，

$$4 \in \mathrm{PB}(\{3\}, 2). \tag{19.3.23}$$

同样地容易构造出一个 $(10, 6, 5, 3, 2)$ 设计：

$$\{1, 2, 3\}, \{1, 2, 4\}, \{1, 3, 5\},$$
$$\{1, 4, 6\}, \{1, 5, 6\}, \{2, 3, 6\},$$
$$\{2, 4, 5\}, \{2, 5, 6\}, \{3, 4, 5\},$$
$$\{3, 4, 6\}.$$

这就是说，

$$6 \in \mathrm{PB}(\{3\}, 2). \tag{19.3.24}$$

由引理 19.3.1，$v \in \mathrm{PB}(K_1, 1)$，在定理 19.2.1 中取 $K' = K_1 = \{3\}$，$\lambda' = 1$，$K = \{3\}$，$\lambda'' = 2$，则由 (19.3.23) 和 (19.2.24) 推得

$$v \in \mathrm{PB}(\{3\}, 2).$$

证毕.

引理 19.3.5. 若 $v \geqslant 3$ 且 $v \equiv 1 (\mathrm{mod}\, 2)$，则

$$v \in \mathrm{PB}(\{3\}, 3).$$

证明. 记

$$v = 2u + 1, \quad u \geqslant 1. \tag{19.3.25}$$

当 $u = 1$，即 $v = 3$ 时，存在平凡的 $(3, 3, 3)$ 对称设计. 当 $u = 2$ 即 $v = 5$ 时，

$$\{0, 1, 4\}, \{0, 2, 3\} (\mathrm{mod}\, 5)$$

是一个 $(10，5，6，3，3)$ 设计的基底，Z_5 的加群是该设计的一个自同构群. 因此，$3，5 \in PB(\{3\}，3)$. 下面假设 $u \geqslant 3$.

由引理 19.3.2，

$$u \in PB(K_2，1)，\quad u \geqslant 3.\qquad (19.3.26)$$

在定理 19.2.4 中取 $m = 3$，$K' = K_2 = \{3，4，5，6，8，11，14\}$，$\lambda' = 1$，$K = \{3\}$，$\lambda'' = 3$，得：如果

$$7，9，11，13，17，23，29 \in PB_3(\{3\}，3)，\qquad (19.3.27)$$

则 $v = 2u + 1 \in PB(\{3\}，3)$.

因为 $7，9，13 \in PB(\{3\}，1)$，故 $7，9，13 \in PB_3(\{3\}，1)$. 把 $(7，3，1)$ 对称设计，$(12，9，4，3，1)$ 设计和 $(20，13，5，3，1)$ 设计中的区组各重复三次可知

$$7，9，13 \in PB_3(\{3\}，3).\qquad (19.3.28)$$

在定理 19.2.4 中取 $m = 3$，$K' = \{3\}$，$\lambda' = 3$，因为

$$5 \in PB(\{3\}，3)，\quad 2 \cdot 3 + 1 = 7 \in PB_3(\{3\}，1)，$$

故

$$11 \in PB_3(\{3\}，3).\qquad (19.3.29)$$

为了证明 $17 \in PB_3(\{3\}，3)$，首先在集

$$\{(i，j) | i(\mathrm{mod}\ 4)，j(\mathrm{mod}\ 2)\}$$

上构造一个 $(14，8，7，4，3)$ 设计. 可以直接验证，诸区组

$$\{(0，b_0)，(1，b_1)，(2，b_2)，(3，b_3)\}，$$

$$b_0 + b_1 + b_2 + b_3 \equiv 0(\mathrm{mod}\ 2)，$$

$$\{(i，0)，(i，1)，(i'，0)，(i'，1)\}，\quad 0 \leqslant i < i' \leqslant 3$$

组成一个所需要的设计，故 $8 \in PB(\{4\}，3)$. 在定理 19.2.4 中取 $m = 3$，$u = 8$，$K' = \{4\}$，$\lambda' = 3$，$K = \{3\}$，$\lambda'' = 1$，则由 $8 \in PB(\{4\}，3)$，$(3 - 1)4 + 1 = 9$ 和 $(19.3.28)$，推得

$$17 = (3 - 1)8 + 1 \in PB_3(\{3\}，3).$$

在定理 19.2.4 中取 $m = 3$，$u = 11$，$K' = \{3\}$，$\lambda' = 3$，$K = \{3\}$，$\lambda'' = 1$，则由(19.3.28)和(19.3.29)推得

$$23 = (3-1)11 + 1 \in \mathrm{PB}_3(\{3\}, \ 3).$$

为了证明 $29 \in \mathrm{PB}(\{3\}, \ 3)$，首先在集 $\{\infty\} \cup [0,12]$ 上构造一个 $\mathrm{PBD}(\{3, 4\}; \ 3; \ 14)$. 可以验证，以下诸区组

$$\{1, \ 2, \ 6, \ 12\}, \ \{2, \ 4, \ 11, \ 12\},$$

$$\{\infty, \ 1, \ 3, \ 9\}, \ \{2, \ 5, \ 6\} \ (\mathrm{mod} \ 13)$$

在 Z_{13} 的加群作用下所产生的全部区组组成一个所需要的设计. 这就是说，$14 \in \mathrm{PB}(\{3, \ 4\}, \ 3)$. 在定理 19.2.4 中取 $m = 3$，$u = 14$，$K' = \{3,4\}$，$\lambda' = 3$，$K = \{3\}$，$\lambda'' = 1$，那么由(19.3.28)和 $14 \in \mathrm{PB}(\{3, \ 4\}, \ 3)$ 推得

$$29 = (3-1)14 + 1 \in \mathrm{PB}_3(\{3\}, \ 3).$$

至此证明了(19.3.27)成立，从而引理**证毕**.

引理 19.3.6. 若 $v \geqslant 3$，则 $v \in \mathrm{PB}(\{3\}, \ 6)$.

证明. 首先证明几个特殊 v 值的情形. 若 x 是 GF(8) 的原根，则 $\{x^i, \ x^{i+1}, \ x^{i+2}\} \ (0 \leqslant i \leqslant 6)$ 是一 $(56, \ 8, \ 21, \ 3, \ 6)$ 设计的基底，其一自同构群是 GF(8) 的加群，故 $8 \in \mathrm{PB}(\{3\}, \ 6)$.

当 $v = 14$ 时，取 $S = \{\infty\} \cup [0,12]$. 由定理 12.3.1，以下诸区组

$$\{1, \ 3, \ 9\} \text{重复五次},$$

$$\{2, \ 5, \ 6\} \text{重复六次},$$

$$\{\infty, \ 1, \ 12\}, \ \{\infty, \ 3, \ 10\}, \ \{\infty, \ 4, \ 9\}$$

是一个 $(b, \ 14, \ r, \ 3, \ 6)$ 设计的基底，因而是一个 $\mathrm{PBD}(\{3\}; \ 6; \ 14)$ 的基底，Z_{13} 的加群是该设计的一个自同构群. 因此，$14 \in \mathrm{PB}(\{3\}, \ 6)$.

另一方面，由引理 19.3.4 知，$3, \ 4, \ 6 \in \mathrm{PB}(\{3\}, \ 2)$，故再由定理 19.2.2 知，$3, \ 4, \ 6 \in \mathrm{PB}(\{3\}, \ 6)$. 由引理 19.3.5 知 $5, \ 11 \in \mathrm{PB}(\{3\}, \ 3)$，故 $5, \ 11 \in \mathrm{PB}(\{3\}, \ 6)$.

综上所证知，

$$3, \ 4, \ 5, \ 6, \ 8, \ 11, \ 14 \in \mathrm{PB}(\{3\}, \ 6). \tag{19.3.30}$$

在定理 19.2.1 中取 $K' = K_2 = \{3, 4, 5, 6, 8, 11, 14\}$，$\lambda' = 1$，$K = \{3\}$，$\lambda'' = 6$. 那么，由引理 19.3.2 知，当 $v \geqslant 3$ 时，$v \in PB(K_2, 1)$. 再由定理 19.2.1 和（19.3.30）知 $v \in PB(\{3\}, 6)$. **证毕**.

现在已作好了证明下述重要结果的一切准备工作.

定理 19.3.1. 存在 $(b, v, r, 3, \lambda)$ 设计的充要条件是 (12.4.2) 成立.

证明. 由本节之首的解释可知，只需证明条件 (12.4.2) 的充分性. 下面就来证明这一点.

假设条件 (12.4.2) 满足，那么有以下四种情形：

$$\text{若 } \lambda \equiv \pm 1 \,(\text{mod } 6)，\text{则 } v \equiv 1 \text{ 或 } 3 \,(\text{mod } 6)， \tag{19.3.31}$$

$$\text{若 } \lambda \equiv \pm 2 \,(\text{mod } 6)，\text{则 } v \equiv 0 \text{ 或 } 1 \,(\text{mod } 3)， \tag{19.3.32}$$

$$\text{若 } \lambda \equiv 3 \,(\text{mod } 6)，\text{则 } v \equiv 1 \,(\text{mod } 2)， \tag{19.3.33}$$

$$\text{若 } \lambda \equiv 0 \,(\text{mod } 6)，\text{则 } v \text{ 任意}. \tag{19.3.34}$$

对情形 (19.3.31)，由引理 19.3.3 知，$v \in PB(\{3\}, 1)$. 再由定理 19.2.2 的系 2 知，$v \in PB(\{3\}, \lambda)$. 对情形 (19.3.32)，由引理 19.3.4 知 $v \in PB(\{3\}, 2)$；因此时 $2 \mid \lambda$，故再由定理 19.2.2 的系 2 知 $v \in PB(\{3\}, \lambda)$. 对情形 (19.3.33)，由引理 19.3.5 知 $v \in PB(\{3\}, 3)$；再因此时 $3 \mid \lambda$，故由定理 19.2.2 的系 2 知 $v \in PB(\{3\}, \lambda)$. 对 (19.3.34)，由引理 19.3.6 知 $v \in PB(\{3\}, 6)$；再因此时 $6 \mid \lambda$，故由定理 19.2.2 的系 2 知 $v \in PB(\{3\}, \lambda)$. 综上所述，即得定理. **证毕**.

这个定理是 Hanani[1] 在 1961 年证明的，此前仅有些局部的结果. 例如，Kirkman[1] 在 1847 年以及 Reiss[1] 在 1859 年独立地对 $\lambda = 1$ 即 Steiner 三连系的情形得到了证明. Bhattacharya[1] 对 $\lambda = 2$ 即他称之为"二重三元组"的情形得到了证明. Hanani 的证明并不依赖于上述诸位作者的工作，也不依赖于 Bose 的直接构造法所得到的结果. 例如，在证明定理 19.3.1 所用到的一些引理中的结果，本可由定理 12.3.2，定理 12.3.3 导出，但不用它们而由 Hanani 的统一的递归方法很自然地使问题整体地得到了解决.

对 $k = 4$ 的情形，Hanani[1] 证明了一个与定理 19.3.1 类似的结果：

定理 19.3.2. 设 $v \geqslant 4$. 存在 $(b, v, r, 4, \lambda)$ 设计的充要条件是

$$\lambda(v - 1) \equiv 0 \,(\text{mod } 3)，$$

$$\lambda v(v - 1) \equiv 0 \,(\text{mod } 12).$$

$k = 5$ 的情形同 $k = 3$，4 的情形不一样，因为已知(参见 W.S.Connor Jr. [1]，H.Hall 和 W.S.Connor [1])不存在$(b，15，r，5，2)$设计.但是，Hanani[4]证明了这只是唯一的例外，即有

定理 19.3.3. 设 $v \geqslant 5$ 且 $(v, k, \lambda) \neq (15, 5, 2)$. 存在 $(b，v，r，5，\lambda)$ 设计的充要条件是

$$\lambda(v - 1) \equiv 0 \pmod 4,$$

$$\lambda v(v - 1) \equiv 0 \pmod{20}.$$

19.4 同可分解的 (b, v, r, k, λ) 设计有关的一些结果

前一节解决了 $(b，v，r，k，\lambda)$ 设计的存在性问题，对可分解的 $(b，v，r，k，\lambda)$ 设计的存在性问题并未触及. 由例 11.1.3 可知，存在可分解的$(35，15，7，3，1)$设计. 对一般的参数 $b，v，r，k，\lambda$，可分解的 $(b，v，r，k，\lambda)$ 设计的存在性问题是一个很困难的问题. 下节将要介绍一些很强的结果. 本节的任务就是为其作准备，有四方面的内容，现分述于后.

第一，引入一些集，它们同可分解的 $(b，v，r，k，\lambda)$ 设计密切相关. 为此，首先证明有关这些参数的一些简单结果.

引理 19.4.1. 如果存在 $(b，v，r，k，\lambda)$ 设计，则

$$v - 1 \equiv 0(\operatorname{mod}(k - 1)), \tag{19.4.1}$$

$$v(v - 1) \equiv 0(\operatorname{mod} k(k - 1)). \tag{19.4.2}$$

证明. 假定存在 $(b，v，r，k，1)$ 设计. 由(12.1.2)即得(19.4.1). 由(12.1.2)和(12.1.3)知

$$b = \frac{v(v - 1)}{k(k - 1)},$$

故有(19.4.2). **证毕**.

引理 19.4.2. 如果存在可分解的 $(b，v，r，k，\lambda)$ 设计，则

$$v \equiv 0(\operatorname{mod} k). \tag{19.4.3}$$

证明. 因为一个可分解的 $(b，v，r，k，\lambda)$ 设计的基集为若干个互不相交的区组的并，故有(19.4.3). **证毕**.

引理 19.4.3. 如果存在可分解的$(b$，v，r，k，1)设计，则

$$v \equiv k(\operatorname{mod} k(k-1)). \tag{19.4.4}$$

证明. 假定存在可分解的$(b$，v，r，k，1)设计. 因(19.4.1)和(19.4.3)可分别写为

$$v \equiv k(\operatorname{mod}(k-1)),$$

$$v \equiv k(\operatorname{mod} k),$$

而 $\gcd(k$，$k-1)= 1$.故有(19.4.4). **证毕**.

今引入以下诸集:

$$\mathrm{PB}(K): = \mathrm{PB}(K, 1),$$

$$R_k^*: = \{c \mid 有\ b,\ r\ 使可分解的\ (b,\ (k-1)c + 1,\ r,\ k,\ 1)设计存在\},$$

$$B^*(k): = \{v \mid 有\ b,\ r\ 使可分解的\ (b,\ v,\ r,\ k,\ 1)设计存在\},$$

其中，K是由有限或无限个正整数组成的集，$\mathrm{PB}(K, 1)$已在 19.2 之首说明.

第二，关于$\mathrm{PB}(K)$的一些结果.

引理 19.4.4.

(1) $K \subseteq \mathrm{PB}(K)$,

(2) 若$K_1 \subseteq K_2$，则$\mathrm{PB}(K_1) \subseteq \mathrm{PB}(K_2)$,

(3) $\mathrm{PB}(\mathrm{PB}(K))= \mathrm{PB}(K)$.

证明. 首先证明(1). 设$k \in K$. 若$k \geqslant 2$且S是个k元集，则$\mathscr{B} = \{S\}$就是基集S上的一个$\mathrm{PBD}(K; 1; k)$，故$k \in \mathrm{PB}(K)$. 若$k = 1$且S是个一元集，则$\mathscr{B} = \{S\}$可以理解为基集S上的一个$\mathrm{PBD}(K; 1; 1)$，因为S中一对元也没有.

结论(2)是$\mathrm{PB}(K)$的定义的直接推论.

现在来证明(3). 由(1)，$\mathrm{PB}(K) \subseteq \mathrm{PB}(\mathrm{PB}(K))$. 下面证明$\mathrm{PB}(K) \supseteq \mathrm{PB}(\mathrm{PB}(K))$. 设$v \in \mathrm{PB}(\mathrm{PB}(K))$. 在定理 19.2.1 中取$\lambda' = \lambda'' = 1$，$K' = \mathrm{PB}(K)$，且那里的$K$就是此处的$K$，则彼处的条件满足. 因此，$v \in \mathrm{PB}(K)$. **证毕**.

如果正整数集K合$\mathrm{PB}(K)= K$，则称K是一个 PBD 闭集或简称为闭集. 全部正整数组成的集 N，只由 1 组成的集$\{1\}$都是闭集的例子. 由引理 19.4.4 的(3)知，对任意的正整数集T，$\mathrm{PB}(T)$都是闭集.

第三，关于R_k^*的一些结果.

引理 19.4.5. 若存在可分解的 $(b, v, r, k, 1)$ 设计, 则 v 可表为 $v = (k-1)c + 1$, 其中 c 合

$$c \equiv 1 \pmod{k}. \tag{19.4.5}$$

因此, 若 $c \in R_k^*$, 则 c 合 (19.4.5).

证明. 由引理 19.4.3,

$$v = k(k-1)c' + k = (k-1)(kc' + 1) + 1,$$

取 $c = kc' + 1$, 则有 $v = (k-1)c + 1$, 且 c 合 (19.4.5). **证毕.**

由此立得

系. $R^*(k) = \left\{ (k-1)c + 1 \,\middle|\, c \in R_k^* \right\}.$

R_k^* 和一类特殊的 PBD 有着很密切的联系.

定义 19.4.1. 设 $\mathscr{B}$ 是基集 S 上的一个 PBD$(\{k+1, t\}; 1; kt+1)$. 当 $t \neq k+1$ 时, 如果 $\mathscr{B}$ 中恰有一个区组的容量是 t, 其他区组的容量都是 $k+1$, 则称这个 PBD$(\{k+1, t\}; 1; kt+1)$ 是一个完备可分解的 (k, t) 设计; 把容量为 t 的那个区组称为无穷远区组; 当 $t = k+1$ 时, 此时的 PBD$(\{k+1\}; 1; kt+1)$ 也称为完备可分解的 (k, t) 设计, 而把任一固定的区组称为无穷远区组.

可分解设计同完备可分解的 (k, t) 设计之间的关系有如有限仿射平面和有限射影平面之间的关系, 这在下面的引理及其证明中显示得很清楚.

引理 19.4.6. $t \in R_k^*$ 的充要条件是存在一个完备可分解的 (k, t) 设计.

证明. 首先证条件的必要性. 设 $t \in R_k^*$, 且 $\mathscr{B}$ 是以

$$((k-1)t + 1)$$

元集 S 为基集的一个可分解的 $(b, (k-1)t + 1, r, k, 1)$ 设计. 令

$$B_\infty := \{\theta_1, \theta_2, \cdots, \theta_t\},$$

$$S^* := S \bigcup B_\infty.$$

于是, $\left| S^* \right| = kt + 1$. 因为 $\mathscr{B}$ 的平行区组簇的个数为 r, 此时 $r = t$, 故可记 $\mathscr{B}$ 的 t 个平行区组簇为 $\mathscr{B}_1, \mathscr{B}_2, \cdots, \mathscr{B}_t$. 作

$$B^* := B \bigcup \{\theta_i\}, \quad \text{一切 } B \in \mathscr{B}_i \quad (1 \leqslant i \leqslant t),$$

$$\mathscr{B}^* := \{ B^* \,|\, B \in \mathscr{B} \} \bigcup \{ B_\infty \}.$$

可以直接验证，$\mathscr{B}^*$ 是基集 S^* 上的一个完备可分解的 (k, t) 设计.

下面证明条件的充分性. 设 $\mathscr{B}'^*$ 是以 $(kt + 1)$ 元集 S'^* 为基集的一个完备可分解 (k, t) 设计，其无穷远区组为

$$B'_\infty = \{\delta_1, \ \delta_2, \cdots, \ \delta_t\}.$$

设 i 是 $[1, t]$ 中任一正整数. 对任一 $s \in S'^* \setminus B'_\infty$，在 $\mathscr{B}'^*$ 中都恰有一个容量为 $k + 1$ 的区组同时包含 s 和 δ_i，记此区组为 B_i^*. 当 $i \neq j$ 时，$B_i'^*$ 与 $B_j'^*$ 已有公共元 s，故不能再有其他公共元，因而

$$\left(B_i'^* \setminus \{s\}\right) \bigcap \left(B_j'^* \setminus \{s\}\right) = \varnothing, \quad 1 \leqslant i \neq j \leqslant t.$$

这样一来，

$$\left| \bigcup_{i=1}^t B_i'^* \right| = \left| \bigcup_{i=1}^t \left((B_i'^* \setminus \{s\}) \bigcup \{s\} \right) \right| \tag{19.4.6}$$
$$= kt + 1 = |S'^*|,$$

故 s 在 $B_1'^*$，$B_2'^*, \cdots$，$B_t'^*$ 中同 S'^* 中的其他元恰好各相遇一次. 所以，没有其他区组包含 s. 由此得知，对 $\mathscr{B}'^* \setminus \{B'_\infty\}$ 中的任一区组 B'^* 都有

$$\left| B'^* \bigcap B'_\infty \right| = 1. \tag{19.4.7}$$

令

$$S' := S'^* \setminus B'_\infty,$$
$$B' := B'\left(B'^*\right) := B'^* \setminus \left(B'^* \bigcap B'_\infty\right), \quad \text{一切} B'^* \in \mathscr{B}'^* \setminus \{B'_\infty\},$$
$$\mathscr{R}'_i := \{B'\left(B'^*\right) \big| B'^* \in \mathscr{B}'^* \setminus \{B'_\infty\}, \ \delta_i \in B'^*\}, \ 1 \leqslant i \leqslant t,$$
$$\mathscr{B}' := \{B'\left(B'^*\right) \big| B'^* \in \mathscr{B}'^* \setminus \{B'_\infty\}\}.$$

于是，由 (19.4.6)，$|S'| = (k-1)t + 1$；由 (19.4.7)，$|B'| = k$. 还可直接验证，$\mathscr{B}'$ 是以 S' 为基集的一个可分解的 $(b, (k-1)t + 1, r, k, 1)$ 设计，$\mathscr{R}'_i (1 \leqslant i \leqslant t)$ 是其 t 个平行区组簇，这里 $b = \dfrac{((k-1)t+1)t}{k}$，$r = t$. **证毕**.

现在已能证明将在下一节起重要作用的一个结果.

定理 19.4.1. R_k^* 是闭集，即 $\mathrm{PB}(R_k^*) = R_k^*$.

证明. 由引理 19.4.4 之 (1)，$R_k^* \subseteq \mathrm{PB}\left(R_k^*\right)$. 下面来证明 $R_k^* \supseteq \mathrm{PB}\left(R_k^*\right)$. 设

$v \in \mathrm{PB}\big(R_k^*\big)$，且 $\mathscr{B}'$ 是 v 元集 S' 上的一个 PBD$\big(R_k^*;\ 1;\ v\big)$. 对任一 $B' \in \mathscr{B}'$，因 $|B'| \in R_k^*$，故由引理 19.4.6 知，存在一个完备可分解的 $(k,\ |B'|)$ 设计. 记

$$S_{B'} = \big(B' \times [1,\ k]\big)\bigcup\{\theta\},$$

则 $|S_{B'}| = k|B'|+1$. 设 $B' = \{a_1,\ a_2,\cdots,\ a_t\}$，$\overline{\mathscr{B}}_{B'}$ 是在基集 $S_{B'}$ 上的一个完备可分解 $(k,\ |B'|)$ 设计. 不失一般性，可设 $\overline{\mathscr{B}}_{B'}$ 的无穷远区组为

$$\{(a_1,\ 1),\ (a_2,\ 1),\ \cdots,\ (a_t,\ 1)\};$$

包含元 θ 的区组，由引理 19.4.6 的证明知其个数为 t，可设为

$$\{\theta,\ (a_i,\ 1),\ (a_i,\ 2),\ \cdots,\ (a_i,\ k)\},\ 1 \leqslant i \leqslant t.$$

令 $\mathscr{B}_{B'}$ 是由 $\overline{\mathscr{B}}_{B'}$ 中删去含有 θ 的诸区组和无穷远区组后余下的区组所组成的簇，且

$$
\begin{aligned}
S &:= \big(S' \times [1,\ k]\big)\bigcup\{\theta\},\\
B_\infty &:= \{(a,1)\,|\,a \in S'\},\\
\mathscr{R}_0 &:= \big\{\{\theta,(a,1),(a,2),\cdots,(a,\ k)\}\,|\,a \in S'\big\},\\
\mathscr{B}^* &:= \big\{\mathscr{B}_{B'}\,|\,B' \in \mathscr{B}'\big\}\bigcup\{B_\infty\}\bigcup\mathscr{B}_0.
\end{aligned}
$$

现在来验证，$\mathscr{B}^*$ 是 $(kv+1)$ 元集 S 上的一个完备可分解 $(k,\ v)$ 设计，它以 B_∞ 为无穷远区组. 这只要验证 S 中的任一对相异元恰在 $\mathscr{B}^*$ 的一个区组中出现即可. 设 $(a,\ i)$，$(a',\ j)$ 是 S 的一对相异元. 当 $a \neq a'$ 且 $i \neq j$ 时，$\{(a,\ i),\ (a',\ j)\}$ 只包含在 $\mathscr{B}^*$ 的 $\mathscr{B}_{B'}$ 的一个区组中，这里 B' 是包含 $\{a,\ a'\}$ 的那个唯一区组. 当 $a = a'$ 且 $i \neq j$ 时，$\{(a,\ i),\ (a,\ j)\}$ 只包含在 $\mathscr{B}^*$ 的 $\mathscr{R}_0$ 的一个区组中. 当 $a \neq a'$ 且 $i = j = 1$ 时，$\{(a,\ 1),\ (a',\ 1)\}$ 只包含在 $\mathscr{B}^*$ 的 B_∞ 中，当 $a \neq a'$ 且 $i = j \neq 1$ 时，$\{(a,\ i),\ (a',\ j)\}$ 只包含在 $\mathscr{B}^*$ 的 $\mathscr{B}_{B'}$ 的一个区组中，这里 B' 是包含 $\{a, a'\}$ 的那个唯一区组. 另一方面，$\{\theta,(a,\ i)\}$ 只出现在 $\mathscr{B}^*$ 的区组 B_0 中. 综上所证，由引理 19.4.6 即得定理. **证毕**.

第四，关于 $R^*(k)$ 的一些结果. 为了证明下节将要用到的另一个重要结果，需要 Wilson[3] 关于含充分多的元的有限域的一个特殊性质.

关于有限域的 Wilson 定理. 设 $q = mf + 1$ 是一个素数的方幂，GF(q) 是具有 q 个元的有限域，r 是个正整数，且

$$q > m^{r(r-1)}. \tag{19.4.8}$$

又设 g 是 $\mathrm{GF}(q)$ 的一个原根,且记

$$C_h := \left\{ g^{mx+h} \,\middle|\, 0 \leqslant x \leqslant f-1 \right\}, \quad 0 \leqslant h \leqslant m-1.$$

那么,对任一映射 F:

$$\left\{ (i,\, j) \,\middle|\, 1 \leqslant i < j \leqslant r \right\} \to \left\{ C_h \,\middle|\, 0 \leqslant h \leqslant m-1 \right\},$$

都存在有限域 $\mathrm{GF}(q)$ 上的 r 元有序组 $(a_1,\, a_2,\, \cdots,\, a_r)$,使

$$a_j - a_i \in F(i,\, j) \tag{19.4.9}$$

对一切 $(i,\, j)\,(1 \leqslant i < j \leqslant r)$ 成立.

这里不拟给出这个定理的证明. 对此有兴趣的读者请参阅上面所引的文献. 下面利用这个结果来证明.

引理 19.4.7. 设 $k \geqslant 2$,t 都是正整数,数

$$q = k(k-1)t + 1 \tag{19.4.10}$$

是一个素数的方幂,且

$$q > \left(\frac{1}{2} k(k-1) \right)^{k(k+1)}, \tag{19.4.11}$$

那么,$kq \in B^*(k)$,即 $k^2 t + 1 \in R_k^*$.

证明. 当 $k = 2$ 时,定理是易证的,故以下设 $k \geqslant 3$. 在关于有限域的 Wilson 定理中,取

$$m = \frac{1}{2} k(k-1), \quad r = k+1,$$

则 (19.4.8) 化为 (19.4.11). 记

$$\mathscr{C} := \left\{ C_h \,\middle|\, 0 \leqslant h \leqslant m-1 \right\},$$

且 $\mathscr{C}'$ 是 $\mathscr{C}$ 的任意一个 k 元子集. 这总是办得到的,因为,由 $k \geqslant 3$ 知,$k \leqslant m$. 考虑映射

$$\left\{ (i,\, j) \,\middle|\, 0 \leqslant i < j \leqslant k \right\} \xrightarrow{\ F\ } \mathscr{C},$$

满足条件

(1)F 把 $\{(i,\ j)|1 \leqslant i < j \leqslant k\}$ $(1-1)$ 地映到 $\mathscr{C}$ 上,

(2)F 把 $\{(0,\ j)|1 \leqslant j \leqslant k\}$ $(1-1)$ 地映到 $\mathscr{C}'$ 上.

根据关于有限域的 Wilson 定理,存在 GF(q) 上的一个 $(k+1)$ 元有序组 $(a_0, a_1, \cdots, a_k)$,合

$$a_j - a_i \in F(i,\ j),\quad \text{一切} i,\ j,\quad 0 \leqslant i < j \leqslant k.$$

令 $b_i := a_i - a_0\ (1 \leqslant i \leqslant k)$. 当 $1 \leqslant i < j \leqslant k$ 时,

$$b_j - b_i = a_j - a_i \in F(i,\ j)$$

故

$$\{b_j - b_i | 1 \leqslant i < j \leqslant k\}$$

是 $C_0, C_1, \cdots, C_{m-1}$ 的一个相异代表组. 因 $b_i \in F(0,\ i)(1 \leqslant i \leqslant k)$,故当 $i \neq j$ 时,

$$\{g^{ml}b_j | 0 \leqslant l \leqslant t-1\} \bigcap \{g^{ml}b_i | 0 \leqslant l \leqslant t-1\} = \varnothing.$$

令

$$S := \bigcup_{j=1}^{k} \{g^{ml}b_j | 0 \leqslant l \leqslant t-1\},$$

则 $|S| = kt, |\mathrm{GF}(q) \setminus S| = q - kt$.

令

$$X := \{(a)_j | a \in \mathrm{GF}(q),\ 1 \leqslant j \leqslant k\}.$$

设 $A \subseteq X$. 对 $u,\ c \in \mathrm{GF}(q)$,记

$$uA + c := \{(ud+c)_l | (d)_l \in A\}.$$

今欲以 X 为基集构造出一个可分解的 $(b,\ qk,\ r,\ k,\ 1)$ 设计. 为此,令

$$B^* := \{(b_i)_i | 1 \leqslant i \leqslant k\},$$

$$B_j := \{(b_i)_j | 1 \leqslant i \leqslant k\},\quad 1 \leqslant j \leqslant k.$$

再作

$$\mathscr{B}_1 := \left\{ uB^* \middle| u \in \mathrm{GF}(q) \right\}, \tag{19.4.12}$$

$$\mathscr{B}_2 := \left\{ g^{ml} b_i B_i \middle| 0 \leqslant l \leqslant t-1; \quad 1 \leqslant i \leqslant k \right\}, \tag{19.4.13}$$

$$\mathscr{B}_0 := \mathscr{B}_1 \bigcup \mathscr{B}_2.$$

对于任意 j_1, $j_2 \in [1, k]$, $j_1 \neq j_2$, (j_1, j_2) 类混差只能由 $\mathscr{B}_1$ 中的区组产生, 而 $\mathscr{B}_1$ 中的诸区组所产生的全部 (j_1, j_2) 类混差为

$$u \left(b_{j_1} - b_{j_2} \right), \quad u \in \mathrm{GF}(q). \tag{19.4.14}$$

由于 $b_{j_1} - b_{j_2} \neq 0$, (19.4.14)的全部差取 $\mathrm{GF}(q)$ 的每个元恰好一次. 第 j 类非零纯差只能由 $\mathscr{B}_2$ 中形如 $g^{ml} b_j B_j (0 \leqslant l \leqslant m-1)$ 的区组产生, 而这样的区组所产生的全部第 j 类非零纯差为

$$g^{ml} b_j \left(b_{i'} - b_i \right), \quad 0 \leqslant l \leqslant t-1, \quad 1 \leqslant i \neq i' \leqslant k. \tag{19.4.15}$$

因为 $mt = \dfrac{q-1}{2}$, 故

$$g^{mt} = g^{\frac{q-1}{2}} = -1.$$

于是,

$$g^{ml} b_j \left(b_i - b_{i'} \right) = -g^{ml} b_j \left(b_{i'} - b_i \right) = g^{m(l+t)} b_j \left(b_{i'} - b_i \right),$$

故(19.4.15)中的全体差可表为

$$g^{ml} b_j \left(b_{i'} - b_i \right), \quad 0 \leqslant l \leqslant 2t-1, \quad 1 \leqslant i < i' \leqslant k. \tag{19.4.16}$$

因为 $\{ b_{i'} - b_i | 1 \leqslant i < i' \leqslant k \}$ 是 $\{ C_h | 0 \leqslant h \leqslant m-1 \}$ 的相异代表组, 故 $\mathrm{GF}(q) \backslash \{0\}$ 中的任一元都可表为形如(19.4.16)的恰好一个差.

　　设 G 是 $\mathrm{GF}(q)$ 的加法群. 那么, G 中固定 uB^* 不变的子群是单位子群, 固定 $g^{ml} b_i B_i$ 不变的也是单位子群. 由定理 12.3.1, $\mathscr{B}_0 = \mathscr{B}_1 \bigcup \mathscr{B}_2$ 是一个 $(b, qk, r, k, 1)$ 设计的一个基底, 而

$$\mathscr{B} := \bigcup_{j=1}^{k} \left\{ g^{ml} b_j B_j + c \, \middle| \, c \in \mathrm{GE}(q); \, 0 \leqslant l \leqslant t-1 \right\}$$

$$\bigcup \left\{ u B^* + c \, \middle| \, u, \, c \in \mathrm{GF}(q) \right\}$$

就是集 X 上的一个 $(b, qk, r, k, 1)$ 设计, 这里

$$b = \frac{q(qk-1)}{k-1}, \quad r = \frac{qk-1}{k-1}.$$

现在来证明 $\mathscr{B}$ 的可分解性. 对每一 $c \in \mathrm{GF}(q)$, 令

$$\mathscr{B}_c := \bigcup_{j=1}^{k} \left\{ g^{ml} b_j B_j + c \, \middle| \, 0 \leqslant l \leqslant t-1 \right\}$$

$$\bigcup \left\{ u B^* + c \, \middle| \, u \in \mathrm{GF}(q) \setminus S \right\},$$

这里, S 的定义如前. 对每一 $s \in S$, 令

$$\mathscr{B}_s := \left\{ s B^* + c \, \middle| \, c \in \mathrm{GF}(q) \right\}.$$

于是可以直接验证, 不同的两个 $\mathscr{B}_c$ 无公共区组, 不同的两个 $\mathscr{B}_s$ 无公共区组, 一个 $\mathscr{B}_c$ 和一个 $\mathscr{B}_s$ 也无公共区组, 而且诸 $\mathscr{B}_c$ 和诸 $\mathscr{B}_s$ 都是平行区组簇. 这就是说, $\mathscr{B}$ 是可分解的. **证毕.**

为了证明有关 $B^*(k)$ 的另一个结果, 需要重提 18.6 的末尾叙述过的一事实: 对任一整数 $k \geqslant 2$, 都存在常数 l_k, 使得当 $n > l_k$ 时, 就一定存在含 k 个拉丁方的正交拉丁方组. 用正交表的语言来说, 就是存在常数 L_k, 使得当 $n > L_k$ 时, 就一定存在 k 行 n^2 列的正交表 $\mathrm{OA}(n, k)$. 用横截系的语言来说, 就是存在常数 L_k, 使得当 $n > L_k$ 时, 就一定存在横截系 $T_0(k, n)$.

引理 19.4.8. 设 $k \geqslant 2$. 若 $v \in B^*(k)$, 且 $v > L_{k+1}$, 则 $kv \in B^*(k)$.

证明. 设 v 满足引理的条件, 则存在一个横截系 $T_0(k+1, v)$. 设 $G_0, G_1, \cdots, G_k$ 是该横截系的基集, $\mathscr{A} := \{ A_1, A_2 \cdots, A_{v^2} \}$ 由该横截系的 v^2 个集所组成. 令 $S := G_1 \bigcup G_2 \bigcup \cdots \bigcup G_k$. 于是 $|S| = kv$. 对于每一个 $i \in [1, k]$, 因 $v \in B^*(k)$, 故可设 $\mathscr{B}^{(i)}$ 是基集 G_i 上的一个可分解的 $(b, v, r, k, 1)$ 设计, 这里 $b = \dfrac{v(v-1)}{k(k-1)}$, $r = \dfrac{v-1}{k-1}$. 再设 $\mathscr{B}^{(i)}$ 分解成平行区组簇的分解式为

$$\mathscr{B}^{(i)} = \mathscr{B}_1^{(i)} \bigcup \mathscr{B}_2^{(i)} \bigcup \cdots \bigcup \mathscr{B}_r^{(i)}.$$

记

$$\mathscr{B}_j := \{\mathscr{B}_j^{(i)} \big| 1 \leqslant i \leqslant k\}, 1 \leqslant j \leqslant r.$$

又对每一元 $z \in G_0$，记

$$\mathscr{A}_z := \{A \cap S \big| z \in A, \ A \in \mathscr{A}\},$$

令

$$\mathscr{B} := \left(\bigcup_{j=1}^r \mathscr{B}_j\right) \cup \left(\bigcup_{z \in G_0} \mathscr{A}_z\right).$$

由于 $G_i \cap G_j = \varnothing (i \neq j)$，$B^{(i)}$是 G_i 上的一个可分解设计的一个平行区组簇，故对任一 $j(1 \leqslant j \leqslant r)$，$\mathscr{B}_j$ 中的诸区组构成集 S 的一个分解. 由横截系的性质知，$\mathscr{A}_z$ 中的诸区组也构成 S 的一个分解. 设$\{s_1, \ s_2\}$是 S 的任意一个二元子集. 如果 $s_1, \ s_2 \in G_i$，那么，$\{s_1, \ s_2\}$在 $\mathscr{B}$ 的恰好一个区组中出现，这个区组就是$\mathscr{B}^{(i)}$ 中包含 s_1 和 s_2 的那个区组. 如果 $s_1 \in G_i$，$s_2 \in G_j (i \neq j)$，那么由横截系的性质可知，$\{s_1, \ s_2\}$恰好在 $\bigcup\limits_{z \in G_0} \mathscr{A}_z$ 的一个区组中出现. 这样一来，$\mathscr{B}$ 就是基集 S 上的一个可分解的$(b, \ kv, \ r, \ k, \ 1)$设计，其中$b = \dfrac{v(kv-1)}{(k-1)}$，$r = \dfrac{kv-1}{k-1}$. 因此，定理的结论成立. **证毕**.

当 $v = (k-1)c + 1$ 时，$kv = (k-1)(kc+1) + 1$，故有

系. 若$c \in R_k^*$，且充分大，则 $kc+1 \in R_k^*$.

19.5　可分解的(b, v, r, k, λ)设计

有了上节的准备，现在已有条件来讨论关于可分解的$(b, \ v, \ r, \ k, \ \lambda)$设计的存在性的 Ray-Chaudhuri 和 Wilson[1]理论，只是还须给出纤维的概念和引述一个关于纤维的 Wilson 定理.

设 K 是由一些正整数所组成的集,有限或无限不论. 令 $K' := \{k(k-1) \big| k \in K\}$. 用 $\beta(K)$ 记 K' 中全部数的最大公因数，即 $\beta(K) = \gcd\{k(k-1) \big| k \in K\}$.

定义 19.5.1. 设$\bar{f}$是$\bmod \beta(K)$的一个剩余类. 若$\bar{f}$满足条件:至少存在一个 $k \in K$，使

$$k \equiv f\left(\bmod \beta(K)\right),$$

则称剩余类 $\bar{f}$ 是集 K 的一条纤维. 若 $\bar{f}$ 是 K 的一条纤维，且存在常数 $c\colon=c(f)$，合

$$\{v\,|\,v\geqslant c,\ v\equiv f\,(\mathrm{mod}\,\beta(K))\}\subseteq K,$$

则称纤维 $\bar{f}$ 是终结完备的.

Wilson[1, 2]曾经证明了一条很有用的定理.

关于纤维的 Wilson 定理. 若 K 是一个闭集，则 K 的每一纤维都是终结完备的.

这里不拟给出这个定理的证明. 有兴趣的读者请参阅上面所引 Wilson 的论文. 现在来证明本节的主要定理的先行定理.

定理 19.5.1. 设 $k\geqslant2$.

(1)若 $2\,|\,k$，则 $\beta(R_k^*)=k$，且剩余类 $1\,(\mathrm{mod}\,k)$ 是集 R_k^* 的一条纤维.

(2)若 $2\nmid k$，则 $\beta(R_k^*)=2k$，且剩余类 1，$k+1\,(\mathrm{mod}\,2k)$ 都是集 R_k^* 的纤维.

证明. 由引理 19.4.5，对任意的 $c\in R_k^*$，有 $k\,|\,c(c-1)$，故

$$k\,\big|\,\beta(R_k^*).\tag{19.5.1}$$

因 $2\,|\,c(c-1)$，故

$$2\,\big|\,\beta(R_k^*).\tag{19.5.2}$$

由(19.5.1)和(19.5.2)知，当 $2\nmid k$ 时，

$$2k\,\big|\,\beta(R_k^*).\tag{19.5.3}$$

记 $z=\dfrac{\beta(R_k^*)}{k}$，即 $\beta(R_k^*)=zk$，则 z 是一个整数.

由等差级数中素数的 Dirichlet 定理，在以 1 为首项，$k(k-1)z$ 为公差的算术级数中有无穷多个素数. 因此，有无穷多个素数 q 形如

$$q=k(k-1)zm+1,\ m\geqslant1,\tag{19.5.4}$$

且合

$$q>\left(\frac{1}{2}k(k-1)\right)^{k(k+1)}.\tag{19.5.5}$$

于是由引理 19.4.7 和引理 19.4.8 的系，有无穷多个 m 合(19.5.4)，(19.5.5)和

$$k\left(k^2zm+1\right)+1 = k^3zm+k+1 \in R_k^*. \tag{19.5.6}$$

对于这样的 m，

$$\beta\left(R_k^*\right)\Big|\left(k^3zm+k+1\right)\left(k^3zm+k\right). \tag{19.5.7}$$

另一方面，

$$\left(k^3zm+k+1\right)\left(k^3zm+k\right) \equiv (k+1)k\left(\bmod\beta\left(R_k^*\right)\right). \tag{19.5.8}$$

结合(19.5.7)和(19.5.8)得 $\beta\left(R_k^*\right)\big|k(k+1)$，故

$$z\,|\,k+1. \tag{19.5.9}$$

下面用反证法来证明 z 无奇素因数. 假定 z 有一个奇素因数 p. 由 $k+1 \equiv 0(\bmod p)$ 知，

$$\gcd(k(k-1),\ p)=1,$$

故当

$$\varphi\left(k(k-1)\right)\big|n \tag{19.5.10}$$

时，有 $p^n \equiv 1(\bmod k(k-1))$，即

$$p^n = k(k-1)t+1. \tag{19.5.11}$$

再由引理 19.4.7 知，对于满足(19.5.10)的充分大的 n，有 $k^2t+1 \in R_k^*$. 于是 $\beta\left(R_k^*\right)\big|k^2t\left(k^2t+1\right)$，从而.

$$p\Big|k^2t\left(k^2t+1\right). \tag{19.5.12}$$

但是，(19.5.11)给出 $k^2t+1 = p^n+kt$，从而 $p\nmid kt$，且 $p\nmid k^2t+1$. 这与(19.5.12)矛盾. 因此，z 无奇素因数.

当 $2|k$ 时，由(19.5.9)知，z 是奇数. 但 z 又无奇素因数，所以 $z=1$. 这就是说，当 $2|k$ 时，$\beta\left(R_k^*\right)=k$. 再者，因存在可分解的 $(1,\ k,\ 1,\ k,\ 1)$ 设计，这就是平凡设计 $\mathscr{B}=\{S\}$，这里 S 是基集，故 $1 \in R_k^*$. 这就是说，剩余类 $1\left(\bmod\beta\left(R_k^*\right)\right)$ 是

R_k^* 的一条纤维. 因此, 定理的结论 (1) 成立.

下面设 $2 \nmid k$. 因 $\gcd(4k(k-1), 2k(k-1)+1)=1$, 故由等差级数中素数的 Dirichlet 定理, 在以 $2k(k-1)+1$ 为首项, 以 $4k(k-1)$ 为公差的算术级数中, 有无穷多个素数. 因此, 有无穷多个素数 q 形如

$$q = 4k(k-1)t + 2k(k-1) + 1, \tag{19.5.13}$$

且合 (19.5.5). 由引理 19.4.7, 对于合 (19.5.13) 和 (19.5.5) 的 t, $k^2(4t+2)+1 \in R_k^*$, 故 $z \mid \beta\left(R_k^*\right) \mid k^2(4t+2)(k^2(4t+2)+1)$, 从而 $z \parallel 2$. 结合 (19.5.3), 得 $\beta\left(R_k^*\right) = 2k$.

剩余类 $1\left(\bmod \beta\left(R_k^*\right)\right)$ 是 R_k^* 的纤维这一结果前面已证. 余下要证明, 当 $2 \nmid k$ 时, 剩余类 $k+1\left(\bmod \beta\left(R_k^*\right)\right)$ 也是 R_k^* 的纤维. 因 $\gcd(2k(k-1), k(k-1)+1)=1$, 故由等差级数中素数的 Dirichlet 定理, 在以 $k(k-1)+1$ 为首项, $2k(k-1)$ 为公差的算术级数中, 有无穷多个素数. 因此, 有无穷多个素数 q 形如

$$q = 2k(k-1)t + k(k-1) + 1, \tag{19.5.14}$$

且合 (19.5.5). 对于合 (19.5.14) 和 (19.5.5) 的 t, 由引理 19.4.7, $k^2(2t+1)+1 \in R_k^*$. 另一方面,

$$k^2(2t+1) + 1 \equiv k^2 + 1 \equiv k + 1 (\bmod 2k).$$

因此, 剩余类 $k+1\left(\bmod \beta\left(R_k^*\right)\right)$ 是 R_k^* 的纤维. **证毕**.

本节的主要定理几乎是这个定理、定理 19.4.1 和关于纤维的 Wilson 定理的直接推论.

定理 19.5.2. 对于任给的整数 $k \geqslant 2$, 都存在常数 $c(k)$, 使得当 $v \geqslant c(k)$ 且满足条件 (19.4.4) 时, 则有可分解的 $(b, v, r, k, 1)$ 设计存在, 这里 $b = \dfrac{v(v-1)}{k(k-1)}$, $r = \dfrac{v-1}{k-1}$.

证明. 由定理 19.4.1, R_k^* 是闭集, 故由关于纤维的 Wilson 定理, R_k^* 的每一条纤维都是终结完备的. 另一方面, 由定理 19.5.1, 当 $2 \mid k$ 时, $1\left(\bmod \beta\left(R_k^*\right)\right)$ 是 R_k^* 的纤维, 故存在 D_1 使得

$$\left\{c \mid c \geqslant D_1, \ c \equiv 1 (\bmod k)\right\} \subseteq R_k^*;$$

当 $2 \nmid k$ 时, 1 和 $k+1\left(\bmod \beta\left(R_k^*\right)\right)$ 都是 R_k^* 的纤维, 故存在 D_2, D_3 使得

$$\left\{c \,\middle|\, c \geqslant D_2, \ c \equiv 1 (\mathrm{mod}\, 2k)\right\} \subseteq R_k^*,$$

$$\left\{c \,\middle|\, c \geqslant D_3, \ c \equiv k+1 (\mathrm{mod}\, 2k)\right\} \subseteq R_k^*.$$

因此，取 $D = \max(D_1, \ D_2, \ D_3)$，则不论 k 的奇偶性，都有

$$\left\{c \,\middle|\, c \geqslant D, \ c \equiv 1 (\mathrm{mod}\, k)\right\} \subseteq R_k^*.$$

于是由引理 19.4.5 的系知本定理的结论成立. **证毕.**

下面介绍有关可分解的 $(b, \ v, \ r, \ k, \ \lambda)$ 设计的一些历史和近年来的发展情况. 在问题 11.1.3 中介绍的 Kirkman 女生问题就是构造可分解的 $(35, \ 15, \ 7, \ 3, \ 1)$ 设计的问题. Cayley[1] 曾构造出这样的设计. Kirkman[1] 不仅构造出了可分解的 $(12, \ 9, \ 4, \ 3, \ 1)$ 设计，可分解的 $(35, \ 15, \ 7, \ 3, \ 1)$ 设计，而且还构造出了可分解的 $\left(\dfrac{q^{m-1}\left(q^m - 1\right)}{q-1}, \ q^m, \dfrac{q^m - 1}{q-1}, \ q, 1\right)$ 设计，这里 q 是一个素数. 定理 19.5.2 是 Ray-Chaudhuri 和 Wilson[1] 在 1973 年发表的. 这里的证明以及上节的准备材料均采自他们的论文.

当 $k = 3$，$\lambda = 1$ 时，存在可分解的 $(b, \ v, \ r, \ 3, \ 1)$ 设计的必要条件，由 (19.4.4)，是

$$v \ \equiv \ 3 \ (\mathrm{mod}\ 6). \tag{19.5.15}$$

这一条件是否是存在可分解的 $(b, \ v, \ r, \ 3, \ 1)$ 设计的充分条件的问题，在组合数学的历史上长期悬而未决. 直到 1971 年，Ray-Chaudhuri 和 Wilson[1] 发表了一篇论文，证明了条件 (19.5.15) 的充分性，才宣告了这一问题的解决. 当 $k = 4$，$\lambda = 1$ 时，条件 (19.4.4) 变为

$$v \ \equiv \ 4 \ (\mathrm{mod}\ 12). \tag{19.5.16}$$

Hanani，Ray-Chaudhuri 和 Wilson[1] 联合证明了，条件 (19.5.16) 也是存在可分解的 $(b, \ v, \ r, \ 4, \ 1)$ 设计的充要条件.

然而，并非对所有的 k，条件 (19.4.4) 都是存在 $(b, \ v, \ r, \ k, \ 1)$ 设计的充要条件. 当 $v = k^2$ 时，有

$$v \ \equiv \ k^2 \ \equiv \ k (\mathrm{mod}\ k(k-1)),$$

即条件 (19.4.4) 成立. 如果存在可分解的 $(k^2 + k, \ k^2, \ k+1, \ k, \ 1)$ 设计，此即 k 阶仿射平面，则一定存在 k 阶射影平面. 然而定理 17.2.3 指出，有无限多个 k 值，对它们不存在 k 阶射影平面.

定理 19.5.2 所断言的事实是，对任给的整数 $k \geqslant 2$，当 v 充分大时，都存在可分解的 $(b, v, r, k, 1)$ 设计，即条件 (19.4.4) 对存在可分解的 $(b, v, r, k, 1)$ 设计是渐近充分的. 陆家羲[1]把这一结果大大推进一步：不限定 λ 为 1，得到了类似的结果，即

定理 19.5.3(陆家羲[1]). 对给定的整数 $k \geqslant 2$, $\lambda \geqslant 1$，除了有限个正整数 v 外，存在可分解的 $\left(\dfrac{\lambda v(v-1)}{k(k-1)}, \ v, \ \dfrac{\lambda(v-1)}{k-1}, \ k, \ \lambda \right)$ 设计的充要条件是

$$v \equiv 0 (\bmod k),$$
$$\lambda(v-1) \equiv 0 (\bmod (k-1)). \tag{19.5.17}$$

条件 (19.5.17) 中的第一个来源于设计的可分解性，第二个则十分显然. 然而，它的渐近充分性的证明却非易事. 对此有兴趣的读者请参看上面所引的论文. 有了上面介绍的定理 19.5.1 和 19.5.2 的证明过程，对理解陆家羲的论文当有裨益.

19.6 Euler 猜想(二)：阶等于 6 的情形

18.6 中已经指出，Euler 猜想 $N(4t + 2) = 1$ 仅对 $t = 1$ 成立. 那里给出了当 $t \geqslant 2$ 时 $N(4t+2) \geqslant 2$ 的证明，且指出 Tarry[1]对 $N(6) = 1$ 的证明很繁冗，而把 Stinson[1]简单得多的证明放在本章介绍. 现在就来进行这一工作，以使 Euler 猜想得到一个完整的处理.

Stinson 使用的是反证法. 以下假定

$$N(6) \geqslant 2, \tag{19.6.1}$$

并由此导出矛盾.

由定理 18.3.1 和 (19.6.1) 可知，存在集 $[1, 6]$ 上的一个 4 行的 6 阶正交表 OA(6, 4). 由此和定理 19.1.1 知，存在一个横截系 $T_0(4, 6)$.

设

$$W_1 = \{s_1, \ s_2, \ \cdots, \ s_6\}, \quad W_2 = \{s_7, \ s_8, \ \cdots, \ s_{12}\},$$
$$W_3 = \{s_{13}, \ s_{14}, \ \cdots, \ s_{18}\}, \quad W_4 = \{s_{19}, \ s_{20}, \ \cdots, \ s_{24}\},$$
$$S = \{s_1, \ s_2, \ \cdots, \ s_{24}\}.$$

又设 $\mathscr{Y} := \{Y_j | 1 \leqslant j \leqslant 36\}$ 是 $\{W_i | 1 \leqslant i \leqslant 4\}$ 上 的 一 个 横 截 系. 记 $B_i := W_i (1 \leqslant i \leqslant 4)$, $B_{j+4} := Y_j (1 \leqslant j \leqslant 36)$，且

$$\mathscr{B} := \{B_i | 1 \leqslant i \leqslant 40\}.$$

那么，由横截系的定义知，$\mathscr{B}$ 是基集 W 上的一个 PBD$(\{4，6\}；1；24)$，简记此 PBD 为 P. 设 P 的关联矩阵为 $A = (a_{ij})$，即

$$a_{ij} = \begin{cases} 1，\text{如果 } s_j \in B_i， \\ 0，\text{其他，} \end{cases} (1 \leqslant i \leqslant 40，\quad 1 \leqslant j \leqslant 24).$$

把 A 的第 i 列向量记为 $c_i\,(1 \leqslant i \leqslant 24)$，且视为向量空间 $V_{40}(F_2)$ 中的向量. 把由诸 c_i 张成的向量子空间记为 C. 于是，有

引理 19.6.1.

$$\dim C \leqslant 20 . \tag{19.6.2}$$

证明. 当 $u，w \in V_{40}(F_2)$ 时，以 $(u，w)$ 记向量 u 和 w(在 GF(2) 上)的内积. 又记 $C^{\perp}$ 为 C 的正交补空间，即

$$C^{\perp} = \{ u \,|\, (u，c_i) = 0，\text{一切 } i \in [1, 24] \}.$$

由横截系的定义和正交表的性质知，对任一 $i \in [1, 24]$，s_i 恰在 $\{B_5，B_6，\cdots，B_{40}\}$ 的六个中各出现一次；再者，s_i 仅在 $\{B_1，B_2，B_3，B_4\}$ 的一个中恰出现一次，故有 $(c_i，c_i) = 1\,(1 \leqslant i \leqslant 24)$. 当 $i \neq j$ 且 s_i 和 s_j 同在某一 $B_l\,(1 \leqslant l \leqslant 4)$ 中出现时，它们不在其他任一 $B_t\,(1 \leqslant t \leqslant 40；t \neq l)$ 中同时出现，故有 $(c_i，c_j) = 1$. 当 $i \neq j$，且 s_i 和 s_j 分属两个不同的 B_{l_1} 和 $B_{l_2}\,(1 \leqslant l_1 \neq l_2 \leqslant 4)$ 时，它们不在其他任一 $B_l\,(1 \leqslant l \leqslant 4；l \neq l_1，l_2)$ 中同时出现，而仅在 $\{B_5，B_6，\cdots，B_{40}\}$ 的一个中恰好同时出现一次，故有 $(c_i，c_j) = 1$. 综上即得

$$(c_i，c_j) = 1\,(1 \leqslant i，j \leqslant 24).$$

于是，

$$(c_i，c_j + c_l) = 0\,(1 \leqslant i，j，l \leqslant 24).$$

这就是说，

$$c_j + c_l \in C^{\perp}\,(1 \leqslant j，l \leqslant 24).$$

因此

$$\dim C^{\perp} \geqslant \dim C - 1 . \tag{19.6.3}$$

另一方面，

$$\dim C + \dim C^{\perp} = 40. \tag{19.6.4}$$

结合 (19.6.3) 和 (19.6.4) 便得 (19.6.2). **证毕.**

矩阵 A 的列数是 24，而由这些列张成的(域 GF(2) 上的)向量子空间的维数不超过 20，故这些列之间至少存在四个彼此独立的线性相关关系. 这样的一个线性相关关系可以写为

$$\sum_{i \in I} c_i = 0 , \tag{19.6.5}$$

这里，I 是 [1, 24] 的某一子集. 记 $Z = \{s_i | i \in I\}$. 于是，(19.6.5) 的意思是

$$|B_j \bigcap Z| \equiv 0 (\bmod 2)(1 \leqslant j \leqslant 40). \tag{19.6.6}$$

因此，对这样的 Z，子集簇 $\{Z \bigcap B_j | 1 \leqslant j \leqslant 40\}$ 是基集 Z 上的一个 PBD({0, 2, 4, 6}; 1; |Z|). 这个 PBD 叫做 P 的一个偶性子 PBD，且 Z 叫做 S 的一个偶性子集.

很明显，$W_1 \bigcup W_2$，$W_1 \bigcup W_3$，$W_1 \bigcup W_4$ 是 S 的三个偶性子集，而且它们产生三个彼此独立的线性相关关系. 下面将证明，再也没有其他的线性相关关系与这三者彼此独立，从而否定 (19.6.1). 这一证明分成几个引理来完成.

引理 19.6.2. 设 Z 是一个偶性子集，则

$$|Z| \geqslant 8 \text{ 且 } |Z| \equiv 0 (\bmod 4). \tag{19.6.7}$$

证明. 把 PBD({0, 2, 4, 6}; 1; |Z|) 中容量为 i 的区组个数记为 $b_i (i = 0, 2, 4, 6)$，则

$$b_0 + b_2 + b_4 + b_6 = 40, \tag{19.6.8}$$

$$2b_2 + 4b_4 + 6b_6 = 7|Z|, \tag{19.6.9}$$

$$b_2 + 6b_4 + 15b_6 = \frac{|Z|(|Z|-1)}{2}. \tag{19.6.10}$$

由计算区组的总数得 (19.6.8)，由计算诸区组所含元素的总次数得 (19.6.9)，由计算诸区组所包含的二元子集的总个数得 (19.6.10).

由 (19.6.9) 和 (19.6.10) 消去 b_2，得

$$b_4 + 3b_6 = \frac{|Z|(|Z|-8)}{8}.$$

因此，(19.6.7) 成立. **证毕.**

注意到 Z 是一个偶性子集的充要条件是，$S \backslash Z$ 是一个偶性子集. 因此，不失

一般性, 可设 $|Z| \leqslant \dfrac{24}{2} = 12$. 由此和 (19.6.7),

$$|Z| = 8 \text{ 或 } 12.$$

下面首先处理 $|Z| = 8$ 的情形. 把 $|Z| = 8$ 代入 (19.6.8)—(19.6.10), 得

$$b_0 = 12, \quad b_2 = 28, \quad b_4 = b_6 = 0.$$

后二式即 $|Z \cap B_i| \neq 4$, $6(1 \leqslant i \leqslant 40)$, 从而 $|Z \cap B_i| = 2(1 \leqslant i \leqslant 4)$. 因此, 在 $\{B_j | 5 \leqslant j \leqslant 40\}$ 中, 有 12 个区组与 Z 无公共元, 余下 24 个区组与 Z 各有二个公共元. 由此可知, 子集系 $\{B_j \setminus Z | 1 \leqslant j \leqslant 40\}$ 的诸区组的容量为 4, 2, 其个数分别为 16 和 24; 而且是基集 $S \setminus Z$ 上的一个 PBD$(\{2, 4\}; 1; 16)$, 记此 PBD 为 Q.

这样一来, 可设

$$Z = \{a, b, c, d, e, f, g, h\}, \quad S \setminus Z = [1, 16],$$
$$W_1 = \{1, 2, 3, 4, a, b\}, \quad W_2 = \{5, 6, 7, 8, c, d\},$$
$$W_3 = \{9, 10, 11, 12, e, f\},$$
$$W_4 = \{13, 14, 15, 16, g, h\}.$$

有关设计 Q 的一个重要性质用图论的术语(可参看 C.Berge[1] 或 F.Harary[1])来叙述更方便些.

今由设计 Q 作一个无向图 $G = (S \setminus Z, E)$, 其中 $S \setminus Z$ 为顶点集, E 为边集, 它由 Q 的全部 24 个容量为 2 的区组组成.

引理 19.6.3.

(1) G 是 3-正则的. 若 i 是 G 的任一顶点, 且设不包含 i 的诸 W 是 W_{i_1}, W_{i_2}, $W_{i_3}(1 \leqslant i_1 < i_2 < i_3 \leqslant 4)$, 那么, i 分别同 W_{i_1}, W_{i_2}, W_{i_3} 的恰好一个顶点相邻接;

(2) G 不含三角形.

证明. (1) 设 $i \in [1, 16]$, 且 i 恰在 Q 的 x 个容量为 2 的区组, y 个容量为 4 的区组中出现, 则

$$x + y = 7, \quad x + 3y = 15. \tag{19.6.11}$$

因 i 在 P 的 t 个区组中出现, 故也在 Q 的 t 个区组中出现, 故有 (19.6.11) 的第一式. 因 $[1, 16]$ 的含 i 的二元子集共 15 个; 且若 $i \in B$, 则 B 的含 i 的二元子集共 $|B| - 1$ 个, 故有 (19.6.11) 的第二式. 由 (19.6.11) 得 $x = 3$, $y = 4$. 由 i 的任意性知 G 是 3 正则的.

因 $|B_j \setminus Z| = 4(1 \leqslant j \leqslant 4)$，故 Q 中包含 i 的三个容量为 2 的区组可设为 $B_{j_1} \setminus Z$，$B_{j_2} \setminus Z$，$B_{j_3} \setminus Z (5 \leqslant j_1 < j_2 < j_3 \leqslant 40)$．注意，$Q$ 中容量为 4 的区组除了由诸 W 产生的以外，其余均是 P 中容量为 4 的区组．为了叙述确定起见，不妨设 $i = 16$，从而 $j_1 = 1$，$j_2 = 2$，$j_3 = 3$．于是在 P 中含 16 的全部区组是：W_4，B_{j_1}，B_{j_2}，B_{j_3}，B_{j_4}，B_{j_5}，B_{j_6}，而 $B_{j_4} \bigcap Z = B_{j_5} \bigcap Z = B_{j_6} \bigcap Z = \varnothing$，这里诸 j 彼此不同．因此 $B_{j_1} \bigcup B_{j_2} \bigcup B_{j_3} \supset \{a, b, c, d, e, f\}$，从而 B_{j_1}，B_{j_2}，B_{j_3} 各含 $\{a, b, c, d, e, f\}$ 之不在同一 W 中的二元．除 i 和这样的二元外，设 B_{j_1}，B_{j_2}，B_{j_3} 所含的另一元分别为 u_1，u_2，u_3．因 u_l 与 B_{j_l} 中其他三元之任一都不同在一个 W 中 $(1 \leqslant l \leqslant 3)$，故 u_1，u_2，u_3 各恰属于 W_1，W_2，W_3 之一．这就证明了结论(1)的后一半．

(2)假设 G 含有一个三角形．因 Q 中容量为 2 的区组不由 P 中的 $B_j (1 \leqslant j \leqslant 4)$ 产生，故该三角形的三个顶点分别属于 $\{W_j \setminus Z | 1 \leqslant j \leqslant 4\}$ 中之三．不失一般性，可设这三个顶点为 1，5，9．在设计 P 中，容量为 4 且含 1 和 5 的区组可设为 $\{1, 5, e, g\}$，容量为 4 且含 1 和 9 的区组所含的 W_2 元可设为 c，因而该区组必为 $\{1, 9, c, h\}$．于是，容量为 4 且包含 5 和 9 的区组必是 $\{5, 9, a, g\}$ 或 $\{5, 9, a, h\}$．不管是何者，都与前面的区组出现相重的二元子集，而这是不可能的．证毕．

引理 19.6.4. 对设计 P，不存在包含八个元素的偶性子集．

证明. 假设存在含有八个元素的偶性子集 Z．那么可以如上地作出设计 Q 和图 G．

首先假定，图 G 中存在顶点 $i \in [1, 16]$ 使得与 i 相邻接的三个顶点在 P 的同一区组中．不失一般性，可设 $i = 1$，且同其相邻接的顶点为 5，9，13，而 $\{2, 5, 9, 13\}$ 是 P 的一个区组．因 (19.6.11) 中的 $y = 4$，于是又可设

$$\{1, 6, 10, 14\}, \{1, 7, 11, 15\},$$
$$\{1, 8, 12, 16\}, \{2, 5, 9, 13\},$$
$$\{2, 6, 11, 16\}, \{2, 7, 12, 14\} \tag{19.6.12}$$

是 P 的区组，且

$$\{3, 13, \times, \times\}, \{4, 13, \times, \times\},$$
$$\{3, 9, \times, \times\}, \{4, 9, \times, \times\},$$
$$\{3, 5, \times, \times\}, \{4, 5, \times, \times\} \tag{19.6.13}$$

也是 P 的区组，其中的"$\times$"表示 Z 中的适当元素．由 (19.6.12) 知，图 G 中与顶点 2 相邻接的顶点是 8，10，15．因为 G 中无三角形，故 P 中无区组 $\{8, 10, z_1, z_2\}$，$\{8, 15, z_3, z_4\}$，$\{10, 15, z_5, z_6\}$，这里 z_i 是 Z 中适当的元 $(1 \leqslant i \leqslant 6)$．因此，由 8，10，15 这三个数所产生的三个二元子集必须分别出现在 (19.6.13) 的某

三个区组中. {8，10}可能出现的区组只是(19.6.13)的第一行的两个. {8，15}可能出现的区组只是(19.6.13)的第二行中的两个，{10，15}可能出现的区组只是(19.6.13)的第三行的两个. 但是，无论何种情形，这些区组都含有重复的二元子集，而这是不可能的. 因此，图 G 中与任一顶点相邻接的三个元不属同一区组. 它们的任二元又必须同在 Q 的一个容量为 4 的区组中，故这三元所产生的三个二元子集分别属于 P 的三个不同的区组. 图 G 的这一性质叫做(A).

今考察 G 中的任一顶点 i. 不失一般性可设 $i = 1$ 且与之相邻接的顶点为 5，9，13. 由引理 19.6.3 之(1)，因顶点 2，3，4 与 1 同属 Q 的一个区组，故它们不可能与 5，9，13 相邻接，因而可设与 2 相邻接的顶点为 6，10，14；与 3 相邻接的顶点为 7，11，15；与 4 相邻接的顶点为 8，12，16.

在引理 19.6.3 的证明中已得 $y = 4$，这就是说，包含 1 的容量为 4 的区组除 {1，2，3，4}外尚有三个. 由上段的证明，其一恰含{6，10，14}中的一个二元子集，另一恰含{7，11，15}的一个二元子集，第三个恰含{8，12，16}的一个二元子集. 因此，不失一般性，可设这三个区组之一是{1，6，10，15}，则另二只能是{1，7，11，16}，{1，8，12，14}. 由于它们的二元子集{6，10}，{7，11}，{8，12}都是由 W_2 中一个元和 W_3 中一个元组成，故 P 中{5，9}所在的区组的容量为 4，且含 2，3，4 之一. 不失一般，设{2，5，9，z_1}是 P 的一个区组，则{2，7，11，z_2}，{2，8，12，z_3}也是 P 的两个区组. 于是，{7，11}，{8，12}在 P 的区组中都不只出现一次. 这是不可能的. **证毕**.

引理 19.6.5.　对设计 P，除 $W_i \bigcup W_j (1 \leqslant i \neq j \leqslant 4)$ 外，不存在包含 12 个元素的偶性子集.

证明.　当 $|Z| = 12$ 时，Z 的 12 个元在诸 W_{i_1}，W_{i_2}，W_{i_3}，W_{i_4} ($\{i_1, i_2, i_3, i_4\}=[1, 4]$)中的分布情况如下：

$$6,\ 6,\ 0,\ 0; \tag{19.6.14}$$
$$6,\ 4,\ 2,\ 0; \tag{19.6.15}$$
$$6,\ 2,\ 2,\ 2; \tag{19.6.16}$$
$$4,\ 4,\ 4,\ 0; \tag{19.6.17}$$
$$4,\ 4,\ 2,\ 2. \tag{19.6.18}$$

情形(19.6.14)即 $Z = W_{i_1} \bigcup W_{i_2}$，是已知的$|Z| = 12$ 的偶性子集. 把(19.6.16)—(19.6.18)对应的每一 Z 与(19.6.14)取对称差，所得的集为偶性子集，且其元素个数为 8；把(19.6.15)对应的 Z 与 $W_{i_1} \bigcup W_{i_3}$ 取对称差，仍得元素个数为 8 的偶性子集. 由引理 19.6.4，这样的偶性子集不可能存在，故有引理的结论. **证毕**.

结合以上几个引理立得本节的主要结果：

定理 19.6.1.　不存在一对六阶正交拉丁方.

这就解决了"三十六名军官问题".

19.7 按对平衡设计(二)

由前几节的内容可知, PBD 是一类很重要的设计. 它吸引了许多组合学家的注意, 且已取得了丰硕的成果. 下面简单介绍一下有关 PBD 存在性方面的一些结果, 它们与 19.5 和 19.4 的结果颇有类似之处.

设 K 是由一些正整数组成的集. 用 $\alpha(K)$ 记诸整数 $k-1(k \in K)$ 的最大公因数, 即 $\alpha(K) = \gcd\{k-1 | k \in K\}$. 于是, 关于存在 PBD 的必要条件可以述为 (Wilson[2])

定理 19.7.1. 如果 $v \in \mathrm{PB}(K, \lambda)$, 则

$$\lambda(v-1) \equiv 0 (\mathrm{mod}\, \alpha(K)), \tag{19.7.1}$$

$$\lambda v(v-1) \equiv 0 (\mathrm{mod}\, \beta(K)). \tag{19.7.2}$$

关于存在 PBD 的渐近的充分条件可以述为

定理 19.7.2(Wilson[9]). 对给定的 K 和 λ, 存在一个常数 $c(K, \lambda)$, 使得对一切合(19.7.1), (19.7.2)和 $v \geqslant c(K, \lambda)$的 v, 都有

$$v \in \mathrm{PB}(K, \lambda).$$

如果 $K = \{k\}$, 由定理 19.7.2 立得关于存在 BIB 设计的渐近的充分条件:

定理 19.7.3. 对给定的 k 和 λ, 存在一个常数 $c(k, \lambda)$, 使得对一切合

$$\lambda(v-1) \equiv 0 (\mathrm{mod}\, k-1),$$

$$\lambda v(v-1) \equiv 0 (\mathrm{mod}\, k(k-1)),$$

$$v \geqslant c(k, \lambda)$$

的 v, 都存在(b, v, r, k, λ)设计, 这里 b, r 与 v, k, λ 满足(12.1.2)和(12.1.3).

关于 PBD 的其他结果可以参看 Wilson[1, 2, 7, 8], Lawless[1], 高旭洪[1]等.

第二十章　部分平衡不完全区组设计

部分平衡不完全区组设计是一类重要的设计，有着丰富的成果. 本章着重介绍三个方面的内容. 第一，作为 PBIB 设计的基础，20.1 介绍结合矩阵、关联矩阵以及与之有关的 P 矩阵、$\mathscr{P}$ 矩阵等，还介绍了有关 PBIB 设计的参数的重要性质. 第二，具有两个结合类是三种重要的 PBIB 设计，即可分组设计(20.2)，三角形设计(20.3)，拉丁方型设计(20.4). 第三，利用有限向量空间构造 PBIB 设计的一些方法和结果(20.6). 为此，必须先期给出利用有限向量空间构造结合方案的方法，并计算这些结合方案的参数(20.5).

20.1　结合矩阵和关联矩阵

首先给出结合方案的结合矩阵的定义.

定义 20.1.1.　由(11.5.1)中的诸关系 R_i 可定出 m 个 v 阶矩阵

$$C_i := \left(c_{jl}^i \right), \quad 1 \leqslant i \leqslant m ,$$

这里

$$c_{jl}^i = \begin{cases} 1, & \text{若} \left(s_i, \ s_l \right) \in R_i, \quad 1 \leqslant j, \ l \leqslant v; \ 1 \leqslant i \leqslant m . \\ 0, & \text{其他}, \end{cases}$$

如果集 S 上的诸关系 R_i 是一个结合方案，则把矩阵 C_i 叫做该结合方案的一个结合矩阵，把矩阵簇 $\{C_i | 1 \leqslant i \leqslant m\}$ 叫做该结合方案的一个结合矩阵系.

为了统一性，令

$$C_0 := I_v, \ n_0 := 1,$$

$$p_{ij}^0 := n_i \delta_{ij}, \ \ p_{l0}^i := \delta_{il} =: p_{0l}^i, \ \lambda_0 := r . \tag{20.1.1}$$

下面导出一些简单而有用的结果

引理 20.1.1.　诸 C_i 合

$$J = \sum_{i=0}^{m} C_i , \tag{20.1.2}$$

$$JC_i = C_iJ = n_iJ, \quad 1 \leqslant i \leqslant m , \qquad (20.1.3)$$

$$C_i^T = C_i .$$

证明. 这些都是定义 20.1.1 的直接推论. **证毕.**

引理 20.1.2. 对结合方案的诸参数(11.5.3), 有

$$\sum_{i=0}^{m} n_i = v , \qquad (20.1.4)$$

$$p_{jl}^i = p_{lj}^i, \quad 0 \leqslant i, \ j, \ l \leqslant m , \qquad (20.1.5)$$

$$\sum_{l=0}^{m} p_{jl}^i = n_j, \ 0 \leqslant i, \ j \leqslant m , \qquad (20.1.6)$$

$$n_i p_{jl}^i = n_j p_{il}^j, \quad 0 \leqslant i, \ j, \ l \leqslant m . \qquad (20.1.7)$$

证明. 比较(20.1.2)两节的矩阵的第一行诸元之和, 得(20.1.4). 由(11.5.2)直接得(20.1.5). 设$(s_\alpha, \ s_\beta) \in R_i$, 由(11.5.2)知, 对任意的$(s_\alpha, \ s_\beta) \in R_i$, p_{jl}^i是矩阵C_j的第α行和矩阵C_l的第β行的内积, 故(20.1.6)的左节的和式为矩阵C_j的第α行和矩阵$\sum_{l=0}^{m} C_l$的第β行的内积. 由(20.1.2), 这内积即C_j的行和n_j, 故有(20.1.6). 再由(11.5.2), $n_i p_{jl}^i$是集

$$\left\{ \{s_\alpha, \ s_\beta\} \middle| (s_1, \ s_\alpha) \in R_i, (s_1, \ s_\beta) \in R_j, (s_\alpha, \ s_\beta) \in R_l \right\}$$

中元素的个数, 其中s_1是S中任一固定元, 而这个数也是$n_i^j p_{il}^j$. 由此得(20.1.7). **证毕.**

引理 20.1.3. C_0, C_1, $\cdots$, C_m是任一数域上的$m+1$个线性无关的v阶矩阵, 且

$$C_j C_l = \sum_{i=0}^{m} p_{jl}^i C_i , \qquad (20.1.8)$$

$$C_j C_l = C_l C_j , \qquad (20.1.9)$$

此外, 还有

$$\sum_{u=0}^{m} p_{iu}^t p_{jl}^u = \sum_{u=0}^{m} p_{lu}^t p_{ji}^u . \qquad (20.1.10)$$

证明. 因 $R_i \neq \varnothing (1 \leqslant i \leqslant m)$，$C_0 = I$，故

$$C_i \neq 0 (0 \leqslant i \leqslant m).$$

由(20.1.2)知，当某一 C_i 的 (α, β) 位置上的元为 1 时，其他诸 $C_j (j \neq i)$ 的 (α, β) 位置上的元都为 0. 设 c_0，c_1，c_2，$\cdots$，c_m 是任一组不全为零的数. 不失一般性，可设 $c_i \neq 0$. 因 $C_i \neq 0$，可设 C_i 的 (α, β) 位置上的元非零. 于是矩阵

$$\sum_{j=0}^{m} c_j C_j$$

的 (α, β) 位置上的元为 $c_i \neq 0$，故非零阵. 这就是说，C_0，C_1，$\cdots$，C_m 是线性无关的.

把矩阵 $C_j C_l$ 的 (α, β) 位置上的元记为 $f(\alpha, \beta)$. 若 $(s_\alpha, s_\beta) \in R_i$，则

$$f(\alpha, \beta) = p_{jl}^i, \tag{20.1.11}$$

且 C_i 的 (α, β) 位置上的元为 1，其余诸 C 的 (α, β) 位置上的元素为零. 让 i 遍历 $[0, m]$，则(20.1.11)给出(20.1.8).

结合(20.1.5)和(20.1.8)便得(20.1.9).

最后来证明(20.1.10). 因为

$$C_i \left(C_j C_l \right) = \sum_{u=0}^{m} p_{jl}^u \left(C_i C_u \right) = \sum_{u=0}^{m} p_{jl}^u \sum_{t=0}^{m} p_{iu}^t C_t$$

$$= \sum_{t=0}^{m} \left(\sum_{u=0}^{m} p_{iu}^t p_{jl}^u \right) C_t \tag{20.1.12}$$

和

$$\left(C_i C_j \right) C_l = \sum_{u=0}^{m} p_{ij}^u \left(C_u C_l \right) \tag{20.1.13}$$

$$= \sum_{t=0}^{m} \left(\sum_{u=0}^{m} p_{ij}^u p_{ut}^t \right) C_t,$$

故由 C_0，C_1，$\cdots$，C_m 的线性无关性，比较(20.1.12)和(20.1.13)右节 C_t 的系数，得

$$\sum_{u=0}^{m} p_{iu}^t p_{jl}^u = \sum_{u=0}^{m} p_{ul}^t p_{ij}^u.$$

又因(20.1.5)，故得(20.1.10). **证毕**.

由此定理立得

系.　由矩阵 C_0，C_1，$\cdots$，C_m 在任一数环上的全体线性组合组成的集合对矩阵的乘法运算是一个可换半群；对矩阵的加法和乘法运算是一个有单位元的可换环.

引理 20.1.4.　如果存在参数为(11.5.4)的 PBIB 设计，则这些参数合

$$vr = bk , \tag{20.1.14}$$

$$\sum_{i=0}^{m} n_i \lambda_i = rk. \tag{20.1.15}$$

证明.　证明(12.1.2)的方法可以用来证明(20.1.14). 下面证明(20.1.15). 设引理中的 PBIB 设计的基集是

$$S: =\{s_1,\ s_2,\ \cdots,\ s_v\}.$$

$(v-1)$个元素对

$$\{\ s_1,\ s_2\},\ \{\ s_1,\ s_3\},\ \cdots,\ \{\ s_1,\ s_v\}, \tag{20.1.16}$$

在该 PBIB 设计的诸区组中出现的总次数可有两种计算法. 第一，设 s_1 共出现在 r 个区组中，在每一个这样的区组中与其他$(k-1)$个元组成$(k-1)$个元素对，故(20.1.16)中的$(v-1)$个元素对出现的总次数为 $r(k-1)$. 第二，由(20.1.3)知，同(20.1.16)相对应的有序对属于 R_i 的共 n_i 个，每一个这样的对都在 λ_i 个区组中出现. 因此，(20.1.16)中的$(v-1)$个对在该 PBIB 设计的诸区组中共出现$\sum\limits_{i=1}^{m} n_i \lambda_i$ 次. 由此得

$$\sum_{i=1}^{m} n_i \lambda_i = r(k-1).$$

再由(20.1.1)知，(20.1.15)成立. **证毕**.

在证明(20.1.15)的上述过程中，可以不事先假定 S 的诸元在全部区组中的出现次数相同，而推得 S 中每一元在全部区组中的出现次数都是 $\dfrac{1}{k-1}\sum\limits_{i=1}^{m} n_i \lambda_i$. 因此有

系.　在定义 11.5.2 中，条件(2)可以删去.

结合引理 20.1.2 和引理 20.1.4, 得

定理 20.1.1. 存在参数为(11.5.3)的结合方案的必要条件是, 这些参数满足 (20.1.4)—(20.1.7)和(20.1.10). 存在参数为(11.5.4)的 PBIB 设计的必要条件是, 这些参数除了满足(20.1.4)—(20.1.7)和(20.1.10)外, 还需满足(20.1.4)和(20.1.15).

由 m^3 个数 $p_{jl}^i (1 \leqslant i, j, l \leqslant m)$ 可以构造 m 个 m 阶方阵

$$P_i = \left(p_{jl}^i \right) = \begin{pmatrix} p_{11}^i & p_{12}^i & \cdots & p_{1m}^i \\ p_{\angle 1}^i & p_{\angle 2}^i & \cdots & p_{2m}^i \\ \vdots & \vdots & & \vdots \\ p_{m1}^i & p_{m2}^i & \cdots & p_{mm}^i \end{pmatrix} \tag{20.1.17}$$

$$(1 \leqslant i \leqslant m).$$

由 $(m+1)^3$ 个数 $p_{jl}^i (0 \leqslant i, j, l \leqslant m)$ 可以构造 $m+1$ 个 $m+1$ 阶方阵

$$\mathscr{P}_l = \left(p_{jl}^i \right) = \begin{pmatrix} p_{0l}^0 & p_{0l}^1 & \cdots & p_{0l}^m \\ p_{1l}^0 & p_{1l}^1 & \cdots & p_{1l}^m \\ \vdots & \vdots & & \vdots \\ p_{ml}^0 & p_{ml}^1 & \cdots & p_{ml}^m \end{pmatrix} \tag{20.1.18}$$

$$(0 \leqslant l \leqslant m).$$

(20.1.17)中的矩阵叫做结合方案的 P 矩阵, (20.1.18)中的矩阵叫做结合方案的 $\mathscr{P}$ 矩阵. 对于 $\mathscr{P}$ 矩阵, 有

引理 20.1.5.

$$\mathscr{P}_j \mathscr{P}_l = \sum_{u=0}^m p_{jl}^u \mathscr{P}_u. \tag{20.1.19}$$

证明. 矩阵 $\mathscr{P}_j \mathscr{P}_l$ 在 (α, β) 位置上的元是

$$\sum_{u=0}^m p_{\alpha j}^u p_{ul}^\beta; \tag{20.1.20}$$

矩阵 $\sum_{u=0}^m p_{jl}^u \mathscr{P}_u$ 在 (α, β) 位置上的元是

$$\sum_{u=0}^{m} p_{jl}^{u} p_{\alpha u}^{\beta}. \tag{20.1.21}$$

由(20.1.10)知(20.1.20)和(20.1.21)相等，故有(20.1.19). **证毕**.

注意，(20.1.19)同(20.1.8)有同样的结构，因此，$\mathscr{P}_j$ 和 $\mathscr{P}_l$ 之积可经由诸 $\mathscr{P}_i$ 线性表出，而且表出的系数与 C_j 和 C_l 之积经由诸 C_i 线性表出的系数完全一样. 此外，同诸 C_i 是线性无关的一样，诸 $\mathscr{P}_i$ 也是线性无关的.

引理 20.1.6. $\{\mathscr{P}_i\}_{0 \leqslant i \leqslant m}$ 是线性无关的.

证明. 设 p_0, p_1, $\cdots$, p_m 是 $m+1$ 个数，合

$$\sum_{i=0}^{m} p_i \mathscr{P}_i = 0.$$

于是

$$\sum_{i=0}^{m} p_i p_{0i}^{j} = 0, \quad 0 \leqslant j \leqslant m.$$

由此和(20.1.1)，得

$$0 = p_j p_{0j}^{j} + \sum_{\substack{i \neq j \\ 0 \leqslant i \leqslant m}} p_i p_{0i}^{j} = p_j, \quad 0 \leqslant j \leqslant m.$$

这就证明了 $\{\mathscr{P}_i\}_{0 \leqslant i \leqslant m+1}$ 的线性无关性. **证毕**.

设

$$C = \sum_{i=0}^{m} c_i C_i, \tag{20.1.22}$$

$$\mathscr{P} := \sum_{i=1}^{m} c_i \mathscr{P}_i. \tag{20.1.23}$$

m 阶矩阵 C 的特征根和 $m+1$ 阶矩阵 $\mathscr{P}$ 的特征根之间有很密切的联系.

引理 20.1.7. 矩阵 C 的相异特征根所组成的集与矩阵 $\mathscr{P}$ 的相异特征根所组成的集相同.

证明. 设 $f(\lambda)$ 和 $g(\lambda)$ 分别是矩阵 C 和 $\mathscr{P}$ 的最小多项式，它们的首项系数为 1. 由(20.1.8)可知，矩阵 $f(C)$ 可以表为诸 $C_i (0 \leqslant i \leqslant m)$ 的线性组合. 设此表达式为

$$f(C) = \sum_{i=0}^{m} d_i C_i .$$

那么，由引理 20.1.5 之后的说明可知，

$$f(\mathscr{P}) = \sum_{i=0}^{m} d_i \mathscr{P}_i .$$

由于 $f(\lambda)$ 是 C 的最小多项式，故 $f(C) = 0$．因此由引理 20.1.6，得 $f(\mathscr{P}) = 0$，故 $\mathscr{P}$ 的最小多项式 $g(\lambda)$ 整除 $f(\lambda)$：

$$g(\lambda) \mid f(\lambda) . \tag{20.1.24}$$

交换 C 和 $\mathscr{P}$ 的地位，有

$$f(\lambda) \mid g(\lambda) . \tag{20.1.25}$$

因为 $f(\lambda)$ 和 $g(\lambda)$ 的首项系数都是 1. 故(20.1.24)和(20.1.25)给出

$$f(\lambda) = g(\lambda) .$$

因此，C 和 $\mathscr{P}$ 有同样一些相异的特征根. **证毕**.

下面讨论 PBIB 设计的关联矩阵.

设 $b \times v$ 矩阵 A 是具有参数(11.5.4)的一个 PBIB 设计的关联矩阵，即

$$A = \left(a_{ij}\right), \quad 1 \leqslant i \leqslant b, \quad 1 \leqslant j \leqslant v ,$$

其中

$$a_{ij} = \begin{cases} 1, & \text{若} s_j \in B_i, \\ 0, & \text{其他}, \end{cases}$$

这里 $S = \{s_1, s_2, \cdots, s_v\}$ 是已给的结合方案的基集，$B_1, B_2, \cdots, B_b$ 是该结合方案上的一个已给的 PBIB 设计的区组，于是有

引理 20.1.8. 对于上面给出的 PBIB 设计的关联矩阵 A，有

$$A^T A = \sum_{i=0}^{m} \lambda_i C_i , \tag{20.1.26}$$

这里 C_0 由(20.1.1)给出，诸 $C_i (1 \leqslant i \leqslant m)$ 是结合矩阵.

证明. 矩阵 $A^T A$ 的 (α, β) 位置上的元 $b_{\alpha\beta}$ 是 s_α 和 s_β 同时出现在内的区组的

个数. 当 $s_\alpha \neq s_\beta$ 时, 因为 $(s_\alpha,\ s_\beta)$ 仅属于 $\{R_i | 1 \leqslant i \leqslant m\}$ 的某一个, 因而有 i_0 合 $1 \leqslant i_0 \leqslant m, (s_\alpha,\ s_\beta) \in R_{i_0}, (s_\alpha,\ s_\beta) \notin R_i\ (i \neq i_0)$. 另一方面, 此时 s_α, s_β 同属于 λ_{i_0} 个区组. 因此,

$$b_{\alpha\beta} = \lambda_{i_0},$$

这正好是 $\sum_{i=0}^{m} \lambda_i C_i$ 的 $(\alpha,\ \beta)$ 位置上的元. 当 $s_\alpha = s_\beta$ 时, $(s_\alpha,\ s_\beta) \notin R_i\ (1 \leqslant i \leqslant m)$, 但 $C_0 = I$, 故(20.1.26)两节的矩阵在 $(\alpha,\ \beta)$ 位置上的元都是 r. 因此, (20.1.26) 成立. **证毕.**

由上面二引理立得

定理 20.1.2. 设已给参数为(11.5.4)的一个 PBIB 设计. 设该设计的结合方案 的 $\mathscr{P}$ 矩阵组为 $\{\mathscr{P}_i\}_{0 \leqslant i \leqslant m}$, 关联矩阵为 A. 于是, 矩阵 $A^T A$ 的相异特征根和矩阵

$$\sum_{i=0}^{m} \lambda_i \mathscr{P}_i$$

的相异特征根一样.

由于诸 $\mathscr{P}_i$ 的阶是 $m+1$, 故有

系 1. 设 A 是具 m 个结合类的一个 PBIB 设计的关联矩阵, 则 $A^T A$ 的相异 特征根的个数不超过 $m+1$.

系 2. 设 A 是具两个结合类的一个 PBIB 设计的关联矩阵, 则 $A^T A$ 的相异特 征根的个数不超过 3.

$m = 2$ 时, $A^T A$ 的诸特征根由下面的定理具体给出.

定理 20.1.3. 设 A 是一个 PBIB 设计的关联矩阵, 该设计的参数为(11.5.4), 且 $m = 2$. 那么, 矩阵 $A^T A$ 的特征根是

$$\theta_0 = rk, \tag{20.1.27}$$

$$\theta_i = r - \frac{1}{2}\left\{(\lambda_1 - \lambda_2)\left(-\delta + (-1)^i \sqrt{\Delta}\right) + \lambda_1 + \lambda_2\right\}, \tag{20.1.28}$$

$$i = 1,\ 2,$$

其中

$$\delta = p_{12}^2 - p_{12}^1,\ \Delta = \delta^2 + 2\beta + 1,$$
$$\beta = p_{12}^1 + p_{12}^2.$$

如果 θ_0 是单根，则 θ_i 的重数是

$$\alpha_i := \frac{n_1 + n_2}{2} + (-1)^i \frac{n_1 - n_2 + \delta(n_1 + n_2)}{2\sqrt{\Delta}}, \tag{20.1.29}$$

$$i = 1, 2.$$

证明. 由(20.1.3)知，n_1 是矩阵 C_1 的一个特征根，且 $J_{v \times 1}$ 是属于该特征根的一个特征向量. 若特征根 n_1 的重数 $\geqslant 2$，则存在另一特征向量，记为 $X := X_{v \times 1}$，它与特征向量 $J_{v \times 1}$ 正交，即

$$J_{1 \times v} X = 0. \tag{20.1.30}$$

若 ε 是矩阵 C_1 的异于 n_1 的特征根，且属于它的特征向量为 $Y := (y_1, y_2, \cdots, y_v)^{\mathrm{T}}$，则由(20.1.3)，有

$$J \varepsilon Y = J C_1 Y = n_1 J Y,$$

故 $\varepsilon(y_1 + y_2 + \cdots + y_v) = n_1(y_1 + y_2 + \cdots + y_v)$. 因此

$$y_1 + y_2 + \cdots + y_v = 0,$$

即

$$J_{1 \times v} Y = 0.$$

由此和(20.1.30)知，除了特征向量 $J_{v \times 1}$ 外，其余的特征向量 Z 均可选来合

$$J_{1 \times v} Z = 0. \tag{20.1.31}$$

设 ε 是矩阵 C_1 的一个特征根，且当 n_1 是 C_1 的单根时，$\varepsilon \neq n_1$. 又设 Z 是属于 ε 的特征向量，合(20.1.31)，那么

$$C_2 Z = (J_{v \times v} - I_{v \times v} - C_1)Z = -(1 + \varepsilon)Z.$$

再由(20.1.26)

$$\begin{aligned}(A^T A)Z &= \lambda_0 Z + \lambda_1 C_1 Z + \lambda_2 C_2 Z \\ &= (r + \lambda_1 \varepsilon - \lambda_2(1+\varepsilon))Z.\end{aligned}$$

这就是说，$\theta := r + \lambda_1 \varepsilon - \lambda_2(1+\varepsilon)$ 是矩阵 $A^{\mathrm{T}} A$ 的特征根，Z 是属于它的特征向量. 对属于特征根 n_1 的特征向量 $J_{v \times 1}$，则有 $C_2 J_{v \times 1} = (v - 1 - \varepsilon)J_{v \times 1}$，故

$$\left(A^{\mathrm{T}}A\right)J_{v\times 1} = \left(r + \lambda_1 n_1 + \lambda_2\left(v - 1 - n_1\right)\right)J_{v\times 1}.$$

这就是说，$\theta := r + \lambda_1 n_1 + \lambda_2\left(v - 1 - n_1\right)$ 是矩阵 $A^{\mathrm{T}}A$ 的特征根，$J_{v\times 1}$ 是属于它的特征向量. 这样一来，求 $A^{\mathrm{T}}A$ 的特征根就化为求 C_1 的特征根.

现在来求 C_1 的特征根. 由(20.1.8)和(20.1.1)，

$$C_1^2 = n_1 I + p_{11}^1 C_1 + p_{11}^2 C_2,$$
$$C_1 C_2 = p_{12}^1 C_1 + p_{12}^2 C_2.$$

因此，

$$\begin{aligned}
C_1^3 &= n_1 C_1 + p_{11}^1 C_1^2 + p_{11}^2 C_1 C_2 \\
&= n_1 C_1 + p_{11}^1 C_1^2 + p_{11}^2\left(p_{12}^1 C_1 + p_{12}^2 C_2\right) \\
&= n_1 C_1 + p_{11}^1 C_1^2 + p_{11}^2 p_{12}^1 C_1 + p_{12}^2\left(p_{11}^2 C_2\right) \\
&= n_1 C_1 + p_{11}^1 C_1^2 + p_{11}^2 p_{12}^1 C_1 + p_{12}^2\left(C_1^2 - n_1 I - p_{11}^1 C_1\right),
\end{aligned}$$

即

$$C_1^3 - \left(p_{11}^1 + p_{12}^2\right)C_1^2 + \left(p_{11}^1 p_{12}^2 - p_{12}^1 p_{11}^2 - n_1\right)C_1 + n_1 p_{12}^2 I = 0. \quad (20.1.32)$$

对(20.1.32)两节右乘 Z，并利用 $C_1^i Z = \varepsilon^i Z$，得

$$\left(\varepsilon^3 - \left(p_{11}^1 + p_{12}^2\right)\varepsilon^2 + \left(p_{11}^1 p_{12}^2 - p_{12}^1 p_{11}^2 - n_1\right)\varepsilon + n_1 p_{12}^2\right)Z = 0.$$

因 $Z \neq 0$，故得

$$\begin{aligned}
&\varepsilon^3 - \left(p_{11}^1 + p_{12}^2\right)\varepsilon^2 + \left(p_{11}^1 p_{12}^2 - p_{12}^1 p_{11}^2 - n_1\right)\varepsilon \\
&+ n_1 p_{12}^2 = 0.
\end{aligned} \quad (20.1.33)$$

记(20.1.33)左节为 $f(\varepsilon)$. 因 n_1 是 C_1 的一个特征根，故

$$x - n_1 \mid f(x).$$

记 $g(x) := \dfrac{f(x)}{x - n_1}$，则直接计算得

$$g(x) = x^2 + \left(n_1 - p_{11}^1 - p_{12}^2\right)x - p_{12}^2.$$

利用(20.1.6)，这又可写为

$$g(x) = x^2 + \left(p_{11}^2 - p_{11}^1\right)x - p_{12}^2 .$$

$g(x)$的两个根为

$$\varepsilon_i = \frac{p_{11}^1 - p_{11}^2 + (-1)^i \sqrt{\left(p_{11}^2 - p_{11}^1\right)^2 + 4p_{12}^2}}{2} , \tag{20.1.34}$$

$$i = 1, 2.$$

反过来，由于 $\varepsilon_i\,(i = 1,\ 2)$是 $g(x)$的根，故

$$g(x) = (x - \varepsilon_1)(x - \varepsilon_2) ,$$

故

$$(C_1 - \varepsilon_1 I)(C_1 - \varepsilon_2 I) = 0 .$$

因为 $C_1 \neq \varepsilon_i I$，故 $C_1 - \varepsilon_1 I$ 和 $C_1 - \varepsilon_2 I$ 都不是满秩的，即

$$\det(C_1 - \varepsilon_1 I) = 0 = \det(C_1 - \varepsilon_2 I) .$$

这就是说，$\varepsilon_i\,(i = 1,\ 2)$是矩阵 C_1 的特征根. 至此即已证明，矩阵 C_1 的全部特征根就是 n_1，ε_1，ε_2 的适当次数的重复.

由 $A^T A$ 的特征根与 C_1 的特征根之间的关系知，$A^T A$ 的全部特征根就是

$$\theta_0 := r + \lambda_1 n_1 + \lambda_2 (v - 1 - n_1) , \tag{20.1.35}$$

$$\theta_i := r + \lambda_1 \varepsilon_i - \lambda_2 (1 + \varepsilon_i), \quad i = 1, 2 , \tag{20.1.36}$$

的适当次数的重复. (20.1.35)可写为

$$\theta_0 = (\lambda_0 n_0 + \lambda_1 n_1 + \lambda_2 n_2) = rk , \tag{20.1.37}$$

由(20.1.6)知 $p_{11}^2 - p_{11}^1 = p_{12}^2 - p_{12}^2 + 1$，

$$\left(p_{11}^2 - p_{11}^1\right)^2 + 4p_{12}^2 = \left(p_{12}^2 - p_{12}^1 - 1\right)^2 + 4p_{12}^1$$

$$= \left(p_{12}^2 - p_{12}^1\right)^2 + 2\left(p_{12}^1 + p_{12}^2\right) + 1 = \Delta.$$

因此，

$$\theta_i = r + \frac{1}{2}\left(p_{12}^2 - p_{12}^1 - 1 + (-1)^i\sqrt{\Delta}\right)\lambda_1 - \frac{1}{2}\left(p_{12}^2 - p_{12}^1 + 1 + (-1)^i\sqrt{\Delta}\right)\lambda_2$$

$$= r - \frac{1}{2}\left((\lambda_1 - \lambda_2)\left(-\delta + (-1)^i\sqrt{\Delta}\right) + \lambda_1 + \lambda_2\right).$$

这就证明了定理的前半部分.

余下的工作是证明定理的后半部分. 设 θ_0 是单根，且 θ_1 和 θ_2 的重数分别是 α_1 和 α_2. 那么，

$$\alpha_1 + \alpha_2 + 1 = v,$$
$$tr\left(A^{\mathrm{T}}A\right) = rk + \alpha_1\theta_1 + \alpha_2\theta_2,$$
$$tr\left(A^{\mathrm{T}}A\right) = v_r,$$

这里 $tr\left(A^{\mathrm{T}}A\right)$ 表 $A^{\mathrm{T}}A$ 的迹. 解这些方程即得(20.1.29). **证毕**.

对于一个结合方案，全部 P 矩阵中的 m^3 个元并不都是独立的. 当 $m=2$ 时，有

定理 20.1.4. 若已知 v 和 n_1，则具有两个结合类的结合方案的全部 P 矩阵中的 2^3 个元中只有一个是独立的. 若选 p_{11}^1 为独立元素，则

$$P_1 = \begin{pmatrix} p_{11}^1 & n_1 - 1 - p_{11}^1 \\ n_1 - 1 - p_{11}^1 & v - 2n_1 + p_{11}^1 \end{pmatrix}, \tag{20.1.38}$$

$$P_2 = \begin{pmatrix} \dfrac{n_1\left(n_1 - 1 - p_{11}^1\right)}{v - n_1 - 1} & \dfrac{n_1\left(v - 2n_1 + p_{11}^1\right)}{v - n_1 - 1} \\ \dfrac{n_1\left(v - 2n_1 + p_{11}^1\right)}{v - n_1 - 1} & v - 2(n_1 + 1) - \dfrac{n_1\left(n_1 - 1 - p_{11}^1\right)}{v - n_1 - 1} \end{pmatrix}. \tag{20.1.39}$$

证明. 当 $m=2$ 时，(20.1.5)化为

$$p_{12}^1 = p_{21}^1, \quad p_{12}^2 = p_{21}^2;$$

(20.1.6)化为

$$p_{11}^1 + p_{12}^1 = n_1 - 1, \quad p_{21}^1 + p_{22}^1 = n_2,$$
$$p_{11}^2 + p_{12}^2 = n_1, \quad p_{21}^2 + p_{22}^2 = n_2 - 1;$$

(20.1.7)化为

$$n_1 p_{21}^1 = n_2 p_{11}^2, \quad n_1 p_{22}^1 = n_2 p_{12}^2.$$

由这些方程的前七个求解便得诸 p_{jl}^i 经 p_{11}^1 表出的式子：

$$p_{12}^1 = n_1 - 1 - p_{11}^1,$$

$$p_{22}^1 = n_2 - n_1 + 1 + p_{11}^1,$$

$$p_{12}^2 = n_1 - \frac{n_1}{n_2}\big(n_1 - 1 - p_{11}^1\big),$$

$$p_{22}^2 = n_2 - 1 - n_1 + \frac{n_1}{n_2}\big(n_1 - 1 - p_{11}^1\big),$$

$$p_{11}^1 = \frac{n_1}{n_2}\big(n_1 - 1 - p_{11}^1\big),$$

再把 $n_2 = v - 1 - n_1$ 代入，便得(20.1.38)和(20.1.39). **证毕.**

对于具有 m 个结合类的结合方案，有类似的结论.

20.2 可分组设计

设 $\mathscr{B}$ 是基集 S 上的一个可分组设计(参看 11.5)，且 S 有分解式：

$$S = S_1 \bigcup S_2 \bigcup \cdots \bigcup S_h, \quad S_i \bigcap S_j = \varnothing\,(i \neq j),$$

$$|S_1| = |S_2| = \cdots = |S_h| = n.$$

于是，$|S| = nh$. 很自然地如下定义结合类：同属 $S_i\,(1 \leqslant i \leqslant h)$ 的任二相异元都有关系 R_1，分属 S_i 和 $S_j\,(1 \leqslant i \neq j \leqslant h)$ 的任二元都有关系 R_2. 易知，定义 11.5.1 中的 $n_i\,(i = 1,\ 2)$ 不依赖于 s 的具体选择，$p_{jl}^i\,(i,\ j,\ l = 1,\ 2)$ 不依赖于 s 和 s' 的具体选择. 因此，由引理 20.1.4 的系可知，可分组设计确是具两个结合类的 PBIB 设计.

引理 20.2.1. 对可分组设计 $\mathscr{B}$ 的结合方案的诸参数，有

$$n_1 = n - 1, \quad n_2 = n(h - 1), \tag{20.2.1}$$

$$P_1 = \begin{pmatrix} n-2 & 0 \\ 0 & n(h-1) \end{pmatrix}, \quad P_2 = \begin{pmatrix} 0 & n-1 \\ n-1 & n(h-2) \end{pmatrix}. \tag{20.2.2}$$

证明. 由可分组设计的定义可直接推得(20.2.1)，和

$$p_{11}^1 = n - 2.$$

由此和(20.1.38)，(20.1.39)便得(20.2.2). **证毕.**

反过来，又有

引理 20.2.2. 若一个结合方案的诸参数为(20.2.1)和(20.2.2)，则该结合方案的基集 S 可以分成两两不交的 h 个组，每组 n 个元，同一组的元之间有第一类的结合关系，不同组的元之间有第二类结合关系，此外无其他结合关系.

证明. 设 s_{11} 是 S 中的任一元. 由(20.2.1)，合

$$(s_{11},\ s) \in R_1,\ s \in S$$

的元 s 共有 $n-1$ 个，记这些元为 $s_{12},\ \cdots,\ s_{1n}$. 由(20.2.2)，合

$$(s_{11},\ s) \in R_1, (s_{12},\ s) \in R_1,\ s \in S$$

的元 s 共有 $n-2$ 个，故这些元只能是 $s_{13},\ \cdots,\ s_{1n}$. 由此推知，S 的子集

$$S_1 = \{s_{11},\ s_{12},\ \cdots,\ s_{1n}\}$$

中任二相异元都有关系 R_1，任一元与 $S \backslash S_1$ 中任一元都有关系 R_2. 设 s_1 是 $S \backslash S_1$ 中任一元，如上推理，可得 $S \backslash S_1$ 的子集

$$S_2 = \{s_{21},\ s_{22},\ \cdots,\ s_{2n}\},$$

其中任二相异元都有关系 R_1，任一元与 $S \backslash S_2$ 中任一元都有关系 R_2. 如此进行下去，最后，S 中的元分成符合定理要求的若干组，**证毕**.

由引理 20.2.1，可以把可分组设计的下列参数

$$b,\ h,\ n,\ r,\ k,\ \lambda_1,\ \lambda_2$$

选作该设计的基本参数.

引理 20.2.3. 设 A 是本节之首的可分组设计 $\mathscr{B}$ 的关联矩阵，则 $A^{\mathrm{T}}A$ 的特征根是

$$rk,\ r-\lambda_1,\ rk\ -v\lambda_2, \tag{20.2.3}$$

其重数分别为

$$1,\ h(n-1),\ h-1. \tag{20.2.4}$$

证明. 应用定理 20.1.3 于 $\mathscr{B}$，有

$$\delta = n-1,\ \beta = n-1,$$
$$\Delta = (n-1)^2 + 2(n-1) + 1 = n^2.$$

于是(20.1.28)给出

$$\theta_2 = r - \frac{1}{2}\big\{(\lambda_1 - \lambda_2)\big(-(n-1)+n\big) + \lambda_1 + \lambda_2\big\}$$
$$= r - \lambda_1,$$
$$\theta_1 = r - \frac{1}{2}\big\{(\lambda_1 - \lambda_2)\big(-(n-1)-n\big) + \lambda_1 + \lambda_2\big\}$$
$$= r + \lambda_1(n-1) - \lambda_2 n$$
$$= \lambda_0 n_0 + \lambda_1 n_1 + \lambda_2 n_2 - hn\lambda_2 = rk - v\lambda_2,$$

(20.2.3)得证.

下面证明 rk 是 $A^{\mathrm{T}}A$ 的单根. 考虑矩阵

$$A^{\mathrm{T}}A - rkI = r(1-k)I + \lambda_1 C_1 + \lambda_2 C_2.$$

假定把 S 中诸元排来使得同在一个 S_i 中的诸元在一块，则 C_1 和 C_2 有如下的分块形状：

$$C_1 = \begin{pmatrix} J-1 & 0 & \cdots & 0 \\ 0 & J-1 & \cdots & 0 \\ \vdots & \vdots & & \vdots \\ 0 & 0 & \cdots & J-1 \end{pmatrix},$$

$$C_2 = \begin{pmatrix} 0 & J & \cdots & J \\ J & 0 & \cdots & J \\ \vdots & \vdots & & \vdots \\ J & J & \cdots & 0 \end{pmatrix}.$$

于是

$$\begin{pmatrix} \lambda_1 J - (\lambda_1 - r(1-k))I & \lambda_2 J & \cdots & \lambda_2 J \\ \lambda_2 J & \lambda_1 J - (\lambda_1 - r(1-k))I & \cdots & \lambda_2 J \\ \vdots & \vdots & & \vdots \\ \lambda_2 J & \lambda_2 J & \cdots & \lambda_1 J - (\lambda_1 - r(1-k))I \end{pmatrix} = A^{\mathrm{T}}A - rkI. \quad (20.2.5)$$

今用反证法来证明(20.2.5)的最后$(hn-1)$行是线性无关的. 若有数 c_2，c_3，$\cdots$，c_{hn} 使

$$c_2\lambda_1 + c_3\lambda_1 + \cdots + c_{n-1}\lambda_1 + c_n\lambda_2 + \cdots + c_{hn}\lambda_2 = 0,$$
$$c_2 r(1-k) + c_3\lambda_1 + \cdots + c_{n-1}\lambda_1 + c_n\lambda_2 + \cdots$$
$$+ c_{hn}\lambda_2 = 0,$$
$$\cdots\cdots$$

则 $c_2\lambda_1 = c_2 r(1-k)$. 但当 $k > 1$ 时，$r(1-k) < 0$，故不可能有 $\lambda_1 = r(1-k)$，而 $k = 1$ 又是平凡的情形. 由此推得 $c_2 = 0$. 类似地可得，$c_3 = \cdots = c_{hn} = 0$. 这就证明了 (20.2.5) 的最后 $hn-1$ 行的线性无关性. 所以，矩阵 $A^{\mathrm{T}}A - rkI$ 的秩为 $hn-1$，从而 rk 是 $A^{\mathrm{T}}A$ 的单特征根.

于是，由 (20.1.29) 得 $r - \lambda_1$ 的重数为

$$
\begin{aligned}
\alpha_2 &= \frac{n_1 + n_2}{2} + \frac{n_1 - n_2 + (n-1)(n_1 + n_2)}{2n} \\
&= \frac{nh-1}{2} + \frac{n-1-n(h-1)+(n-1)(nh-1)}{2n} \\
&= h(n-1),
\end{aligned}
$$

$rk - v\lambda_2$ 的重数为

$$
\begin{aligned}
\alpha_1 &= \frac{n_1 + n_2}{2} - \frac{n_1 - n_2 + (n-1)(n_1 + n_2)}{2n} \\
&= \frac{nh-1}{2} - \frac{n-1-n(h-1)+(n-1)(nh-1)}{2n} \\
&= h-1.
\end{aligned}
$$

证毕.

根据可分组设计的特征根为零的可能情形，可以把该种设计分为三种类型.

定义 20.2.1. 如果引理 20.2.3 中的特征根 $r - \lambda_1 = 0$，则称这样的可分组设计是奇异的；如果特征根 $rk - v\lambda_2 = 0$，$r - \lambda_1 \neq 0$（因而 $r - \lambda_1 > 0$），则称这样的可分组设计是半奇异的；如果特征根 $r - \lambda_1 \neq 0$，$rk - v\lambda_2 \neq 0$（因而 $r - \lambda_1 > 0$，$rk - v\lambda_2 > 0$），则称这样的可分组设计是正则的.

关于可分组设计的参数，有

定理 20.2.1. 设 $\mathscr{B}$ 是一个可分组设计，其基本参数为 b，h，n，r，k，λ_1，λ_2. 若 $\mathscr{B}$ 是奇异的，则

$$b \geqslant h. \tag{20.2.6}$$

若 $\mathscr{B}$ 既是奇异的，又是可分解的，则

$$b \geqslant h + r - 1. \tag{20.2.7}$$

若 $\mathscr{B}$ 是半奇异的, 则

$$b \geqslant v - h + 1 . \qquad (20.2.8)$$

若 $\mathscr{B}$ 既是半奇异的, 又是可分解的, 则

$$b \geqslant v - h + r . \qquad (20.2.9)$$

若 $\mathscr{B}$ 是正则的, 则

$$b \geqslant v . \qquad (20.2.10)$$

若 $\mathscr{B}$ 既是正则的, 又是可分解的, 则

$$b \geqslant v + r - 1 . \qquad (20.2.11)$$

证明. 设 A 是可分组设计 $\mathscr{B}$ 的关联矩阵, 则

$$r_{A^{\mathrm{T}}A} = r_A \leqslant \min(v, \ b) \leqslant b . \qquad (20.2.12)$$

若 $\mathscr{B}$ 是奇异的, 则 $r - \lambda_1 = 0$ 是 $A^{\mathrm{T}}A$ 的 $h(n-1)$ 重特征根, 故

$$r_{A^{\mathrm{T}}A} = v - h(n-1) = h . \qquad (20.2.13)$$

结合(20.2.12)和(20.2.13)便得(20.2.6). 若 $\mathscr{B}$ 是半奇异的, 则 $rk - v\lambda_2 = 0$ 是 $A^{\mathrm{T}}A$ 的 $(h-1)$ 重特征根, 故

$$r_{A^{\mathrm{T}}A} = v - h + 1 . \qquad (20.2.14)$$

结合(20.2.12)和(20.2.14)便得(20.2.8). 若 $\mathscr{B}$ 是正则的, 则 $A^{\mathrm{T}}A$ 的特征根非零, 故

$$r_{A^{\mathrm{T}}A} = v . \qquad (20.2.15)$$

结合(20.2.12)和(20.2.15)便得(20.2.10).

若 $\mathscr{B}$ 是可分解的设计, 则 $\mathscr{B}$ 的区组可分解为 r 组, 每一组的诸区组的关联矩阵之行向量的和是分量全为 1 的向量, 因而属于一组的诸区组的关联矩阵的行向量与同属另一组的诸区组的关联矩阵的行向量线性相关. 所以,

$$r_A \leqslant b - (r-1) . \qquad (20.2.16)$$

结合(20.2.16)和(20.2.13), (20.2.14), (20.2.15)便分别得到(20.2.7), (20.2.9), (20.2.11). **证毕**.

定理 20.2.2. 设 $\mathscr{B}$ 是一个半奇异的可分组设计, 其基本参数为 b, h, n, r, k, λ_1, λ_2, 则

$$h \mid k. \tag{20.2.17}$$

又若 $\mathscr{B}$ 的基集 S 的分解方式为

$$S = S_1 \bigcup S_2 \bigcup \cdots \bigcup S_h,$$
$$|S_i| = n, \quad S_i \bigcap S_j = \varnothing, \quad 1 \leqslant i \neq j \leqslant h,$$

则 $\mathscr{B}$ 的每一区组包含每一 S_i 中恰好 $\dfrac{k}{h}$ 个元.

证明. 设 $\mathscr{B} := \{B_1, \ B_2, \cdots, \ B_b\}$. 记

$$x_{ij} := \left| S_i \bigcap S_j \right|, \quad 1 \leqslant i \leqslant h; \quad 1 \leqslant j \leqslant b.$$

因 S_i 中的每一元都恰在 r 个区组中出现, 故

$$\sum_{j=1}^{b} x_{ij} = nr. \tag{20.2.18}$$

又因 S_i 中每一个二元子集都恰好包含在 λ_1 个区组中, 故

$$\sum_{j=1}^{b} \binom{x_{ij}}{2} = \binom{n}{2} \lambda_1,$$

即

$$\sum_{j=1}^{b} x_{ij} \left(x_{ij} - 1 \right) = n \left(n - 1 \right) \lambda_1. \tag{20.2.19}$$

记 $\overline{x}_i := \dfrac{1}{b} \sum_{j=1}^{b} x_{ij}$, 则由 (20.2.18),

$$\overline{x}_i = \frac{nr}{b} = \frac{k}{h}. \tag{20.2.20}$$

于是, 由 (20.2.18)—(20.2.20),

$$\sum_{j=1}^{b} \left(x_{ij} - \overline{x}_i \right)^2 = \sum_{j=1}^{b} x_{ij}^2 - b \left(\overline{x}_i \right)^2 = n \left(r + (n-1) \lambda_1 \right) - b \frac{k^2}{h^2}. \tag{20.2.21}$$

因为 $rk - v\lambda_2 = 0$, $r(k-1) = \lambda_1 (n-1) + \lambda_2 (v - n)$, 故 (20.2.21) 给出

$$\sum_{j=1}^{b} \left(x_{ij} - \overline{x}_i \right)^2 = n \left(n\lambda_2 \right) - \frac{nrk}{h} = \frac{n \left(v\lambda_2 - rk \right)}{h} = 0.$$

这就证明了

$$x_{i1} = x_{i2} = \cdots = x_{ik} = \overline{x}_i = \frac{k}{h}, \quad 1 \leqslant i \leqslant h.$$

因 x_{ij} 是整数，故有 (20.2.17)，而且每一区组包含每一 S_i 中的元的个数都是 $\frac{k}{h}$. **证毕.**

下面讨论可分组设计的存在性和构造方法.

定理 20.2.3. 存在参数为

$$b^*, \quad v^*, \quad r^*, \quad k^*, \quad \lambda^* \tag{20.2.22}$$

的 BIB 设计的充要条件为，存在参数为

$$b = b^*, \quad v = v^* n, \quad r = r^*,$$
$$k = k^* n, \quad \lambda_1 = r^*, \quad \lambda_2 = \lambda^* \tag{20.2.23}$$

的奇异可分组设计.

证明. 假定存在参数为 (20.2.22) 的 BIB 设计 $\mathscr{B}^*$，其基集为 $S^* = \left\{ s_1^*, \ s_2^*, \cdots, \ s_{v*}^* \right\}$. 设

$$S = S_1 \bigcup S_2 \bigcup \cdots \bigcup S_{v^*}, \tag{20.2.24}$$

这里

$$S_i = \left\{ s_{i1}, \ s_{i2}, \cdots, \ s_{in} \right\}, \quad 1 \leqslant i \leqslant v^* \tag{20.2.25}$$

是 v^* 个两两不交的 n 元集. 于是 $|S| = v^* n$. 对 $B^* \in \mathscr{B}^*$，令

$$B := B\left(B^*\right) := \left\{ s_{ij} \middle| s_i^* \in B^*, \quad 1 \leqslant j \leqslant n \right\},$$
$$\mathscr{B} := \left\{ B\left(B^*\right) \middle| B^* \in \mathscr{B}^* \right\},$$

则 $|B| = k^* n$, $|\mathscr{B}| = b^*$. 对任一 $i \left(1 \leqslant i \leqslant v^*\right)$，由于 s^* 恰在 $\mathscr{B}^*$ 的 r^* 个区组中出现，故任一 s_{ij} 恰在 $\mathscr{B}$ 的 r^* 个区组中出现，且对 S_i 中的一对相异元 s_{ij}, s_{il}，它们恰在 $\mathscr{B}$ 的 r^* 个区组中出现. 对任二 $i, j \left(1 \leqslant i \neq j \leqslant v^*\right)$，由于 s_i^*, s_j^* 恰在 $\mathscr{B}^*$ 的 λ^* 个区组中出现，故对 S_i 中任一元 s_{il} 和 S_j 中任一元 $s^{jl'}$，$\left\{s_{il}, \ s_{jl'}\right\}$ 都恰好包含在 $\mathscr{B}$ 的 λ^* 个区组中. 因此，$\mathscr{B}$ 是 S 上的一个可分组设计，其基集 $S = \left\{ s_{ij} \middle| 1 \leqslant i \leqslant v^*; \quad 1 \leqslant j \leqslant n \right\}$ 的元按 (20.2.24) 的方式分组，且其参数为 (20.2.23).

反过来，假定存在参数为(20.2.23)的可分组设计 $\mathscr{B}$，且其基集为 S. 不失一般性，可设 S 及其分组方式分别由(20.2.24)和(20.2.25)给出. 因 $\lambda_1 = r^* = r$，故若 S_i 中有元属于 $\mathscr{B}$ 的一个区组，则 S_i 的全部元都属于该区组. 因此，在 $\mathscr{B}$ 的全部区组中把 s_{i1}，s_{i2}，$\cdots$，s_{in} 用一个元 s_i^* 来代替而得到新区组 B^*；则 $\{B^*\}$ 是一个 BIB 设计，其参数为(20.2.22). 证毕.

定理 22.2.3 实际上给出了一个从已知的 BIB 设计出发构造一个奇异可分组设计的方法.

定理 20.2.4. 如果存在参数为

$$b^*,\quad v^*,\quad r^*,\quad k^*,\quad \lambda^* = 1 \tag{20.2.26}$$

的 BIB 设计，则存在基本参数为

$$b = b^* - r^*,\quad h = r^*,\quad n = k^* - 1,$$
$$r = r^* - 1,\quad k = k^*,\quad \lambda_1 = 0,\quad \lambda_2 = 1 \tag{20.2.27}$$

的可分组设计，其构造方法在下面的证明过程中给出.

证明. 设 $\mathscr{B}^*$ 是基集 S^* 上参数为(20.2.26)的一个 BIB 设计，这里 $|S^*| = v^*$. 设 s^* 是 S^* 的任一元. 令 $S := S^* \backslash \{s^*\}$. 把 $\mathscr{B}^*$ 中包含 s^* 的 r^* 个区组记为 B_1，B_2，$\cdots$，B_{r^*}. 令

$$S_i = B_i \backslash \{s^*\},\quad 1 \leqslant i \leqslant r^*.$$

那么，$|S_i| = k^* - 1\,(1 \leqslant i \leqslant r^*)$，且由 $\lambda^* = 1$ 知，S 有分解式

$$S = S_1 \bigcup S_2 \bigcup \cdots \bigcup S_{r^*},$$
$$S_i \bigcap S_j = \varnothing,\quad 1 \leqslant i \neq j \leqslant r^*.$$

记 $\mathscr{B} := \mathscr{B}^* \backslash \{B_1,\ B_2,\ \cdots,\ B_{r^*}\}$. 对任一 S_i，因 S_i 中任一固定元恰在 B_1，B_2，$\cdots$，B_{r^*} 中出现一次，故该元恰在 $\mathscr{B}$ 的 $r^* - 1$ 个区组中出现；因 S_i 中任一固定的二元子集在 B_1，B_2，$\cdots$，B_{r^*} 中都已出现，故不再在 $\mathscr{B}$ 的任一区组中出现. 对任二不同的 S_i 和 S_j，若 $s_i \in S_i$，$s_j \in S_j$，则因 $\{s_i,\ s_j\}$ 未曾在 B_1，B_2，$\cdots$，B_{r^*} 中出现过，故恰在 $\mathscr{B}$ 的一个区组中出现. 综上所述即得，$\mathscr{B}$ 是基集 S 上的一个可分组设计，其基本参数为(22.2.27). **证毕.**

应用混差法或利用有限几何也可构造可分组设计，因篇幅限制，这里不拟介绍. 欲知其详，请看 Rao[1]，Bose, Shrikhande 和 Bhattacharya[1]，Raghavaro[4].

20.3 三角形设计

第二种具两个结合类的重要的 PBIB 设计是三角形设计.

设 $v = \dfrac{n(n-1)}{2}$，$S = \{s_1, s_2, \cdots, s_v\}$，且 S 的元排成如下的直角三角形阵列：

$$
\begin{array}{cccccc}
s_1 & s_2 & s_3 & \cdots & s_{n-2} & s_{n-1} \\
s_n & s_{n+1} & \cdots & s_{2n-4} & s_{2n-3} \\
\ddots & \ddots & & \ddots & \vdots \\
& & & s_{v-2} & s_{v-1} \\
& & & & s_v
\end{array}
\tag{20.3.1}
$$

今把阵列(20.3.1)按下面的方式扩成一个方形阵列：

$$
\begin{array}{ccccccc}
* & s_1 & s_2 & s_3 & \cdots & s_{n-2} & s_{n-1} \\
s_1 & * & s_n & s_{n+1} & \cdots & s_{2n-4} & s_{2n-3} \\
s_2 & s_n & * & s_{2n-2} & \cdots & s_{3n-6} & s_{3n-5} \\
\vdots & \vdots & \vdots & \vdots & & \vdots & \vdots \\
s_{n-1} & s_{2n-3} & s_{3n-5} & s_{4n-7} & \cdots & s_v & *
\end{array}
\tag{20.3.2}
$$

其中主对角线上的星号 "*" 表示空位，且(20.3.2)对主对角线对称. 对 S 中任一元 s，同 s 有第一类结合关系的元的全体就是与 s 同行或同列且非 s 的那些元，其他非 s 的元与 s 皆为第二类结合关系. 可证,这就产生一个具两个结合类的结合方案，叫做三角形结合方案.

定义 20.3.1. 设 $\mathscr{B}$ 是具有如上的两个结合类的 PBIB 设计，则称 $\mathscr{B}$ 是一个三角形设计.

关于三角形设计的诸参数，有

引理 20.3.1. 若 $\mathscr{B}$ 是定义 20.3.1 中的三角形设计，则

$$
n_1 = 2(n-2), \quad n_2 = \frac{(n-2)(n-3)}{2},
\tag{20.3.3}
$$

$$
P_1 = \begin{pmatrix} n-2 & n-3 \\ n-3 & \dfrac{(n-3)(n-4)}{2} \end{pmatrix},
\tag{20.3.4}
$$

$$
P_2 = \begin{pmatrix} 4 & 2n-8 \\ 2n-8 & \dfrac{(n-4)(n-5)}{2} \end{pmatrix}.
\tag{20.3.5}
$$

证明. (20.3.2)是一个 $n \times n$ 阵列，其主对角线上无 S 中元. 设 $s \in S$，则 s 所在的行中非 s 的元共 $n-2$ 个，s 所在的列中非 s 的元也是 $n-2$ 个，且因 s 不在主对角线上，故这 $2(n-2)$ 个元彼此不同，因而有(20.3.3)的第一式.

由于阵列(20.3.2)的任二列都恰有一个元素相同，故当 s_i 与 S_i 属于(20.3.2)的同一行时，既与 s_i 有第一类结合关系又与 s_j 有第一类结合关系的元的全体就是 s_i 和 s_j 所在的行的其他 $n-3$ 个元，以及 S_i 所在的列和 S_j 所在的列包含的那个相同元. 因此，

$$p_{11}^1 = n-2.$$

由此和定理 20.1.4 便得(20.3.3)的第二式和(20.3.4)，(20.3.5). **证毕.**

在同构的意义下，$n=8$ 时的三角形结合方案的参数并不唯一确定具有这些参数的三角形结合方案.相反地，$n \neq 8$ 时的三角形结合方案的参数唯一地确定了具有这些参数的三角形结合方案.这一结果为 Connor[2]，Shrikhande[1]，张里千 [1]Hoffman[1]所证明.也可参看 Raghavarao[4].

关于三角形设计的关联矩阵，有

引理 20.3.2. 设 A 是定义 20.3.1 中的三角形设计 $\mathscr{B}$ 的关联矩阵，则 $A^{\mathrm{T}}A$ 的全部特征根为

$$rk, \quad r+(n-4)\lambda_1-(n-3)\lambda_2, \quad r-2\lambda_1+\lambda_2 \qquad (20.3.6)$$

等数的适当次数的重复，这里 r 是基集的每一元在 $\mathscr{B}$ 的诸区组中的出现次数，k 为每一区组的容量.

证明. 由于引理 20.3.1，对 $\mathscr{B}$ 应用定理 20.1.3，有

$$\delta = 2n-8-(n-3) = n-5,$$
$$\beta = (2n-8)+(n-3) = 3n-11,$$
$$\Delta = (n-5)^2+2(3n-11)+1 = (n-2)^2,$$
$$\theta_1 = r-\frac{1}{2}\left((\lambda_1-\lambda_2)(-n+5-(n-2))+\lambda_1+\lambda_2\right)$$
$$= r+(n-4)\lambda_1-(n-3)\lambda_2,$$
$$\theta_2 = r-\frac{1}{2}\left((\lambda_1-\lambda_2)(-n+5+n-2)+\lambda_1+\lambda_2\right)$$
$$= r-2\lambda_1+\lambda_2,$$

从而(20.3.6)中三数的适当次数的重复是 $A^{\mathrm{T}}A$ 的全部特征根. **证毕.**

同定理 20.2.2 类似地，有

定理 20.3.1. 对于一个三角形设计 $\mathscr{B}$，若引理 20.3.2 中 $A^{\mathrm{T}}A$ 的特征根

$$r + (n-4)\lambda_1 - (n-3)\lambda_2 = 0 , \tag{20.3.7}$$

则

$$n \mid 2k, \tag{20.3.8}$$

且 $\mathscr{B}$ 的每一区组都包含阵列(20.3.2)的任一列的恰好 $\dfrac{2k}{n}$ 个元.

证明. 这个定理的证明同定理 20.2.2 的证明类似,简述于下. 设 x_{ij} 是(20.3.2)的第 i 行与 $\mathscr{B}$ 的第 j 个区组 B_j 的公共元素的个数, 则

$$\sum_{j=1}^{b} x_{ij} = (n-1)r , \tag{20.3.9}$$

$$\sum_{j=1}^{b} x_{ij}\left(x_{ij}-1\right) = (n-1)(n-2)\lambda_1 . \tag{20.3.10}$$

令 $\overline{x}_i := \dfrac{1}{b}\sum_{j=1}^{b} x_{ij}$, 则

$$\overline{x}_i = \frac{1}{b}(n-1)r = \frac{2k}{n} .$$

于是, 由(20.3.9)和(20.3.10),

$$\begin{aligned}
\sum_{j=1}^{b}\left(x_{ij}-\overline{x}_i\right)^2 &= \sum_{j=1}^{b} x_{ij}^2 - b\left(\overline{x}_i\right)^2 \\
&= (n-1)\left((n-2)\lambda_1 + r\right) - b\frac{4k^2}{n^2} \\
&= \frac{n-1}{n}\Big(n\left((n-2)\lambda_1 + r\right) - 2rk\Big) \\
&= \frac{(n-2)(n-1)}{n}\left(r + (n-4)\lambda_1 - (n-3)\lambda_2\right) \\
&= 0.
\end{aligned}$$

由此立得定理的结论. **证毕**.

下面讨论三角形设计的存在性和构造方法.

定理 20.3.2(Shrikhande[1]). 参数为

$$b = n, \quad v = \frac{n(n-1)}{2}, \quad r = 2 .$$

$$k = n-1, \quad \lambda_1 = 1 , \quad \lambda_2 = 0 \tag{20.3.11}$$

的三角形设计一定存在, 其构造方法在下面的证明中给出.

证明. 把阵列(20.3.2)的第 i 列的元组成的集记为 $B_i(1 \leqslant i \leqslant n)$, 那么 $\mathscr{B}$: $=\{B_1, B_2, \cdots, B_n\}$ 就是集 S 上的一个三角形设计, 其参数为(20.3.11). 证毕.

定理 20.3.3. 假设存在参数为

$$v^* = b^* = \frac{n(n-1)}{2} + 1,$$

$$r^* = k^* = n, \quad \lambda^* = 2 \tag{20.3.12}$$

的 BIB 设计, 则存在参数为

$$b = \frac{(n-1)(n-2)}{2}, \quad v = \frac{n(n-1)}{2},$$

$$\tag{20.3.13}$$

$$r = n-2, \quad k = n, \quad \lambda_1 = 1, \quad \lambda_2 = 2$$

的三角形设计. 反之, 由后者的存在也可导出前者的存在.

证明. 设 $\mathscr{B}^*$ 是基集 S^* 上的一个参数为(20.3.12)的 BIB 设计, $\mathscr{B}^*$: $=\{B_1, B_2, \cdots, B_{v^*}\}$. 不失一般性, 可设 B_{v^*-n+1}, B_{v^*-n+2}, $\cdots B_{v^*}$ 这 n 个区组含有公共元 s^*, 因而 s^* 不在 $\mathscr{B}^*$ 的其他区组中. 记

$$S_i := B_{v^*-i+1} \setminus \{s^*\}, \quad 1 \leqslant i \leqslant n,$$

则 $|S_i| = n-1$. 因 $\lambda^* = 2$ 且 $s^* \in B_{v^*-i+1}(1 \leqslant i \leqslant n)$, 故 S_1, S_2, $\cdots$, S_n 的任二都恰含一个公共元, 且 S^* 中任一异于 s^* 的元都在 S_1, S_2, $\cdots$, S_n 中恰出现二次. 设

$$S_1 = \{s_{12}, s_{13}, s_{14}, \cdots, s_{1n}\},$$

因 S_2 和 S_1 恰有一个公共元, 故不失一般性, 可设

$$S_2 = \{s_{12}, s_{23}, s_{24}, \cdots, s_{2n}\},$$

而 s_{23}, s_{24}, $\cdots$, s_{2n}, s_{12}, s_{13}, $\cdots$, s_{1n} 两两不同. 因 S_3 与 S_1, S_2 分别恰有一个公共元, 故不失一般性, 可设

$$S_3 = \{s_{13}, s_{23}, s_{34}, \cdots, s_{3n}\},$$

而 s_{34}, $\cdots$, s_{3n}, s_{23}, $\cdots$, s_{2n}, s_{12}, s_{13}, $\cdots$, s_{1n} 两两不同. 类似地, 不失一般性, 可设

$$S_i = \{s_{1i},\ s_{2i},\ \cdots,\ s_{i-1},\ i,\ s_{i,\ i+1},\ \cdots,\ s_{in}\},\ \ 1 \leqslant i \leqslant n.$$

且诸 $s_{ij}(1 \leqslant i < j \leqslant n)$ 两两不同. 令 $S := S^* \backslash \{s^*\}$, 则

$$|S| = \frac{n(n-1)}{2}.$$

再令 $\mathscr{B} := \{B_1,\ B_2,\ \cdots,\ B_b\}$, 这里

$$b = v^* - n = \frac{n(n-1)}{2} + 1 - n = \frac{(n-1)(n-2)}{2}.$$

因 $s^* \notin B_i (1 \leqslant i \leqslant b)$, 故 $\mathscr{B}$ 是 S 上的一个设计. 对 S 的任一元, 它在 S_1, S_2, $\cdots$, S_n 中共出现二次, 故在 $\mathscr{B}$ 中共出现 $r^* - 2 = n - 2$ 次. 对 S 的任一对相异元 s 和 s', 如果它们在同一 S_i 中, 则不可能在其他 $S_j (1 \leqslant j \neq i \leqslant n)$ 中, 因而恰在 $\mathscr{B}$ 的一个区组中; 如果它们分属 S_i 和 $S_j (i \neq j)$, 则它们恰在 $\mathscr{B}$ 的二个区组中. 综上所证得知, $\mathscr{B}$ 就是基集 S 上的一个三角形设计, 其参数为(20.3.13).

把上述过程逆过来则得定理的后半部分. **证毕**.

定理 20.3.4(张里千, 刘璋温, 刘婉如[1]). 如果存在参数为

$$b^*,\ v^* = n - 1,\ r^*,\ \ k^*,\ \ \lambda^* \tag{20.3.14}$$

的 BIB 设计, 则存在参数为

$$
\begin{aligned}
&b = nb^*,\ \ v = \frac{n(n-1)}{2}, r = 2r^*, \\
&k = k^*, \lambda_1 = \lambda^*, \lambda_2 = 0
\end{aligned}
\tag{20.3.15}
$$

的三角形设计.

证明. 把阵列(20.3.2)的第 i 列中的 $n - 1$ 个元所组成的集记为 $S_i (1 \leqslant i \leqslant n)$. 因存在参数为(20.3.14)的 BIB 设计, 故可设以 S_i 为基集的这样的 BIB 设计为 $\mathscr{B}_i (1 \leqslant i \leqslant n)$. 把诸 $\mathscr{B}_i$ 的全体区组所组成的簇记为 $\mathscr{B}$. 令 $S = \{s_{ij} | 1 \leqslant i < j \leqslant n\}$, 于是$|\mathscr{B}| = nb^*$, $|S| = \frac{n(n-1)}{2}$. 因为 S 中任一元恰在 S_1, S_2, $\cdots$, S_n 的二个中出现, 故恰在 $\mathscr{B}$ 的 $2r^*$ 个区组中出现. 对 S 中的一对相异元, 若它们同属某 S_i, 则它们不属其他 $S_j (j \neq i)$, 故它们恰属 $\mathscr{B}_i$ 的 λ^* 个区组, 而不属 $\mathscr{B}_i (j \neq i)$ 的任何区组; 若它们分属于不同的 S_i 和 S_j, 则它们不属于 $\mathscr{B}$ 的任何区组. 因此, $\mathscr{B}$ 是基集 S 上的一个三角形设计, 参数为(20.3.15). **证毕**.

定理 20.3.5. 如果存在参数为

$$b = (2n-1)(2n-3), \quad v = (2n-1)n,$$

$$r = 2n-3, \quad k = n, \quad \lambda_1 = 0, \quad \lambda_2 = 1 \tag{20.3.16}$$

的三角形设计, 则存在参数为

$$b' = (2n-1)(2n-3), \quad v' = (2n-1)(n-1),$$

$$r' = 2n-3, \quad k' = n-1, \quad \lambda_1 = 0, \quad \lambda_2 = 1 \tag{20.3.17}$$

的三角形设计.

证明. 设 $\mathscr{B}$ 是参数为 (20.3.16) 且是阵列 (20.3.18) 上的一个三角形设计:

$$
\begin{array}{ccccc}
* & 1 & 2 & \cdots & 2n-1 \\
1 & * & 2n & \cdots & 4n-3 \\
2 & 2n & * & \cdots & 6n-6 \\
\vdots & \vdots & \vdots & & \vdots \\
2n-1, & 4n-3, & 6n-6, & \cdots & *
\end{array}
\tag{20.3.18}
$$

因

$$r + (2n-4)\lambda_1 - (2n-3)\lambda_2 = 0,$$

故由定理 20.3.1 知, $\mathscr{B}$ 的每一区组包含 (20.3.18) 的每一行恰好一个元. 把 $\mathscr{B}$ 的任一区组 B 中属于 (20.3.18) 的第一行的元删去后得到的新区组记为 $B' := B'(B)$, 则 $|B'| = k-1 = n-1$. 记 $\mathscr{B}' := \{B'(B) | B \in \mathscr{B}\}$, 且记 T_{n-1} 为阵列 (20.3.18) 的第一行和第一列都被删去后所余下的部分, 那么 $\mathscr{B}'$ 就是以 T_{n-1} 为其阵列且参数为 (20.3.17) 的一个三角形设计. **证毕.**

20.4　拉丁方型设计

第三种具有两个结合类的重要的 PBIB 设计是所谓拉丁方型设计.

设集 S 有 n^2 个元, 它们组成一个 n 阶方阵 M. 设 $M_1, M_2, \cdots, M_{i-2}$ 是 $[1, n]$ 上的 $i-2$ 个两两正交的拉丁方. 且 $[1, n] \cap S = \varnothing$. 把诸 $M_h (1 \leqslant h \leqslant i-2)$ 叠盖在 M 上. 对于任一 $s \in S$, M 中与 s 同行或同列而异于 s 的诸元与 s 有第一类结合关系; 对任一固定的 $M_h (1 \leqslant h \leqslant i-2)$, 若 M_h 叠盖 s 的元为 $e(e \in [1, n])$, 则 M_h 中的其他 $n-1$ 个 e 所叠盖的诸元也与 s 有第一类结合关系. S 中其他异于 s 的元

都与 s 有第二类结合关系. 可证这就产生一个具两个结合类的结合方案.

定义 20.4.1. 设 $\mathscr{B}$ 是具有如上的两个结合类的 PBIB 设计, 则称 $\mathscr{B}$ 为具 i 个约束条件的拉丁方型设计, 简称为 L_i 型设计.

关于 L_i 型设计的参数, 有

引理 20.4.1. 设 $\mathscr{B}$ 是定义 20.4.1 中的 L_i 型设计, 则

$$n_1 = i(n-1), \quad n_2 = (n-i+1)(n-1), \tag{20.4.1}$$

$$P_1 = \begin{pmatrix} (i-1)(i-2)+n-2 & (n-i+1)(i-1) \\ (n-i+1)(i-1) & (n-i+1)(n-1) \end{pmatrix}, \tag{20.4.2}$$

$$P_2 = \begin{pmatrix} i(i-1) & i(n-i) \\ i(n-i) & (n-i)(n-i-1)+n-2 \end{pmatrix}. \tag{20.4.3}$$

证明. 以 $m(j, l)$ 记 M 的第 j 行和第 l 列交口处的元. 那么, M 的第 j 行和第 l 列除 $m(j,l)$ 外的元的个数为 $2(n-1)$. 对于集 $[1,n]$ 上的正交拉丁方组 $M_1, M_2, \cdots, M_{i-2}$ 中的任一个 M_h, 设其 (j, l) 位置上的元为 t, 则 t 在 M_h 除第 j 行和第 l 列以外的其他 $(n-1)$ 个位置上出现, 因此, M 中这 $(n-1)$ 个位置上的元与 s 有第一类结合关系. 所以,

$$n_1 = 2(n-1)+(i-2)(n-1)=i(n-1),$$

这就是 (20.4.1) 的第一式.

今考查矩阵 M 的第 j 行上的两个相异元 $m(j, t_1)$, $m(j, t_2)$, $t_1 \neq t_2$. 设 $1 \leqslant h \neq h' \leqslant i-2$, M_h 的 (j, t_1), (j, t_2) 位置上的元分别为 $m_h(j, t_1)$, $m_h(j, t_2)$, $M_{h'}$ 的 (j, t_1), (j, t_2) 位置上的元分别为 $m_{h'}(j, t_1)$, $m_{h'}(j, t_2)$. 由 M_h 和 $M_{h'}$ 的正交性, 把 $M_{h'}$ 叠置在 M_h 之上即可得到全部元 $\binom{x'}{x}$ $(x', x \in [1, n])$ 各一次. 于是, 可设

$$\binom{m_{h'}(j, t_1)}{m_h(j, t_2)}, \binom{m_{h'}(j, t_2)}{m_h(j, t_1)}$$

分别是 $M_{h'}$, M_h 的 (j_1, u_1) 和 (j_2, u_2) 位置上的元叠置起来的结果, 且 $(j_1, u_1) \neq (j_2, u_2)$, $j_i \neq j$, $u_i \neq t_l$ $(i, l = 1, 2)$. 因此

$$(m(j, t_1), m(j_1, u_1)) \in R_1,$$
$$(m(j, t_2), m(j_1, u_1)) \in R_1,$$
$$(m(j, t_1), m(j_2, u_2)) \in R_1,$$
$$(m(j, t_2), m(j_2, u_2)) \in R_1.$$

这就是说，由一对不同的 M_h 和 $M_{h'}$ 恰好能产生二个元 $m(j_1,\ u_1)$，$m(j_2,\ u_2)$，它们与 $m(j,\ t_1)$ 和 $m(j,\ t_2)$ 有第一类结合关系. 由 M_1，M_2，$\cdots$，M_{i-2} 的正交性知，由不同的拉丁方对 $(M_h,\ M_{h'})$ 所产生的这样的元彼此不同. 因此，由 M_1，M_2，$\cdots$，M_{i-2} 所产生的这样的元的总数是

$$2 \cdot \binom{i-2}{2} = (i-2)(i-3). \tag{20.4.4}$$

从 M_h 和 $M_{h'}$ 的拉丁方性知，由(20.4.4)计数的那些元既不在 M 的第 t_1 列上，又不在 t_2 列上，且不在 M 的第 j 行上. 对每一 M_h $(1 \leqslant h \leqslant i-2)$，都有 j_1'，j_2' 合

$$m_h(j_1',\ t_1) = m_h(j,\ t_2),$$
$$m_h(j_2',\ t_2) = m_h(j,\ t_1),$$

从而 $(j_1',\ j_2' \neq j;\ j_1' \neq j_2')$

$$\big(m(j_1',\ t_1),\ m(j,\ t_1)\big) \in R_1,$$
$$\big(m(j_1',\ t_1),\ m(j,\ t_2)\big) \in R_1,$$
$$\big(m(j_2',\ t_2),\ m(j,\ t_1)\big) \in R_1,$$
$$\big(m(j_2',\ t_2),\ m(j,\ t_2)\big) \in R_1.$$

这就是说，由一个 M_h 恰好能产生两个元 $m(j_1',\ t_1)$ 和 $m(j_2',\ t_2)$，它们与 $m(j,\ t_1)$ 和 $m(j,\ t_2)$ 都有第一类结合关系. 由诸 M_h 的正交性知，全部 M_h 所产生的这样的元彼此不同，故其总数为

$$2(i-2). \tag{20.4.5}$$

再者，由(20.4.5)计数的这些元在 M 的第 t_1 列或 t_2 列上，故与由(20.4.4)计数的那些元都不同. 因此，由(20.4.4)和(20.4.5)知，与 $m(j,\ t_1)$ 和 $m(j,\ t_2)$ 有第一类结合关系的元的个数为

$$(i-2)(i-3) + 2(i-2) + n - 2 = (i-1)(i-2) + n - 2, \tag{20.4.6}$$

式中的 $n-2$ 是 M 的第 j 行除开 $m(j,\ t_1)$ 和 $m(j,\ t_2)$ 以外的元的个数.

对矩阵 M 的第 t 列上的两个相异元 $m(j_1,\ t)$ 和 $m(j_2,\ t)$ 可以类似地得到，与 $m(j_1,\ t)$ 和 $m(j_2,\ t)$ 都有第一类结合关系的元的个数也为(20.4.6).

现在来考查矩阵 M 的二元 $m(j_1, t_1)$ 和 $m(j_2, t_2)$，这里 $j_1 \neq j_2$，$t_1 \neq t_2$，且 $(m(j_1, t_1),\ m(j_2, t_2)) \in R_1$，因而在 M_1，M_2，$\cdots$，M_{i-2} 中存在唯一一个，设为 M_{i-2}，合

$m_{i-2}(j_1, t_1)= m_{i-2}(j_2, t_2)$. 在 M_{i-2} 中尚有 $m_{i-2}(j_3, t_3)= m_{i-2}(j_4, t_4)= \cdots = m_{i-2}(j_n, t_n)= m_{i-2}(j_1, t_1)$, 这里 $j_1, j_2, \cdots, j_n$; $t_1, \cdots, t_n$ 是 $[1, n]$ 的某二全排列. 因此

$$m(j_3, t_3), \; m(j_4, t_4), \cdots, m(j_n, t_n) \tag{20.4.7}$$

之任一同 $m(j_1, t_1)$ 和 $m(j_2, t_2)$ 都有第一类结合关系. 又

$$m(j_1, t_2), \; m(j_2, t_1) \tag{20.4.8}$$

都既与 $m(j_1, t_1)$, 又与 $m(j_2, t_2)$ 有第一类结合关系. 对任一 $M_h (1 \leqslant h \leqslant i-3)$, 有

$$m_h(j_1, t_1) \neq m_h(j_2, t_2), \; 1 \leqslant h \leqslant i-3, \tag{20.4.9}$$

且有 c_3, d_3, c_4, d_4 合

$$m_h(c_3, t_1)= m_h(j_1, d_3)= m_h(j_2, t_2),$$
$$m_h(j_2, d_4)= m_h(c_4, t_2)= m_h(j_1, t_1),$$
$$(c_3, t_1) \neq (j_2, d_4), \; (j_1, d_3) \neq (c_4, t_2).$$

这就是说

$$m(c_3, t_1), \; m(j_1, d_3), \; m(j_2, d_4), \; m(c_4, t_2) \tag{20.4.10}$$

既 与 $m(j_1, t_1)$ 又 与 $m(j_2, t_2)$ 有 第 一 类 结 合 关 系. 对 于 任 一 对 M_h, $M_{h'}(1 \leqslant h \neq h' \leqslant i-3)$, 因 (20.4.9), 且 M_h 与 $M_{h'}$ 是一对正交拉丁方, 故

$$\begin{pmatrix} m_{h'}(j_1, t_1) \\ m_h(j_2, t_2) \end{pmatrix}, \; \begin{pmatrix} m_{h'}(j_2, t_2) \\ m_h(j_1, t_1) \end{pmatrix}$$

不同, 且在 $M_{h'}$ 叠置在 M_h 之上所得的结果矩阵中恰各出现一次. 设它们出现的位置分别是 (c_1, d_1) 和 (c_2, d_2), 则

$$m(c_1, d_1), \; m(c_2, d_2) \tag{20.4.11}$$

既与 $m(j_1, t_1)$ 又与 $m(j_2, t_2)$ 有第一类结合关系.

由拉丁方型设计的定义, 既与 $m(j_1, t_1)$ 又与 $m(j_2, t_2)$ 有第一类结合关系的元只有 (20.4.7), (20.4.8), 以及当 $1 \leqslant h \neq h' \leqslant i-3$ 时的 (20.4.10), (20.4.11), 而且所有这些元两两不同, 故其个数为

$$(n-2)+2+4(i-3)+2\binom{i-3}{2}=(i-1)(i-2)+n-2,$$

此即(20.4.6). 综上所述即得

$$p'_{11}=(i-1)(i-2)+(n-2). \tag{20.4.12}$$

由已证的(20.4.1)的第一式和(20.4.12)，应用定理 20.1.4，便得引理的全部结论. **证毕.**

关于拉丁方型设计的关联矩阵，有

引理 20.4.2. 设 A 是定义 20.4.1 中的拉丁方型设计 $\mathscr{B}$ 的关联矩阵，则 $A^{\mathrm{T}}A$ 的全部特征根为

$$rk, \quad r+(n-i)\lambda_1-(n-i+1)\lambda_2, \quad r-i\lambda_1+(i-1)\lambda_2 \tag{20.4.13}$$

等数的适当次数的重复，这里 r 是基集的每一元在 $\mathscr{B}$ 的诸区组中的出现次数，k 为每一区组的容量.

证明. 由于引理 20.4.1，当对 $\mathscr{B}$ 应用定理 20.1.3 时，有

$$\delta=i(n-1)-(n-i+1)(i-1)=n-2i+1,$$

$$\begin{aligned}
\beta &= i(n-i)+(n-i+1)(i-1) \\
&= 2ni-2i^2-n+2i-1,
\end{aligned}$$

$$\begin{aligned}
\Delta &= (n-2i+1)^2+2\left(2ni-2i^2-n+2i-1\right)+1 \\
&= n^2,
\end{aligned}$$

$$\begin{aligned}
\theta_1 &= r-\frac{1}{2}\left((\lambda_1-\lambda_2)(-n+2i-1-n)+\lambda_1+\lambda_2\right) \\
&= r+(n-i)\lambda_1-(n-i+1)\lambda_2,
\end{aligned}$$

$$\begin{aligned}
\theta_2 &= r-\frac{1}{2}\left((\lambda_1-\lambda_2)(-n+2i-1+n)+\lambda_1+\lambda_2\right) \\
&= r-i\lambda_1+(i-1)\lambda_2.
\end{aligned}$$

因而引理的结论为真. **证毕.**

下面就 $i=2$ 的情形作进一步的讨论. 此时 S 中的两个相异元有第一类结合关系的充要条件是它们在 M 的同一行或同一列上.

定理 20.4.1. 当 $i=2$ 时，若引理 20.4.2 中的特征根

$$r+(n-2)\lambda_1-(n-1)\lambda_2=0,$$

则

$$n \mid k,$$

且 $\mathscr{B}$ 的每一区组包含矩阵 M 的每一行中恰好 $\dfrac{k}{n}$ 个元.

证明. 类似于定理 20.2.2 和定理 20.3.1 的证明. **证毕.**

定理 20.4.2. 若 n 是一个素数的方幂, 则存在参数为

$$b = n(n-1), \quad v = n^2, \quad r = n-1,$$

$$k = n, \quad \lambda_1 = 0, \quad \lambda_2 = 1 \tag{20.4.14}$$

的 L_2 型设计.

证明. 因 n 是个素数的方幂, 故存在集 $[1, n]$ 上的正交拉丁方完备组 $\{D_1,$ $D_2, \cdots, D_{n-1}\}$. 设

$$M = (m(i, j))_{n \times n}, \quad 1 \leqslant i, \ j \leqslant n \tag{20.4.15}$$

是 n^2 个相异元组成的方阵. 对任一 $t \, (1 \leqslant t \leqslant n-1)$, 数 $u \in [1, n]$ 在 D_t 中的 n 个位置记为

$$\left(1, \ j_{u1}^t\right), \left(1, \ j_{u2}^t\right), \cdots, \left(n, \ j_{un}^t\right), \tag{20.4.16}$$

这里 $j_{u1}^t, \cdots, j_{un}^t$ 是 $[1, n]$ 的某一全排列. 令

$$B_u^t := \left\{ m\left(l, \ j_{ul}^t\right) \big| 1 \leqslant l \leqslant n \right\},$$

$$\begin{aligned} \mathscr{B} &:= \left\{ B_u^t \big| 1 \leqslant t \leqslant n-1; \quad 1 \leqslant u \leqslant n \right\}, \\ S &:= \left\{ m(i, \ j) \big| 1 \leqslant i, \ j \leqslant n \right\}. \end{aligned} \tag{20.4.17}$$

于是

$$\left| B_u^r \right| = n \quad (1 \leqslant t \leqslant n-1; \quad 1 \leqslant u \leqslant n),$$

$$|\mathscr{B}| = n(n-1), \quad |S| = n^2.$$

对 S 的任一元 $m(l, j)$ 和任一 $t \in [1, \ n-1]$, 由 D_t 的拉丁方性, j 在 $j_{1l}^t, \ j_{2l}^t, \cdots, j_{nl}^t$ 中恰出现一次, 故 $m(l, j)$ 在

$$\mathscr{R}_t := \left\{ B_u^t \middle| 1 \leqslant u \leqslant n \right\}$$

的诸区组中恰出现一次, 从而在 $\mathscr{B}$ 的诸区组中恰出现 $n-1$ 次. 对 S 的任二元 $m(l, l_1)$ 和 $m(l, l_2)(l_1 \neq l_2)$, 由 B_u^t 的构造知, 它们不可能在 $\mathscr{B}$ 的任一区组中同时出现. 对 S 中的任二元 $m(l_1, l)$ 和 $m(l_2, l)(l_1 \neq l_2)$, 有类似的结论. 对 S 中的任二元 $m(j_1, l_1)$, $m(j_2, l_2)$, $j_1 \neq j_2$, $l_1 \neq l_2$, 由 $\{D_1, D_2, \cdots, D_{n-1}\}$ 的正交完备性知, 恰好存在一个 u 和一个 t, 使 D_t 中的 (j_1, l_1) 和 (j_2, l_2) 位置上的元都为 u, 因而 $m(j_1, l_1)$ 和 $m(j_2, l_2)$ 恰在 $\mathscr{B}$ 的 B_u^r 中出现. 综上所述即得, $\mathscr{B}$ 是基集 S 上的参数为 (20.4.14) 的 L_2 型设计. **证毕.**

定理 20.4.3. 若存在参数为

$$b^*, \quad v^*, \quad r^*, \quad k^*, \quad \lambda^* \tag{20.4.18}$$

的 BIB 设计, 则存在参数为

$$b = 2b^*, \quad v = v^{*2}, \quad r = 2r^*,$$

$$k = v^* k^*, \quad \lambda_1 = r^* + \lambda^*, \quad \lambda_2 = 2\lambda^* \tag{20.4.19}$$

的 L_2 型设计.

证明. 设 M 与 S 是分别在 (20.4.15) 与 (20.4.17) 中换 n 为 v^* 而得出的矩阵与集, 且 $\mathscr{B}^* := \{B_1^*, B_2^*, \cdots, B_{b^*}^*\}$ 是基集 $[1, v^*]$ 上的一个 BIB 设计, 其参数为 (20.4.18). 令

$$B_j^1 := B^1\left(B_j^*\right) := \left\{ m(l, 1)m(l, 2), \cdots, m\left(l, v^*\right) \middle| l \in B_j^* \right\},$$

$$B_j^2 := B^2\left(B_j^*\right) := \left\{ m(1, l)m(2, l), \cdots, m\left(v^*, l\right) \middle| l \in B_j^* \right\},$$

$$\mathscr{B}^h := \left\{ B_j^h \middle| 1 \leqslant j \leqslant b^* \right\}, \quad h = 1, \quad 2,$$

$$\mathscr{B} := \left\{ B_j^h \middle| 1 \leqslant j \leqslant b^*; \quad 1 \leqslant h \leqslant 2 \right\}.$$

那么,

$$\left| B_j^1 \right| = \left| B_j^2 \right| = v^* k^*, \quad 1 \leqslant j \leqslant b^*,$$

$$|\mathscr{B}| = 2b^*.$$

对 S 中的任一元 $m(l, j)$, 它在 $\mathscr{B}^1$ 和 $\mathscr{B}^2$ 的诸区组中各出现 r^* 次, 故在 $\mathscr{B}$ 的诸区组中共出现 $2r^*$ 次. 对 S 中的相异元 $m(l, j_1)$ 和 $m(l, j_2)$, $j_1 \neq j_2$, 因 l 在 $\mathscr{B}^*$ 的诸

区组中出现 r^* 次；故 $m(l, j_1)$ 和 $m(l, j_2)$ 在 $\mathscr{B}^1$ 的诸区组中共出现 r^* 次，又因 j_1 和 j_2 在 $\mathscr{B}^*$ 的诸区组中同时出现 λ^* 次，故 $m(l, j_1)$ 和 $m(l, j_2)$ 在 $\mathscr{B}^2$ 的诸区组中出现 λ^* 次. 因此，$m(l, j_1)$ 和 $m(l, j_2)$ 在 $\mathscr{B}$ 的诸区组中共出现 $r^*+\lambda^*$ 次. 对 S 中的相异元 $m(l_1, j)$ 和 $m(l_2, j)$ 有类似的推理和相同的结论. 对 S 中的任二相异元 $m(l_1, j_1)$ 和 $m(l_2, j_2)$，$l_1 \neq l_2$，$j_1 \neq j_2$，因 l_1 和 l_2 在 $\mathscr{B}^*$ 的诸区组中同时出现 λ^* 次，j_1 和 j_2 在 $\mathscr{B}^*$ 的诸区组同时出现 λ^* 次，故 $m(l_1, j_1)$ 和 $m(l_2, j_2)$，在 $\mathscr{B}^1$ 和 $\mathscr{B}^2$ 的诸区组中各同时出现 λ^* 次. 因此，$m(l_1, j_1)$ 和 $m(l_2, j_2)$ 在 $\mathscr{B}$ 的诸区组中共同时出现 $2\lambda^*$ 次. 综上所证即得定理的结论. **证毕**.

定理 20.4.4. 若存在参数为(20.4.18)的 BIB 设计，则存在参数为

$$b = 2v^* b^*, \quad v = v^{*2}, \quad r = 2r^*,$$

$$k = k^*, \quad \lambda_1 = \lambda^*, \quad \lambda_2 = 0 \tag{20.4.20}$$

的 L_2 型设计.

证明. 设 M 与 S 是分别在(20.4.15)与(20.4.17)中换 n 为 v^* 而得出的矩阵与集. 设 $\mathscr{B}_j^1$ 是参数为 (20.4.18) 且在基集 S_j^1 上的一个 BIB 设计，这里 $S_j^1 := \left\{ m(j, l) \middle| 1 \leqslant l \leqslant v^* \right\}$. 令 $\mathscr{B}^1$ 是由诸 $\mathscr{B}_j^1$ 的区组组成的簇. 设 $\mathscr{B}_l^2$ 是参数为 (20.4.18)且在基集 S_l^2 上的一个 BIB 设计，这里 $S_l^2 := \left\{ m(j, l) \middle| 1 \leqslant j \leqslant v^* \right\}$. 令 $\mathscr{B}^2$ 是由诸 $\mathscr{B}_l^2$ 的区组组成的簇，$\mathscr{B}$ 是 $\mathscr{B}^1$ 和 $\mathscr{B}^2$ 的区组组成的簇. 于是，

$$|\mathscr{B}| = 2v^* b^*, \quad |S| = v^{*2},$$

$$|B| = k^*, \quad \left(B \in \mathscr{B} \right).$$

对 S 中的任一元 $m(j, l)$，它在 $\mathscr{B}_j^1$ 的诸区组中从而在 $\mathscr{B}^1$ 的诸区组中出现 r^* 次，且在 $\mathscr{B}_l^2$ 的诸区组中从而在 $\mathscr{B}^2$ 的诸区组中出现 r^* 次，故在 $\mathscr{B}$ 的诸区组中共出现 $2r^*$ 次. S_j^1 中的任二相异元在 $\mathscr{B}_j^1$ 的诸区组中从而在 $\mathscr{B}$ 的诸区组中同时出现 λ^* 次，而 S_l^2 中的任二相异元在 $\mathscr{B}_l^2$ 的诸区组中从而在 $\mathscr{B}$ 的诸区组中同时也出现 λ^* 次. S 中的二元 $m(j_1, l_1)$ 和 $m(j_2, l_2)$($j_1 \neq j_2$, $l_1 \neq l_2$,)不在任一 B_j^1 中也不在任一 B_l^2 中出现. 综上所证知，$\mathscr{B}$ 就是参数为(20.4.20)的一个 L_2 型设计. **证毕**.

定理 20.4.5. 存在参数为

$$b = v = n^2, \quad r = k = 2n-1,$$

$$\lambda_1 = n, \quad \lambda_2 = 2 \tag{20.4.21}$$

的 L_2 型设计,其构造方法在下面的证明中给出.

证明. 设 M 和 S 分别由 (20.4.15) 与 (20.4.17) 给出. 令

$$B_{jl} := \big\{ m(h, \ l), \ m(j, \ t) \big| 1 \leqslant h \leqslant n, \quad 1 \leqslant t \neq l \leqslant n \big\},$$

$$\mathscr{B} := \big\{ B_{jl} \big| 1 \leqslant j, \ l \leqslant n \big\},$$

则

$$\big| B_{jl} \big| = 2n - 1, \big| \mathscr{B} \big| = n^2 = \big| S \big|.$$

设 $m(j, \ l) \in S$,则 $m(j, l)$ 所属的全体区组是

$$B_{1l}, \ \cdots, \ B_{j-1, \ l}, \ B_{j+1,l}, \ \cdots, \ B_{n,l},$$

$$B_{j1}, \ \cdots, \ B_{jn},$$

故 $r = 2n - 1$. 若 $m(j, \ l_1), \ m(j, \ l_2) \in S$,$l_1 \neq l_2$,则它们同时所属的全体区组是

$$B_{j1}, \ B_{j2}, \ \cdots, \ B_{jn};$$

若 $m(j_1, \ l), \ m(j_2, \ l) \in S$,$j_1 \neq j_2$,则它们同时所属的全体区组是

$$B_{1l}, \ B_{2l}, \ \cdots, \ B_{nl}.$$

因此,$\lambda_1 = n$. 若 $m(j_1, \ l_1), \ m(j_2, \ l_2) \in S$,$j_1 \neq j_2$,$l_1 \neq l_2$,则它们同时所属的全体区组是

$$B_{j_1 l_2}, \ B_{j_2 l_1}.$$

因此 $\lambda_2 = 2$. 综上所证知,$\mathscr{B}$ 就是参数为 (20.4.21) 的一个 L_2 型设计 . **证毕.**

定理 20.4.6. 存在参数为

$$b = n(n-1), \ v = n^2, \ r = 2(n-1),$$

$$k = 2n, \quad \lambda_1 = n, \quad \lambda_2 = 2 \tag{20.4.22}$$

的 L_2 型设计,其构造方法在下面的证明中给出.

证明. 设 M 和 S 分别由 (20.4.15) 和 (20.4.17) 给出. 令

$$B_{jl}^1 := \big\{ m(j, \ h), \ m(l, \ h) \big| 1 \leqslant h \leqslant n \big\},$$

$$B_{jl}^2 := \left\{ m(h, \ j), \ m(h, \ l) \big| 1 \leqslant h \leqslant n \right\},$$

$$\mathscr{B}^i := \left\{ B_{jl}^i \big| 1 \leqslant j < l \leqslant n \right\}, \quad i = 1, 2,$$

$$\mathscr{B} := \left\{ B \big| B \in \mathscr{B}^1 或 \mathscr{B}^2 \right\},$$

则 $\left| B_{jl}^1 \right| = 2n = \left| B_{jl}^2 \right| (1 \leqslant j < l \leqslant n), |S| = n^2, |\mathscr{B}| = n(n-1)$. 设 $m(j, \ l) \in S$，则包含 $m(j, \ l)$ 的 $\mathscr{B}$ 中全部区组是

$$B_{1j}^1, \ B_{2j}^1, \cdots, \ B_{j-1, \ j}^1, \ B_{j, \ j+1}^1, \ B_{j, \ j+2}^1, \cdots, \ B_{jn}^1,$$
$$B_{1l}^2, \ B_{2l}^2, \cdots, \ B_{l-1, \ l}^2, \ B_{l, \ l+1}^2, \ B_{l, \ l+2}^2, \ B_{ln}^2,$$

共 $2(n-1)$ 个，故 $r = 2(n-1)$. 设 $m(j, \ l_1), \ m(j, \ l_2) \in S$，$l_1 < l_2$，则同时包含 $m(j, \ l_1)$ 和 $m(j, \ l_2)$ 的 $\mathscr{B}$ 中全部区组是

$$B_{1j}^1, \ B_{2j}^1, \cdots, \ B_{j-1, \ j}^1, \ B_{j, \ j+1}^1, \cdots, \ B_{jn}^1, \ B_{l_1 l_2}^2,$$

共 n 个. 类似地，同时包含 $m(j_1, \ l)$ 和 $m(j_2, \ l)(j_1 \neq j_2)$ 的 $\mathscr{B}$ 中全部区组共 n 个. 因此，$\lambda_1 = n$. 设 $m(j_1, \ l_1), \ m(j_2, \ l_2) \in S$，$j_1 \neq j_2$ 且 $l_1 \neq l_2$，则同时包含 $m(j_1, \ l_1)$ 和 $m(j_2, \ l_2)$ 的 $\mathscr{B}$ 中全部区组是

$$B_{j_1 j_2}^1 (当 j_1 < j_2 时) 或 B_{j_2 j_1}^1 (当 j_2 < j_1 时),$$

$$B_{l_1 l_2}^2 (当 l_1 < l_2 时) 或 B_{l_2 l_1}^2 (当 l_2 < l_1 时),$$

共二个. 因此 $\lambda_2 = 2$. 综上所证即得，$\mathscr{B}$ 就是参数为(20.4.22)的一个 L_2 型区组设计. **证毕**.

具有两个结合类的 PBIB 设计的专门介绍就拟到这里为止. 对于这样的设计已有表供查，例如，可参看 Clatworthy[1].

20.5 利用有限向量空间构造结合方案

下节将讨论利用有限域 F_q 上的 n 维向量空间 $V_n(F_q)$ 构造一些类型的 PBIB 设计的有关问题. 那里介绍的方法和结果主要来源于班成[1]，万哲先[4]，万哲先、戴宗铎、冯绪宁、阳本傅[1]. 再一般地，利用多种有限几何来构造 PBIB 设计，已经取得了丰硕的成果，有兴趣的读者请参阅万哲先[2—5]，万哲先和阳本傅[1]，戴宗铎和冯绪宁[1]，冯绪宁和戴宗铎[1]，阳本傅[1,2]，王仰贤[1]，沈灏[1—5]，沈灏和魏鸿增[1]，

魏鸿增[1]等. 为了利用有限域上的向量空间构造 PBIB 设计, 必须首先利用有限域上的向量空间构造结合方案, 并计算其参数. 这就是本节要进行的工作.

有如 17.5, 设 $V_n(F_q)$ 是一个有限域 F_q 上的向量空间, $\mathscr{U}(m,\ n)$ 是 $V_n(F_q)$ 的全体 m 维子空间所组成的集合, 这里 $1 \leqslant m < n$. 设 U 是 $V_n(F_q)$ 的一个子空间, 其维数记为 $\dim U$; 若 U' 是 $V_n(F_q)$ 的另一个子空间, 则把 U 和 U' 的公共部分所组成的子空间记为 $U \bigcap U'$, 把 U 和 U' 张成的子空间记为 $[U,\ U']$.

定义 20.5.1. 设 $U_1,\ U_2 \in \mathscr{U}(m,\ n)$, 且 $U_1 \neq U_2$. 如果

$$\dim[U_1,\ U_2] = m + i,$$

则说 m 维子空间 U_1 和 U_2 有第 i 种结合关系:

$$(U_1,\ U_2) \in R_i.$$

对于这样定义的结合关系, 有

引理 20.5.1. 对任一 $U \in \mathscr{U}(m,\ n)$, 数

$$n_i := \left|\left\{U' \middle| (U,\ U') \in R_i,\ U' \in \mathscr{U}(m,\ n)\right\}\right| \tag{20.5.1}$$

依赖于 i, 而不依赖于 U 的具体选择.

证明. 由定理 17.5.1, 当 $U_1 \in \mathscr{U}(m,\ n)$ 时, 有 $T \in \mathrm{GL}_n(F_q)$, 合 $U_1 = UT$. 如果

$$\dim[U,\ U'] = m + i,\quad U' \in \mathscr{U}(m,\ n), \tag{20.5.2}$$

则由矩阵 $U,\ U'$ (参看 17.5)所组成的分块矩阵 $\begin{pmatrix} U \\ U' \end{pmatrix}$ 的秩为

$$m + i,$$

且矩阵

$$\begin{pmatrix} U \\ U' \end{pmatrix} T = \begin{pmatrix} UT \\ U'T \end{pmatrix}$$

的秩为 $m + i$. 由于 $\det T \neq 0$, 在合(20.5.2)的全体 U' 与合

$$\dim[U_1,\ U''] = m + i,\quad U'' \in \mathscr{U}(m,\ n)$$

的全体 U'' 之间是(1-1)对应的: $U'' = U'T$. 因此, 数(20.5.1)不依赖于 U 的具体选

择. 证毕.

引理 20.5.2. 设 U_j, $U_j' \in \mathscr{U}(m,\ n)\,(j=1,\ 2)$, 且

$$\dim[U_1,\ U_2] = \dim[U_1',\ U_2'] = m + i\,.$$

那么, 存在 $T \in \mathrm{GL}_n(F_q)$, 合

$$U_j = U_j'T\,,\quad j=1,\ 2\,.$$

证明. 设 $D = U_1 \cap U_2$, $D' = U_1' \cap U_2'$. 由维数公式

$$\dim[U_1,\ U_2] = \dim U_1 + \dim U_2 - \dim D$$

得

$$\dim D = m + m - (m+i) = m - i,$$
$$\dim D' = m - i.$$

因此 U_i, U_i' 可以写成

$$U_1 = \begin{pmatrix} U_3 \\ D \end{pmatrix}_{m-i}^{i}\,,\quad U_2 = \begin{pmatrix} D \\ U_4 \end{pmatrix}_{i}^{m-i}\,,$$

$$U_1' = \begin{pmatrix} U_3' \\ D' \end{pmatrix}_{m-i}^{i}\,,\quad U_2' = \begin{pmatrix} D' \\ U_4' \end{pmatrix}_{i}^{m-i}\,.$$

于是 $[U_1,\ U_2]$ 和 $[U_1',\ U_2']$ 可以分别写为

$$[U_1,\ U_2] = \begin{pmatrix} U_3 \\ D \\ U_4 \end{pmatrix}\begin{matrix} i \\ m-i \\ i \end{matrix} \in \mathscr{U}(m+i,\ n),$$

$$[U_1',\ U_2'] = \begin{pmatrix} U_3' \\ D' \\ U_4' \end{pmatrix}\begin{matrix} i \\ m-i \\ i \end{matrix} \in \mathscr{U}(m+i,\ n).$$

由定理 17.5.1, 存在 $T \in \mathrm{GL}_n(F_q)$, 合

$$\begin{pmatrix} U_3 \\ D \\ U_4 \end{pmatrix} = \begin{pmatrix} U_3' \\ D' \\ U_4' \end{pmatrix} = T\,.$$

因此

$$U_3 = U_3'T, \quad U_4 = U_4'T .$$

证毕.

由此引理可得

系. 对任一对 U_1, $U_2 \in \mathscr{U}(m, \ n)$, $(U_1, \ U_2) \in R_i$, 数

$$\left| \{ U \,|\, (U_1, \ U) \in R_j, \quad (U_2, \ U) \in R_l, \quad U \in \mathscr{U}(m, \ n) \} \right| \qquad (20.5.3)$$

依赖于 i, j, l, 而不依赖于 U_1 和 U_2 的具体选择.

证明. 设任有另一对 U_1', $U_2' \in \mathscr{U}(m, \ n)$, $(U_1', \ U_2') \in R_i$. 由引理 20.5.2, 存在 $T \in \mathrm{GL}_n(F_q)$, 合

$$U_t = U_t'T, \ t = 1, \quad 2 .$$

那么, 在合

$$(U_1', \ U') \in R_j, \quad (U_2', \ U') \in R_l, \quad U' \in \mathscr{U}(m, \ n)$$

的全体 U' 与合

$$(U_1, \ U) \in R_j, \quad (U_2, \ U) \in R_l, \quad U \in \mathscr{U}(m, \ n)$$

的全体 U 之间是(1-1)对应的. 因此, 数(20.5.3)不依赖于 U_1 和 U_2 的具体选择. **证毕**.

现在讨论结合关系的个数. 由于当 U_1, $U_2 \in \mathscr{U}(m, \ n)$ 时, 有

$$\dim[U_1, \ U_2] \leqslant \dim U_1 + \dim U_2 = 2m ,$$

就是

$$\dim[U_1, \ U_2] \leqslant n ,$$

故

$$\dim[U_1, \ U_2] - m \leqslant \min(m, \ n-m) .$$

另一方面, 当 $n \geqslant 2m$ 时, U_1 的补空间中含有一个 m 维子空间, 这可取作 U_2; 当 $n < 2m$ 时, U_1 的补空间可扩为一个 m 维子空间, 这可以取作 U_2. 所以总有 U_1, $U_2 \in \mathscr{U}(m, \ n)$, 合

$$\dim[U_1,\ U_2] - m = \min(m,\ n-m),$$

从而当 U_1, U_2 遍历 $\mathscr{U}(m,\ n)$ 时, $\dim[U_1,\ U_2]$ 遍取区间

$$[m,\ m + \min(m,\ n-m)]$$

中的一切整数值, 这就是说, $R_i\,(i \geqslant 1)$ 的个数是

$$\min(m,\ n-m).$$

关于 n_i 的值, 有

引理 20.5.3.

$$n_i = q^{i^2} \prod_{j=0}^{i-1} \frac{\left(q^{m-j}-1\right)\left(q^{n-m-j}-1\right)}{\left(q^{i-j}-1\right)^2}, \tag{20.5.4}$$

$$1 \leqslant i \leqslant \min(m,\ n-m).$$

证明. 设

$$U_1 = \begin{pmatrix} I & 0 \end{pmatrix}_m, \tag{20.5.5}$$
$$\quad {}_{m}\ {}_{n-m}$$

$$U_2 = \begin{pmatrix} 0 & I & 0 & 0 \\ 0 & 0 & I & 0 \end{pmatrix} \begin{matrix} {}^{m-i} \\ {}_{i} \end{matrix}, \tag{20.5.6}$$
$$\quad {}_{i}\ {}_{m-i}\ {}_{i}\ {}_{n-m-i}$$

则 $\dim[U_1,\ U_2]=m+i$. 对这样的 U_1, U_2, 令

$$G := \left\{ T \in \mathrm{GL}_n\left(F_q\right) \big| U_1 T = U_1 \right\},$$
$$H := \left\{ T \in G \big| U_2 T = U_2 \right\}.$$

由引理 20.5.1, 在计算 (20.5.1) 的数值时, 可以选 (20.5.5) 中特定的 U_1 为 U. 由引理 20.5.2, 当 T 遍历 G 中的元素时, $U' = U_2 T$ 遍历合 (20.5.2) 的 U'. 于是每一合 (20.5.2) 的矩阵偶 $(U,\ U')$ 重复出现的次数就是 G 的子群 H 的阶, 因而 n_i 就是 H 在 G 中重复数:

$$n_i = \frac{|G|}{|H|}.$$

设

$$T = \begin{pmatrix} A & B \\ C & D \end{pmatrix}^{m}_{n-m} \in GL_n\left(F_q\right).$$
$$\phantom{T = \begin{pmatrix} A & B \\ C & D \end{pmatrix}}_{m \quad n-m}$$

那么，$T \in G$ 的充要条件是，矩阵

$$U_1 \begin{pmatrix} A & B \\ C & D \end{pmatrix} = \begin{pmatrix} A & B \end{pmatrix}$$

与 U_1 代表同一子空间. 此即 $\begin{pmatrix} A & B \\ I & O \end{pmatrix}$ 与 $(I \quad O)$ 代表同一子空间，亦即 $B = 0$. 因 $A\left(\in \mathrm{GL}_m\left(F_q\right)\right)$, $D\left(\in \mathrm{GL}_{n-m}\left(F_q\right)\right)$ 和 C 是任意的，故，A, D 和 C 的个数分别是 $\left|\mathrm{GL}_m\left(F_q\right)\right|, \left|\mathrm{GL}_{n-m}\left(F_q\right)\right|$ 和 $q^{(n-m)m}$. 所以，这样的 T 的个数是

$$|G| = \left|\mathrm{GL}_m\left(F_q\right)\right| \cdot \left|\mathrm{GL}_{n-m}\left(F_q\right)\right| q^{(n-m)m}.$$

设 $T' \in G$，于是可写

$$T' = \begin{pmatrix} T_{11} & T_{12} & 0 & 0 \\ T_{21} & T_{22} & 0 & 0 \\ T_{31} & T_{32} & T_{33} & T_{34} \\ T_{41} & T_{42} & T_{43} & T_{44} \end{pmatrix}\begin{matrix} i \\ m-i \\ i \\ n-m-i \end{matrix} . \tag{20.5.7}$$
$$\phantom{T' = \begin{pmatrix}\end{pmatrix}}_{i \quad m-i \quad i \quad n-m-i}$$

那么，$T' \in H$ 的充要条件是，矩阵

$$U_2 T' = \begin{pmatrix} T_{21} & T_{22} & 0 & 0 \\ T_{31} & T_{32} & T_{33} & T_{34} \end{pmatrix}$$

与 U_2 代表同一子空间，即(20.5.6)与

$$\begin{pmatrix} T_{21} & T_{22} & 0 & 0 \\ T_{31} & T_{32} & T_{33} & T_{34} \\ 0 & I & 0 & 0 \\ 0 & 0 & I & 0 \end{pmatrix} \tag{20.5.8}$$

代表同一子空间，亦即

$$T_{21} = T_{31} = T_{34} = 0, \tag{20.5.9}$$

就是说 T' 具有下述形状：

$$T' = \begin{pmatrix} T_{11} & T_{12} & 0 & 0 \\ 0 & T_{22} & 0 & 0 \\ 0 & T_{32} & T_{33} & 0 \\ T_{41} & T_{42} & T_{43} & T_{44} \end{pmatrix} \begin{matrix} i \\ m-i \\ i \\ n-m-i \end{matrix} . \quad (20.5.10)$$
$$\begin{matrix} i & m-i & i & n-m-i \end{matrix}$$

类似于 $|G|$ 的导出过程，可得

$$|H| = \left| \mathrm{GL}_i \left(F_q \right) \right|^2 \cdot \left| \mathrm{GL}_{m-i} \left(F_q \right) \right| \left| \mathrm{GL}_{n-m-i} \left(F_q \right) \right| q^{(n-m-i)(m+i)+2i(m-i)},$$

因为当 $\alpha \geqslant \beta$ 时，

$$\frac{\left| \mathrm{GL}_\alpha \left(F_q \right) \right|}{\left| \mathrm{GL}_{\alpha-\beta} \left(F_q \right) \right|} = \frac{q^{\binom{\alpha}{2}} \prod\limits_{j=0}^{\alpha-1} \left(q^{\alpha-j} - 1 \right)}{q^{\binom{\alpha-\beta}{2}} \prod\limits_{j=0}^{\alpha-\beta-1} \left(q^{\alpha-\beta} - 1 \right)}$$

$$= q^{\frac{1}{2}\beta(2\alpha-\beta-1)} \prod\limits_{j=\alpha-\beta+1}^{\alpha} \left(q^j - 1 \right) ,$$

所以，

$$n_i = \frac{|G|}{|H|} = \frac{\left| \mathrm{GL}_m \left(F_q \right) \right|}{\left| \mathrm{GL}_{m-i} \left(F_q \right) \right|} \cdot \frac{\left| \mathrm{GL}_{n-m} \left(F_q \right) \right|}{\left| \mathrm{GL}_{n-m-i} \left(F_q \right) \right|} \cdot \frac{1}{\left| \mathrm{GL}_i \left(F_q \right) \right|^2} \cdot q^{(n-m)m-(n-m-i)(m+i)+2i(m-i)}$$

$$= q^f \frac{\prod\limits_{j=m-i+1}^{m} \left(q^j - 1 \right) \prod\limits_{j=n-m-i+1}^{n-m} \left(q^j - 1 \right)}{\prod\limits_{j=1}^{i} \left(q^j - 1 \right)},$$

其中

$$f = \frac{i}{2}(2m - i - 1) + \frac{i}{2}(2n - 2m - i - 1)$$
$$- i(i-1) + (n-m)m - (n-m-i)(m+i)$$
$$- 2i(m-i) = i^2,$$

故有 (20.5.4). **证毕**.

现在来讨论 p_{jl}^i. 由引理 20.5.2 的系,在计算(20.5.3)时,U_1 和 U_2 可以分别选为(20.5.5)和(20.5.6). 对这样的选取,设 U 合

$$\dim [U_1,\ U] = m + j, \quad \dim [U_2,\ U] = m + l,$$

$$U \in \mathscr{U}(m,\ n), \quad U = (\underset{i}{U_1'} \quad \underset{m-i}{U_2'} \quad \underset{i}{U_3'} \quad \underset{n-m-i}{U_4'}\ )m. \tag{20.5.11}$$

为了计算 p_{jl}^i,首先定出合(20.5.11)的 U 的"标准型",即证

引理 20.5.4. 若

$$r_{U_4'} = \rho,\ r_{(U_1'U_4')} = \rho + \alpha,$$

$$r_{(U_1'U_3'U_4')} = \rho + \alpha + \gamma,\ \beta = m - (\rho + \alpha + \gamma), \tag{20.5.12}$$

则

$$\rho + \alpha = l,\ \rho + \gamma \leqslant j, \tag{20.5.13}$$

而且可经 H 中的变换把 U 化成一个其矩阵表示为

$$U(\alpha,\ \beta,\ \gamma,\ \rho) := \begin{pmatrix} U_{11} & 0 & U_{13} & 0 \\ 0 & U_{22} & 0 & 0 \\ 0 & 0 & U_{33} & 0 \\ 0 & 0 & 0 & U_{44} \end{pmatrix} \begin{matrix} \alpha \\ \beta \\ \gamma \\ \rho \end{matrix} \tag{20.5.14}$$

$$\underset{i}{} \quad \underset{m-i}{} \quad \underset{i}{} \quad \underset{n-m-i}{}$$

的 m 维子空间,这里

$$U_{11} = (\underset{\alpha}{I} \quad \underset{i-\alpha}{0}\ )\alpha,\ U_{22} = (\underset{\beta}{I} \quad \underset{m-i-\beta}{O}\ )\beta,$$

$$U_{33} = (\underset{\gamma}{I} \quad \underset{i-\gamma}{O}\ )\gamma,\ U_{44} = (\underset{\rho}{I} \quad \underset{n-m-i-\rho}{O}\ )\rho, \tag{20.5.15}$$

$$U_{13} = \begin{pmatrix} 0 & I & 0 \\ 0 & 0 & 0 \end{pmatrix} \begin{matrix} j-\rho-\gamma \\ \alpha-j+\rho+\gamma \end{matrix}.$$

$$\underset{\gamma}{} \quad \underset{j-\rho-\gamma}{} \quad \underset{i-j+\rho}{}$$

证明. 写 U 为以下分块形状:

$$U = \begin{pmatrix} R_{11} & R_{12} & R_{13} & R_{14} \\ R_{21} & R_{22} & R_{23} & R_{24} \\ R_{31} & R_{32} & R_{33} & R_{34} \\ R_{41} & R_{42} & R_{43} & R_{44} \end{pmatrix} \begin{matrix} \alpha \\ \beta \\ \gamma \\ \rho \end{matrix} .$$
$$\quad\quad\underset{i}{} \quad \underset{m-i}{} \quad \underset{i}{} \quad \underset{n-m-i}{}$$

因 $r_{U_4'} = \rho$，故可经行初等变换把 U 化为

$$\begin{pmatrix} R_{11}' & R_{12}' & R_{13}' & 0 \\ R_{21}' & R_{22}' & R_{23}' & 0 \\ R_{31}' & R_{32}' & R_{33}' & 0 \\ R_{41}' & R_{42}' & R_{43}' & R_{44}' \end{pmatrix}, \tag{20.5.16}$$

且有

$$r_{R_{44}'} = \rho . \tag{20.5.17}$$

又因 $r_{(U_1' U_4')} = \rho + \alpha$，故可经行初等变换把矩阵 (20.5.16) 化为

$$\begin{pmatrix} R_{11}'' & R_{12}'' & R_{13}'' & 0 \\ 0 & R_{22}'' & R_{23}'' & 0 \\ 0 & R_{32}'' & R_{33}'' & 0 \\ R_{41}' & R_{42}' & R_{43}' & R_{44}' \end{pmatrix}, \tag{20.5.18}$$

且有

$$r_{R_{11}''} = \alpha . \tag{20.5.19}$$

再因 $r_{(U_1' U_3' U_4')} = \rho + \alpha + \gamma$，故可经行初等变换把矩阵 (20.5.18) 化为

$$\begin{pmatrix} R_{11}'' & R_{12}'' & R_{13}'' & 0 \\ 0 & R_{22}''' & 0 & 0 \\ 0 & R_{32}''' & R_{33}''' & 0 \\ R_{41}' & R_{42}' & R_{43}' & R_{44}' \end{pmatrix} \begin{matrix} \alpha \\ \beta \\ \gamma \\ \rho \end{matrix} , \tag{20.5.20}$$
$$\quad\quad\underset{i}{} \quad \underset{m-i}{} \quad \underset{i}{} \quad \underset{n-m-t}{}$$

且有

$$r_{R_{33}'''} = \gamma . \tag{20.5.21}$$

由 (20.5.17)，(20.5.19)，(20.5.21) 以及 (20.5.20) 的分块方式知，存在行之间的初等

变换,以及头 i 列之间的初等变换,其次 $m-i$ 列之间的初等变换,再次 i 列之间的初等变换,最后 $n-m-i$ 列之间的初等变换,把矩阵(20.5.20)化为

$$U' := \begin{pmatrix} U_{11} & U'_{12} & U'_{13} & 0 \\ 0 & U_{22} & 0 & 0 \\ 0 & U'_{32} & U_{33} & 0 \\ U'_{41} & U'_{42} & U'_{43} & U_{44} \end{pmatrix}, \tag{20.5.22}$$

其中诸 $U_{ii}(1 \leqslant i \leqslant 4)$ 由(20.5.15)给出. 由于行初等变换不改变矩阵所代表的子空间,上述特殊类型的列变换所对应的矩阵有(20.5.10)的形式,故在 H 中,所以,经 H 中的变换可把 U 化为 U'.

由于 U_{33} 具有(20.5.15)中的特殊形式,可以经行初等变换把 U' 化为

$$U'' := \begin{pmatrix} U_{11} & U''_{12} & U''_{13} & 0 \\ 0 & U_{22} & 0 & 0 \\ 0 & U'_{32} & U_{33} & 0 \\ U'_{41} & U'_{42} & U'_{43} & U_{44} \end{pmatrix}, \tag{20.5.23}$$

这里, U''_{13} 有分块形状

$$U''_{13} = \begin{pmatrix} \underset{\gamma}{0} & \underset{i-\gamma}{U^{(1)}_{13}} \end{pmatrix} \alpha. \tag{20.5.24}$$

令

$$T_1 = \begin{pmatrix} I & 0 & 0 & 0 \\ 0 & I & 0 & 0 \\ 0 & 0 & I & 0 \\ \begin{pmatrix} -U'_{41} \\ 0 \end{pmatrix} & \begin{pmatrix} -U'_{42} \\ 0 \end{pmatrix} & \begin{pmatrix} -U'_{43} \\ 0 \end{pmatrix} & I \\ \underset{i}{} & \underset{m-i}{} & \underset{i}{} & \underset{n-m-i}{} \end{pmatrix} \begin{matrix} i \\ m-i \\ i \\ n-m-i \end{matrix},$$

$$T_2 = \begin{pmatrix} I & \begin{pmatrix} -U''_{12} \\ 0 \end{pmatrix} & 0 & 0 \\ 0 & I & 0 & 0 \\ 0 & \begin{pmatrix} -U'_{32} \\ 0 \end{pmatrix} & I & 0 \\ 0 & 0 & 0 & I \\ \underset{i}{} & \underset{m-i}{} & \underset{i}{} & \underset{n-m-i}{} \end{pmatrix} \begin{matrix} i \\ m-i \\ i \\ n-m-i \end{matrix},$$

$$T = T_1 T_2.$$

因 T_1, T_2 具有(20.5.10)的形状，且 $\det T \neq 0$，故 $T \in H$．因 $U_{ii}\,(1 \leqslant i \leqslant 4)$ 有(20.5.15) 的特殊形状，且 U''_{13} 有(20.5.24)中的特殊形状，故

$$U'_{4i} + U_{44}\begin{pmatrix} -U'_{4i} \\ 0 \end{pmatrix} = 0\,(1 \leqslant i \leqslant 3),$$

$$U''_{32} + U_{33}\begin{pmatrix} -U'_{32} \\ 0 \end{pmatrix} = 0,$$

$$U''_{13}\begin{pmatrix} -U'_{32} \\ 0 \end{pmatrix} = 0,$$

$$U_{11}\begin{pmatrix} -U''_{12} \\ 0 \end{pmatrix} + U''_{12} = 0,$$

从而

$$U''T = \begin{pmatrix} U_{11} & 0 & U''_{13} & 0 \\ 0 & U_{22} & 0 & 0 \\ 0 & 0 & U_{33} & 0 \\ 0 & 0 & 0 & U_{44} \end{pmatrix}, \tag{20.5.25}$$

因 $\dim[U_2,\ U''T] = \dim[U_2,\ U] = m + l$，即矩阵

$$\begin{pmatrix} U_{11} & 0 & U''_{13} & 0 \\ 0 & U_{22} & 0 & 0 \\ 0 & 0 & U_{33} & 0 \\ 0 & 0 & 0 & U_{44} \\ 0 & I & 0 & 0 \\ 0 & 0 & I & 0 \end{pmatrix} \begin{matrix} \alpha \\ \beta \\ \gamma \\ \rho \\ m-i \\ i \end{matrix}$$
$$\begin{matrix} i & m-i & i & n-m-i \end{matrix}$$

的秩为 $m + l$，故 $\rho + \alpha = l$．又因 $\dim[U_1,\ U''T] = \dim[U_1,\ U] = m + j$，即矩阵

$$\begin{pmatrix} U_{11} & 0 & U''_{13} & 0 \\ 0 & U_{22} & 0 & 0 \\ 0 & 0 & U_{33} & 0 \\ 0 & 0 & 0 & U_{44} \\ I & 0 & 0 & 0 \\ 0 & I & 0 & 0 \end{pmatrix} \begin{matrix} \alpha \\ \beta \\ \gamma \\ \rho \\ i \\ m-i \end{matrix}$$
$$\begin{matrix} i & m-i & i & n-m-i \end{matrix}$$

的秩为 $m+j$,而 U_{13}'' 有(20.5.24)的形状,故 $r_{U_{13}^{(1)}}+\gamma+\rho=j$,即 $r_{U_{13}^{(1)}}=j-\rho-r$. 于是存在 $S_1 \in \mathrm{GL}_\alpha\left(F_q\right)$ 和 $S_2 \in \mathrm{GL}_{i-\gamma}\left(F_q\right)$,合

$$S_1 U_{13}^{(1)} S_2 = \begin{pmatrix} I & 0 \\ 0 & 0 \end{pmatrix} \begin{matrix} j-\rho-\gamma \\ \\ \end{matrix}$$
$$\quad\quad\quad j-\rho-\gamma$$

因此,$S_3\left(U''T\right)S_4$ 就有(20.5.14)的形状,这里

$$S_3 = \begin{pmatrix} S_1 & & & \\ & I & & \\ & & I & \\ & & & I \end{pmatrix} \begin{matrix} \alpha \\ \beta \\ \gamma \\ \delta \end{matrix},$$
$$\quad\quad \alpha \quad \beta \quad \gamma \quad \delta$$

$$S_4 = \begin{pmatrix} S_1^{-1} & & & & & \\ & I & & & & \\ & & I & & & \\ & & & I & & \\ & & & & S_2 & \\ & & & & & I \end{pmatrix} \begin{matrix} \alpha \\ i-\alpha \\ m-i \\ \gamma \\ i-\gamma \\ n-m-i \end{matrix}.$$
$$\quad\quad \alpha \quad i-\alpha \quad m-i \quad \gamma \quad i-\gamma \quad n-m-i$$

故 $S_4 \in H$. 引理至此证毕.

对于"标准形" $U(\alpha,\ \beta,\ \gamma,\ \rho)$ 有

引理 20.5.5. 若 $U(\alpha,\ \beta,\ \gamma,\ \rho) \neq U(\alpha',\ \beta',\ \gamma',\ \rho')$,则不能通过 H 中的变换把 $U(\alpha,\ \beta,\ \gamma,\ \rho)$ 所代表的子空间变为 $U(\alpha',\ \beta',\ \gamma',\ \rho')$ 所代表的子空间.

证明. 记

$$U(\alpha',\ \beta',\ \gamma',\ \rho') = \begin{pmatrix} U_{11}' & 0 & U_{13}' & 0 \\ 0 & U_{22}' & 0 & 0 \\ 0 & 0 & U_{33}' & 0 \\ 0 & 0 & 0 & U_{44}' \end{pmatrix} \begin{matrix} \alpha' \\ \beta' \\ \gamma' \\ \rho' \end{matrix}.$$
$$\quad\quad i \quad\quad m-i \quad\quad i \quad\quad n-m-i$$

设 $T \in H$,那么 T 有下面的形状:

$$T = \begin{pmatrix} T_{11} & T_{12} & 0 & 0 \\ 0 & T_{22} & 0 & 0 \\ 0 & T_{32} & T_{33} & 0 \\ T_{41} & T_{42} & T_{43} & T_{44} \end{pmatrix} \begin{matrix} i \\ m-i \\ i \\ n-m-i \end{matrix} ,$$
$$\quad\quad i \quad\quad m-i \quad\quad i \quad\quad n-m-i$$

且 $\prod\limits_{i=1}^{4} \det T_{ii} \neq 0$；此外，

$$U(\alpha', \ \beta', \ \gamma', \ \rho')T = \begin{pmatrix} U'_{11}T_{11} & U'_{11}T_{12}+U'_{13}T_{32} & U'_{13}T_{33} & 0 \\ 0 & U'_{22}T_{22} & 0 & 0 \\ 0 & U'_{33}T_{32} & U'_{33}T_{33} & 0 \\ U'_{44}T_{41} & U'_{44}T_{42} & U'_{44}T_{43} & U'_{44}T_{44} \end{pmatrix} \begin{matrix} \alpha' \\ \beta' \\ \gamma' \\ \rho' \end{matrix} .$$
$$\quad\quad i \quad\quad m-i \quad\quad i \quad\quad n-m-i$$

如果 $U(\alpha', \ \beta', \ \gamma', \ \rho') \ T$ 与 $U(\alpha, \ \beta, \ \gamma, \ \rho)$ 代表同一子空间，则 $U(\alpha', \ \beta', \ \gamma', \ \rho')T$ 的诸行与 $U(\alpha, \ \beta, \ \gamma, \ \rho)$ 的诸行相抵，从而 $U'_{44}T_{44}$ 的诸行与 U_{44} 的诸行相抵. 再由 $\det T_{44} \neq 0$ 知，U'_{44} 的秩与 U_{44} 的秩相等，即

$$\rho' = \rho . \tag{20.5.26}$$

再由矩阵 $U(\alpha', \ \beta', \ \gamma', \ \rho') \ T$ 与矩阵 $U(\alpha, \ \beta, \ \gamma, \ \rho)$ 之间的行相抵性知，矩阵

$$\begin{pmatrix} U'_{11}T_{11} & 0 \\ 0 & 0 \\ 0 & 0 \\ U'_{44}T_{41} & U'_{44}T_{44} \end{pmatrix} 和 \begin{pmatrix} U_{11} & 0 \\ 0 & 0 \\ 0 & 0 \\ 0 & U_{44} \end{pmatrix}$$

的秩相等. 由(20.5.26)得 $U'_{11}T_{11}$ 的秩与 U_{11} 的秩相等. 再由 $\det T_{11} \neq 0$ 得

$$\alpha = \alpha' . \tag{20.5.27}$$

因子阵

$$\begin{pmatrix} U'_{11}T_{11} & U'_{13}T_{13} & 0 \\ 0 & 0 & 0 \\ 0 & U'_{33}T_{33} & 0 \\ U'_{44}T_{41} & U'_{44}T_{43} & U'_{44}T_{44} \end{pmatrix}$$

与子阵

$$\begin{pmatrix} U_{11} & U_{13} & 0 \\ 0 & 0 & 0 \\ 0 & U_{33} & 0 \\ 0 & 0 & U_{44} \end{pmatrix}$$

有相同的秩，且由 (20.5.26) 和 (20.5.27) 知 $U'_{33}T_{33}$ 的秩与 U_{33} 的秩相等，故由 $\det T_{33} \neq 0$ 得 $\gamma' = \gamma$，从而 $\beta' = \beta$. 因此，

$$(\alpha', \ \beta', \ \gamma', \ \rho') = (\alpha, \ \beta, \ \gamma, \ \rho), \tag{20.5.28}$$

与假设矛盾. 证毕.

引理 20.5.6. 令 $F^{(\alpha, \ \beta, \ \gamma, \ \rho)}$ 是 H 中使 $U(\alpha, \ \beta, \ \gamma, \ \rho)$ 所代表的子空间不变的那些变换所组成的子群，则

$$\rho_{jl}^i = \sum_{\substack{\rho+\alpha=l \\ \beta+\gamma=m-l \\ \rho+\gamma \leqslant j}} \left(H : F^{(\alpha, \ \beta, \ \gamma, \ \rho)} \right). \tag{20.5.29}$$

证明. 引理 20.5.4 和引理 20.5.5 说明了，满足

$$r_{\binom{U_1}{U}} = m+j, \ r_{\binom{U_2}{U}} = m+l, \ r_{U=m} \tag{20.5.30}$$

的那些 $m \times n$ 矩阵 U 被群 H 分成了若干个可迁集，每个可迁集中含有 $U(\alpha, \ \beta, \ \gamma, \ \rho)$，这里的诸参数 $\alpha, \ \beta, \ \gamma, \ \rho$ 满足

$$\rho + \alpha = l, \ \rho + \gamma \leqslant j, \ \rho + \alpha + \beta + \gamma = m. \tag{20.5.31}$$

而且，对满足 (20.5.31) 的任一组参数 $\alpha, \ \beta, \ \gamma, \ \rho$，$U(\alpha, \ \beta, \ \gamma, \ \rho)$ 都是某一可迁集的代表. 所以，(20.5.29) 右节的和式就是满足 (20.5.11) 的子空间 U 的个数. 即 p_{jl}^i. 证毕.

因为在引理 20.5.3 的证明中已经求出了 $|H|$，故一当计算出 $\left| F^{(\alpha, \ \beta, \ \gamma, \ \rho)} \right|$，就可求得 $H : F^{(\alpha, \ \beta, \ \gamma, \ \rho)}$ 的值.

引理 20.5.7.

$$H : F^{(\alpha, \ \beta, \ \gamma, \ \rho)} = \frac{|H|}{\left| F^{(\alpha, \ \beta, \ \gamma, \ \rho)} \right|}$$

$$= \frac{\prod\limits_{t=i-\alpha+1}^{i} \left(q^t - 1\right) \prod\limits_{t=m-i-\rho+1}^{m-i} \left(q^t - 1\right) \prod\limits_{t=\eta-m-i-\rho+1}^{\eta-m-i} \left(q^t - 1\right)}{\prod\limits_{t=1}^{j-\rho-r} \left(q^t - 1\right) \prod\limits_{t=1}^{\rho+\alpha+\gamma-j} \left(q^t - 1\right) \prod\limits_{t=1}^{\beta} \left(q^t - 1\right)}$$

$$\cdot \frac{\prod\limits_{t=i-j+\rho+1}^{i} \left(q^t - 1\right)}{\prod\limits_{t=1}^{\gamma} \left(q^t - 1\right) \prod\limits_{t=1}^{\rho} \left(q^t - 1\right)}, \tag{20.5.32}$$

其中 ω 由后面的(20.5.43)式给出.

证明.　设 $T \in H$. 由(20.5.9)式及其前后的论证知，T 可写为

$$
T = \begin{pmatrix}
T_{11} & T_{12} & T_{13} & T_{14} & 0 & 0 & 0 & 0 \\
T_{21} & T_{22} & T_{23} & T_{24} & 0 & 0 & 0 & 0 \\
0 & 0 & T_{33} & T_{34} & 0 & 0 & 0 & 0 \\
0 & 0 & T_{43} & T_{44} & 0 & 0 & 0 & 0 \\
0 & 0 & T_{53} & T_{54} & T_{55} & T_{56} & 0 & 0 \\
0 & 0 & T_{63} & T_{64} & T_{65} & T_{66} & 0 & 0 \\
T_{71} & T_{72} & T_{73} & T_{74} & T_{75} & T_{76} & T_{77} & T_{78} \\
T_{81} & T_{82} & T_{83} & T_{84} & T_{85} & T_{86} & T_{87} & T_{88}
\end{pmatrix}
\begin{matrix}
\alpha \\ i-\alpha \\ \beta \\ m-i-\beta \\ \gamma \\ i-\gamma \\ \rho \\ n-m-i-\rho
\end{matrix}
. \quad (20.5.33)
$$
$$
\begin{matrix}
\alpha & i-\alpha & \beta & m-i-\beta & \gamma & i-\gamma & \rho & n-m-i-\rho
\end{matrix}
$$

由(20.5.14)给出的 $U(\alpha,\ \beta,\ \gamma,\ \rho)$ 可以改写为

$$
U(\alpha,\ \beta,\ \gamma,\ \rho) =
$$
$$
\begin{pmatrix}
I & 0 & 0 & 0 & 0 & U_{13}^{(2)} & 0 & 0 \\
0 & 0 & I & 0 & 0 & 0 & 0 & 0 \\
0 & 0 & 0 & 0 & I & 0 & 0 & 0 \\
0 & 0 & 0 & 0 & 0 & 0 & I & 0
\end{pmatrix}
\begin{matrix}
\alpha \\ \beta \\ \gamma \\ \rho
\end{matrix}, \quad (20.5.34)
$$
$$
\begin{matrix}
\alpha & i-\alpha & \beta & m-i-\beta & \gamma & i-\gamma & \rho & n-m-i-\rho
\end{matrix}
$$

其中

$$
U_{13}^{(2)} = \begin{pmatrix} I & 0 \\ 0 & 0 \end{pmatrix}
\begin{matrix} j-\rho-\gamma \\ \ \end{matrix} . \quad (20.5.35)
$$
$$
\begin{matrix} j-\rho-\gamma \end{matrix}
$$

于是，

$$
U(\alpha,\ \beta,\ \gamma,\ \rho)T =
$$
$$
\begin{pmatrix}
T_{11} & T_{12} & T_{13}+U_{13}^{(2)}T_{63} & T_{14}+U_{13}^{(2)}T_{64} & U_{13}^{(2)}T_{65} & U_{13}^{(2)}T_{66} & 0 & 0 \\
0 & 0 & T_{33} & T_{34} & 0 & 0 & 0 & 0 \\
0 & 0 & T_{53} & T_{54} & T_{55} & T_{56} & 0 & 0 \\
T_{71} & T_{72} & T_{73} & T_{74} & T_{75} & T_{76} & T_{77} & T_{78}
\end{pmatrix}.
$$

分块矩阵

$$\begin{pmatrix} U(\alpha, \ \beta, \ \gamma, \ \rho) \\ U(\alpha, \ \beta, \ \gamma, \ \rho)T \end{pmatrix} \tag{20.5.36}$$

经行初等变换可以化为

$$\begin{pmatrix} I & 0 & 0 & 0 & & 0 & U_{13}^{(2)} & & 0 & 0 \\ 0 & 0 & I & 0 & & 0 & 0 & & 0 & 0 \\ 0 & 0 & 0 & 0 & & I & 0 & & 0 & 0 \\ 0 & 0 & 0 & 0 & & 0 & 0 & & I & 0 \\ 0 & T_{12} & 0 & T_{14}+U_{13}^{(2)}T_{64} & 0 & U_{13}^{(2)}T_{66}-T_{11}U_{13}^{(2)} & & 0 & 0 \\ 0 & 0 & 0 & T_{34} & & 0 & 0 & & 0 & 0 \\ 0 & 0 & 0 & T_{54} & & 0 & T_{56} & & 0 & 0 \\ 0 & T_{72} & 0 & T_{74} & & 0 & T_{76}-T_{71}U_{13}^{(2)} & & 0 & T_{78} \end{pmatrix} \tag{20.5.37}$$

因为经行初等变换后，一个矩阵所代表的子空间不变，故矩阵(20.5.37)和(20.5.36)代表同一子空间. 因此， $T \in F^{(\alpha, \ \beta, \ \gamma, \ \rho)}$ 的充要条件是矩阵(20.5.37)和(20.5.34)代表同一子空间. 由(20.5.37)的第二、四、六、八列知， $T \in F^{(\alpha, \ \beta, \ \gamma, \ \rho)}$ 的充要条件是

$$T_{12} = T_{72}= 0, \tag{20.5.38}$$

$$T_{14} = - U_{13}^{(2)} T_{64}, \ \ T_{34} = T_{54}= T_{74}=0 \ , \tag{20.5.39}$$

$$U_{13}^{(2)} T_{65}= T_{11} U_{13}^{(2)} \ , \ \ T_{56} = 0, \ \ T_{76} = T_{71} U_{13}^{(2)} \ , \tag{20.5.40}$$

$$T_{78} = 0; \tag{20.5.41}$$

亦即 T 具有下面的形状：

$$T = \begin{pmatrix} T_{11} & 0 & T_{13} & -U_{13}^{(2)}T_{64} & 0 & 0 & 0 & 0 \\ T_{21} & T_{22} & T_{23} & T_{24} & 0 & 0 & 0 & 0 \\ 0 & 0 & T_{33} & 0 & 0 & 0 & 0 & 0 \\ 0 & 0 & T_{43} & T_{44} & 0 & 0 & 0 & 0 \\ 0 & 0 & T_{53} & 0 & T_{55} & 0 & 0 & 0 \\ 0 & 0 & T_{63} & T_{64} & T_{65} & T_{66} & 0 & 0 \\ T_{71} & 0 & T_{73} & 0 & T_{75} & T_{71}U_{13}^{(2)} & T_{77} & 0 \\ T_{81} & T_{82} & T_{83} & T_{84} & T_{85} & T_{86} & T_{87} & T_{88} \end{pmatrix}, \tag{20.5.42}$$

且 T_{11} 和 T_{66} 合（20.5.40）的第一式.

这样一来，$\left|F^{(\alpha,\ \beta,\ \gamma,\ \rho)}\right|$ 的数值就是形如(20.5.42)且合(20.5.40)的第一式的矩阵 T 的个数. 下面就来计算它.

把 T_{11} 和 T_{66} 写成下面的分块形状:

$$T_{11} = \begin{pmatrix} T_{111} & T_{112} \\ T_{113} & T_{114} \end{pmatrix} \begin{matrix} j-\rho-\gamma \\ i-j+\rho \end{matrix},$$
$$\qquad\qquad j-\rho-\gamma \quad i-j+\rho$$

$$T_{66} = \begin{pmatrix} T_{661} & T_{662} \\ T_{663} & T_{664} \end{pmatrix} \begin{matrix} j-\rho-\gamma \\ \rho+\alpha+\gamma-j \end{matrix},$$
$$\qquad\qquad j-\rho-\gamma \quad \rho+\alpha+\gamma-j$$

则(20.5.40)的第一式等价于

$$T_{662} = T_{113} = 0, \quad T_{111} = T_{661}.$$

因此，满足(20.5.40)的第一式的 T_{11} 和 T_{66} 的个数是

$$\left|\mathrm{GL}_{j-\rho-\gamma}\left(F_q\right)\right| \cdot \left|\mathrm{GL}_{i-j+\rho}\left(F_q\right)\right| \cdot \left|\mathrm{GL}_{\rho+\alpha+\gamma-j}\left(F_q\right)\right|$$
$$\cdot q^{(j-\rho-\gamma)(2\rho+\alpha+\gamma+i-2j)}.$$

(20.5.42)中其他 T_{ij} 的个数的计算是直接的，且有

$$\left|F^{(\alpha,\ \beta,\ \gamma,\ \rho)}\right| = \left|\mathrm{GL}_{j-\rho-\gamma}\left(F_q\right)\right| \cdot \left|\mathrm{GL}_{i-j+\rho}\left(F_q\right)\right|$$
$$\cdot \left|\mathrm{GL}_{\rho+\alpha+\gamma-j}\left(F_q\right)\right| \cdot q^{(j-\rho-\gamma)(2\rho+\alpha+\gamma+i-2j)}$$
$$\cdot \left|\mathrm{GL}_{i-\alpha}\left(F_q\right)\right| \cdot \left|\mathrm{GL}_{\beta}\left(F_q\right)\right| \cdot \left|\mathrm{GL}_{m-i-\beta}\left(F_q\right)\right|$$
$$\cdot \left|\mathrm{GL}_{\gamma}\left(F_q\right)\right| \cdot \left|\mathrm{GL}_{\rho}\left(F_q\right)\right| \cdot \left|\mathrm{GL}_{n-m-i-\rho}\left(F_q\right)\right|$$
$$\cdot q^{\alpha\beta+(i-\alpha)(\alpha+m-i)} \cdot q^{(m-i-\beta)\beta+\gamma\beta+(i-\gamma)(m-i+\gamma)+\rho(\alpha+\beta+\gamma)}$$
$$\cdot q^{(n-m-i-\rho)(m+i+\rho)}.$$

由引理 20.5.3 的证明中所得的$|H|$值，有

$$H : F^{(\alpha,\ \beta,\ \gamma,\ \rho)} = \frac{|H|}{\left|F^{(\alpha,\ \beta,\ \gamma,\ \rho)}\right|} = \frac{\prod\limits_{t=1}^{i}\left(q^t-1\right)\prod\limits_{t=1}^{m-i}\left(q^t-1\right)\prod\limits_{t=1}^{n-m-i}\left(q^t-1\right)}{\prod\limits_{t=1}^{i-\alpha}\left(q^t-1\right)\prod\limits_{t=1}^{m-i-\beta}\left(q^t-1\right)\prod\limits_{t=1}^{n-m-i-\rho}\left(q^t-1\right)}$$

$$\cdot \frac{\prod\limits_{t=1}^{i}\left(q^t-1\right)}{\prod\limits_{t=1}^{i-j+\rho}\left(q^t-1\right)\prod\limits_{t=1}^{j-\rho-v}\left(q^t-1\right)\prod\limits_{t=1}^{\rho+\alpha+\gamma-j}\left(q^t-1\right)}$$

$$\cdot \frac{1}{\prod\limits_{t=1}^{\beta}\left(q^t-1\right)\prod\limits_{t=1}^{\gamma}\left(q^t-1\right)\prod\limits_{t=1}^{\rho}\left(q^t-1\right)} \cdot q^{\omega}$$

$$= \frac{\prod\limits_{t=i-\alpha+1}^{i}\left(q^t-1\right)\prod\limits_{t=m-i-\beta+1}^{m-i}\left(q^t-1\right)\prod\limits_{t=n-m-i-\rho+1}^{n-m-i}\left(q^t-1\right)}{\prod\limits_{t=1}^{j-\rho-\gamma}\left(q^t-1\right)\prod\limits_{t=1}^{\rho+\alpha+\gamma-j}\left(q^t-1\right)\prod\limits_{t=1}^{\beta}\left(q^t-1\right)}$$

$$\cdot \frac{\prod\limits_{t=i-j+\rho+1}^{i}\left(q^t-1\right)\cdot q^{\omega}}{\prod\limits_{t=1}^{\gamma}\left(q^t-1\right)\prod\limits_{t=1}^{\rho}\left(q^t-1\right)},$$

其中，ω 是 $|H|$ 所含 q 的方幂与 $|F|$ 所含 q 的方幂之差，即

$$\omega = i(i-1) + \frac{(m-i)(m-i-1)}{2}$$

$$+ \frac{(n-m-i)(n-m-i-1)}{2} + (n-m-i)(m+i)$$

$$+ 2i(m-i) - \frac{(j-\rho-\gamma)(j-\rho-\gamma-1)}{2}$$

$$- \frac{(i-j+\rho)(i-j+\rho-1)}{2}$$

$$- \frac{(\rho+\alpha+\gamma-j)(\rho+\alpha+\gamma-j-1)}{2}$$

$$- (j-\rho-\gamma)(2\rho+\alpha+\gamma+i-2j)$$

$$-\frac{(i-\alpha)(i-\alpha-1)}{2}-\frac{\beta(\beta-1)}{2}$$
$$-\frac{(m-i-\beta)(m-i-\beta-1)}{2}$$
$$-\frac{\gamma(\gamma-1)}{2}-\frac{\rho(\rho-1)}{2}$$
$$-\frac{(n-m-i-\rho)(n-m-i-\rho-1)}{2}$$
$$-\alpha\beta-(i-\alpha)(\alpha+m-i)-(m-i-\beta)\beta$$
$$-\gamma\beta-(i-\gamma)(m-i+\gamma)-\rho(\alpha+\beta+\gamma)$$
$$-(n-m-i-\rho)(m+i+\rho).$$

简化即得

$$\omega=\frac{j(j-1)}{2}+\frac{\rho(\rho+1)}{2}+\frac{\gamma(\gamma+1)}{2}$$
$$+(m-\beta)(\rho+\alpha+\gamma)+i(\rho-\alpha-\gamma)$$
$$-j(\rho+\gamma)-\rho\alpha. \tag{20.5.43}$$

证毕.

由上述诸结果可知, 本节之首所定义的结合关系确实产生一个结合方案, 即有

定理 20.5.1. 由定义 20.5.1 在集 $\mathscr{U}(m, n)$ 上引入的结合关系 $R_i \left(1 \leqslant i \leqslant \min(m, n-m)\right)$, 成为参数为 v, n_i, p_{jl}^i 的结合方案, 这里

$$v=\prod_{i=0}^{m-1}\frac{q^{n-i}-1}{q^{m-i}-1}, \tag{20.5.44}$$

n_i 由 (20.5.4) 确定, p_{jl}^i 由 (20.5.29), (20.5.32) 和 (20.5.43) 确定.

证明. 由引理 20.5.1, 引理 20.5.3, 引理 20.5.6, 引理 20.5.7 和 (17.5.4) 即知本定理成立. **证毕.**

这个定理首先是由班成[1]证明的, 后来万哲先[4]给出了另一证明. 这里采用的是后者. 为了证明这一结果, 班成[1]引进了有关长方矩阵的一些有用的概念和结果. 有兴趣的读者请参考上面所引的文献.

当 $m=2$ 时, 定理 20.5.1 的参数具有更简单明确的形式. 由定理 20.2.4, 在 p_{jl}^i 中只要定出 p_{11}^1 就行了.

定理 20.5.2. 设 $n \geqslant 4$. 由定义 20.5.1 在集 $\mathscr{U}(2, n)$ 上引入的结合关系 R_1, R_2 构成一个参数为

$$v = \frac{\left(q^n - 1\right)\left(q^{n-1} - 1\right)}{\left(q^2 - 1\right)(q - 1)} , \tag{20.5.45}$$

$$n_1 = \frac{q(q + 1)\left(q^{n-2} - 1\right)}{q - 1} , \tag{20.5.46}$$

$$n_2 = \frac{q^4\left(q^{n-2} - 1\right)\left(q^{n-3} - 1\right)}{\left(q^2 - 1\right)(q - 1)} , \tag{20.5.47}$$

$$p_{11}^1 = \frac{q^{n-1} - q}{q - 1} + q^2 - 1 \tag{20.5.48}$$

的结合方案.

证明. 由定理 20.5.1, 只要证明(20.5.45)—(20.5.48)成立就够了.

(20.5.45)是(20.5.44)当 $m = 2$ 时的直接推论. (20.5.46)和(20.5.47)是(20.5.4) 当 $m = 2$ 时的直接推论.

满足条件

$$\rho + \alpha = 1, \ \beta + \gamma = 1, \ \rho + \gamma \leqslant 1, \ \alpha, \ \beta, \ \gamma, \ \rho \geqslant 0$$

的整数解 $(\alpha, \ \beta, \ \gamma, \ \rho)$ 只有三个:

$$(\alpha, \ \beta, \ \gamma, \ \rho) = (0, \ 1, \ 0, \ 1),$$

$$(\alpha, \ \beta, \ \gamma, \ \rho) = (1, \ 1, \ 0, \ 0),$$

$$(\alpha, \ \beta, \ \gamma, \ \rho) = (1, \ 0, \ 1, \ 0).$$

由(20.5.32),

$$H : F^{(0,1,0,1)} = \frac{q^2\left(q^{n-3} - 1\right)}{q - 1} ,$$

$$H : F^{(1,1,0,0)} = q - 1 ,$$

$$H : F^{(1,0,1,0)} = q^2 ,$$

故由(20.5.29)得

$$p_{11}^1 = H : F^{(0,1,0,1)} + H : F^{(1,1,0,0)} + H : F^{(1,0,1,0)}$$
$$= \frac{q^{n-1} - q}{q - 1} + q^2 - 1,$$

这就是(20.5.48). **证毕**.

下节将用定理 20.5.1 中的结合方案来构造 PBIB 设计.

20.6　利用有限向量空间构造 PBIB 设计

如前，$V_n(F_q)$ 是有限域 F_q 上的一个 n 维向量空间，且 $1 \leqslant m,\ m' < n$，$\mathscr{U}(m,\ n)$ 是 $V_n(F_q)$ 的全体 m 维子空间所组成的集合，$\mathscr{U}(m',\ n)$ 是 $V_n(F_q)$ 的全体 m' 维子空间所组成的集合. 由定理 20.5.1 中的结合方案可以构造出一系列 PBIB 设计，它们由下面的几个定理给出，其中的结合方案都取定理 20.5.1 中者.

定理 20.6.1. 设 $1 \leqslant m < m' < n$. 把 $\mathscr{U}(m,\ n)$ 取作用以构造 PBIB 设计的基集 S，把 $\mathscr{U}(m',\ n)$ 取作区组所组成的簇 $\mathscr{B}$. 对于 $U \in \mathscr{U}(m,\ n)$，$U' \in \mathscr{U}(m',\ n)$，定义它们之间的关联关系如下：元 U 在区组 U' 中当且仅当 m 维子空间 U 是 m' 维子空间 U' 的子空间，这样就得到一个具 $\min(m,\ n-m)$ 个结合类的 PBIB 设计，其参数 v 由(20.5.44)给出，n_i 由(20.5.4)给出，p_{jl}^i 由(20.5.29)给出，其他参数分别为

$$b = \prod_{t=0}^{m'-1} \frac{q^{n-t} - 1}{q^{m'-t} - 1} , \tag{20.6.1}$$

$$k = \prod_{t=0}^{m-1} \frac{q^{m'-t} - 1}{q^{m-t} - 1} , \tag{20.6.2}$$

$$r = \prod_{t=0}^{m'-m-1} \frac{q^{n-m-t} - 1}{q^{m'-m-t} - 1} , \tag{20.6.3}$$

$$\lambda_i = \begin{cases} 0, & \text{若 } m' < m + i, \\ \prod\limits_{t=0}^{m'-m-i-1} \dfrac{q^{n-m-i-t} - 1}{q^{m'-m-i-t} - 1}, & \text{其他.} \end{cases} \tag{20.6.4}$$

证明. 区组的个数 $|\mathscr{B}|$ 即 $|\mathscr{U}(m', n)|$, 由定理 17.5.2 的系 2 知, 其值为 (20.6.1). 一个区组包含的元素的个数即

$$\left|\mathscr{U}_{U'}(m, m', n)\right|,$$

由定理 17.5.2 的系 3 知, 它不依赖于 U' 的具体选择, 其值为 (20.6.2). 一个元素 U 所属的区组的个数即 $\left|\mathscr{U}_U'(m, m', n)\right|$, 由定理 17.5.2 的系 4 知, 它不依赖于 U 的具体选择, 其值为 (20.6.3). 一对有关系 R_i 的元素所属的区组的个数就是包含由这对元素所代表的两个 m 维子空间所张成的那个 $m+i$ 维子空间在其中的 m' 维子空间的个数, 即 $\left|\mathscr{U}'(m+i, m', n)\right|$, 由定理 17.5.2 的系 4, 它不依赖于这对 m 维子空间的具体选择, 其值为

$$\left|\mathscr{U}'(m+i, m', n)\right| = \begin{cases} 0, & \text{若} m' < m+i, \\ \displaystyle\prod_{t=m+i}^{m'-1} \frac{q^{n-t}-1}{q^{m'-t}-1}, & \text{其他}, \end{cases}$$

此即 (20.6.4). 由此可知, $\mathscr{B}$ 确为一个 PBIB 设计, 其参数为定理 20.5.1 中的 v, n_i, p_{jl}^i 和 (20.6.1)—(20.6.4) 中的 b, k, r, λ_i. **证毕.**

定理 20.6.2. 设 $1 \leqslant m' < m \leqslant n$. 把 $\mathscr{U}(m, n)$ 取作用以构造 PBIB 设计的基集 S. 把 $\mathscr{U}(m', n)$ 取作区组所组成的簇 $\mathscr{B}$. 对 $U \in \mathscr{U}(m, n)$, $U' \in \mathscr{U}(m', n)$, 定义它们之间的关联关系如下: 元 U 在区组 U' 中, 当且仅当 m' 维子空间 U' 是 m 维子空间 U 的子空间. 这样就得到一个具 $\min(m, n-m)$ 个结合类的 PBIB 设计, 其参数 v 由 (20.5.44) 给出, n_i 由 (20.5.4) 给出, p_{jl}^i 由 (20.5.29) 给出, b 由 (20.6.1) 给出, 其他参数分别为

$$k = \prod_{t=0}^{m-m'-1} \frac{q^{n-m'-t}-1}{q^{n-m'-t}-1}, \tag{20.6.5}$$

$$r = \prod_{t=0}^{m'-1} \frac{q^{m-t}-1}{q^{m'-t}-1}, \tag{20.6.6}$$

$$\lambda_i = \begin{cases} 0, & \text{若} m-i < m', \\ \displaystyle\prod_{t=0}^{m'-1} \frac{q^{m-i-t}-1}{q^{m'-t}-1}, & \text{其他}. \end{cases} \tag{20.6.7}$$

证明. 区组的个数已于定理 20.6.1 的证明中导出. 一个区组 U' 所包含的元

素的个数即 $\left|\mathscr{U}_{U'}(m',\ m,\ n)\right|$，由定理 17.5.2 的系 4 知，它不依赖于 U' 的具体选择，其值为

$$\left|\mathscr{U}'(m',\ m,\ n)\right| = \prod_{t=m'}^{m-1} \frac{q^{n-t}-1}{q^{m-t}-1},$$

此即(20.6.5). 一个元素 U 所属的区组的个数即 $\left|\mathscr{U}_U(m',\ m,\ n)\right|$，由定理 17.5.2 的系 3 知，它不依赖于 U 的具体选择，其值为(20.6.6). 一对具有关系 R_i 的元素所属区组的个数就是同时包含在这对元素代表的两个 m 维子空间中的 m' 维子空间的个数，即包含在这两个 m 维子空间的交空间中的 m' 维子空间的个数. 由于这两个 m 维子空间的交的维数是 $m + m -(m + i)= m - i$，故这个数是 $\left|\mathscr{U}(m',\ m-i,\ n)\right|$，由定理 17.5.2 的系 3，它不依赖于这两个 m 维子空间的具体选择，其值为

$$\left|\mathscr{U}(m',\ m-i,\ n)\right| = \begin{cases} 0, & \text{若} m-i < m', \\ \displaystyle\prod_{t=0}^{m'-1} \frac{q^{(m-i)-t}-1}{q^{m'-t}-1}, & \text{其他}. \end{cases}$$

这就是(20.6.7). 因此定理成立. **证毕.**

　　定理 20.6.3. 既把 $\mathscr{U}(m,\ n)$ 取作用以构造 PBIB 设计的基集 S，又把它取作区组所组成的簇 $\mathscr{B}$. 设 w 是一个固定的整数，$1 \leqslant w \leqslant m$. 对于 S 中的元素 U 和 $\mathscr{B}$ 中的区组 U'，定义它们之间的关联关系如下：元 U 在区组 U' 中，当且仅当 m 维子空间 U 和 U' 所生成的子空间的维数是 $m + w$. 这样就得一个具 $\min(m, n-m)$ 个结合类的 PBIB 设计，其参数 n_i，p_{jl}^i 由定理 20.5.1 给出，其他参数分别为

$$b = v = \prod_{t=0}^{m-1} \frac{q^{n-t}-1}{q^{m-t}-1}, \tag{20.6.8}$$

$$k = r = n_w = q^{w^2} \prod_{t=0}^{w-1} \frac{\left(q^{m-t}-1\right)\left(q^{n-m-t}-1\right)}{\left(q^{w-t}-1\right)^2}, \tag{20.6.9}$$

$$\lambda_i = p_{ww}^i = \sum_{\substack{p+\alpha=w \\ \beta+\gamma=m-w \\ \rho+\gamma \leqslant w}} |H| \big/ \left|F^{(\alpha,\ \beta,\ \gamma,\ \rho)}\right|, \tag{20.6.10}$$

这里，$|H| \big/ \left|F^{(\alpha,\ \beta,\ \gamma,\ \rho)}\right|$ 由(20.5.32)给出.

　　证明. 因 S 和 $\mathscr{B}$ 是同一集，故区组的个数和元素的个数都是 $\left|\mathscr{U}(m,\ n)\right|$，

即(20.6.8). 一个区组 U' 中所含的元素的个数就是能与 m 维子空间 U' 张成一个 $m+w$ 维子空间的那种 m 维子空间的个数,这也就是一个元素 U 所属的区组的个数,即 n_w, 它不依赖于 U' 或 U 的具体选择,且由(20.6.9)给出. 一对具有关系 R_i 的元素 U_1, U_2 所属的区组的个数就是既能与 m 维子空间 U_1 张成 $m+w$ 维子空间,又能与 m 维子空间 U_2 张成 $m+w$ 维子空间的那种 m 维子空间的个数,即 p_{ww}^i, 它不依赖于 U_1 和 U_2 的具体选择,且由(20.6.10)给出. 因此,定理成立. **证毕**.

在定理 20.6.1 中把 m 换成 2, 把 m' 换成 m 即得.

定理 20.6.4. 设 $m > 2$. 把 $\mathscr{U}(2, n)$ 取作用以构造 PBIB 设计的基集 S, 把 $\mathscr{U}(m, n)$ 取作区组所组成的簇 $\mathscr{B}$. 对于 $U \in \mathscr{U}(2, n)$, $U' \in \mathscr{U}(m, n)$, 定义它们之间的关联关系如下:元 U 在区组 U' 中,当且仅当 2 维子空间 U 是 m 维子空间 U' 的子空间. 这样就得到一个具二个结合类的 PBIB 设计,其参数 v, n_1, n_2, p_{11}^1 分别由(20.5.45),(20.5.46),(20.5.47)和(20.5.48)给出,其他参数为

$$b = \prod_{t=0}^{m-1} \frac{q^{n-t}-1}{q^{m-t}-1},$$

$$k = \frac{\left(q^m-1\right)\left(q^{m-1}-1\right)}{\left(q^2-1\right)(q-1)},$$

$$\lambda_1 = \prod_{t=0}^{m-4} \frac{q^{n-3-t}-1}{q^{m-3-t}-1},$$

$$\lambda_2 = \begin{cases} 0, & \text{若}\, m=3, \\ \prod_{t=0}^{m-5} \frac{q^{n-4-t}-1}{q^{m-4-t}-1}, & \text{若}\, m \geqslant 4. \end{cases}$$

在定理 20.6.2 中取 $m' = 1$, $m = 2$ 即得

定理 20.6.5. 把 $\mathscr{U}(2, n)$ 取作用以构造 PBIB 设计的基集 S, 把 $\mathscr{U}(1, n)$ 取作区组所组成的集 $\mathscr{B}$. 对 $U \in \mathscr{U}(2, n)$, $U' \in \mathscr{U}(1, n)$, 定义它们之间的关联关系如下:元 U 在区组 U' 中,当且仅当 1 维子空间 U' 是 2 维子空间 U 的子空间. 这样就得到一个具二个结合类的 PBIB 设计,其参数 v, n_1, n_2, p_{11}^1 分别由(20.5.45),(20.5.46),(20.5.47)和(20.5.48)给出,其他参数为

$$b = \frac{q^n - 1}{q - 1},$$
$$r = q + 1,$$
$$k = \frac{q^{n-1} - 1}{q - 1},$$
$$\lambda_1 = 1, \quad \lambda_2 = 0.$$

在定理 20.6.3 中取 $m = 2$，$w = 1$，即得

定理 20.6.6. 既把 $\mathscr{U}(2, n)$ 取作用以构造 PBIB 设计的基集 S，又把它取作区组所组成的簇 $\mathscr{B}$. 对于 S 中的元素 U 和 $\mathscr{B}$ 中的区组 U'，定义它们之间的关联关系如下：元 U 在区组 U' 中，当且仅当 2 维子空间 U 和 U' 所生成的子空间的维数是 3. 这样就得到一个具二个结合类的 PBIB 设计，其参数 n_1，n_2 和 p_{11}^1 分别由 (20.5.46)，(20.5.47) 和 (20.5.48) 给出，其他参数为

$$v = b = \frac{\left(q^n - 1\right)\left(q^{n-1} - 1\right)}{\left(q^2 - 1\right)(q - 1)}, \tag{20.6.11}$$

$$r = k = \frac{q\left(q + 1\right)\left(q^{n-2} - 1\right)}{q - 1},$$
$$\lambda_1 = p_{11}^1 = \frac{q^{n-1} - q}{q - 1} + q^2 - 1, \tag{20.6.12}$$
$$\lambda_2 = p_{11}^2 = \left(q + 1\right)^2.$$

证明. 除了最后一式外，定理的其他结论都是定理 20.6.3 的直接推论. 现在来证明 (20.6.12). 由 (20.6.10) 和定理 20.2.4 知

$$\lambda_2 = p_{11}^2 = \frac{n_1}{n_2}\left(n_1 - 1 - p_{11}^1\right). \tag{20.6.13}$$

再把 (20.5.46)，(20.5.47) 和 (20.5.48) 中的 n_1，n_2 和 p_{11}^1 代入 (20.6.13) 并化简即得 (20.6.12). **证毕**.

在定理 20.6.3 中取 $m = w = 2$，即得

定理 20.6.7. 既把 $\mathscr{U}(2, n)$ 取作用以构造 PBIB 设计的基集，又把它取作区组所组成的簇 $\mathscr{B}$. 对于 S 中的元素 U 和 $\mathscr{B}$ 中的区组 U'，定义它们之间的关联关系如下，元 U 在区组 U' 中，当且仅当 2 维子空间 U 和 U' 所生成的子空间的维数是 4. 这样就得到一个具二个结合类的 PBIB 设计，其参数 n_1，n_2 和 p_{11}^1 分别由

(20.5.46)，(20.5.47)和(20.5.48)给出，v 和 b 由(20.6.11)给出，其他参数为

$$r = k = \frac{q^4\left(q^{n-2}-1\right)\left(q^{n-3}-1\right)}{\left(q^2-1\right)(q-1)},$$

$$\lambda_1 = \frac{q^3\left(q^{n-3}-1\right)}{q-1}\left(\frac{q(q^{n-2}-1)}{q^2-1}-1\right) \tag{20.6.14}$$

$$\lambda_2 = \frac{q^4\left(q^{n-2}-1\right)(q^{n-3}-1)}{\left(q^2-1\right)(q-1)} - \frac{q\left(q+1\right)\left(q^{n-2}-1\right)}{q-1} + \left(q+1\right)^2 - 1. \tag{20.6.15}$$

证明. 除了最后二式外，定理的其他结论都是定理 20.6.3 的直接推论. 现在来证明(20.6.14)和(20.6.15).

由(20.6.10)和定理 20.2.4，有

$$\lambda_1 = p_{22}^1 = n_2 - n_1 + 1 + p_{11}^1. \tag{20.6.16}$$

把(20.5.46)中的 n_1，(20.5.47)中的 n_2，以及(20.5.48)中的 p_{11}^1 代入(20.6.16)，化简即得(20.6.14).

又由(20.6.10)和定理 20.2.4，有

$$\lambda_2 = p_{22}^2 = n_2 - 1 - n_1 + p_{11}^2. \tag{20.6.17}$$

把(20.5.46)中的 n_1，(20.5.47)中的 n_2 和(20.6.12)中的 p_{11}^2 代入(20.6.17)，即得(20.6.15). **证毕.**

参 考 文 献

以下文献按作者姓氏(我国作者的姓氏以汉语拼音为准)的字汇排法列出.凡已列入上册的参考资料目录者下面不再列出，但保留其编号. 特别地，若本册正文中所引资料在本资料目录中不出现，就应到上册的参考资料目录中去查找.

J.W.Archbold, N. L. Johnson

[1] A construction for Room's squares and an application in experimental designs. Ann Math Stat, **29**(1958), 210—225.

W. W. R. Ball

[1] Mathematical Recreations and Essays. Macmillan, New York: Eleventh Ed, 1947.

班成

[1] 部分平衡不完全区组设计. 数学进展. **7**(1964)，240—281.

K. S. Banerjee

[1] Weighing designs. Calcuta Stat Assn Bull, **3**(1950—1951), 64—76.

[2] Singularity in Hotelling's weighing designs and a generalized inverse. Ann Math Stat, **37**(1966), 1021—1032.

[3] On non-randomized fractional weighing designs Ann Math Stat, **37**(1966), 1836—1841.

L. D. Baumert

[1] Difference sets SIAM J. Appl Math, **17**(1969), 826—833.

[2] Cyclic Difference Sets Lecture Notes in Math, v. 182, Springer-Verlag, 1972.

L. D. Baumert, S. W. Golomb, M. Hall Jr.

[1] Discovery of an Hadamard matrix of order 92. Bull Amer Math Soc, **68**(1962), 237—238.

L. D. Baumert, H. Fredricksen

[1] The cyclotomic numbers of order eighteen with applications to difference sets, Math Comp, **21**(1967),204—219.

L. D. Baumert, M. Hall Jr.

[1] A new construction for Hadamard matrices. Bull. Amer Math Soc, 71(1965), 169—170.

北京大学数力系概率统计组

[1] 关于正交表的特征、造法与唯一性. 数学的实践与认识,1977,2(1977), 44—56;4(1977), 28 —38.

F, E. Bennett. L. Zhu

[1] Imcomplete conjugate orthogunal idempotent Latin squares.

[2] On the existence of imcomplete conjugate orthogonal idempotent Latin squares.

J. W. Bergquist

[1] Difference sets and congruences modulo a product of primes. Dissertation Univ of Southern California, 1963.

M. Bhaskararao

[1] Weighing designs when n is odd. Ann math Stat, **37**(1966),1371—1381.

K. N. Bhattacharva

[1] A note on two-fold triple systems. Sankhya **6**(1943), 313—314.

[2] A new balanced incomplete block design. Sci Cult, **9**(1944), 508.

R. C. Bose

[1] On the construction of balanced incomplete block designs. Ann Engenics, **9**(1939), 353—399.

R. C. Bose, K.R. Nair

[1] Partially balanced incomplete block designs. Sankhya, **4**(1939), 337—372.

R. C. Bose, E. T. Parker, S. S. Shrikhande

[1] Futher results on the construction of mutually orthogonal Latin squares and the falsity of Euler's conjecture. Canad J Math, **12**(1960), 189—203.

R. C. Bose, S. S. Shrikhande

[1] On the falsity of Euler's conjecture about the non-existence of two orthogonal Latin squares of ordert $4t + 2$. Proc. Natl Acad Sci USA, **45**(1959), 734—737.

[2] On the construction of sets of mutually orthogonal Latin squares and the falsity of a conjecture of Eulet. Trans Amer Math Soc, **95**(1960), 191—209.

R. C. Bose, S. S. Shrikhande, K. N. Bhattacharya

[1] On the construction of group divisible incomplete block designs. Ann Math Stat, **24**(1953),167—195.

R. K. Brayton, D. Coppersmith, A. J, Hoffman

[1] Self-orthogonal Latin squares of all orders $n \neq 2$, 3 or 6. Bull Amer Math Soc, **80**(1974), 116—118.

[2] Self-orthogonal Latin squares, in "Colloqui Internationale Sulle Teorie Combinatorie", Acad Naz Lincei, Rome, **17**(1976).

A. E. Brouwer, G. H .J. van Rees

[1]More mutually orthogonal Latin squares. Discrete Math, **39**(1982), 263—281.

R. Brualdi

[1] Introductory Combinatorics. Elsevier North-Holland, Inc, 1977.

R. H. Bruck

[1] Difference sets in a finite group. Trans Amer Math Sot, 78(1955), 464—481.

[2] What is a loop? , in "Studies in Modern Alghebra", Chapter 4, ed by Albert, A A Math Assoc of Amer and Prentice-Hall,1963.

R.H.Bruck, H. J. Ryser

[1] The nonexistence of certain finite projective planes. Canad J. Math, **1**(1949), 88—93.

G, de Bruijn, P Erdos

[1] On a combinatorial problem. Nederl Akad Wetensch Indag Math, **10**(1948), 421—423.

A. T. Butson

[1] Relations among generalized Hadamard matrices. Canad J Math, **15**(1963)，42—48.

A. Cayley

[1] On the triadic arrangements of seven and fifteen things. Lond Edingberg and Dublin Philos Mag and J Sci (3), **37**(1850), 50—53.

M, C. Chakabarti

[1] Mathematics of Design and Analysis of Experiments. Bombay: Asia Publishing House, 1962.

陈忠连

[1] 构造 GD 设计的组合递推方法. 应用数学学报，**3**(1980), 371-381.

C. S. Cheng

[1] A family of pseudo-Youden designs with row size less than the number of symbols. J Comb Theory (A), **31**(1981), 219—221.

S. Chowla, P. Erdos, E. G. Strauss

[1] On the maximal number of pairwise orthogonal Latin squares of a given. order Canad J Math, **12**(1960), 204—208.

S. Chowla, H. J. Ryser

[1] Combinatorial problems. Canad J Math. **12**(1950), 93—99.

W. H. Clatworthy

[1] Tables of Two-Associate-Class Partially Balanced Designs. National Bureau of Standards, 1973.

F. N. Cole, A. S. White, L. D. Cummings Jr.

[1] Complete classification of triad systems on fifteen elements. Mem Nat Acad Sci, **14**(1925), Second Memoir, 89.

W. S. Conner

[1] On the structure of balanced incomplete block designs. Ann Math Stat, **23**(1952),57 —71.

[2] The uniqueness of the triangular association scheme. Ann Math Stat, **29**(1958), 262 —266.

D. J. Crampin, A. J. W. Hilton

[1] On the spectra of certain types of Latin squares. J Comb Theory (A), **19**(1975), 84 — 94.

戴宗铎，冯绪宁

[1] 有限几何与不完全区组设计的构作(Ⅳ), 特征≠2 的有限域上的正交几何中的计数定理. 数学学报，**15**(1965), 545—558.

P. Dembowski

[1] Finite Geometries. New York: Spinger-Verlag, 1968.

J. Denes, A. D. Keedwell

[1] Latin Squares and Their Applications. Budapest: Akademiai Kiado, 1974.

A. Dey

[1] A note on weighing designs. Ann Inst Stat Math, **21**(1969), 344—346.

L. E. Dickson

[1] Cyclotomy, higher congruences and Waring's problem. Amer J Math Soc, **57**(1935), 391—424, 463—474.

[2] Cyclotomy and trinomial congruences. Trans Amer Math Soc, **37**(1935), 363-380.

[3] Cyclotomy when E is composite. Trans Amer Math Soc, **38**(1935), 187—200.

J. H. Dinitz, D. R. Stinson

[1] MOLS with holes. Discretc Math, **44**(1983), 145—154.

A. L. Dulmage, D. M. Johnson, N. S. Mendelsohn

[1] Orthomorphisms of groups and orthogonal Latin squares I. Canad J Math, **13**(1961), 356—372.

P. Eades

[1] Bounds for asymptotic existence of weighing matrices. Congr Numer **32**(1981), 295 —303.

J. E. H. Elliott, A. T. Butson

[1] Relative difference sets. Illinois J Math, **10**(1966), 517—531.

P. Erdos, de Bruijn

[1] On a combinatorial problem. Nederl Akad Wetensch Indag Math, **10**(1948), 421—423.

L. Euler

[1] Recherches sur une nouvelle espece de quarres magiques. Verh Zeeuwsch Genootsh Wetensch Vlissengen, **9**(1782), 85—239.

W. T. Federer

[1] Experimental Design: Theory and Application, Macmillan. New York: 1955

冯克勤，吴利生，朱烈

[1] Boole 函数的仿射分类与 $3-(\lambda, k, 2^n)$ 设计的构作. 应用数学学报，(1977)，46-55.

[2] $PGL_2(q)$ 的轮换母函数与射影直线上的 5 设计，应用数学学报，**3**(1980)，222—236.

冯绪宁，戴宗铎

[1] 有限几何与不完全区组设计的构作(V)，特征为 2 的有限域上的正交几何中的若干计数定理. 数学学报，**15**(1965)，664—682.

R. A. Fisher

[1] An examination of the different possible solutions of a problem in incomplete blocks. Ann Engenics **10**(1940), 52—75.

ф.Р. Гантмахер

[1] Теорня Матрмц, Государегтвенное Издательство Технико-Теорет-ической Литерагуры, 1953.(中译本：柯召译. 矩阵论. 北京高等教育出版社，1957.)

高绪洪

[1] 区组设计的一种构造方法.

S. W. Golomb, et al

[1] Digital Communications with Space Applications. New Jersey: Prentice-Hall, Englewood Cliffs, 1964.

J. E. Graver, W. B. Jurkat

[1] The module structure of integral designs. J Comb Theory (A), **15**(1973), 75—90.

R. Guerin

[1] Existence et proprietes des carres latins orthogonaux I. Publ Inst Statist Univ Paris, **15**(1966), 113—213.

[2] Existence et proprietes des carres latins orthogonaux II. Publ Inst Statist Univ Paris, **15**(1966), 215—293.

J. Hadamard

[1] Resolution d'une question relative aux determinants. Bull Sci Math, 2 Serie, **17**(1893), 1 partie, 240—246.

M. Hall Jr.

[5] Cyclic projective planes. Duke Math J, **14**(1947), 1079—1090.

[6] A survey of difference sets. Proc Amer Math Soc, **7**(1956), 975—986.

[7] The Theory of Groups. New York: The Macmillan Company, 1959.

[8] Characters and cyclotomy. Proc, Symposia in Pure Math, Amer Math Soc., **8**(1965), 31—43.

[9] Matrices satisfying the incidence equation. Colloquia Mathematica Societatis Janos Bolyai, 18. Combinatorics, Keszthely (Hungary), ed. Hajnal and Sos, v. 1, 515—538.

[10] Construction of block designs. In "A Survey of Combinatorial Theory" ed. by J. N. Srivastava et al, North-Holland Publishing Company, 1973, 251—258.

H. Hall Jr., W. S. Conner

[1] An imbedding theorem for balanced incomplete designs. Canad J Math, **6**(1954), 35 —41.

M. Hall Jr., H. J. Ryser

[1] Cyclic incidence matrices. Canad J Math, **3**(1951), 495—502.

[2] Normal completions of incedence matrices Amer J Math, **76**(1954), 581—589.

M. Hall. Jr., J. D. Swift

[1] Determination of Steiner triple systems of order 15. Math Tables Aids Comput, 1955, 146—156.

H. Hanani

[1] The existence and construction of balanced incomplete block designs. Ann Math Stat, **32**(1961), 361—381.

[2] A balanced incomplete block designs. Ann Math Stat, **36**(1965),711.

[3] On the number of orthogonal Latin squares. J Comb Theory, 8(1970), 247—271.

[4] On balanced incomplete block designs with blocks having 5 elements. J Comb Theory, **12**(1972), 184—201.

H. Hanani, D. K. Ray-Chaudhui, R. M. Wilson

[1] On resolvable designs. Discrete Math, **3**(1972), 343—357.

A. Hartman, R. C. Mullin, D. R. Stinson

[1] Exact covering configurations and Steiner systems. J London Math Soc (2), **25**(1982), 193—200.

H. S. Hayashi

[1] Computer investigation of difference sets. Math Comp, **19**(1965), 73—78.

E. Hecke

[1] Lectures on the Theory of Algebraic Numbers. Springer-Verlag, 1981.

A. Hedayat, W. D. Wallis

[1] Hadamard matrices and their applications. Ann Statistics, **6**(1978), 1184—1238.

K. Heinrich

[1] Near-orthogonal Latin squares. Utilitas Math, **12**(1977), 145—155.

K. Heinrich, A. J. W. Hilton

[1] Doubly diagonal orthogonal Latin squates, Discrete Math, **46**(1983), 173—182.

K. Heinrich, L., Zhu

[1] Existence of orthogonal Latin squares with aligned subsquares.

[2] Incomplete self-OLS.

A. J. Hilton

[1] A simplification of Moore's proof of the existence of Steiner triple systems. J Comb Thcory (A), **13**(1972), 422—425.

[2] On the number of mutually orthogonal double diagonal Latin squares of order n, Sankhya, **36B**(1974), 129—134.

A. Hoffman

[1] On the uniqueness of the triangular association secheme, Ann Math Stat, **31**(1960), 492—497.

W. W. Horner

[1] Addition-multiplication magic squares. Scripta Math, **18**(1952), 300—303.

[2] Addition-multiplication magic squares of order 8. Scripta Math, **21**(1955), 23—27.

H. Hotelling

[1] Some improvements in weighing and other experimental technique. Ann Math Stat, **15**(1944), 297—305.

F. K. Hwang, Q. D. Kang, J. E. Yu

[1] Complete balanced Howell rotations for 16k+12 partnerships. J Comb Theory (A), **36**(1984), 66—72.

K. Ireland, M. Rosen

[1] A Classical Introduction to Modern Number Theory. Springer-Verlag, 1982.

蒋声

[1] 任意奇素数 p 为模的 $2p \times 2p$ 差表的简易求法. 应用数学学报，**2**(1979)，75—80.

P. W. M. John

[1] Incomplete Block Designs. New York: Marcel Dekker, Inc, 1980.

B. W. Jones

[1] The Arithmetic Theory of Quadratic Forms, Carus Mathematical Monograph, **10**(1950), Mathematical Association of America.

S. Kageyama, A. Hedayat

[1] The family of t-designs Ⅰ. J Stat Plann Inference, **4**(1980),173—212.

[2] The family of t-designs Ⅱ. J Stat Plann Inference, **7**(1982/83), 257—287.

M. G. Kendall, B. Babington-Smith

[1] Tables of random sampling numbers. In Tracts for Computers, No. 24, London: Cambridge University Press, 1939.

R. T. Kirkman

[1] On a problem in combinations. Camb and Dublin Math J, **2**(1847), 191—204.

C. W. H. Lam

[1] Relational g-circulants satisfying the matrix equation $A^2 = dl + \lambda J$. Ph D Thesis, California Institute of technology, 1974.

[2] A. generalization of cyclic difference sets Ⅰ. J Comb Theory (A), **19**(1975), 51—65.

[3] A. generalization of cyclic difference sets Ⅱ. J Comb Theory (A), **19**(1975), 177—191.

[4] Nth power residue addition sets. J Comb Theory (A), **20**(1976), 20—33.

[5] Cyclotomy and addition sets. J Comb Theory (A), **22**(1977), 43—60.

C. W. H. Lam, S. L. Ma, M. K. Siu

[1] The existence and nonexistence of perfect addition sets. J Comb Theory (A), **35**(1983), 67—78.

E. S. Lander

[1] Symmetric Designs: An Algebraic Approach. London Math Soc Leeture No 74, Camb Univ Press, 1983.

J. F. Lawless

[1] Pairwise balanced designs and the construction of certain combinatorial systems. Proc of Second Louisiana Conference on Graph Theory, Combinatorics and Computing (1971), 353—366.

E. Lehmer

[1] On residue difference sets, Canad J Math, **5**(1953), 425—432.

[2] Period equations applied to difference sets. Proc Amer Math Soc, **6**(1955), 433—442.

[3] On the number of solutions of $u^k + d \equiv w^2 \pmod p$. Pacific J Math, **5**(1955), 103—118.

李从珠，冯士雍，陈忠连

[1] $r \leqslant 10$ 正规连通可分组不完全区组设计. 中国科技大学学报, **2**(1966), No 1.

C. C. Lindner

[1] An algebraic construction for Room squares, SIAM J Appl Math, 22(1972), 574-579.

刘婉如，张里千

[1] Group divisible incomplete block designs with parameters $v \leqslant 10$ and $r \leqslant 10$. Scientia Sinica, **13**(1964), 839—840.

刘璋温

[1] A method of constructing certain symmetrical partially balanced designs. Scientia Sinica, 13(1963), 1935—1937.

[2] 一类生成正交阵列 OA(98，15，72)的差集 D(14，14，7，2). 科学通报，22(1977)，31.

[3] 对奇数 p 构造一类生成正交阵列$(2p^2, 2p + 1, p, 2)$的差集. 应用数学学报，1(1977)，35—45.

[4] Hadamard 矩阵. 数学的实践与认识，1978，No.4，55—67.

[5] 由正交拉丁方导出的一族新的结合方案. 数学学报，**21**(1978)，302—312.

[6] 若干族拉丁方型部分平衡设计. 应用数学学报，**3**(1980)，173—180.

刘璋温，张里千

[1] Some PBIB (2)-designs induced by association schemes. Scientia Sinica, **13**(1964), 840—841.

刘璋温，张尧庭

[1] 某些均衡型结合方案的构造. 数学进展，**9**(1966)，91—93.

[2] 对《某些均衡型结合方案的构造》的更正. 数学进展，**9**(1966)，312.

陆家羲

[1] On large sets of disjoint triple systems Ⅰ. J Comb Theory (A), **34**(1983), 140—146.

[2] On large sets of disjoint triple systems Ⅱ. J Comb Theory (A), **34**(1983), 147—155.

[3] On large sets of disjoint triple systems Ⅲ. J Comb Theory (A), **34**(1983), 156—182.

[4] On large sets of disjoint triple systems Ⅳ. J Comb Theory (A), **37**(1984), 136—163.

[5] On large sets of disjoint triple systems Ⅴ. J Comb Theory (A), **37**(1984), 164—188.

[6] On large sets of disjoint triple systems Ⅵ. J Comb Theory (A), **37**(1984), 189-192.

[7] 可分解平衡不完全区组设计的存在性理论，数学学报，**27**(1984)， 458—468.

H. F. MacNeish

[1] Euler squares. Ann Math, **23**(1922), 221—227.

F. J. MacWilliams, N. J. A. Sloane

[1] The Theory of Error-Correcting Codes, Part Ⅰ and Ⅱ. North-Holland Publishing Company, 1977.

S. S. Magliveras, D. W. Leavitt

[1] Simple six designs exist. In Proc of the Forteeth Southeastern Conference on Combinatorics, Graph Theory and Computing (Boca Raton, Fla., 1983), *Congr Numer,* **40**(1983), 195—205.

H. B. Mann

[1] Analysis and Designs of Experiments, Dover. 1949(中译本：张里千，刘璋温，钱大同，黄昭庆，沈士强，张守智，温启愚译. 试验的分析与设计. 科学出版社，1964.)

[2] Some theorems on difference sets. Canad J Math, **4**(1952), 222—226.

[3] Introduction to Algebraic Number Theory. Ohio University Press, Columbus, Ohio, 1955.

[4] Balanced incomplete block designs and abelian difference stes. Illinois J Math, **8**(1964), 252—261.

[5] Addition Theorems. The Addition Theorems of Group Theory and Number Theory. Interscience Publisher, 1965.

M. Marcus, H. Minc

[3] A Survey of Matrix Theory and Matrix Inequalities. Boston: Allyn and Bacon, Inc, 1964.

D. C. Montogomery

[1] Designs and Analysis of Experiments. John Wiley & Sons, 1976.

E. H. Moore

[1] Concernning triple systems. Math Ann, **43**(1983), 271—285.

S. Moriguti

[1] Optimality of orthogonal designs, Rep Stat Appl Res, **3**(1954), 1—24.

R. C. Mullin, R. G. Stanton

[1] Construction of Room squares. Ann Math Stat **39**(1968), 1540—1548.

[2] Techniques for Room squares. Proc Louisiana Conf on Combinatorics, Graph Theoy, and Computing (Louisiana State Univ, Baton Rouge, La., 1970), 445—464.

[3] Room squares and Fermat primes. J Algebra, **20**(1972), 83—89.

R. C. Mullin, D. R. Stinson

[1] Holey SOLSSOMs. Utilitas Math, **25**(1984), 158—169.

R. C. Mullin, L. Zhu

[1] The spectrum of HSOLSSOM (h) where h is odd.

J. B. Muskat

[1] The cyclotomic numbers of order fourteen. Acta Math, **11**(1966), 263—279.

J. B. Muskat, A. L. Whiteman

[1] The cyclotomic numbers of order twenty. Acta Arith, **17**(1970), 185—216.

K. R. Nair, C. R. Rao

[1] A note on partially balanced incomplete block designs. Science and Culture, **7**(1942), 568—569.

E. Nemeth

[1] A study of Room squares. Thesis Univ of Waterloo, 1969.

倪忠仁，李辛，李新，谭良

[1] 某些 m 结合方案的构造. 数学进展，**13**(1984)，71—78.

C. D. O'Shaughnessy

[1] A Room design of order 14. Canad Math Bull, **11**(1968), 191—194.

R. E. A. C. Paley

[1] On orthogonal matrices. J Math Phys, **12**(1933), 311—320.

E. T. Parker

[1] Construction of some sets of mutually orthogonal Latin squares. Proc Amer Math Soc, **10**(1959), 946—949.

[2] Orthogonal Latin squares. Proc Natl Acad Sci USA, **45**(1959), 859—862.

K. T. Phelps

[1] Conjugate orthogonal quasigroups. J Comb, Theory (A), **25**(1978), 117—127.

D. Raghavarao

[1] Some optimum weighing designs. Ann Math Stat, **30**(1959),295—303.

[2] Some aspects of weighing designs. Ann Math Stat, **31**(1960), 878—884.

[3] Singular weighing designs. Ann Math Stat, **35**(1964), 673—678.

[4] Construction and Combinatorial Problems in Design of Experiments. New York: Wiley, 1971.

Rand Corporation

[1] A Million Random Digits with 100 000 Normal Derivatives. New York: The Free Press of Glencoe, 1955.

C. R. Rao

[1] Difference sets and combinatorial arrangements derivable from finite geometries. Proc Natl Inst Sci India, **12**(1946), 123—135.

D. K. Ray-Chaudhuri, R. M. Wilson

[1] Solution of Kirkman's school girl problem. Proc Symp in Pure Math Comb Amer Math Soc, **19**(1971), 187—204.

[2] The existence of resolvable block designs. In A survey of Combinatorial Theory, ed by J N Srivastava et al, North-Holland Publishing Company, 1973.

M. Reiss

[1] Uber eine Steinersche combinatorische Aufgabe welche in 45 sten Bande dieses Journals. Seite 181, qestellt worden ist, J reine angew Math, **56**(1859), 326—344.

K. Rogers

[1] A note on orthogonal Latin squares. Pacifc Math, **14**(1964), 1395—1397.

T. G. Room

[1] A new type of magic squares. Math Gaz, **39**(1959), 307.

H. J. Ryser

[9] Variants of cyclic difference sets. Proc Amer Math Soc, **41**(1973), 45—50.

[10] Variants of (v, k, λ)-designs. In A Survey of Combinatorial Theory, ed by J N Srivastava et al North-Holland Publishing Company, 1973, 377—384.

[11] The existence of symmetric block designs. J Comb Theory (A), 32(1982), 103—105.

K. Sawade

[1] A Hadamard matrix of order 268. Craphs and Combinatorics, An Asian Journal, **1**(1985), 185—188.

K. B. Shah

[1] Analysis of Room's square design. Ann Math Stat, **41**(1970), 743—745.

沈国祥

[1] Construction of relative difference sets and partially balanced incomplete block designs. 数学进展，**16**(1987), 103—104.

沈灏

[1] 有限域上辛几何中的一个计数定理与 PBIB 设计的构作. 上海交通大学学报，**17**(1983), 13—25,

[2] 特征不为 2 的有限域上正交几何中的一个计数定理与 PBIB 设计的构作. 上海交通大学学报，**17**(1983), 121—131.

[3] 利用正交几何中 1 维非迷向子空间构作结合方案. 上海交通大学学报,**18**(1984), 1—13.

[4] Construction of association schemes with 1-dimentional nonisotropic subspaces in orthogonal geometry as elements. In Selected Scientific Papers of Shanghai Jiao Tong University (上海交大科技论文选)", 第二册, 78—92, 1985.

[5] An enumeration theorem in the orthogonal geometry over a Galois field with characteristic $p \neq 2$ and the construction of PBIB designs. In Selected Scientific Papers of Shanghai Jiao Tong University (上海交大科技论文选), 第二册, 132—143, 1985.

沈灏，魏鸿增

[1] 利用辛几何中 2 维非迷向子空间构作 PBIB 设计. 数学年刊，**6A**(1985), 587—594.

史既济

[1] 一种编造正交拉丁方的方法. 数学进展，**8**(1965), 98—104.

S. S. Shrikhande

[1] On a characterization of the triangular association scheme. Ann Math Stat, **30**(1959), 39—47.

[2] The uniqueness of the L_2 association scheme. Ann Math Stat, **30**(1959), 781—798.

J. Singer

[1] A theorem in finite projective geometry and some applications to number theory. Trans Amer Math Soc, **43**(1938), 377—385.

D. B. Skillicorn

[1] Directed covering and packing of pairs and quadruples. in Combinatorial Mathematics IX. Lecture Notes in Math, **952**(1976), 387—391,

[2] Directed coverings. J Combin Inform System Sci, **7**(1982), 48—53.

[3] Directed packings of pair into quadruples. J Austral Soc (A), **33**(1982), 179—184.

C. A. B. Smith, H. O. Hartley

[1] The construction of Youden squares. J Royal Stat Soc (B), **10**(1948), 262—263.

R. G. Stanton

[1] Old and new results on perfect coverings. In Combinatorial Mathematice IX, Lecture Notes in Math, v 952, Springer-Verlag, 1982, 142—149.

R. G. Stanton, J. L. Allston, D. D. Cowan

[1] Determination of an exact covering by triles. Congr Numer, **31**(1983), 253—258.

R. G. Stanton, J. L. Allston, P. D. Eades, D. D. Cowan

[1] Computaion of the g (1, 3, 20) cover. J Comb Information and Systcm Sci, **6**(1980), 173—177.

R. G. Stanton, P, H. Dirksen

[1] Computation of g (1, 3, 12) cover. In Combinatorial Mathematics IX, Lecture Notes in Math., **560**(1976), 232—234.

R. G. Stanton, Goulden

[1] Graph factorization, general triple systems and cyclic triple systems. Aequations Math, **22**(1981), 1—28.

R. G. Stanton, M. J. Rogers

[1] Packings and coverings by triples. ARS Combinatoria, **13**(1982), 61—69.

J. Steiner

[1] Combinatorial Aufgabe. J reine angew Math, **45**(1853), 181—182.

D. R. Stinson

[1] A general construction for group-divisible designs. Discrete Math, **33**(1981), 89—94.

[2] A short proof of the nonexistence of a pair of orthogonal Latin squares of order six. J Comb Theory (A), **36**(1984), 373—376.

D. R. Stinson, L. Zhu

[1] On sets of three MOLS with holeys. Discrcte Math, **54**(1985), 321—328.

J. Summer, A. T. Butson

[1] Generalized ralative difference sets and partially balanced incomplete block designs. J Comb Theory (A), **32**(1982), 370—377.

[2] Relative addition sets and partially balanced incomplete block designs. J Comb Theory(A), **34**(1983), 28—40.

孙琦，屈明华

[1] 关于循环差集的一个性质. 科学通报，**21** (1983), 1343.

孙琦，沈仲琦

[1] 关于循环差集的若干结果，四川大学学报(自然科学版)，**3** (1981), 1—7.

J. J. Sylvester

[1] Remark on the tactic of nine elements, Lond Edinbergh and Dublin Philos Mag and J Soc (4), 22(1861), 144—147.

[2] Thoughts on inverse orthogonal matrices, simutaneous sign successions and tesselated pavements in two or more colours, with applications to Newton's Rule, ornamental tile-work, and the theory of numbers. Philos Mag (4), **34**(1867), 461—475.

[3] Note on a nine schoolgirds problem. Messenges Math, (2), **22**(1892—1893), 159—160, Correction:192.

陶照明

[1] 偶阶幻方和奇阶正交拉丁方的构造方法. 应用数学学报，6(1983)， 276—281.

G. Tarry

[1] Le probleme des 36 officiers. C R Assoc Fr Ar Sci, **1**(1900), 122—123; **2**(1901), 170—203.

L. Teirlink

[1] Non-trivial *t*-designs without repeated blocks exist for all *t*.

W. D. Wallis

[1] A construction for Room squares. In A Survey of Combinatorial Theory, ed by J N Srivastava et al North-Holland Publishing Company, 1973, 449—451.

[2] Room squares with subsquares. J Comb Thcory (A), **15**(1973), 329—332.

[3] Solution of the Room squares existence problem. J Comb Theory (A)，**17**(1974)，379—383.

W. D. Wallis, A. P. Street, J. S. Wallis

[1] Room Squares, Sum-Free Sets, Hadamard Matrices. Lecture Note in Math, v 292, Springer-Verlag, Berlin-Heidelberg-New York, 1972.

W. D. Wallis, L. Zhu

[1] Existence of orthogonal diagonal Latin squares. ARS Combinatoria, **12**(1981), 51—68.

[2] Four pairwise orthogonal diagonal Latin squares of side 12. Utilitas Math, **12C**(1982), 205—207.

[3] Orthogonal Latin squares with small subsquares. Combinatorial Mathematics, Comb, Lecture Notes in Math, v 1036, Springer-Verlag, 1983, 398—403.

[4] Some bounds for pairwise orthogonal diagonal Latin squares. ARS Combinatoria, **17A**(1984), 353—366.

万哲先

[2] 有限几何与不完全区组设计的构作（Ⅰ），有限辛几何中的若干计数定理. 数学学报，**15**(1965)，354—361.

[3] 有限几何与不完全区组设计的构作（Ⅱ），利用有限域上辛几何而构作的若干两个结合类的部分平衡不完全区组设计. 数学学报，**15**(1965)，362—371.

[4] 有限几何与不完全区组设计的构作（Ⅵ），利用有限域上向量空间的子空间而构作的多个结合类的结合方案. 数学进展，**8**(1965)，293—302.

[5] Note on finite geometries and the construction of PBIB designs Ⅵ, Some association schemes and PBIB designs based on finite geometries, Acta Scienia Sinica, **14**(1965), 1872—1876.

万哲先，阳本傅

[1] 有限几何与不完全区组设计的构作（Ⅲ），有限域上酉几何中的若干计数定理及其应用，数学学报，**15**(1965)，533—544.

S. M. P. Wang, R. M. Wilson

[1] A few more squares. In Proceedings of the Ninth South-Eastern Conference on Combinatorics, Graph Theory and Computing, Florida, January 1978.

王健明，朱玉埒

[1] 关于不完全正交拉丁方. 应用数学学报，**4**(1981)，381—386.

王仰贤

[1] 利用矩阵构作多个结合类的结合方案. 应用数学学报，**3**(1980)， 97—105.

G. L. Watson

[1] Integral Quadratic Forms. Cambridge at the University Press, 1960

魏鸿增

[1] Using finite unitary geometry to construct a class of PBIB designs. Chin Ann Math, **4B**(1983), 299—306.

[2] 利用 3 维酉几何的(2，2)型子空间构作多个结合类的 PBIB 设计.

魏万迪

[6] 矩阵 $\alpha I + \beta J$ 的性质及其应用，自然杂志，**10**(1987)，No. 6.

[7] Near difference sets of type 2. Advances Math (数学进展)，**16**(1987), No. 3.

[8] 组合学. 自然科学年鉴，1986.

[9] 差集. 运筹通讯，1987，No. 16.

[10] (40,13,4)-循环差集，科学通报，**32**(1987)，10，797.

魏万迪，阳本傅

[1] 矩阵 $\alpha I + \beta J$ 的性质和某些问题. 科学通报.

A. L. Whiteman

[1] The cyclotomic numbers of order sixteen. Trans Amer Math Soc, **86**(1957), 401 — 413.

[2] The cyclotomic numbers of order twelve. Acta Math, **6**(1960), 53—76.

[3] The cyclotomic number of order ten. Proc Sym in Appl Math Amer Math. Soc., **10**(1960), 95—111.

[4] A family of difference sets. Illinois J Math, **6**(1963), 107—121.

E. J. Williams

[1] Experimental designs balanced for the estimation of residual effects of treatments. Australian J Sci Research. Ser A, **2**(1949), 149—168.

[2] Experimental designs balanced for pairs of residual effects. Australian J Sci Research, Ser A, **3**(1950), 351—363.

J. Willamson

[1] Hadamard's determinant theorem and the sum of four squares. Duke Math J, **11**(1944), 65—81.

[2] Note on Hadamard's determinant theorem. Bull Amer Math Soc, **53**(1947), 608—613.

R. M. Wilson

[1] An existence theory for pairwise balanced designs I. J Comb Theory (*A*). **13**(1972), 220—245.

[2] An existence theory for pairwise balanced designs II, The structure of PBD-closed sets and the existence conjectures. J Comb Theory (*A*), **13**(1972), 246—273.

[3] Cyclotomy and difference families in elementary abelian groups. J Number Thcory, **4**(1972), 17—47.

[4] The necessary condition for t-designs are sufficient for something. Utilitas Math, **4**(1973), 207—215.

[5] Concerning the number of orthogonal Latin squares. Discrete Math, **9**(1974), 181—198.

[6] A few more squares, Proc 5th Southeast Conf. Combinatorics. Graph Theory and Computing, 1974, 675—680.

[7] Constructions and uses of pairwise balanced design. In Combinatorics, Part I , Math. Centre Tracts 55, Mathematish Centrum Amsterdam, 1974, 18—41.

[8] An existence theory for pairwise balanced designs III. J Comb Theory (A), **18**(1975), 71—79.

[9] Incidence matrices of t-designs. Linear Algebra Appl, **46**(1982), 73—82.

[10] Inequalities for t-designs. J Comb Theory (A), **34**(1983), 313—324.

E. Witt

[1] Theorie des quadratischen Formen in beliabigen Korpern. J fur die r u ang. Math, **176**(1937), 31—44.

M. Wojtas

[1] A note on mutually orthogonal Latin squares. Komunikat 236, Instytut Matematyki Politechniki Wrotawskiej, Preprint, October, 1978.

吴利生，朱烈

[1] Boole 函数的仿射分类与 3-$(\lambda,\ k,\ 2^n)$设计的构作(Ⅱ). 应用数学学报，**2**(1979), 344 —349.

[2] 伴随 $PTL_2(33)$的 4-$(33,\ k,\ \lambda)$设计. 数学研究与评论，**3**(1983)， 29—36.

吴晓红

[1] 循环差集的额外乘数. 科学通报，1986；J. Comb. Th.(A), **42**(1986), 259—269.

项可风

[1] $\lambda = 2$ 的差集表. 应用数学学报，**6**(1983), 160—166.

许宝禄

[1] 许宝禄文集. 北京科学出版社，1981，北京.

徐承绪

[1] 对奇素数 p 构造正交表 $L_{2p}u\left(p^{l+\sum\limits_{i=1}^{u-1}2p^i}\right)$. 应用数学学报，**2**(1979), 92—97.

K. Yamomato

[4] Decomposition fields of difference sets. Paific J Math, **13**(1963), 337—352.

阳本傅

[1] 有限几何与不完全区组设计的构作(Ⅶ)，利用有限域上辛几何中的极大全迷向子空间构作的多个结合方案. 数学学报，**15**(1965), 812—825.

[2] 有限几何与不完全区组设计的构作(Ⅷ)，利用有限域上酉几何中的极大全迷向子空间构作的多个结合方案. 数学学报，**15**(1965), 826—841.

F. Yates

[1] Complex experiments. J Roy Stat Soc, B, **2**(1935), 181—223.

W. J. Youden

[1] Use of incomplete block republications in estimating tobacco virus. Contributions from Boyce Thompson Institute, **9**(1937), 317—326.

张里千

[1] Association schemes of partially balanced designs with parameters $v = 28$, $n_1 = 12$, $n_2 = 15$, $p_{11}^2 = 4$. 科学记录，新辑，**4**(1960),12—18.

[2] 关于正交拉丁方的最大数目(Ⅰ). 数学进展， **6**(1963), 201—204.

张里千，刘婉如

[1] Incomplete block designs with square parameters for $k \leqslant 10$ and $r \leqslant 10$. Scientia Sinica, **13**(1964), 1493—1495.

张里千，刘璋温，刘婉如

[1] Incomplete block designs with triangular parameters for which $k \leqslant 10$ and $r \leqslant 10$. Scientia Sinica, **14**(1965), 329—338.

中国科学院数学研究所统计组

[1] 常用数理统计方法. 北京: 科学出版社，1979.

钟集

[1] 完备正交表的唯一性. 华南师院学报(自然科学版)，**2**(1978), 1—14.

朱烈

[1] 构作正交拉丁方的和复合方法. 应用数学学报，**1**(1977),56—61.

[2] A pair of orthogonal Steiner systems S(3, 7, 17), Discrete Math, **31**(1980), 111—113.

[3] A construction for orthogonal Steiner triple systems. ARS Combinatoria, **9**(1980), 253—262.

[4] Construction of Howell designs with subdesgns. ARS Combinatoria, **11**(1981), 235 — 238.

[5] Affinely totality variant subsets of $V_3(GF(3))$. Discrete Math, **34**(1981), 95—99.

[6] A Short disproof of Euler's conjecture concerning orthogonal Latin squares. ARS Combinatoria, **14**(1982), 47—55.

[7] Three pairwise orthogonal diagonal Latin squares, Research Report CORR 83-43. Faculty of Math, Univ of Waterloo, 1983.

[8] Pairwise orthogonal Latin squares with orthogonal small subsquares, Research Report CORR 83-19. Faculty of Math, Univ of Waterloo, 1983.

[9] Orthogonal diagonal Latin squares of order fourteen. J Austral Math Soc,(A), **36**(1984), 1—3.

[10] Six pairwise orthogonal Latin squares of order 69. J Austral Math Soc, (A), **37**(1984), 315—321.

[11] Orthogonal Latin squares with subsquares. Discrete Math, **48**(1984), 315—321.

[12] Some results on orthogonal Latin squares with orthogonal subsquares. Utilitas Mathematica. 25(1984), 241—248.

[13] A few more self-orthogonal Latin squares with symmetric orthogonal mates. Congressus Numerantium, **42**(1984), 313—320.

[14] Existence for holey solssoms of type 2^n. Congressus Mumerantium **45**(1984), 295—304.

朱烈，冯克勤

[1] 一类 3-设计$(\lambda m; 3, 2m, 2^n)$的构作. 科学通报，21(1976)，476—478.

符　号　表

(以出现先后为序)

Z:	1.1	$e^{d(z)(m,\ A)t}$	7.1
N:	1.1	p_n	8.1
N^0	1.1	$p(t)$	8.1
$[m,\ n]$	1.1	$p_n^{\left(\overset{\circ}{B}\right)}$	8.1
$\lvert A\rvert$	1.1		
$P_r^{\,n}$	1.2	$p^{\left(\overset{\circ}{B}\right)}(t)$	8.1
$C_r^{\,n}$	1.2	$p_{n,(\leqslant k)}$	8.1
$U_r^{\,n}$	1.2	$p_{(\leqslant k)}(t)$	8.1
P_r^n	1.2	$p_n^{(k)}$	8.1
C_r^n	1.2	$p^{(k)}(t)$	8.1
$F_r^{\,n}$	1.2	$p_n^{(o)}$	8.1
F_r^n	1.2	$p^{(o)}(t)$	8.1
U_r^n	1.2	p_n^e	8.1
$r\,!$	1.2	$p^e(t)$	8.1
$(n)_r$	1.2	$p_n^{(\neq)}$	8.1
$\begin{pmatrix} n \\ r \end{pmatrix}$	1.2	$p^{(\neq)}(t)$	8.1
		$p_n^{(\leqslant k,\neq)}$	8.1
$(x)_r$	1.3	$p^{(\leqslant k,\neq)}(t)$	8.1
Δ	1.4	$p_{n,(\leqslant k)}^{(o)}$	8.1
E	1.4	$p_{(\leqslant k)}^{(o)}(t)$	8.1
$\mu(n)$	3.4		
$*$	3.5	$(c_1,c_2)\mathrm{pcr}\ 2_n$	8.6
$\delta(x,\ y)$	3.5	$(c_1,c_2,c_3)\mathrm{pcr}\ 3_n$	8.6
$\zeta(x,\ y)$	3.5	per_k	9.2
$\mu(x,\ y)$	3.5	$\mathrm{per}_\perp$	9.2
per	5.2	$\mathrm{per}_{\text{全}}$	9.2
$\Re(R,S)$	5.4	$\vee$	9.5
$\mathfrak{S}\,k_1, k_2, \cdots, k_m$	6.1	BIB	11.3
$d_n^{(Z)}(m,\ A)$	7.1	BIBD	11.3
$d^{(Z)}(t;\ m,\ A)$	7.1		

名 词 索 引

(说明：第一部分为数字开头者，以数字的值为序；第二部分为外文字母开头者，以字汇排法为序；第三部分为中文字母开头者，以汉语拼音为序。一词条的子词条的顺序仿此.)

《现代数学基础丛书》已出版书目